2024
Manual para proclamadores de la palabra®

Mila A. Díaz

Gabriel Fierro

Raúl Lugo

Raúl Duarte

LTP
RECURSOS
CATÓLICOS
EN ESPAÑOL

ÍNDICE

Las lecturas bíblicas han sido aprobadas por el Departamento de Comunicaciones de USCCB, y proceden del *Leccionario I* © 1976 Comisión Episcopal de Pastoral Litúrgica de la Conferencia del Episcopado Mexicano; *Leccionario II* © 1987 Comisión Episcopal de Pastoral Litúrgica de la Conferencia del Episcopado Mexicano; *Leccionario III* © 1993 Comisión Episcopal de Pastoral Litúrgica de la Conferencia del Episcopado Mexicano. Todos los derechos reservados.

MANUAL PARA PROCLAMADORES DE LA PALABRA® 2024 © 2023. Todos los derechos reservados.

Arquidiócesis de Chicago
Liturgy Training Publications
3949 South Racine Avenue,
Chicago, IL 60609;
800-933-1800;
fax: 800-933-7094;
email: orders@ltp.org.

Visítanos en www.ltp.org.

Edición: Ricardo López
Cuidado de la edición:
Víctor R. Pérez;
Tipografía: Juan Alberto Castillo
Diseño: Anna Manhart
Portada: Barbara Simcoe

Impreso en los Estados Unidos de América

ISBN: 978-1-61671-703-2

MP24

Tiempo Pascual

Tiempo Ordinario

Nihil Obstat
Diácono Deacon David Keene, PhD
Canciller
Arquidiócesis de Chicago
4 de abril de 2023

Imprimatur
Obispo Auxiliar Robert G. Casey
Vicario General
Arquidiócesis de Chicago
4 de abril de 2023

El *Nihil Obstat* e *Imprimatur* son declaraciones oficiales de que un libro es libre de errores doctrinales y morales. No existe ninguna implicación en estas declaraciones de que quienes han concedido el *Nihil Obstat* e *Imprimatur* estén de acuerdo con el contenido, opiniones o declaraciones expresas. Tampoco ellos asumen alguna responsabilidad legal asociada con la publicación.

Mila A. Díaz Solano, OP, es biblista nacida en Perú; luego de estudiar en CTU de Chicago, obtuvo su doctorado de la EBAF de Jerusalén; se enfoca en la formación bíblica de laicos, seminaristas y religiosos en EE. UU. Su experiencia pastoral es rica y amplia. Vive en Springfield, IL. Ella escribió comentarios y notas al margen de Cuaresma, Semana Santa y Triduo Pascual.

Gabriel Fierro es conferencista y docente. Obtuvo su doctorado en Teología con especialidad en Biblia en la Universidad Pontificia de México. De su pluma es la introducción, comentarios y notas de Adviento y Navidad.

Raúl H. Lugo Rodríguez es un reconocido biblista latinoamericano, fructífero escritor, conferencista, maestro y párroco de la Arquidiócesis de Mérida, Yucatán. A él debemos comentarios y notas de las semanas XX al XXXIV del Tiempo Ordinario.

Raúl Duarte Castillo es sacerdote de Zamora, Michoacán, prolífico biblista y rector de la UVQ de Uruapan, Michoacán. Detenta un doctorado *honoris causa* por la Universidad Pontificia de México. Escribió comentarios y notas de las Semanas II a XIX del Tiempo Ordinario y del Tiempo Pascual.

INTRODUCCIÓN

Estimadas lectoras, lectores, celebrantes y enamorados de la Palabra de Dios, bienvenidos a este recorrido de un año en el que seguiremos al Hijo de Dios, guiados por el Espíritu Santo, hacia la plenitud del Padre. Durante este año litúrgico celebraremos juntos los misterios, milagros, parábolas, discursos y acontecimientos más relevantes de la vida del israelita Jesús de Nazaret. Junto con ello, profundizaremos en nuestra fe al conmemorar las solemnidades principales de la doctrina de la fe cristiana-católica. En el camino hacia el Padre, recordaremos la mediación y el ejemplo de santos y santas relevantes en la historia de la Iglesia, principalmente de la Virgen María, Madre de Dios. Será un año apasionante, con grandes retos y posibilidades, donde las Sagradas Escrituras proclamadas en el contexto litúrgico, de la tradición y de la fe nos alentarán en los momentos difíciles de nuestro andar histórico, nos orientarán en tiempos de extravío y nos instruirán con energía, pero con paciencia.

No haremos la ruta solos. Es un recorrido personal, pero no individual. Somos parte de un gran pueblo que llamamos Iglesia. En comunión con todos los miembros de esta Iglesia católica celebramos la fe cada domingo, día del Señor, además de las fiestas y solemnidades más importantes del año. Pero con nosotros caminan también nuestros antecesores en la fe: mujeres y varones del pueblo israelita que a lo largo de muchos siglos han comunicado su experiencia de Dios en sus oraciones, sus fiestas, sus tradiciones y su Escritura. Y en este caminar se unen en cada celebración, formando parte de la asamblea participante, los santos y santas de la Iglesia celestial. La comunidad cristiana que proclama la Palabra de Dios en cada Eucaristía vive de la memoria del pasado que actualiza en el presente y la motiva para marchar hacia el futuro, la consumación final y plena de la creación.

Año litúrgico: la memoria viva de un pueblo

Los estudios recientes de las humanidades y las ciencias sociales han distinguido teóricamente entre historia y memoria. La historia se hace desde "fuera" de la sociedad estudiada, a cierta distancia temporal, con un desapego de los protagonistas de los sucesos y con un intento por lograr, en la medida de los posible, un objetivismo científico. En cambio, la memoria suele narrarse desde "dentro" de la comunidad, platicando y entrevistando a los testigos de los acontecimientos históricos, creando empatía con sus protagonistas. La memoria es subjetiva; no intenta distanciarse del pasado, sino traer el pasado al presente para proyectar un futuro. Por eso, en la memoria de los individuos, de las comunidades y de los pueblos, las distinciones temporales entre pasado, presente y futuro se diluyen. El pasado nunca está en el pasado. Los acontecimientos de antaño se narran, se viven y se padecen como si estuvieran ocurriendo en el momento mismo de su enunciación.

El año litúrgico que va del mes de diciembre del 2023 al mes de noviembre de 2024 agrupa la memoria colectiva del pueblo de Dios. Las lecturas seleccionadas de la Biblia para sus celebraciones litúrgicas, de manera especial para los domingos y fiestas de guardar, tienen la intención de traer del pasado al presente las acciones salvíficas significativas del pueblo hebreo y del pueblo cristiano. La palabra de Dios proclamada dentro de la asamblea litúrgica *no* recuerda lo acontecido en el pasado, sino que lo *con-memora*, es decir, revive el pasado en la memoria actual de la Iglesia, motivándola en su peregrinar hacia la parusía del Señor. Desde el primer domingo del Adviento hasta la solemnidad de Cristo Rey, las y los proclamadores de la palabra tienen la maravillosa oportunidad de convertirse en emprendedores de la memoria. Con toda su presencia, pero especialmente con su voz o lenguaje de señas cumplen la indispensable misión de revivir la historia de la salvación comenzada hace tres milenios y abierta ahora hasta su consumación.

La Palabra proclamada en la asamblea litúrgica no sólo recuerda lo acontecido en el pasado, sino que lo *con-memora* en el presente.

El Adviento abre el año litúrgico y es el mejor ejemplo de cómo el pasado, el presente y el futuro se relacionan y mezclan en la memoria litúrgica del pueblo de Dios. Con las primeras lecturas tomadas de algunos profetas, principalmente de Isaías, el Adviento nos remite hacia el pasado. Podemos hacer nuestras las profecías sobre la llegada de un Mesías enviado por el Señor para ir respondiendo a los anhelos de paz y justicia de un pueblo cansado por el desánimo, la opresión y la falta de guía certera. Personajes del Nuevo Testamento como Juan el Bautista y María de Nazaret nos muestran la actualización y cumplimiento de esas profecías. Las segundas lecturas extraídas en su mayoría de las cartas paulinas orientan nuestra mirada hacia el futuro con la espera de la Parusía. De esta manera, el Adviento con su color morado y su corona de velas nos invita a comenzar el año conmemorando el pasado, actualizando el presente y esperando el futuro.

El Adviento nos lleva hasta la Natividad del Señor, que celebramos con sus colores blancos y dorados, con sus pesebres y sus estrellas. Sus figuras nos son muy familiares; encontramos los rostros de nuestras tierras, los pastores, pero también los de forasteros y extraños, como los magos. Todos ellos encarnan un presente que busca en el pasado las señales del Mesías recién nacido, para después continuar con su vida cotidiana impulsados por la experiencia gozosa del encuentro redentor. En estas fechas, el cuarto evangelista, san Juan, es el que ilumina los acontecimientos más importantes de este tiempo haciéndonos contemplar al Verbo encarnado, Dios abrazándose a nuestra humanidad. Y en el centro de los relatos pintorescos encontramos a la Sagrada familia, resguardando la tradición de los antepasados y posibilitando el inicio de una misión que alcanzará la salvación futura para generaciones sin número y para la creación entera.

Después de las celebraciones de la Navidad nos comenzamos a introducir en el Tiempo Ordinario. Este tiempo litúrgico, el más extenso del año, comienza con la solemnidad del Bautismo del Señor, que este año cae en lunes. Como escucharemos en la lectura del evangelio, ese evento se anuda con los acontecimientos que han marcado la memoria de la salvación con dos eventos capitales: la creación y el éxodo. Elementos del relato como el agua, el viento, el cielo y la paloma son indicativos del inicio de una renovación de dimensión cósmica. Por lo mismo, desde el inicio del Tiempo Ordinario se nos invita a expandir nuestros horizontes con un espíritu de liberación, de todo aquello que nos oprime, especialmente el pecado y la maldad. Desde el ambón, los proclamadores pregonan esta realidad siempre vigente del pasado memorial de un pueblo que camina en estado de liberación siguiendo a Jesús, Palabra de Dios hecha carne, humano como nosotros (cf. Juan 1:14).

Los proclamadores pregonan las memorias del pueblo de Dios que camina en estado de liberación siguiendo a Jesús.

El paso del Tiempo Ordinario se pausa, como sucede en la vida de los creyentes, para rememorar el acontecimiento decisivo de la muerte y resurrección del Mesías. Es un evento casi incomprensible, traumático, en toda la línea. En toda memoria, individual o colectiva, los eventos traumáticos son los más complicados de procesar y traer al presente. Sin importar el tiempo transcurrido, siguen doliendo y han dejado allí su huella que se vuelve parte de un presente en desarrollo. Por eso son necesarios cuarenta días de preparación para revivir esos acontecimientos cargados de crudeza y padecimientos que tienen su clímax en la cruz y en la tumba con los despojos de la muerte. La vida ha triunfado. La proclamación litúrgica de los eventos salvíficos que hacemos en la Eucaristía nos dispone a todos, los y las creyentes, para percibir en la pasión y muerte del Mesías no la última palabra de la historia, sino el impulso de la acción más contundente y gloriosa del Señor de la vida.

Luego nos sumergimos en la cincuentena pascual que regenera la misión renovadora de la creación que el Mesías comenzó en su bautismo. Volvemos a encontrar símbolos como el agua, el viento, el cielo y el fuego para subrayar la consumación de la nueva creación en los sucesivos relatos de las apariciones del Resucitado. Con Pentecostés se reafirma la acción renovadora del Mesías a través de sus discípulos que utilizan los mismos signos con la fuerza del Evangelio. El cirio pascual da luz nueva: ilumina el caos y la confusión primordiales; es el fuego de Cristo que transforma la realidad e inaugura "los cielos nuevos y la tierra nueva" (cf. Apocalipsis 21:1). Y en este tiempo de gracia, de ardor y júbilo evangélicos, las y los proclamadores de la Palabra hacen brillar la llama de esperanza contenida en las páginas de nuestras Escrituras Sagradas, narrando o cantando las grandezas del pasado, la renovación del presente y la regeneración del futuro.

El Tiempo Ordinario da el cauce tras celebrar Pentecostés. Impulsados por el Espíritu, seguimos al Maestro y aprendemos a vivir de su propio caminar. Desde las inmediaciones del lago de Genesaret, subimos a las cumbres de los montes de Galilea y torneamos las colinas y barrancos del camino que lleva a la ciudad alta de Jerusalén (cf. Salmos 120–134). Abrigados por las noches de luna y convocados por la trompeta de los peregrinos, las y los proclamadores anuncian la sabiduría de los antepasados, historias cautivadoras, milagros insólitos, discursos contundentes y conversaciones apasionadas. De sus labios bebemos "palabras que son espíritu y vida" (cf. Juan 6:63), y nos llevan a confesar que Jesús es el Mesías de Dios y que está vivo (cf. Marcos 8:29; 16:6). En este año litúrgico, ciclo B, el evangelista san Marcos le dará voz a la historia de Cristo, aunque algunos domingos del verano escucharemos de san Juan las maravillas del Pan de vida verdadera.

El domingo: memoria de la resurrección

La vida cotidiana de las comunidades y sociedades es otro de los rubros que ha suscitado mucho interés en los recientes estudios de las humanidades y las ciencias. Pero la vida cotidiana se vuelve rutina cuando no existen días especiales que rompan la monotonía de lo ordinario. Es por eso que, desde sus inicios, la comunidad cristiana consagró el primer día de la semana para conmemorar la resurrección del Mesías, el mayor acontecimiento en la larga historia de la salvación. El domingo (día del Señor, cf. Apocalipsis 1:10) se constituyó como el día sagrado que otorgaba sentido al resto de la semana.

> El domingo, día del Señor, es el día inaugural que da sentido al resto de la semana.

Aquellos primeros cristianos recurrieron, nuevamente, a la memoria histórica del pueblo de la Biblia para reinventar esta tradición litúrgica del día consagrado al Señor. Desde el inicio de la trama bíblica, se narra cómo Dios creó todo en seis días y descansó al séptimo (Génesis 2:2). Este recuerdo

memorial fundamentó una ininterrumpida tradición que obligaba a todas y todos los integrantes de las comunidades de fe a descansar el séptimo día: el Sabbat o sábado (Éxodo 31:15). Este día de refrigerio, de descanso solemne —característico del tiempo mesiánico esperado— no sólo incumbía a los humanos, sino que aplicaba a toda la creación, incluidos los animales y la tierra (Levítico 25:4).

Cada semana, en el día dedicado al Señor, se actualizaba la memoria de un pueblo que, por ser esclavo en Egipto, no tenía oportunidad de descansar de sus duros trabajos. La santidad del sábado les mantenía la memoria viva de saberse llamados a la libertad (Deuteronomio 5:14–15). El día del Señor celebramos la libertad de cada ser humano, de todos los seres humanos. En efecto, el día de descanso de la semana es un privilegio que reafirma la vocación a la libertad de toda la creación, una forma de escabullirse de la rutina cotidiana, que puede ser asfixiante y esclavizante. Para los esclavos del dinero y las ganancias, un día de descanso puede representar un tiempo de pérdidas; pero, para los creyentes en el Dios de la libertad, el día de descanso es la ganancia de un día de restauración personal y de agradecimiento a la Fuente de toda bendición.

Jesús y sus discípulos fueron fieles observantes del descanso sabático. El Maestro de Nazaret solía acudir a la sinagoga en día de sábado para escuchar, meditar e interpretar la Palabra de Dios (Lucas 4:16). Le molestaba constatar cómo algunos guías religiosos del pueblo habían convertido ese día de júbilo, regeneración y meditación en una serie de cláusulas litúrgicas pesadas y normativas asfixiantes. Por eso enseñó a sus seguidores a ver en el sábado el día consagrado a la memoria de la acción liberadora de Dios y no una obligación de cumplimiento opresivo.

Pero la resurrección de Cristo aconteció en el primer día de la semana, no en el séptimo. Su resurrección inauguró una renovación total de la creación (Colosenses 1:15). Desde entonces, el primer día de la semana fue adoptado como el día consagrado a Dios por los que abrazaron la novedad. En ese nuevo día del Señor, el domingo, las comunidades cristianas originarias se reunían para celebrar la Eucaristía, ahondar en la Palabra de Dios y compartir los alimentos y la vida entera (Hechos 20:7). La Palabra de Dios nos ha sido transmitida de generación en generación a lo largo de los siglos en la Iglesia en asambleas congregadas domingo tras domingo. Ellas han percibido la fuerza incontenible de la liberación que Dios Padre llevó a cabo en la resurrección de su Hijo Jesús. Cada domingo quienes proclaman las lecturas bíblicas participan de ese dinamismo que libera de la muerte y congrega a los oyentes entre sí, ávidos de la Palabra que transforma y libera. Todo proclamador sabe que la vida nueva de la resurrección se proyecta día con día hasta la consumación plena y total (1 Tesalonicenses 4:16).

Las solemnidades: los días memorables del año

Con la ayuda de la teología bíblica distinguimos el tiempo que se expande ante nosotros. Hay un curso como ordinario o cotidiano, en el que gobiernan ciertos rituales o hábitos que día con día son repetidos de manera natural o inconsciente. Actividades como comer, asearse, trabajar o dormir forman parte de este tiempo cotidiano que los cristianos llamaban *kronos*. Los días comunes, el paso de las horas o el cambio de estaciones conformaban lo que podríamos llamar el tiempo terrenal. Las relaciones humanas transcurrían con toda su complejidad y belleza durante este tiempo cronológico.

Sin embargo, el curso de ese tiempo de ritualidades cotidianas se ve interrumpido de vez en vez por días muy especiales que, gracias a rituales más formales revestidos de solemnidad, actualizan acontecimientos del pasado guardados en la memoria comunitaria. Para el Antiguo Testamento, el tiempo oportuno o señalado (*'et*) servía para recordar que los grandes momentos de la historia del pueblo debían ser experimentados por cada uno de los israelitas descendientes de aquellas generaciones. Acontecimientos como el paso por el mar Rojo (Éxodo 14), el don y recepción de las tablas de la Ley (Éxodo 19–20) o la azarosa travesía por el desierto del Sinaí (cf. Josué 24) eran actualizados en días específicos apuntados en un calendario lunar. A estas fiestas de la memoria histórica se unían otros rituales solemnes de carácter nacional, donde juntos como un único pueblo podían pedir perdón, agradecer por la liberación o celebrar la presencia de Dios en el templo.

> Al celebrar, el pueblo de Dios pide perdón, agradece, alaba y celebra la presencia salvífica de Dios.

La característica principal de estos días solemnes es el protagonismo de Dios. El tiempo especial (*kairós*) reforzaba la memoria colectiva de un pueblo que fundamentaba su identidad en las acciones y prodigios que Dios había desplegado para con ellos en el largo proceso de su historia. Gracias a estas celebraciones solemnes o fiestas, el tiempo cotidiano adquiría un sentido distinto. Romper la monotonía de lo ordinario con distintas solemnidades distribuidas a lo largo del año dotaba de trascendencia al año completo.

Los cristianos, herederos de esta memoria histórica, continuaron la tradición de las grandes solemnidades del año, pero las actualizaron dotándoles un sentido cristocéntrico. Fiestas como la Pascua o Pentecostés las revestimos y rememoramos desde la plenitud de la revelación acontecida en Jesucristo. Otras solemnidades fueron creadas para mantener viva la memoria de los dogmas proclamados por el magisterio de la Iglesia a través de siglos de Tradición. Definiciones magisteriales surgidas de concilios o declaraciones papales fueron dando origen a fiestas litúrgicas como las de María, Madre de Dios, la encarnación del Verbo, la Santísima Trinidad, la Asunción de María o su Inmaculada Concepción.

Todas estas solemnidades o fiestas de guardar son las que conservan la memoria de las maravillas y prodigios que Dios ha realizado en favor de su pueblo santo, el bíblico y el que se congrega como Cuerpo de Cristo, la Iglesia. Proclamar la Palabra de Dios en el contexto litúrgico de estas solemnidades adquiere, así, un matiz distinto. El proclamador o la proclamadora asumen un rol como de garantes de la memoria, sabiendo que el único y gran detonador de la memoria religiosa de la Iglesia es el Espíritu Santo, enviado por el Padre, en nombre de Jesucristo, para recordar el pasado y enseñar en el presente (cf. Juan 14:26).

El tiempo litúrgico: la memoria de la meta

El tiempo repetitivo provoca hastío. Terminar un día incoloro e ir a dormir sólo para comenzar otro día igual, sin cambio alguno, se vuelve desalentador. Cerrar un año sin la expectativa de comenzar uno nuevo de manera diferente es deprimente. Para evitar este círculo perverso, la teología bíblica considera nos ayuda a ver el tiempo como un camino que tiene un principio y un final distinto. El tiempo bíblico no se concibe como lo hacían los griegos o los cananeos, que consideraban el final de un camino como el retorno al punto de salida, sólo para volver a comenzar una vez más. El Dios del pueblo de Israel no es el dios de los cananeos que nacía en la primavera y moría en el invierno en un eterno retorno.

El tiempo bíblico, por el contrario, es el itinerario de Abraham que deja su tierra natal para morir en una tierra distinta y con un porvenir promisorio para su descendencia. El tiempo bíblico es el del pequeño Moisés recogido de las aguas del río para terminar en la cima de un monte viendo la tierra prometida. El tiempo bíblico es el de los discípulos que acompañan a su maestro Jesús desde la ribera del lago de Galilea hasta la ciudad santa de Jerusalén. Durante este tiempo puede a ver algunos retrocesos, desviaciones o estancamientos, pero siempre hay un crecimiento, una enseñanza recibida o un objetivo alcanzado. Si se regresa al principio es sólo para comenzar un camino nuevo.

Después de la resurrección, Cristo dio la instrucción a sus discípulos de que fueran a Galilea (cf. Marcos 16:7). Los envió al lugar donde todo comenzó, donde conocieron por primera vez al sabio profeta de Nazaret. Pero no es un retorno para recorrer el mismo camino, al contrario, es un viaje al inicio para emprender un itinerario distinto que los llevará a Samaria y hasta los confines del mundo (Hechos 1:8). El tiempo de los cristianos de ninguna manera es repetitivo. Se puede recorrer el mismo trayecto o visitar los mismos lugares, pero la misión y la experiencia siempre serán novedosas.

De la misma manera, el tiempo litúrgico, que cada tres años retoma la misma selección de lecturas bíblicas para la misa y cada año celebra las mismas solemnidades, no puede ser vivido de manera repetitiva. Si aceptamos que la Palabra de Dios es siempre viva y actual, entonces concedemos también que año tras año los tiempos litúrgicos tienen mensajes siempre nuevos. Los proclamadores y proclamadoras de la Palabra desempeñan su ministerio con la convicción de estar colaborando en la conservación, transmisión y actualización de la memoria viva de la Iglesia; una memoria que siempre tendrá un mensaje novedoso y bueno para hombres y mujeres de todas las generaciones.

La Palabra de Dios que transforma la vida del discípulo de Cristo la hace Buena Noticia para el mundo.

Este manual que ahora tiene usted entre sus manos y ante sus ojos ofrece algunas herramientas útiles para la mejor proclamación de la Palabra de Dios en medio de la asamblea litúrgica. También contiene comentarios redactados por especialistas en el estudio bíblico que le ayudarán a comprender mejor el sentido original de los textos y algunas pistas de actualización. Estas páginas son el resultado de un trabajo arduo, pero cariñoso, de muchas personas que buscan que la Palabra de Dios sea mejor proclamada, escuchada, explicada e interpretada en el seno de la Iglesia. Pero esta ayuda sólo será eficaz en la medida en que cada proclamador o proclamadora interiorice en su propia persona la palabra a proclamar.

I DOMINGO DE ADVIENTO

El Adviento invita a mirar lo que viene:
Dios sale al encuentro de su pueblo.
Es tiempo de esperanza y regocijo;
haz que se noten en tu proclamación.

Aunque el verbo está en imperativo,
es un ruego.

Nota el cambio de tono. Comienza una
remembranza nostálgica

I LECTURA   Isaías 63:16b–17, 19b; 64:2–7

Lectura del libro del profeta Isaías

Tú, Señor, eres nuestro **padre** y nuestro **redentor**;
　　ése es tu nombre desde **siempre**.
¿Por qué, Señor, nos has permitido **alejarnos** de tus mandamientos
　　y dejas **endurecer** nuestro corazón
　　hasta el punto de no temerte?
Vuélvete, por amor a tus siervos,
　　a las tribus **que son tu heredad**.
Ojalá rasgaras los cielos y bajaras,
　　estremeciendo las montañas con tu presencia.

Descendiste y los montes **se estremecieron** con tu presencia.
Jamás se oyó decir, ni **nadie** vio jamás
　　que otro Dios, fuera de ti,
　　hiciera tales cosas en favor **de los que esperan** en él.
Tú sales al encuentro
　　del que practica **alegremente** la justicia
　　y **no pierde de vista** tus mandamientos.

Estabas **airado** porque **nosotros** pecábamos
　　y te éramos **siempre rebeldes**.
Todos éramos **impuros**
　　y nuestra justicia era como trapo **asqueroso**;
　　todos estábamos **marchitos,** como las hojas,
　　y nuestras culpas nos **arrebataban,** como el viento.

I LECTURA　El inicio de un nuevo año da la oportunidad de renovar la esperanza. Para el pueblo de Israel, la primera luna llena de la primavera marcaba el inicio del nuevo año.

Después del exilio a Babilonia, se incorporó la fiesta de las trompetas como el inicio de nuevo ciclo litúrgico. La liturgia católica comienza su año con este primer domingo del adviento, preparando la venida del Hijo de Dios encarnado para renovar la creación entera. Las lecturas de este tiempo, entonces, iluminarán la nueva creación obrada por la Trinidad.

El poema de esta lectura abre con dos advocaciones a Dios: padre (*'ab*) y redentor (*go'el*). En hebreo, la palabra *padre* está formada por las dos primeras letras del alefato: *alef* y *bet*. El padre es el origen de todo, el principio (*alef*) de la casa (*bet*, significa casa). El redentor, por su parte, era el que salía al rescate de un pariente en peligro o desamparo. Ambos términos remiten a la obra de la creación, cuando Dios puso orden en el principio (cf. Génesis 1:1) y rescató a unas tribus de esclavos formando un nuevo pueblo (cf. Deuteronomio 13:5). Esas acciones revelan el nombre de Dios, como lo dio a conocer a Moisés desde la zarza (cf. Éxodo 3:14).

A partir de la segunda estrofa comienza una remembranza de las acciones que hizo Dios por su pueblo. La creación (cielos y montañas) es testigo de esos beneficios que, sin embargo, el pueblo desestimó. El contraste entre el Dios que desciende a los montes y nadie que se levantaba hace más dramática la situación de aparente lejanía.

Nadie invocaba tu nombre,
    nadie se levantaba para **refugiarse en ti**,
    porque nos **ocultabas** tu rostro
    y nos dejabas a merced de **nuestras** culpas.
Sin embargo, Señor, tú eres nuestro **padre**;
    nosotros somos el barro **y tú** el alfarero;
    todos somos hechura de tus manos.

La frase final reafirma una gran confianza que se debe reflejar al recitarla.

Para meditar

SALMO RESPONSORIAL   Salmo 79:2ac, 3b, 15–16, 18–19

R. Señor, Dios nuestro, restáuranos, que brille tu rostro y nos salve.

Pastor de Israel, escucha,
    tú que te sientas sobre querubines,
      resplandece.
Despierta tu poder y ven a salvarnos. **R.**

Dios de los ejércitos, vuélvete:
    mira desde el cielo, fíjate,
    ven a visitar tu viña,
    la cepa que tu diestra plantó
      y que tú hiciste vigorosa. **R.**

Que tu mano proteja a tu escogido,
    al hombre que tú fortaleciste,
    no nos alejaremos de ti:
    danos vida para que invoquemos
      tu nombre. **R.**

II LECTURA   1 Corintios 1:3–9

Lectura de la primera carta del apóstol san Pablo a los corintios

Hermanos:
Les deseamos **la gracia y la paz** de parte de Dios,
    nuestro Padre, y de **Cristo Jesús,** el Señor.

Continuamente **agradezco** a mi Dios
    los **dones divinos** que les ha concedido a ustedes
      por medio de **Cristo Jesús**,
    ya que por él los ha enriquecido **con abundancia**
    en **todo** lo que se refiere a la palabra y al conocimiento;
    porque el **testimonio** que damos de Cristo
    ha sido **confirmado** en ustedes a tal grado,

Recuerda hacer el saludo con genuina cordialidad.

El agradecimiento es sentido y no mera formalidad; nada de fingimiento.

Pero el poema termina con un sesgo de esperanza, al repetir que Dios es padre, añadiendo el apelativo de alfarero.

II LECTURA Esta lectura hace memoria de los beneficios divinos recibidos por los cristianos, que son ahora el nuevo pueblo de Dios, que recibe los dones a través de Jesucristo. Para dar una idea de totalidad, san Pablo recurre a los paralelismos. El primero, gracia y paz, refleja un binomio: complacencia (hallar *gracia* a los ojos de alguien) y armonía en todas las relaciones.

El segundo paralelismo, palabra y conocimiento, alude a la forma en que Dios realizó su creación. En hebreo, la palabra (*dabar*) implica tanto del deseo del corazón como la realización de ese deseo. Dios crea desde su intención, pronunciación y realización. Y el resultado de esta obra es la paz, una armonía de toda la creación donde conviven todos los seres sin violencia.

Manifestación y advenimiento cierran esta lectura. La *manifestación* (apocalipsis) nos lleva de la memoria del pasado a la espera del futuro.

Podemos ver que san Pablo hace la transición, en esta primera liturgia de Adviento, de la memoria del pasado a la esperanza del futuro; del recuerdo nostálgico de la primera creación a la animación de la espera por la segunda recreación. Esta dinámica nos impulsa a reconocer la plenitud de gracias que Dios nos otorga y a mantenernos cultivando nuestra unión con él.

EVANGELIO El Evangelio según san Marcos, muy probablemente el primero en ser redactado, terminó de escribirse en un ambiente de hostigamiento

que no carecen de **ningún don,** ustedes,
los que esperan **la manifestación** de nuestro Señor Jesucristo.
Él los hará permanecer **irreprochables** hasta el fin,
hasta el día de su **advenimiento.**
Dios es quien **los ha llamado** a la unión con su Hijo Jesucristo,
y Dios **es fiel.**

EVANGELIO　Marcos 13:33–37

Lectura del santo Evangelio según san Marcos

En aquel tiempo, Jesús dijo a sus discípulos:
"Velen y **estén preparados,**
porque **no saben** cuándo llegará el momento.
Así como un hombre que **se va de viaje,**
deja su casa y encomienda a cada quien **lo que debe hacer**
y encarga al portero que **esté velando,**
así también **velen** ustedes,
pues **no saben** a qué hora va a regresar el dueño de la casa:
si al anochecer, a la medianoche, al canto del gallo
o **a la madrugada**.
No vaya a suceder que **llegue de repente** y los halle durmiendo.
Lo que les digo a ustedes, lo digo **para todos:** permanezcan **alerta**".

Enfatiza los verbos en imperativo del párrafo, suavizando la breve comparación del viajero.

y persecución, por lo que las deserciones en la fe eran una amenaza real para las comunidades. Por esta razón la actitud de la vigilancia (estar alerta) era crucial.

Narrativamente, esta lectura concluye el capítulo 13, conocido como el capítulo apocalíptico de este evangelio, que trata sobre la segunda venida del Mesías. En este contexto, velar (*blepo*, mirar fijamente) y estar preparados (*agrypneo*, sin dormir) implican la actitud literal de vigilar sin pegar ojo, como solemos decir.

En su sentido más espiritual, estar sin dormir remite a las grandes acciones de la historia de la salvación. De madrugada Abrahán hospedó a los mensajeros de Dios (Génesis 19:2) y mostró su fe y obediencia en el monte Moria (Génesis 22:3). También de madrugada Moisés demostró el poder de Dios al faraón (Éxodo 9:13) para sacar al pueblo hebreo de Egipto, después del paso del ángel exterminador por la noche.

Estar en vela (sin dormir) implica, teológicamente, vivir atentos y aguardando la gran manifestación de Dios en favor de su pueblo. En las palabras de Jesús, estar alerta por el regreso del dueño de la casa, es decir, de la creación entera, no debe ocasionar miedo, sino una espera entusiasta. Se espera al señor (*kyrios*) de la casa con el mismo gusto que los hijos e hijas esperan a su providente papá después de un viaje. Los creyentes no esperan con temor la segunda venida de su Mesías-Señor, sino que la ansían con alegría y esperanza, hasta el extremo de solicitarle en cada celebración: ¡Ven Señor Jesús!

INMACULADA CONCEPCIÓN DE LA BIENAVENTURADA VIRGEN MARÍA

Aprópiate de la solemnidad de las palabras, pero sin presunción ni pedantería.

A comparación de la voz fuerte de Dios, la respuesta de Adán tendría un acento más titubeante.

I LECTURA   Génesis 3:9–15, 20

Lectura del libro del Génesis

Después de que el hombre y la mujer
    comieron del fruto del árbol **prohibido**,
    el Señor Dios **llamó** al hombre y le preguntó:
    "¿Dónde estás?"
Éste le respondió:
    "**Oí** tus pasos en el jardín; y **tuve miedo**,
    porque estoy **desnudo**, y me **escondí**".
Entonces le dijo Dios:
    "¿Y **quién** te ha dicho que estabas **desnudo**?
    ¡**Has comido** acaso del árbol del que te **prohibí** comer?"
Respondió **Adán**:
    "**La mujer** que **me diste** por compañera
    me **ofreció** del fruto del árbol **y comí**".
El Señor Dios dijo a **la mujer**: "¿**Por qué** has hecho esto?"
Repuso la mujer: "La serpiente **me engañó** y comí".

Entonces dijo el Señor Dios a la serpiente:
    "Porque has hecho **esto**,
serás **maldita** entre **todos** los animales
    y entre **todas** las bestias salvajes.
Te **arrastrarás** sobre tu vientre **y comerás polvo**
    todos los días de tu vida.

I LECTURA Cada año, en esta fecha decembrina, conmemoramos la solemnidad de la Inmaculada Concepción de María. La liturgia de la Palabra está orientada a iluminar este misterio que celebramos con fe. La primera lectura cuenta la desobediencia del género humano, lo que conocemos como el "pecado original". A pesar de esa rebeldía, Dios sigue llamando a la humanidad (*ha-adam*) con una sola palabra, en hebreo, que a nada sabe a reproche, sino a un interés genuino en entablar una conversación.

La pregunta "¿Dónde estás?" es la misma que hará Jesús respecto a su amigo Lázaro (Juan 11:34) o la de María Magdalena cuando busca sin encontrar el cuerpo de Jesús (Juan 20:13), o, en el caso de María, la madre de Dios, nos recuerda su angustia por su hijo perdido en el templo (Lucas 2). En otras palabras, la pregunta es la de alguien que busca a un ser amado que se le ha perdido. Por eso la respuesta de Adán es desconcertante. Rehúye la conversación y se da cuenta de su desnudez. Estar desnudo, cuando no hay perversión, es una forma de comunión con la tierra, una memoria del

lugar donde procedemos (Job 1:21). Hasta los profetas se desnudaban al entrar en trance (1 Samuel 19:24). Por el contrario, ante una conciencia viciada, la desnudez es causa de vergüenza y de burla, incluso de castigo denigrante (cf. Isaías 20:4).

María, en contraste, tiene un alma limpia, una conciencia intachable que no se esconde ante el llamado de Dios por voz de su ángel. Ella no se oculta, ni baja la mirada, ni se avergüenza. Ella responderá de manera positiva a la invitación de Dios para ser la madre de su Hijo.

Pondré **enemistad** entre ti y la mujer,
    entre tu descendencia y **la suya**;
    y su descendencia **te aplastará** la cabeza,
    mientras tú **tratarás** de morder su talón".

El hombre le puso a su mujer el nombre de "**Eva**",
    porque ella fue la madre de **todos** los vivientes.

Para meditar

SALMO RESPONSORIAL   Salmo 97:1, 2–3ab, 3cd–4

R. Canten al Señor un cántico nuevo, porque ha hecho maravillas.

Canten al Señor un cántico nuevo,
    porque ha hecho maravillas:
    su diestra le ha dado la victoria,
    su santo brazo. **R.**

El Señor da a conocer su victoria;
    revela a las naciones su justicia:
    se acordó de su misericordia y su fidelidad
    en favor de la casa de Israel. **R.**

Los confines de la tierra han contemplado
    la victoria de nuestro Dios.
Aclama al Señor, tierra entera,
    griten, vitoreen, toquen. **R.**

II LECTURA   Efesios 1:3–6, 11–12

Lectura de la carta del apóstol san Pablo a los efesios

Bendito sea Dios, **Padre** de nuestro Señor **Jesucristo**,
    que nos ha bendecido **en él**
    con **toda** clase de bienes espirituales y celestiales.
Él nos **eligió** en Cristo, **antes** de crear el mundo,
    para que fuéramos **santos**
    e **irreprochables** a sus ojos, por **el amor**,
    y **determinó**, porque **así** lo quiso,
    que, por medio de Jesucristo, **fuéramos** sus hijos,
    para que **alabemos y glorifiquemos** la gracia
    con que nos **ha favorecido** por medio de su Hijo amado.

El talante litúrgico de este himno invita lectores a respetar la cadencia rítmica en cada verso

---

Eva, por el contrario, no respondió de manera muy favorable. En vez de aceptar su responsabilidad, decidió culpar a la serpiente de su desobediencia, como antes lo hiciera Adán con ella. La consecuencia fue la enemistad entre la madre de los vivientes (humanidad) y la madre de los depredadores (animales). Será la llegada del Mesías la que ponga fin a esta enemistad, permitiendo que el niño pueda jugar nuevamente con la serpiente (cf. Isaías 11:8).

Hoy celebramos que la respuesta de María hizo posible la redención del género humano y de la creación entera, cuando abrió su vientre al Verbo de Dios.

[II LECTURA] El himno litúrgico que hoy se proclama como segunda lectura nos habla sobre la elección de amor de Dios por sus hijos. Esta elección se da *antes* de la creación, lo que permite interpretar que la Palabra (*dabar*) de Dios implica el largo proceso desde la intención y diseño en el corazón de Dios hasta su ejecución y consumación en la obra creada. Y esta Palabra, en la plenitud de los tiempos, se hizo Carne en el seno de la Virgen María.

La Inmaculada Concepción nos recuerda que ella, la Virgen María, ha sido contemplada para formar parte del plan- ejecución (*dabar*) de redención humana y cósmica. Con su asentimiento para ser la madre del Redentor, María ha hecho posible la bendición y sus beneficios para todos los seres vivos. Su inmaculada concepción no sólo es un privilegio, sino también el modo como Dios se compromete a llevar a cabo su plan salvífico, en el que ella supo asumir con amor y responsabilidad su parte.

Así, la Virgen María se convirtió en el prototipo de todo creyente, en el paradigma

Con Cristo somos **herederos** también nosotros.
Para **esto** estábamos destinados,
    por **decisión** del que lo hace todo **según** su voluntad:
    para que **fuéramos** una alabanza **continua** de su gloria,
    nosotros, los que ya antes **esperábamos** en Cristo.

EVANGELIO   Lucas 1:26–38

Lectura del santo Evangelio según san Lucas

Este es el preámbulo narrativo. La cadencia de lectura debe ser tranquila.

En aquel tiempo,
    el **ángel** Gabriel fue enviado por Dios
    a una ciudad de Galilea, llamada **Nazaret**,
    a una **virgen** desposada con un varón de la estirpe de David,
    llamado **José.** La virgen se llamaba **María.**

Entró el ángel a donde ella estaba y le dijo:
    "**Alégrate**, **llena** de gracia, el Señor **está** contigo".
Al oír **estas** palabras,
    ella se preocupó **mucho**
    y se preguntaba **qué querría decir** semejante saludo.

Imagina cómo deben sonar las palabras del ángel para transmitir confianza a María.

El ángel le dijo:
    "**No temas**, María, porque **has hallado** gracia ante Dios.
    Vas **a concebir** y a dar a luz **un hijo**
    y le pondrás por nombre **Jesús.**
Él será **grande** y será llamado **Hijo** del Altísimo;
    el Señor Dios le dará el trono de David, **su padre**,
    y él **reinará** sobre la casa de Jacob **por los siglos**
    y su reinado **no tendrá fin**".

---

de todo hijo de Dios. Lo que san Pablo anota como características escatológicas de todo creyente de Jesucristo, María lo vive desde su presente. Si de alguna persona humana se puede decir que sea irreprochable a los ojos de Dios, es de María. Como ella, descubramos el papel que nos toca en el orden de la salvación y abramos nuestro espíritu a la Palabra redentora.

EVANGELIO Debido a la solemnidad de esta fecha, la lectura del evangelio se toma de san Lucas, quien nos cuenta el evento de la Anunciación del ángel a María Virgen. La escena guarda ciertas similitudes con otros relatos de anunciación de nacimientos en el Antiguo Testamento, como el de Sansón, el *nazir* de los jueces de Israel (cf. Jueces 13). Incluso podemos ver la anunciación que el ángel hizo a Zacarías sobre el nacimiento de su hijo, Juan el Bautista, en ese díptico que forma san Lucas con los dos relatos.

El contraste es fácil de captar: Zacarías es un sacerdote; se encuentra en el recinto sagrado del templo; pero al final duda de la obra que Dios está emprendiendo (cf. Lucas 1). María, además de ser mujer, es laica; vive en una región norteña marginal; se encuentra en su casa; pero responde afirmativamente a la invitación del ángel.

El saludo del ángel rebosa en bondades hacia María. Además de la su belleza física, miró en ella una belleza interior que le hizo exclamar: "llena de gracia". Esta palabra griega (*kejaritomene*) es usada por el sabio del Eclesiástico para hablar del *hombre* "caritativo", es decir, lleno de amor. Para san Lucas, María es la *mujer* llena de amor.

Por esta plenitud de amor, María encuentra gracias ante Dios. "Hallar gracia a los ojos de alguien" es una expresión muy

El diálogo debe sonar muy natural.
No engoles ni empastes la voz.

Dale a la respuesta de María una cadencia
suave; no la alargues. Haz una pausa de dos
tiempos antes de la última frase.

María le dijo entonces al ángel:
"**¿Cómo** podrá ser esto, puesto que yo **permanezco virgen**?"
El ángel le contestó:
"El Espíritu Santo **descenderá** sobre ti
y el **poder** del Altísimo te cubrirá con su sombra.
Por eso, **el Santo**, que va a nacer **de ti**,
será llamado **Hijo de Dios.**
Ahí tienes a tu parienta **Isabel**,
que a pesar **de su vejez**, **ha concebido** un hijo
y ya va en el **sexto** mes la que llamaban **estéril**,
porque no hay **nada imposible** para Dios".
María contestó:
"**Yo soy** la esclava del Señor;
cúmplase en mí lo que me has dicho".
Y el ángel **se retiró** de su presencia.

característica de la cultura del Medio Oriente, dando a entender que se tiene una muy buena opinión de la persona, como Noé ante el Señor (Génesis 6:8), José ante el faraón (Génesis 50:4) o David ante el sacerdote Sadoc (2 Samuel 15:25). Estos ejemplos nos muestran que se "halla gracia ante" alguien que no está en el mismo nivel, sino en un estrato superior. María ha encontrado gracia ante Dios, pero no se siente humillada ante él, antes bien, se siente engrandecida por él, como lo canta en el Magníficat.

La confianza brindada por el ángel y el engrandecimiento que siente María la ani-

man a inquirir por los modos de Dios: "¿Cómo será esto posible?". No es una pregunta de incredulidad; es una pregunta que invita a Dios a actuar favorablemente, como las preguntas del profeta Habacuc en sus primeros versos.

Por la inocencia de la pregunta de María es que el ángel también responde con transparencia. Será obra del Espíritu Santo, el Altísimo "la cubrirá con su sombra". Desde el AT, la "sombra protectora" de Dios (Números 14:9) incluye no sólo protección, sino también bendición, ayuda, acompañamiento. Este sentimiento de cobijo y res-

guardo nos debe contagiar al cantar las maravillas de nuestro Dios.

II DOMINGO DE ADVIENTO

I LECTURA   Isaías 40:1–5, 9–11

Lectura del libro del profeta Isaías

"**Consuelen,** consuelen a mi pueblo,
    dice nuestro Dios.
Hablen **al corazón** de Jerusalén
    y díganle a gritos **que ya terminó** el tiempo de su servidumbre
    y que **ya ha satisfecho** por sus iniquidades,
    porque ya ha recibido de manos del Señor
    castigo doble por todos sus pecados".

Una voz clama:
    "**Preparen** el camino del Señor en el desierto,
    construyan en el páramo
    una calzada para nuestro Dios.
Que todo valle **se eleve,**
    que **todo monte** y colina se rebajen;
    que lo torcido **se enderece** y lo escabroso se allane.
Entonces **se revelará** la gloria del Señor
    y todos los hombres la verán".
Así ha hablado la boca del **Señor**.

Sube a lo alto del monte,
    mensajero de **buenas nuevas** para Sión;
    alza **con fuerza** la voz,
    tú que anuncias noticias **alegres** a Jerusalén.

Procura iniciar con un volumen bajo, pero perfectamente audible.

A partir de esta línea eleva un poco más el volumen de la voz, no el tono.

Imprime entusiasmo a tu voz en estos versos.

Termina la lectura con voz más alegre que potente.

I LECTURA Esta lectura nos llega desde la segunda parte del gran libro de Isaías (Isaías 40–55). Descendientes de sacerdotes, nobles y comerciantes en el exilio en Babilonia se preguntaban si algún día podrían regresar a la tierra de sus antepasados. Es cierto que han podido conseguir un poco de prosperidad material, pero la nostalgia por el terruño, como en muchos migrantes, los hace clamar por un pronto retorno.

Dios responde a través del profeta que arranca su mensaje repitiendo el verbo *consolar*. El vocablo hebreo *najam* tiene como sentido literal, suspirar o respirar profundamente. El pueblo de Dios suspira por su tierra, pero también por el recuerdo de su pecado. El mismo verbo puede traducirse por "arrepentirse" o "consolar". No son sentidos contradictorios, pues la consolación llega tras el arrepentimiento.

Las siguientes frases utilizadas por el profeta apelan a la memoria del pueblo. También el diluvio, los sobrevivientes, añoraban una tierra donde rehacer sus vidas. En aquel tiempo, un monte elevado significó la salvación y un nuevo comienzo (Génesis 8:4). Y en la cima del monte Sinaí, en el camino del pueblo hebreo por el desierto, comenzó una nueva etapa en la vida del pueblo rumbo a la tierra prometida.

Ahora, en este nuevo comienzo profetizado por Isaías, montañas, valles y desiertos serán reordenados para permitir y favorecer el retorno del exilio; se pondrá en marcha un nuevo éxodo, a la tierra de los patriarcas y matriarcas. Esto no ocurre tanto como mérito por el arrepentimiento (*najam*) del pueblo, cuanto como consuelo (*najam*) de Dios a sus fieles. Es un Dios poderoso en misericordia. Su brazo se alza

Alza la voz y **no temas**;
  anuncia a los ciudadanos de Judá:
  "**Aquí** está su Dios.
Aquí llega el Señor, lleno **de poder**,
  el que con su brazo **lo domina todo**.
El premio de su victoria **lo acompaña**
  y sus trofeos lo anteceden.
Como pastor **apacentará** su rebaño;
  llevará **en sus brazos** a los corderitos recién nacidos
  y atenderá **solícito** a sus madres".

Para meditar

SALMO RESPONSORIAL   Salmo 84:9ab–10, 11–12, 13–14

R. Muéstranos, Señor, tu misericordia y danos tu salvación.

Voy a escuchar lo que dice el Señor:
  "Dios anuncia la paz a su pueblo y a
    sus amigos".
La salvación está ya cerca de sus fieles,
  y la gloria habitará en nuestra tierra. **R.**

La misericordia y la fidelidad se encuentran,
  la justicia y la paz se besan;
  la fidelidad brota de la tierra,
  y la justicia mira desde el cielo. **R.**

El Señor nos dará la lluvia,
  y nuestra tierra dará su fruto.
La justicia marchará ante él,
  la salvación seguirá sus pasos. **R.**

II LECTURA   2 Pedro 3:8–14

Lectura de la segunda carta del apóstol san Pedro

Queridos hermanos:
No olviden que para el Señor,
  un día es como **mil años**
  y mil años, **como un día**.

---

para abrazar y llevar a los débiles. A un Dios así vale la pena confiarnos.

II LECTURA San Pedro es, quizá, el último escrito del Nuevo Testamento. Tres generaciones de cristianos han pasado y la segunda venida del Mesías, esperada como inminente por la primera generación, parece no llegar. Por eso, el autor sagrado insiste en el tiempo de Dios, para quien mil años son un ayer que pasó, una vigilia en la noche (Salmo 90:4). El tiempo de una o tres generaciones es nada comparado al tiempo de toda la creación.

Incluso el tiempo de la humanidad es mínimo frente al tiempo de la vida, del planeta o del universo que conocemos.

Y es en consideración a esa creación que el Señor ha tenido paciencia, dando una oportunidad para la redención cósmica. En aquel día, los elementos fundamentales de la creación serán *purificados* por el fuego, como las ofrendas en el altar del templo. Los cielos serán *consumidos* por el fuego, como los holocaustos, y la tierra será *devorada* por el fuego, como ofrenda de paz ante el Señor. Todo este lenguaje (quemar, consumir, arder, disolver, derretir) alude a una

gran liturgia sacrificial de purificación cósmica. El día del Señor o Parusía no es un tiempo de destrucción, sino de renovación. La creación entera (cielos y tierra) será renovada (nuevo cielo y nueva tierra). De manera que la vigilia en espera de ese día especial no debe implantar el terror ni la zozobra, sino confianza y esperanza en el corazón de los fieles. Lo que san Pedro espera de sus lectores no es el miedo, sino la paz de una conciencia sin reproche y de una esperanza fundamentada en el anhelo de la redención universal.

La pausa en estas palabras ayuda a enfatizar la paciencia expresada.

No es que el Señor **se tarde,** como algunos suponen,
en **cumplir** su promesa,
sino que les tiene a ustedes **mucha paciencia,**
pues no quiere que **nadie perezca,** sino que **todos**
se arrepientan.

Aquí es recomendable imprimir cierto dramatismo a la proclamación.

El día del Señor llegará como los ladrones.
Entonces los cielos **desaparecerán** con gran estrépito,
los elementos serán **destruidos** por el fuego
y perecerá la tierra **con todo lo que hay en ella.**

Puesto que todo va a ser destruido,
piensen con **cuánta santidad y entrega** deben vivir ustedes
esperando y **apresurando** el advenimiento del día del Señor,
cuando **desaparecerán** los cielos, consumidos por el fuego,
y se **derretirán** los elementos.

El último párrafo debe transmitir confianza con un tono afable.

Pero nosotros **confiamos** en la promesa del Señor
y esperamos **un cielo nuevo** y una tierra nueva,
en que habite la justicia.
Por tanto, queridos hermanos,
apoyados **en esta esperanza,**
pongan **todo su empeño** en que el Señor
los halle **en paz** con él,
sin mancha **ni reproche.**

EVANGELIO El comienzo del evangelio de san Marcos enseña, desde su primera frase, la teología de una nueva creación. En griego, la primera palabra del evangelio, "principio" (*arché*) resuena con la primera palabra del Génesis: principio (*reshit*). En el primer libro de la Biblia, la voz de Dios retumbó sobre las aguas caudalosas como un viento que aleteaba sobre ellas (Génesis 1:2).

Al comienzo del evangelio de Marcos, es la voz de Juan el Bautista la que retumba sobre las aguas tranquilas del río Jordán. El mensaje es el mismo de la primera creación:

orden en el caos. Como Dios con los elementos de la creación, también Juan pide enderezar lo torcido, preparar los caminos. En el pensamiento bíblico, el *camino* es una metáfora de la forma de vivir. Enderezar la vida es poner orden en todas las dimensiones de nuestras relaciones.

La predicación tiene lugar en el desierto, el espacio simbólico donde el pueblo de Israel tuvo sus tentaciones y rebeldías más importantes; espacio de habitación para los demonios que buscan apartar a las y los creyentes de su camino. Pero, al mismo tiempo, es el lugar del encuentro íntimo de

Dios con su pueblo, el espacio apropiado del primer amor (cf. Jeremías 2:2). Por esta razón Juan eligió el desierto de Judá, del otro lado del río, fuera de la tierra santa. Es un lugar de preparación, donde el espíritu se fortalece en la batalla contra las tentaciones de los demonios. Es el lugar propicio para el encuentro íntimo del creyente con Dios, en una vigilia en espera de pasar ese río rumbo a la Tierra prometida, como los hicieron los israelitas guiados por Josué en el Antiguo Testamento (cf. Josué 3).

Ahí estaba Juan Bautista, el hijo de un gran sacerdote que había renunciado a las

EVANGELIO Marcos 1:1–8

Lectura del santo Evangelio según san Marcos

Éste es **el principio** del Evangelio de Jesucristo, Hijo de Dios.
En el libro del profeta Isaías **está escrito:**

*He aquí que yo envío a mi mensajero **delante de ti**,*
*a **preparar** tu camino.*
*Voz del que **clama** en el desierto:*
*"**Preparen** el camino del Señor,*
enderecen sus senderos".

En **cumplimiento** de esto,
apareció **en el desierto** Juan el Bautista
predicando un bautismo **de arrepentimiento**,
para **el perdón** de los pecados.
A él acudían **de toda la comarca** de Judea
y muchos habitantes de Jerusalén;
reconocían sus pecados y él **los bautizaba** en el Jordán.

Juan usaba un vestido **de pelo de camello**,
ceñido con un cinturón de cuero
y **se alimentaba** de saltamontes y miel silvestre.
Proclamaba:
"Ya viene **detrás de mí** uno que es **más poderoso** que yo,
uno ante quien no merezco **ni siquiera** inclinarme
para **desatarle** la correa de sus sandalias.
Yo los he bautizado a ustedes **con agua**,
pero él los bautizará **con el Espíritu Santo**".

Haz una pausa después de los dos puntos para reflejar que lo siguiente es la cita de un profeta del Antiguo Testamento.

No olvides hacer la pausa de tres tiempos entre párrafo y párrafo.

Las palabras de Juan Bautista deben sonar con timbre áspero y directo.

comodidades de la ciudad para ir a lo austero del desierto, con su vestimenta áspera, la piel de un animal impuro (Levítico 1:4) y un cinturón de cuero, más propia de los guerreros que de los sacerdotes. Su alimentación, miel de abeja (silvestre) y no miel de uva (casera), nos recuerda su consagración como *nazir*.

Este hombre insolente y desafiante para el poder religioso establecido en los muros de la ciudad y del templo predicó la necesaria preparación para la redención cósmica a través de, arrepentimiento, la confesión de los pecados y el bautismo. Dicho

paradigma es un camino de preparación para creyentes de todas las generaciones.

El Adviento nos da la oportunidad de alistarnos al Mesías que llega, sea como memorial de su ofrecimiento de vida, sea como pobre e inválido a nuestro paso, sea como redención final del cosmos entero.

BIENAVENTURADA VIRGEN MARÍA DE GUADALUPE

Que las primeras palabras de este poema transmitan la alegría de la lectura.

I LECTURA   Zacarías 2:14–17

Lectura del libro del profeta Zacarías

"Canta de gozo y regocíjate, Jerusalén,
   pues vengo a vivir **en medio de ti**, dice el Señor.
Muchas naciones se unirán al Señor en aquel día;
   ellas también serán **mi pueblo**
   y yo habitaré **en medio** de ti
   y sabrás que el Señor de los ejércitos
   me ha enviado **a ti**.
El Señor tomará nuevamente a Judá
   como su **propiedad personal** en la tierra santa
   y Jerusalén volverá a ser la ciudad elegida".

Conviene hacer una breve pausa antes de la línea final de este parágrafo.

¡Que todos guarden silencio ante el Señor,
   pues **él se levanta** ya de su santa morada!

O bien:

I LECTURA   Apocalipsis 11:19; 12:1–6, 10ab

Lectura del libro del Apocalipsis del apóstol san Juan

Un tono misterioso va bien con este tipo de lectura.

Se **abrió** el templo de Dios en el cielo
   y **dentro** de él se vio el **arca de la alianza**.

I LECTURA   Tras medio siglo algunos de los descendientes del exilio babilónico han regresado a Jerusalén. El templo está en ruinas. El ánimo del pueblo está bajo, pues hay pocas esperanzas de reconstruir y tener la ciudad que se erguía gloriosa en su memoria. Es en esta coyuntura que el profeta Zacarías comienza su mensaje de reconstrucción, restauración y reanimación. El pesimismo no puede ser la actitud de un creyente. El canto del que habla el profeta (*ranan*) es una explosión de alegría, comparable a la estéril que ha quedado embarazada (Isaías 54:1). La razón no hay que buscarla en las condiciones presentes de la ciudad, sino que la promesa de que Dios nunca dejará solos a sus habitantes.

El Señor ha prometido que vivirá *en medio* (*tavek*) de Jerusalén, la misma expresión que en la creación se refería al árbol de la vida colocado *en medio* del jardín del Edén (Génesis 2:9). Es decir, es un regalo de Dios para los seres vivos, una expresión de su amor fiel e incondicional. Por eso la invitación no puede ser sólo para Israel, sino que se abre a todas las naciones: "ellas serán mi pueblo". La resonancia de esta frase nos lleva hasta el corazón del libro del Levítico: "Me pasearé en medio de ustedes, y seré su Dios y ustedes serán mi pueblo" (Levítico 26:12).

La Virgen de Guadalupe también vino hasta nosotros en un contexto donde los pueblos originarios habían sido testigos de la destrucción de sus templos y el azote de la guerra y la enfermedad. La desolación era aplastante. Sin embargo, como el profeta Zacarías, María Virgen brinda un mensaje de esperanza y de ánimo para reconstruir las ciudades y restaurar la fe. La tarea es inmensa, pero el Señor nos ha elegido.

Con la aparición de esta figura el timbre se torna un tanto lúgubre.

Apareció entonces **en el cielo** una figura **prodigiosa**:
una mujer **envuelta** por el sol,
con la luna **bajo sus pies**
y con una corona de **doce** estrellas en la cabeza.
Estaba **encinta** y a punto de **dar a luz**
y **gemía** con los dolores del parto.

Pero apareció también en el cielo otra figura:
un **enorme** dragón, color de fuego,
con **siete** cabezas y **diez** cuernos,
y una corona en **cada una** de sus siete cabezas.
Con su cola
barrió la tercera parte de las estrellas del cielo
y las **arrojó** sobre la tierra.
Después se detuvo **delante** de la mujer que iba a dar a luz,
para **devorar** a su hijo, en cuanto éste **naciera**.
La mujer dio a luz un **hijo varón**,
destinado a gobernar **todas** las naciones
con cetro **de hierro**;
y su hijo fue llevado **hasta Dios** y hasta su trono.
Y la mujer **huyó** al desierto, a un lugar **preparado** por Dios.

Prepara la salida de la lectura con tono elevado y gozoso.

Entonces oí en el cielo una voz poderosa, que decía:
"**Ha sonado** la hora de la victoria de nuestro Dios,
de su dominio y de su reinado, y **del poder** de su Mesías".

Para meditar

SALMO RESPONSORIAL   Salmo 66:2–3, 5, 6 y 8
R. Que te alaben, Señor, todos los pueblos.

Ten piedad de nosotros y bendícenos;
  vuelve, Señor, tus ojos a nosotros.
Que conozca la tierra tu bondad
  y los pueblos tu obra salvadora. **R.**

Las naciones con júbilo te canten,
  porque juzgas al mundo con justicia;
  con equidad tú juzgas a los pueblos
  y riges en la tierra a las naciones. **R.**

Que te alaben, Señor, todos los pueblos,
  que los pueblos te aclamen todos juntos.
Que nos bendiga Dios
  y que le rinda honor el mundo entero. **R.**

II LECTURA Nos encontramos en la parte medular del libro del Apocalipsis. La escena abre con la manifestación del arca de la alianza. Esa arca, que se encontraba dentro del lugar más sagrado del templo de Jerusalén, fue robada y, probablemente, destruida por los babilonios en el siglo vi a. C. Sin embargo, cerca del tiempo de Nuevo Testamento surgió la leyenda de que el arca en realidad habría sido escondida (cf. 2 Macabeos 2:4) en espera de la llegada del Mesías.

El autor del Apocalipsis de Juan parece aludir a esta profecía para anunciar la inmi-nente llegada del Mesías. Este Mesías es dado a través de una mujer. Muchas opciones se han ofrecido para dilucidar la identidad de esa mujer. Puede tratarse del mismo pueblo de Israel, recordando el sueño del patriarca José: "El sol, la luna y once estrellas se inclinaban ante mí". Otros más han optado por sugerir que la mujer es la Iglesia, perseguida por el dragón (poder imperial romano). Y finalmente la teología patrística propuso a la Virgen María como la mujer mencionada en este capítulo 12 del Apocalipsis.

La interpretación litúrgica, afortunadamente, posibilita no quedarse con una opción excluyente. Las tres miradas se complementan y se iluminan. Aún más, la Virgen de Guadalupe, vestida de sol y con la luna bajo sus pies, estando "en cinta", brinda idéntico mensaje de esperanza que la figura maternal en el Apocalipsis. Ante el dragón de la violencia y su poder destructor, ella es un signo claro de la victoria final de Dios. El poder de su Mesías prevalecerá sobre el poder las fuerzas destructivas.

EVANGELIO   Lucas 1:39–47

Lectura del santo Evangelio según san Lucas

En aquellos días,
    María se encaminó **presurosa** a un pueblo
      de las montañas de Judea,
    y entrando en la casa de Zacarías, saludó a **Isabel**.
En cuanto ésta **oyó** el saludo de María, la creatura **saltó** en su seno.

Entonces Isabel **quedó llena** del Espíritu Santo,
    y levantando la voz, exclamó:
    "**¡Bendita tú** entre las mujeres
    y **bendito el fruto**
      de tu vientre!
¿Quién soy yo,
    para que la madre de mi Señor venga a verme?
Apenas llegó **tu saludo** a mis oídos,
    el niño saltó **de gozo** en mi seno.
Dichosa tú, que has creído,
    porque **se cumplirá** cuanto te fue anunciado
      de parte del Señor".

Entonces dijo María:
    "Mi alma **glorifica** al Señor
      *y mi espíritu se llena **de júbilo** en Dios, mi salvador*".

O bien: *Lucas 1:26–38*

Intenta imprimir a tus palabras cierta premura en este primer párrafo.

En esta alabanza de Isabel sube el volumen de la voz.

Sírvete de los dos puntos como de un trampolín para terminar con tono elevado y entusiasta.

| EVANGELIO | La premura de María por ir a auxiliar a su prima es la actitud de quien tiene prisa por llevar un mensaje de liberación. Así lo hizo Elías que corrió delante del rey para anunciar el fin de la sequía (1 Reyes 18:46). También el apóstol Felipe corrió para anunciar el Evangelio a un etíope (Hechos 8:30).

Todo el episodio tiene ecos del traslado del arca de la alianza por las montañas de Judea en el Antiguo Testamento. Así como el rey David "saltaba y bailaba" delante del arca (cf. 1 Crónicas 15:29), Juan salta delante de María. Según la tradición bíblica, el arca con-tenía las tablas de la Ley de Moisés. María, nueva arca de la alianza, porta a la Ley de amor encarnado.

El saludo de Isabel a María exalta la persona de la segunda y remite al cántico de Débora, jueza y profetiza que alabó a la libe-radora del Israel así: "¡Bendita entre las muje-res Yael, entre las mujeres que habitan en tiendas, bendita sea!" (Jueces 5:24). Pero Isa-bel no sólo alaba a María, sino también al que lleva en su vientre, nueva arca de alianza.

No se alaba al vientre y *después* a María, al contrario, primero se bendice a la persona de María, con su belleza, su dispo-sición y su servicio. Sólo entonces se proce-de a alabar al fruto de su vientre. María es felicitada primero por ser una mujer valiente y disponible, y luego por ser madre. Esta premura de María, su valentía para ir sola por las montañas, y su disponibilidad para ir a anunciar un mensaje de esperanza fueron las mismas cualidades de Guadalupe, que en la montaña del Tepeyac se mostró disponible para ayudar a los más desfavorecidos.

III DOMINGO DE ADVIENTO

I LECTURA   Isaías 61:1–2a, 10–11

Lectura del libro del profeta Isaías

El poema es todo un programa profético: infunde reverencia y profundidad a tu tono de voz, suave y bajo.

El espíritu del Señor **está sobre mí**,
    porque me ha **ungido**
    y me **ha enviado** para anunciar la **buena nueva** a los pobres,
    a curar a los de corazón **quebrantado**,
    a proclamar **el perdón** a los cautivos,
    la libertad a los prisioneros
    y a pregonar **el año de gracia** del Señor.

En este párrafo alza un poco más tu tono de voz; evita la estridencia en todo momento.

Me alegro en el Señor **con toda el alma**
    y me **lleno de júbilo** en mi Dios,
    porque me **revistió** con vestiduras de salvación
    y me **cubrió** con un manto de justicia,
    como el **novio** que se pone la corona,
    como la novia que **se adorna** con sus joyas.

Así como la tierra **echa** sus brotes
    y el jardín hace **germinar** lo sembrado en él,
    así el Señor **hará brotar** la justicia
    y la alabanza ante **todas** las naciones.

I LECTURA Este domingo nos propone, nuevamente, la figura del profeta Isaías como guía litúrgico. Escuchamos el poema del capítulo 61, catalogado como el relato vocacional del profeta que editaría la tercera parte del libro (Isaías 56–66). Este profeta pertenece a una comunidad que ha sido relegada del templo y el culto de la ciudad de Jerusalén, después de la construcción del segundo templo (postexilio). Los sacerdotes descendientes de Sadoc se habían hecho del control del templo y restringían su acceso a quienes consideraban impuros; entre ellos, a los discípulos del tercer Isaías.

Según la teología sacerdotal, el sumo sacerdote era ungido con aceite, consagrado como antes del exilio se hacía con el rey. Isaías, en oposición, considera a la comunidad marginal profética como ungida también. En hebreo, la palabra ungido (*meshiaj*) dará origen al concepto "mesías"; de allí su importancia. La unción ya no es concebida como un privilegio de poder, sino, en la teología profética, una misión de servicio y liberación.

Los destinatarios de esa misión liberadora son, en primera instancia, los humanos más desprotegidos en lo económico (pobres), lo anímico (quebrantados), lo religioso (cautivos) y lo social (prisioneros). Pero el año de gracia también incluye a la restauración de la tierra (Isaías 49:8), por lo que implica una redención cósmica. El pueblo de Israel es la novia del Señor, adornada con corona y joyas (ornamentos de la creación). El jardín que hace germinar para todas las naciones nos recuerda el Edén de donde provienen esas naciones. La misión mesiánica del pueblo es una renovación de la

Para meditar

SALMO RESPONSORIAL Lucas 1:46–48, 49–50, 53–54

R. Se alegra mi espíritu en Dios mi Salvador.

Proclama mi alma la grandeza del Señor,
   se alegra mi espíritu en Dios mi salvador;
   porque ha mirado la humillación de
   su esclava.
Desde ahora me felicitarán todas
   las generaciones. **R.**

Porque ha hecho en mí grandes cosas
   el que todo lo puede.
Santo es su nombre y su misericordia llega
   de generación en generación,
   a los que lo temen. **R.**

A los hambrientos los colmó de bienes
   y a los ricos los despidió sin nada.
Auxilia a Israel, su siervo,
   acordándose de la misericordia. **R.**

II LECTURA   1 Tesalonicenses 5:16–24

**Lectura de la primera carta del apóstol san Pablo
   a los tesalonicenses**

Esta lectura tiene un carácter afable y firme.

Hermanos:
Vivan **siempre** alegres,
   oren **sin cesar,** den gracias **en toda ocasión**,
   pues esto es lo que Dios **quiere de ustedes** en Cristo Jesús.
No **impidan** la acción del Espíritu Santo,
   ni des**precien** el don de profecía;
   pero **sométanlo todo** a prueba y **quédense** con lo bueno.
Absténganse **de toda clase** de mal.

Haz contacto visual con la asamblea al recitar esta parte.

Que el Dios de la paz **los santifique** a ustedes
   en todo y que **todo su ser,** espíritu,
   alma y cuerpo, se conserve **irreprochable**
   hasta **la llegada** de nuestro Señor Jesucristo.
El que los ha llamado es **fiel** y **cumplirá** su promesa.

EVANGELIO   Juan 1:6–8, 19–28

Lectura del santo Evangelio según san Juan

Hubo un hombre **enviado** por Dios,
   que se llamaba **Juan.**

---

creación en favor de los pobres. Nosotros, los bautizados en Cristo, somos pueblo profético y sacerdotal.

II LECTURA Tesalónica era una comunidad muy apreciada por san Pablo. Con mucha probabilidad, a ellos dirigió la primera de sus cartas. Las primeras tres recomendaciones (estar alegres, orar y dar gracias) son permanentes, "siempre" se deben procurar. Pablo no es ingenuo, sabe que en la vida hay tristeza, sequedad espiritual y problemas. Pero la *alegría* a la que se refiere no se limita al estar contento, sino

a una esperanza más profunda de quien sabe que, a pesar a lo adverso, al final estará el premio conseguido por Cristo.

Estar en oración es posible cuando nuestras acciones y pensamientos son ofrecidos a Dios Padre, por Cristo en el Espíritu. Entonces todo cuando hacemos se hace oración. Dar gracias siempre implica que, aun las dificultades y dolores, contribuyen para la santificación y la valoración de los seres queridos. Sólo así podemos dar gracias en toda ocasión.

Después de las tres exhortaciones "positivas" vienen tres advertencias "negativas":

no impedir la acción del Espíritu Santo, no despreciar la profecía y abstenerse del mal. La primera de ellas es la fundamental. La acción del Espíritu Santo es la que inspira toda profecía, y la profecía invita a rechazar el mal.

El último párrafo es la motivación para vivir todo lo anterior: la llegada (parusía) de Jesucristo. Hacer el bien en todo momento y rechazar el mal siempre adquieren un nuevo sentido a la luz de la segunda venida del Mesías. El ideal del cristiano es vivir de manera "irreprochable", sin delito ni culpa, con la conciencia limpia. El adviento es la mejor oportunidad para ello.

Infunde viveza a los diálogos. Dale el tono de interrogación a las preguntas.

Éste vino como **testigo,** para dar **testimonio** de la luz,
   para que **todos** creyeran por medio **de él.**
Él **no era** la luz, sino **testigo** de la luz.

Éste es el **testimonio** que dio Juan el Bautista,
   cuando los judíos enviaron **desde Jerusalén**
   a unos sacerdotes y levitas para preguntarle:
   "**¿Quién** eres tú?"
Él reconoció y **no negó** quién era.
Él **afirmó:** "Yo **no soy** el Mesías".
De nuevo le preguntaron:
   "**¿Quién** eres, pues? ¿Eres Elías?"
Él les respondió: "**No lo soy".**
   "¿Eres el **profeta**?" Respondió: "**No".**
Le dijeron: "Entonces dinos **quién** eres,
   para poder llevar **una respuesta** a los que nos enviaron.
¿Qué dices **de ti mismo**?"
Juan les contestó:
   "Yo soy la voz que **grita** *en el desierto:*
   'Enderecen *el camino del Señor',*
   como **anunció** el profeta Isaías".

Los enviados, que pertenecían a la secta de **los fariseos,**
   le preguntaron:
   "Entonces **¿por qué** bautizas,
   si no eres el Mesías, ni Elías, **ni el profeta**?"
Juan les respondió:
   "Yo bautizo **con agua,** pero en medio de ustedes
   hay **uno,** al que ustedes **no conocen,**
   alguien que viene **detrás** de mí,
   a quien yo **no soy digno** de desatarle las correas
      de sus sandalias".

Esto sucedió en **Betania,** en la otra orilla del Jordán,
   donde Juan **bautizaba.**

La proclamación debe resonar más fuerte en estas palabras de Juan. Apóyate en las negrillas.

EVANGELIO La misión de Juan el Bautista es dar testimonio, es decir, ser testigo. Para la cultura hebrea, el testimonio (*'edut*) equivale a la memoria de una persona. Dar falso testimonio es lo mismo que dañar la reputación de esa persona, lo que constituye un delito duramente condenado. El arca de la alianza contenía el "Testimonio" (Éxodo 25:16), una expresión que remite a las acciones de Dios por su pueblo. El testimonio es, entonces, la memoria que guarda de Dios el pueblo de Israel.

Juan Bautista da testimonio de la luz que, en la teología juánica, representa simbólicamente a Jesucristo (Juan 8:12). El Bautista, entonces, es precursor de la memoria que, sobre el Mesías, tendrán sus seguidores. Por ser el precursor, Juan predica en Betania, "en la otra orilla del Jordán". Betania (*bet-'ani*) es la "casa de la aflicción", por eso Juan predica la preparación dolorosa de la conversión, en espera de la alegre llegada del Mesías. No está en la tierra de la promesa, cuyo límite era el río Jordán, sino que prepara el cruce-bautismo de Jesús hacia la tierra del cumplimiento.

La predicación del Bautista es bastante sencilla, en apariencia: "Yo no soy". Sin duda existían muchas expectativas sobre la posibilidad que Juan fuera el Mesías esperado, pero es consciente que "él no es". En la zarza ardiente, Moisés se había quitado sus sandalias y había escuchado en su memoria el nombre de Dios: Yahvé (Yo soy). Por eso Juan no puede quitar las sandalias del que viene después. Sólo Jesús podrá decir reiteradamente: Yo soy. Sólo el Mesías esperado puede quitarse las sandalias y, en comunión con la tierra (descalzo), con el agua (río) y con el cielo, realizar la salvación cósmica.

IV DOMINGO DE ADVIENTO

I LECTURA   2 Samuel 7:1–5, 8b–12, 14a, 16

Lectura del segundo libro de Samuel

Tan pronto como el rey David **se instaló** en su palacio
   y el Señor le concedió **descansar** de todos los enemigos
     que lo rodeaban,
   el rey dijo al profeta Natán:
   "¿Te has dado cuenta de que **yo vivo** en una mansión de cedro,
     mientras **el arca de Dios** sigue alojada en una **tienda
     de campaña**?"
Natán le respondió:
   "Anda **y haz todo** lo que te dicte el corazón,
     porque el Señor **está contigo**".

Aquella **misma noche** habló el Señor a Natán y le dijo:
   "**Ve** y dile a mi siervo David que el Señor
     le manda decir esto:
   '¿Piensas que **vas a ser tú** el que me construya una casa,
   para que **yo** habite en ella?
Yo **te saqué** de los apriscos y de andar tras las ovejas,
   para que fueras **el jefe de mi pueblo,** Israel.
Yo estaré contigo **en todo** lo que emprendas,
   acabaré con tus enemigos
   y te **haré tan famoso** como los hombres más famosos
     de la tierra.

Muestra en tu tono de voz la insatisfacción de David en la pregunta al profeta.

Procura que estas palabras no suenen a reproche sino a ratificación de cariño.

I LECTURA Para el cuarto y último domingo de Adviento, que además este año coincide con el día previo a la Navidad, se propone uno de los pasajes fundamentales de la historia de la salvación. Comienza con la intención de David por construir una "casa" (*bet*) al Dios de Israel. Pero ese Dios ya tenía el propósito de conceder a David la permanencia de su "casa" (*bet*) en el trono del reinado. Dios no puede aceptar que David le construya un templo, pues eso implicaría que la promesa es una recompensa a la iniciativa del rey.

Pero la promesa de Dios no es una recompensa, sino una muestra gratuita de amor fiel. La primera realización de la promesa es el regalo del descanso (*nuaj*). Esta es una promesa mesiánica que nos remita al jardín del Edén, donde Dios "hizo descansar" a Adán (cf. Génesis 2:15). Es un descanso paradisíaco que implica la restauración de las relaciones de la creación.

La siguiente parte de la realización de la promesa es otorgar a David ser el más famoso de toda la tierra. en hebreo, la expresión literal es concederle el nombre más

grande. Su nombre podrá ser conocido entre todas las naciones.

La última etapa de la promesa, y quizá la más importante, es el regalo de una dinastía (*bet*, casa) para siempre. Recordemos que David fue, apenas, el segundo de rey de Israel después de un periodo en que jueces carismáticos tenían roles temporales; desempeñaban su misión liberadora sólo por el tiempo que fuera necesario. Con esta promesa de Natán a David se cambia la provisionalidad por la estabilidad.

La dinastía permanente tiene dos consecuencias teológicas, una para el pueblo y

Le **asignaré** un lugar a mi pueblo, Israel;
   lo plantaré allí para que habite en **su propia tierra**.
Vivirá **tranquilo**
   y sus enemigos ya **no lo oprimirán más**,
   como lo han venido haciendo
   desde los tiempos en que **establecí** jueces
   para **gobernar** a mi pueblo, Israel.
Y a ti, David, te haré **descansar** de todos tus enemigos.

Además, yo, **el Señor**,
   te hago saber que te daré **una dinastía**;
   y cuando tus días se hayan **cumplido**
   y descanses para siempre con tus padres,
   engrandeceré a tu hijo, sangre de tu sangre,
   y **consolidaré** su reino.
Yo seré para él **un padre** y él será para mí **un hijo**.
Tu casa y tu reino
   permanecerán para siempre **ante mí**,
   y tu trono será estable **eternamente**' ".

Para meditar

SALMO RESPONSORIAL   Salmo 88:2–3, 4–5, 27, 29
R. **Cantaré eternamente las misericordias del Señor.**

Cantaré eternamente las misericordias
   del Señor,
   anunciaré tu fidelidad por todas
   las edades.
Porque dije: "Tu misericordia es un
   edificio eterno,
   más que el cielo has afianzado
   tu fidelidad". **R.**

Sellé una alianza con mi elegido,
   jurando a David, mi siervo:
   "Te fundaré un linaje perpetuo,
   edificaré tu trono para todas
   las edades". **R.**

Él me invocará:
   "Tú eres mi padre, mi Dios,
   mi Roca salvadora".
Le mantendré eternamente mi favor,
   y mi alianza con él será estable. **R.**

Hay un cambio de la manera impersonal (él) a una personal de hablar (tú). Algo más íntimo implica este cambio de la lectura.

---

otra para el rey. Al pueblo se le promete habitar en su propia tierra de manera "tranquila" (literalmente: sin temblar). El verbo utilizado aquí (*ragaz*) generalmente indica, en la Biblia, el temblor causado por el miedo a los enemigos (Éxodo 15:14). Ese miedo que Israel siempre había tenido es ahora revertido por pura gratuidad divina. El otro beneficio de la promesa es para la figura del rey. La promesa "Yo seré para él un padre y él será para mí un hijo" es la actualización de Levítico 26:12: "Yo seré su Dios y ustedes serán mi pueblo". La relación tan íntima de Dios con Israel se traslada a Dios con el rey,

añadiendo la intimidad mayor del padre con el hijo. El adviento nos trae a la puerta del cumplimiento de la promesa divina.

II LECTURA   La segunda lectura nos presenta el final o epílogo de la carta de Pablo a los Romanos. Esta es una carta que San Pablo escribió a los destinatarios de una comunidad que él no fundó y que, posiblemente, no conocía. Pero el Apóstol se sentía llamado por Jesucristo para predicar el Evangelio en los confines del mundo conocido (Romanos 15:24). Era difícil explicar por qué sentía el deber reli-

gioso de llegar hasta España, pero estaba convencido que era parte de un plan de salvación velado (misterio) en los designios de Dios para anunciar la salvación a todas las naciones del imperio romano.

De una manera misteriosa, san Pablo sabía que la predicación al último rincón del orbe sería el preludio para el cumplimiento de ese plan de Dios. No podría haber cumplimiento de las profecías no de las promesas de la Escritura si antes no se hacía el primer anuncio (*kerygma*) del Evangelio a todo hombre y mujer del mundo. Esa convicción es a la que san Pablo se adhirió y la

II LECTURA Romanos 16:25–27

Lectura de la carta del apóstol san Pablo a los romanos

Hermanos:
A aquél que puede darles fuerzas para **cumplir** el Evangelio
   que yo he proclamado, **predicando** a Cristo,
   conforme a la **revelación** del misterio,
   mantenido **en secreto** durante siglos,
   y que ahora, en cumplimiento del **designio eterno** de Dios,
   ha quedado **manifestado** por las Sagradas Escrituras,
   para atraer **a todas** las naciones a la **obediencia** de la fe,
   al Dios **único, infinitamente** sabio,
   démosle **gloria,** por Jesucristo, para **siempre**. Amén.

EVANGELIO Lucas 1:26–38

Lectura del santo Evangelio según san Lucas

En aquel tiempo,
   el ángel Gabriel **fue enviado** por Dios
      a una ciudad de Galilea, llamada **Nazaret**,
   a una **virgen** desposada con un varón de la estirpe de David,
   llamado **José.**
La virgen se llamaba **María**.

Entró el ángel a donde ella estaba y le dijo:
   "**Alégrate**, llena de gracia,
   el Señor está **contigo**".
Al oír estas palabras,
   ella se **preocupó mucho**
   y se preguntaba **qué querría decir** semejante saludo.

Organiza tu proclamación en tres momentos *in crescendo*; el "ahora" marca el segundo y "al Dios único" el tercero. Cierra con el "Amén" poderoso.

Busca que estas palabras del ángel suenen a un saludo natural, no a rezo.

que creía se había le manifestado o revelado a él, el último de los apóstoles.

Pero ¿cómo predicar en las fronteras del imperio si ahí, en la capital del mismo imperio, la comunidad estaba dividida? Antes de emprender su viaje misionero final era necesario superar las divisiones y confrontaciones que existían en la comunidad de cristianos de Roma. Para eso, recurre a la premisa teológica fundamental de todo el judaísmo: "Dios es único" (Deuteronomio 6:4). Pero Dios es único, en la teología paulina, no sólo para el pueblo de Israel como lo proclama al rezar el "Shemá Israel", sino que es único para todas las naciones. Por las divisiones de la comunidad romana entre judeocristianos y gentil-cristianos carecen de sentido. Y la plenitud del misterio de salvación llegará solamente cuando la unidad, en el respeto de las diversidades, alcance su realización.

EVANGELIO Retomamos el evangelio que fue proclamado el 8 de diciembre al celebrar de la Inmaculada Concepción. La narración de san Lucas está llena de referencias al cumplimiento de las promesas hechas por Dios al pueblo de Israel en el Antiguo Testamento. En primer lugar, se menciona que María estaba desposaba con un hombre de la "estirpe de David". La palabra griega que la liturgia traduce como "estirpe" es *oikos*, literalmente: casa. Así, desde el comienzo de la trama, se coloca a Jesús en línea con la promesa hecha a David sobre la permanencia de su dinastía (casa).

En segundo lugar, se le promete a María que su hijo será "grande", conforme a la promesa hecha a David sobre que su nombre sería grande, conocido por todas las naciones. Pero la grandeza de Jesús,

Imprime mayor certeza a tu tono de voz a las palabras de la concepción.

El ángel le dijo:
"No temas, María,
porque **has hallado** gracia ante Dios.
Vas **a concebir** y a dar a luz un hijo
y le **pondrás** por nombre Jesús.
Él será **grande** y será llamado **Hijo del Altísimo**;
el Señor Dios le dará **el trono de David,** su padre,
y él **reinará** sobre la casa de Jacob
por los siglos y su reinado **no tendrá fin**".

María le dijo entonces al ángel:
"**¿Cómo** podrá ser esto,
puesto que yo **permanezco** virgen?"
El ángel le contestó:
"El Espíritu Santo **descenderá** sobre ti
y el **poder** del Altísimo **te cubrirá** con su sombra.
Por eso, el Santo, que **va a nacer de ti,**
será llamado **Hijo de Dios.**
Ahí tienes a tu parienta **Isabel,**
que **a pesar** de su vejez, ha **concebido** un hijo
y ya va en el **sexto** mes la que llamaban **estéril,**
porque no hay **nada imposible** para Dios".
María contestó:
"**Yo soy** la esclava del Señor;
cúmplase en mí lo que me has dicho".
Y el ángel se retiró de su presencia.

En la respuesta de María, baja la velocidad pero no la intensidad.

como la de María, no radica en un poderoso reinado, sino en la humildad de su entrega por los demás, como él mismo instruyó a sus apóstoles (cf. Marcos 9:35).

Después promete el ángel que será llamado "Hijo del Altísimo". Recordemos que en la profecía de Natán a David se prometió a este que Dios sería su padre y él sería su hijo. Pero Lucas también tiene como punto de referencia una cita sapiencial del libro del Eclesiástico o Sirácide: "Sé como un padre para los huérfanos, y como un marido para su madre. Así serás como un hijo del Altísimo" (Eclesiástico 4:10). Jesús será hijo del Altísimo porque nadie como él se ocupará de los pobres, desesperados y necesitados, como lo señala este poema del Sirácide.

Las siguientes menciones a las promesas davídicas con demasiado evidentes: tendrá el trono de David y reinará sin fin. Jesús cumple las promesas de un reinado estable y permanente (primera lectura) conforme al plan salvífico manifestado por Dios en Cristo (segunda lectura). San Lucas lo plasma en el relato de la anunciación del María, pero actualizando las promesas. Ser grande para el Mesías equivale a ser el último y el servidor de todos. Ser hijo de Altísimo es lo mismo que ser el protector de los desfavorecidos. Ser rey es una responsabilidad de velar por la liberación de todo tipo de opresión. A este Mesías es al que esperamos esta noche. Y nadie como María comprendió lo que implicaba esta manera distinta de cumplir las promesas sobre el Mesías: ella se considera la esclava del Señor, la servidora de su Palabra.

NATIVIDAD DEL SEÑOR, MISA DE LA VIGILIA

Declama este poema de amor por la ciudad, iniciando con un tono natural para hacerlo más apasionado en el párrafo tercero.

I LECTURA   Isaías 62:1–5

Lectura del libro del profeta Isaías

Por amor a Sión no me callaré
　　y por **amor** a Jerusalén no me daré **reposo**,
　　hasta que **surja** en ella esplendoroso el justo
　　y **brille** su salvación como una antorcha.

Entonces las naciones verán tu justicia,
　　y tu gloria **todos** los reyes.
Te llamarán con un nombre **nuevo**,
　　pronunciado por **la boca** del Señor.
Serás corona de gloria en la **mano** del Señor
　　y **diadema** real en la palma de su mano.

Pronuncia con emotiva compasión los nombres de la ciudad e imprime gozo a las líneas que dan razón del camnio.

Ya no te llamarán "Abandonada",
　　ni a tu tierra, "**Desolada**";
　　a ti te llamarán "**Mi complacencia**"
　　y a tu tierra, "**Desposada**",
　　porque el Señor se ha complacido **en ti**
　　y se **ha desposado** con tu tierra.

Como un joven se desposa con una doncella,
　　se desposará **contigo** tu hacedor;
　　como el esposo **se alegra** con la esposa,
　　así **se alegrará** tu Dios contigo.

I LECTURA Este poema de la tercera parte del libro de Isaías es una declaración del amor de Dios por su creación y su pueblo. Los ecos a los relatos creacionales del Génesis se pueden percibir. Los primeros versos nos recuerdan la primera creación de Dios en la creación: "Haya luz en la oscuridad" (cf. Génesis 1:3). La justicia (externa) y la salvación (interna) "brillarán" como lo canta el salmista: "Tú enciendes mi lámpara, Señor, tú alumbras mis tinieblas" (cf. Salmo 18:28).

Luego asistimos al cambio de nombre. Las mujeres, en aquella cultura, tomaban el nombre o apellido del esposo el día de su boda. También en la creación, Dios había puesto nombre a Adán y Eva, en una alianza de amor. entregar una corona en mano de la novia era, de igual manera, uno de los ritos matrimoniales. El Salmo 8 recuerda también este rito con respecto a la creación: "Apenas inferior a un dios lo hiciste, lo coronaste de gloria y esplendor".

Enseguida se procede a la consumación del matrimonio, cuando Dios se desposa con el pueblo y con su tierra. El pueblo no es nada sin la tierra, así como Adán (*adam*) no se entiende sin su vínculo con la tierra (*adamá*). Y la causa de este desposamiento es el enamoramiento (*jafets*). A diferencia de la teología matrimonial del profeta Oseas, donde Dios perdonaba las infidelidades de su esposa, en Isaías es solamente el "deleite" que tiene Dios por su tierra y su pueblo el motivo para querer unirse en matrimonio.

Esta lectura nos hace reflexionar sobre el sentido de esta noche solemne de la Navidad. Se puede entender como el nacimiento del Hijo de Dios para poder "remediar" las distintas ofensas y rebeliones de la humanidad, como en la teología de Oseas. En cam-

Para meditar

SALMO RESPONSORIAL Salmo 89:4–5, 16–17, 27 y 29

R. Cantaré eternamente las misericordias del Señor.

Sellé una alianza con mi elegido,
  jurando a David, mi siervo:
"Te fundaré un linaje perpetuo,
  edificaré tu trono para todas
  las edades". **R.**

Dichoso el pueblo que sabe aclamarte:
  caminará, oh Señor, a la luz de tu rostro;
  tu nombre es su gozo cada día. **R.**

Él me invocará: "Tú eres mi padre,
  mi Dios, mi Roca salvadora".
Le mantendré eternamente mi favor,
  y mi alianza con él será estable. **R.**

II LECTURA   Hechos 13:16–17, 22–25

Lectura del libro de los Hechos de los Apóstoles

Al llegar Pablo a Antioquía de Pisidia,
  se puso **de pie** en la sinagoga
  y haciendo una señal **para que se callaran**, dijo:

"Israelitas y cuantos temen a Dios, escuchen:
  el Dios del pueblo de Israel **eligió** a nuestros padres
  y **engrandeció** al pueblo,
  cuando éste vivía como **forastero** en Egipto.
Después los sacó de ahí con todo poder.
Les dio por rey a David, de quien hizo **esta alabanza**:
  He hallado a **David**, *hijo de Jesé,*
  hombre *según mi corazón,*
  quien realizará **todos** *mis designios.*

Del linaje de David, conforme a la promesa,
  Dios hizo nacer para Israel **un salvador**: Jesús.
Juan **preparó** su venida,
  predicando **a todo el pueblo** de Israel
    un bautismo **de penitencia**,
  y hacia **el final** de su vida,
Juan decía:
  'Yo **no soy** el que ustedes piensan.
Después de mí
    viene uno a quien **no merezco** desatarle las sandalias' ".

El episodio resume la historia de salvación. Antes de iniciar el recuento, haz contacto visual con la asamblea durante la pausa de los dos puntos.

bio, la teología matrimonial presente en Isaías nos invita a contemplar la Navidad como la decisión amorosa de un Dios que, por pura complacencia, desea unirse con su creación de la manera más íntima.

II LECTURA San Pablo ha llegado a Antioquía de Pisidia, donde había una importante comunidad judía. Parte de este pueblo judío se sentía privilegiado por su elección divina y, por esa razón, adoptaba actitudes discriminatorias hacia los gentiles o los "temerosos de Dios", que simpatizaban con el judaísmo, pero que no se

habían hecho judíos completamente. En la sinagoga, Pablo toma la palabra y se dirige a todos: a judíos y a los temerosos de Dios.

Pablo hace un recorrido de la historia sacra, comenzando por la alianza de Dios con Abram (un babilonio). Dios eligió a Abram cuando este era forastero en Egipto. Así se pone de manifiesto que la elección no es un merecimiento ni un privilegio, sino una concesión unilateral por parte de Dios. Lo mismo se puede decir de las tribus hebreas; son elegidas y liberadas cuando todavía servían a los egipcios. Ambos casos ejemplifican que la elección y promesa salvífica no es un mo-

tivo de engreimiento o superioridad, sino que es motivo de gratitud ante el Dios de las elecciones libres y gratuitas.

Lo mismo puede aplicarse al caso del rey David que san Pablo menciona. Fue Dios quien "encontró" a David cuando era un simple pastorcillo. La conclusión es que Dios hizo nacer al salvador por pura gratuidad. Los cristianos que esta noche celebramos la Natividad del Señor somos herederos de estas elecciones y promesas. Es una noche de vigilia para agradecer al Dios de la vida y de la salvación por el regalo más generoso que un padre o una madre pueden hacer:

Familiarízate con los nombres y respeta su acentuación. Es recomendable leerlos varias veces antes de su proclamación en la liturgia

---

EVANGELIO   Mateo 1:1–25

Lectura del santo Evangelio según san Mateo

Genealogía de Jesucristo,
   hijo de David, hijo de Abraham:
Abraham **engendró** a Isaac, Isaac a Jacob,
   Jacob a Judá y **a sus hermanos**;
   Judá **engendró** de Tamar a Fares y a Zará;
   Fares a Esrom, Esrom a Aram, Aram a Aminadab,
   Aminadab a Naasón, Naasón a Salmón,
   Salmón engendró **de Rajab** a Booz;
   Booz engendró de Rut a Obed,
   Obed a Jesé, y Jesé **al rey David**.

David engendró de la mujer de Urías a Salomón,
   Salomón a Roboam, Roboam a Abiá, Abiá a Asaf,
   Asaf a Josafat, Josafat a Joram, Joram a Ozías,
   Ozías a Joatam, Joatam a Acaz, Acaz a Ezequías,
   Ezequías a Manasés, Manasés a Amón, Amón a Josías,
   Josías engendró a Jeconías y a sus hermanos,
   durante **el destierro** en Babilonia.

Después del destierro en Babilonia,
   Jeconías **engendró** a Salatiel, Salatiel a Zorobabel,
   Zorobabel a Abiud, Abiud a Eliaquim,
   Eliaquim a Azor, Azor a Sadoc, Sadoc a Aquim,
   Aquim a Eliud, Eliud a Eleazar, Eleazar a Matán,
   Matán a Jacob, y Jacob engendró **a José**,
   el esposo de María, de la cual nació **Jesús**, llamado Cristo.

De modo que el total de generaciones
   desde Abraham hasta David, es de **catorce**;
   desde David **hasta la deportación** a Babilonia, es **de catorce**,
   y de la deportación a Babilonia **hasta Cristo**, es de **catorce**.

---

donar a su hijo o hija para el bien de la creación entera.

EVANGELIO Las genealogías, en la cultura bíblica, cobraron mucha importancia después del exilio a Babilonia. Ante la inexistencia de las actas de nacimiento, las genealogías se convirtieron en la forma de demostrar la pertenencia al linaje del pueblo judío. Fueron los sacerdotes quienes primero comenzaron a utilizar las genealogías para legitimar su derecho a celebrar el culto en el templo de Jerusalén (ver libro de Esdras, por ejemplo).

Posteriormente los grandes personajes, y después el pueblo en general, recurría a su genealogía como rasgo identitario de un verdadero israelita.

San Mateo inicia la genealogía de Jesús con Abraham, remontando su origen hebreo hasta el primero de los patriarcas. A Jesús lo llama "hijo de David", lo que puede explicar que Mateo haya organizado su genealogía en tres secciones de 14 nombres cada cual. En hebreo, a cada consonante se le da un valor numérico. Así, el nombre David se compone de dos des con valor de 4, y una uve que equivale a un 6. Sumadas las tres

consonantes del nombre dan 14. Así, san Mateo nos transmite que Jesús es "tres veces" David; la plenitud o cumplimiento de la promesa del reino davídico.

Mención especial merecen las mujeres nombradas en esta genealogía, algo inusual en la cultura hebrea. Las cuatro mujeres mencionadas son: Tamar, que engañó a Judá, su suegro, para hacer valer su derecho familiar; Rajab, que salvó a los espías hebreos y fue madre del que sería tatarabuelo del rey David; Rut, quien sedujo a Booz, hijo de Rajab, para tener parte en el pueblo y formar la familia de la que nacería David,

Inicia un relato que se desprende de la genealogía. con voz natural y ritmo pausado, pero no lento, describe la situación de los prometidos.

Cristo vino al mundo de la siguiente manera:
Estando María, su madre, **desposada** con José,
    y **antes** de que vivieran juntos,
    sucedió que ella, **por obra** del Espíritu Santo,
    estaba **esperando** un hijo.
José, su esposo, que era hombre **justo**,
    no queriendo ponerla **en evidencia**,
    pensó dejarla **en secreto**.

Mientras pensaba en estas cosas,
    un ángel del Señor le dijo **en sueños**:
    "José, **hijo** de David,
    no dudes en recibir en tu casa a María, tu esposa,
    porque ella ha concebido **por obra** del Espíritu Santo.
Dará a luz un hijo
    y **tú** le pondrás el nombre de **Jesús**,
    porque él **salvará** a su pueblo de sus pecados".

Baja un tanto el volumen de voz a las palabras del ángel.

Todo esto sucedió
    para que **se cumpliera** lo que había **dicho** el Señor
        por boca del profeta **Isaías**:
    *He aquí que la **virgen** concebirá y dará a luz un hijo,*
    *a quien pondrán el nombre de **Emmanuel**,*
    *que quiere decir **Dios-con-nosotros**.*

Cuando José despertó de aquel sueño,
    hizo lo que **le había mandado** el ángel del Señor
    y **recibió** a su esposa.
Y sin que él **hubiera tenido** relaciones con ella,
    María dio a luz un hijo
    y él le puso por nombre **Jesús**.

Abreviada: *Mateo 1:18–25*

y la mujer de Urías (Betsabé) que validó un descendiente al propio David. Las cuatro mujeres eran extranjeras, pero también decididas y audaces en la consecución de sus propósitos. Incluso sin saberlo, sus acciones impulsaron el proyecto de la salvación mesiánica, prometida por Dios.

La segunda parte del evangelio de esta noche se centra en José y María. El ángel se comunica a José mediante un sueño, como antes lo hacía Yahvé con los patriarcas. De esta manera, José es el continuador de las promesas patriarcales sobre una descendencia numerosa y una tierra próspera. Así

como en el libro del Génesis José, cuyo nombre hebreo significa "el que continúa", continuó la promesa en Egipto en tiempos de hambruna, ahora José, el esposo de María, continúa el cumplimiento de esa promesa en una época de hambre y sed de Dios.

María, por su parte, cumple con su rol en este cumplimiento de las promesas al dar a luz al Hijo de Dios. Con ellos, además, cumple la profecía de Isaías sobre el nacimiento virginal del "Emmanuel". Desde el comienzo de su vida, Jesús es la constatación de que "Dios está con nosotros", y así también concluirá el evangelio: "Yo estaré

con ustedes hasta el fin del mundo". Navidad es la solemnidad que nos recuerda el cumplimento de todas las promesas de manera gratuita y la colaboración de hombres y mujeres de modos misteriosos.

NATIVIDAD DEL SEÑOR, MISA DE LA NOCHE

I LECTURA   Isaías 9:1–3, 5–6

Lectura del libro del profeta Isaías

Matiza bien el contraste en las frases paralelas de este oráculo profético.

El pueblo que caminaba **en tinieblas**
   vio **una gran luz;**
   sobre los que vivían en tierra **de sombras,**
   una luz **resplandeció.**

Engrandeciste a tu pueblo
   e hiciste grande su alegría.
Se gozan **en tu presencia** como gozan al **cosechar,**
   como se **alegran** al repartirse el botín.
Porque tú **quebrantaste** su pesado yugo,
   la barra que **oprimía** sus hombros y el cetro de su tirano,
   como en el día de Madián.

Los nombres del niño deben ser llamativos. Pronúncialos calculadamente.

Porque un niño nos ha nacido, un hijo se nos ha dado;
   lleva sobre sus hombros el signo **del imperio** y su nombre será:
   "Consejero **admirable**", "Dios **poderoso**",
   "Padre **sempiterno**", "**Príncipe** de la paz";
   para **extender** el principado con una paz **sin límites**
   sobre el **trono** de David y sobre **su reino;**
   para establecerlo y **consolidarlo**
   con la justicia y el derecho,
      desde ahora y **para siempre.**
El **celo** del Señor lo **realizará.**

I LECTURA Nuestra lectura viene de la sección llamada "Libro del Emmanuel" del gran profeta Isaías. En diversos oráculos se plasma la esperanza del nacimiento de un niño que restablecerá la paz y la gloria del reino de Israel. Eran tiempos difíciles para el pueblo, con reyes corruptos, desigualdades sociales y violencia estructural. En otras palabras, era un pueblo sumergido en el caos y la confusión, lo que recuerda la situación previa a que Dios creara (cf. Génesis 1:2). Por eso, la salvación representada en el nacimiento de ese niño es descrita en términos que alusivos a la primera creación. Entre las tinieblas y la oscuridad, el pueblo verá la luz, el inicio de una renovación cósmica.

El siguiente párrafo pasa de la teología creación a la teología del Éxodo. Dios engrandeció al pueblo, como sucedió en Egipto (Éxodo 1:7). Ahí, en Egipto, el pueblo cosechaba granos, pero después fueron oprimidos bajo el pesado yugo de la esclavitud. Fue entonces que intervino Dios con su obra liberadora a favor de su pueblo.

Y el tercer párrafo retoma la teología de la alianza davídica, cuando Dios se comprometió a preservar la "casa" del rey David para la posteridad. El niño nacido será el heredero de esa promesa, pero llevada a un esplendor que ni David ni Salomón alcanzaron. La principal característica de este reinado será la paz (*shalom*), que nos recuerda la anhelada profecía contenida en el libro del Levítico: "Yo daré paz a la tierra y dormirán sin que nadie perturbe su sueño" (26:6).

Cuatro atributos tendrá el niño esperado. Será "consejero" como los grandes maestros de Israel. También será "Dios poderoso", como los buenos sacerdotes del templo. Además, será "Padre sempiterno", como se esperaba que fuera un rey justo. Y,

Para meditar

SALMO RESPONSORIAL   Salmo 96:1–2a, 2b–3, 11–12, 13
R. Hoy nos ha nacido el Salvador: que es Cristo el Señor.

Canten al Señor un cántico nuevo,
   canten al Señor, toda la tierra;
   canten al Señor, bendigan su nombre. **R.**

Proclamen día tras día su victoria.
Cuenten a los pueblos su gloria,
   sus maravillas a todas las naciones. **R.**

Alégrese el cielo, goce la tierra,
   retumbe el mar y cuanto lo llena;
   vitoreen los campos y cuanto hay en ellos,
   aclamen los árboles del bosque. **R.**

Delante del Señor, que ya llega,
   ya llega a regir la tierra:
   regirá el orbe con justicia
   y los pueblos con fidelidad. **R.**

II LECTURA   Tito 2:11–14

Lectura de la carta del apóstol san Pablo a Tito

Querido hermano:
La **gracia** de Dios se ha manifestado
      para **salvar** a todos los hombres
   y nos ha enseñado a **renunciar** a la irreligiosidad
   y a los deseos mundanos,
   para que vivamos, **ya desde ahora**,
   de una manera **sobria**, justa y **fiel a Dios**,
   en espera de la **gloriosa venida**
      del gran Dios y Salvador, Cristo Jesús, **nuestra esperanza**.
Él se entregó **por nosotros**
      para **redimirnos** de todo pecado y **purificarnos**,
   a fin de convertirnos en **pueblo suyo**,
   fervorosamente entregado a practicar **el bien**.

Tu proclamación debe sonar con la alegría contenida de un amigo que comparte una buena noticia.

finalmente, "príncipe de paz", conforme a los profetas mensajes de buenas noticias de paz (Isaías 52:7). El nacimiento de Cristo da plenitud a la creación y la liberación; y reúne todas las cualidades del gran líder esperado por Israel.

II LECTURA Esta breve lectura contiene una densa catequesis de la historia de la salvación, muy apropiada para esta solemnidad. Todo comienza con el deseo de Dios por salvar a "todos" los hombres y mujeres (*anthropos*). Esta salvación se puede degustar ya desde "ahora". Vivir de una manera austera, justa y amable no es el "requisito" para obtener la salvación, sino las notas distintivas de quien ya está gozando, desde ahora, la salvación obrada por Dios.

Pero esa salvación todavía no es plena, sino que está en espera del cumplimiento total, pues no sólo incluirá a los seres humanos, sino a todas las creaturas. Al entregar toda su vida Cristo Jesús, se ha realizado ya la redención y purificación. Todo está listo para la plenitud de la salvación.

La única razón por la que la salvación no ha llegado a esta plenitud es por la resistencia de los humanos a practicar el bien, en la palabra griega del texto de san Pablo, practicar lo bello (*kalos*). La bondad y la belleza, significadas con una sola palabra en el Nuevo Testamento, están íntimamente relacionadas. Esta Navidad es una buena noche para resaltar lo bello y bueno de la salvación traída por el niño de Belén.

EVANGELIO El anuncio de la salvación en la primera lectura y su catequesis en la segunda, la vemos realizada en el cuadro de nuestro evangelio. La salvación no es algo que llegue de "fuera" o

EVANGELIO   Lucas 2:1–14

Lectura del santo Evangelio según san Lucas

Por aquellos días, **se promulgó** un edicto de César Augusto,
   que **ordenaba** un censo **de todo** el imperio.
Este **primer** censo se hizo cuando Quirino era gobernador
   de Siria.
Todos iban a empadronarse, cada uno en su propia ciudad;
   así es que también José,
   perteneciente a la casa y familia de David,
   se **dirigió** desde la ciudad de Nazaret, en Galilea,
   a la ciudad de David, llamada Belén, para **empadronarse**,
   juntamente con María, su esposa, que **estaba encinta**.

Mientras estaban ahí, le llegó a María el tiempo de dar a luz
   y tuvo a su hijo **primogénito**;
   lo envolvió en pañales y lo recostó **en un pesebre**,
   porque **no hubo lugar** para ellos en la posada.

En aquella región había unos pastores
   que pasaban la noche en el campo,
   vigilando **por turno** sus rebaños.
Un **ángel** del Señor se les apareció
   y **la gloria** de Dios los **envolvió** con su luz
   y se llenaron **de temor**.
El ángel les dijo:
   "**No teman**. Les traigo una **buena** noticia,
   que **causará** gran alegría a **todo** el pueblo:
   hoy les ha nacido, en la ciudad de David,
   un **Salvador**, que es el Mesías, **el Señor**.
Esto les servirá de señal:
   encontrarán **al niño** envuelto en pañales
   y **recostado** en un pesebre".

Como si leyeras un oficio que no te concierne, da comienzo a esta proclamación.

Deja caer una nota de ligero dramatismo en el inicio de este párrafo; alarga la línea final que marca algo insatisfactorio.

La frase primera debe sobresalir en estas palabras tranquilizantes del ángel.

de manera estrepitosa. La salvación se realiza en la cotidianidad, en la vida ordinaria, en la historia puntual de un hombre y una mujer. José y María no estaban exentos de sujetarse a los edictos de los emperadores. Jesús nació en el contexto del Imperio Romano, bajo un gobierno judío y en situación de migración. Su familia era originaria del sur, aunque había migrado al norte en busca mejores condiciones de vida.

Justo por ser de Belén, debió emprender un viaje hasta su ciudad originaria para el censo. El emperador puede hacer sentir su poder por medio de una orden universal, pero, sin saberlo, está facilitando el camino para la manifestación de la salvación de Dios. Era necesario que ahí en Belén (en hebreo *bet-lejem* o casa del pan) naciera quien habría de proclamarse Pan de Vida para el mundo (cf. Juan 6).

Como Pan de Vida, la providencia dispuso que naciera en un pesebre (*faten*), una palabra que deriva del verbo "comer". La salvación es la posibilidad de comer de ese Pan que ha nacido en un "comedor". Y así como el pan se envolvía en sábanas para ser preservado, Jesús es envuelto en pañales de sábanas. Ya los padres de la Iglesia entendían que se trataba de una premonición de la forma en que el cuerpo Jesús sería envuelto en sábanas y puesto en un sepulcro después de su crucifixión.

Esos dos elementos del pesebre y los pañales son la señal para que en ese niño se pueda reconocer al Mesías prometido. El pesebre simboliza lo que el niño viene a ofrecer al mundo: alimento. El profeta Amós había proclamado que vendrían días en que oír la Palabra del Señor (Amós 8:11). Esa hambre es satisfecha solamente por el que es el Pan de Vida y sus palabras son de Vida eterna.

De pronto se le unió al ángel
    una multitud del ejército celestial,
que **alababa** a Dios, diciendo:
"¡**Gloria** a Dios en el cielo,
y en la tierra **paz** a los hombres **de buena voluntad**!"

Los pañales representan la fragilidad de ese Pan. Sus telas resguardan del frío y de las enfermedades; permiten la salubridad (*salus*, salvación) y el confort. Jesús es un nuevo Rey sabio envuelto en pañales (Sabiduría 7:4), pero también un rey expuesto a toda clase de peligros y sufrimientos como cualquier mortal. En la Natividad del Señor confluyen ambos aspectos.

NATIVIDAD DEL SEÑOR, MISA DE LA AURORA

Observa las pausas marcadas en los dos puntos y asómbrate ante la descripción.

I LECTURA   Isaías 62:11–12

Lectura del libro del profeta Isaías

Escuchen lo que el Señor hace oír
   hasta el **último** rincón de la tierra:

"Digan a la hija de Sión:
   Mira que **ya llega** tu salvador.
El **premio** de su victoria lo acompaña
   y **su recompensa** lo precede.
   Tus hijos serán llamados '**Pueblo santo**',
   '**Redimidos** del Señor',
   y **a ti** te llamarán
   'Ciudad **deseada**, Ciudad **no abandonada**'".

Para meditar

SALMO RESPONSORIAL   Salmo 97:1 y 6, 11–12

R. Hoy brillará una luz sobre nosotros, porque nos ha nacido el Señor.

El Señor reina, la tierra goza,
   se alegran las islas innumerables.
Los cielos pregonan su justicia,
   y todos los pueblos contemplan su gloria. **R.**

Amanece la luz para el justo,
   y la alegría para los rectos de corazón.
Alégrense, justos, con el Señor,
   celebren su santo nombre. **R.**

I LECTURA La misa de aurora en Navidad tiene un sabor especial de salvación. Las grandes acciones de Dios por su pueblo y por su creación han sucedido antes que el día despunte, oscuro aún. De madrugada Abraham realizó la alianza con Dios (cf. Génesis 22:3), Jacob erigió un altar (cf. Génesis 28:18), Moisés liberó al pueblo de la esclavitud (cf. Éxodo 9:13) y Josué introdujo al pueblo a la tierra prometida (cf. Josué 3:1). El salmista canta que por la mañana Dios muestra su amor por la creación entera (cf. Salmo 90:14).

La primera lectura es, precisamente, un canto de amor por su tierra y por su pueblo. La forma verbal empleada de "llegar" implica una temporalidad inminente: está a punto de llegar el salvador. Este salvador con su "premio" y "recompensa" era apenas una promesa para el pueblo de Israel en el exilio de Babilonia (Isaías 40:10), pero ya con el pueblo de nuevo en su tierra es algo inminente.

La consecuencia de esta salvación será la santidad y la redención. Los hijos e hijas de Sión tendrán las primicias del salvador, pero no será únicamente para ellos. La salvación se ofrece a todos los rincones de la tierra. En esta mañana de Navidad recordamos el nacimiento del Salvador. El mismo que trajo consigo una "recompensa" grande en el Reino de los Cielos (cf. Mateo 5:12) y que espera desde lo alto para otorgar el "premio" a los que se esfuerzan por llegar a la meta, como San Pablo (cf. Filipenses 3:14).

II LECTURA El tema de la salvación continúa con esta segunda lectura. Si la lectura anterior explicitaba las consecuencias de esa salvación, ahora san Pablo nos instruye sobre la motivación de ella. Tres son las palabras elegidas por el

Esta enseñanza está marcada por los beneficios de la salvación. Ofrécela con tono afable.

II LECTURA   Tito 3:4–7

Lectura de la carta del apóstol san Pablo a Tito

Hermano:
Al **manifestarse** la bondad de Dios, nuestro salvador,
   y su amor **a los hombres**, él **nos salvó**,
   no porque nosotros hubiéramos hecho algo **digno**
      de merecerlo,
   sino por **su misericordia**.
Lo hizo mediante **el bautismo**, que nos **regenera** y nos renueva,
   por **la acción** del Espíritu Santo,
   a quien Dios derramó **abundantemente** sobre nosotros,
   por Cristo, nuestro **salvador**.
Así, **justificados** por su gracia,
   nos convertiremos en **herederos**,
   cuando se realice **la esperanza** de la vida eterna.

El momento está marcado por excitación de los pastores; refleja premura en esas líneas y luego ralentiza la lectura de lo que encontraron.

EVANGELIO   Lucas 2:15–20

Lectura del santo Evangelio según san Lucas

Cuando los ángeles los dejaron para **volver** al cielo,
   los pastores se dijeron unos a otros:
   "**Vayamos** hasta Belén,
   para ver **eso** que el Señor nos ha **anunciado**".

Se fueron, pues, a toda prisa y encontraron a María,
   a José **y al niño**, recostado en el pesebre.
Después de verlo, **contaron** lo que se les había dicho
     de aquel niño,
   y cuantos los oían quedaban **maravillados**.

---

autor de la carta para describir las motivaciones de Dios para salvar a los seres humanos: bondad, amor y misericordia.

La bondad (*chrestotes*) es lo que mantiene ordenada cualquier sociedad, lo que permite la sana convivencia. El amor del que se habla en esta lectura es una cualidad que incluye a todos los seres humanos (*filanthropía*) sin exclusividad, como la que mostraron los bárbaros y los gentiles a san Pablo en la isla de Malta. La misericordia (*éleos*) es la cualidad por la que incluso los paganos pueden glorificar a Dios (Romanos 15:9). Es decir, las tres palabras utilizadas

por esta lectura denotan una salvación universal que puede ser aceptada, vivida y celebrada por hombres y mujeres de cualquier cultura y de todo tiempo.

Pero al autor de la carta también le interesa dejar muy claro que esta salvación no es un "merecimiento" del ser humano. Es la acción gratuita y justificadora del Espíritu Santo obrando en Jesucristo la que ha realizado y llevará a su plenitud la salvación. Es por la gracia, y sólo por su gracia, que hemos sido salvados por las aguas del bautismo. Esa es nuestra esperanza, esa es la esperanza que se renueva cada año con

la celebración solemne de la Natividad del Señor.

EVANGELIO La salvación, acorde con la segunda lectura, tenía unos destinatarios universales: todo hombre y mujer. Pero este evangelio propone, dentro de esa universalidad, a unos destinatarios predilectos: los pastores. Desde el inicio de la Biblia, existe una predilección por los pastores. Abel, que era pastor, fue el favorito sobre su hermano Caín, el agricultor. También pastor fue José, el hijo predilecto de Jacob. Moisés fue elegido mientras

Este cuadrito contrasta con la algarabía exterior. Marca esto en la velocidad y volumen de voz al proclamar el parágrafo.

María, por su parte,
    guardaba todas estas cosas y las **meditaba** en su corazón.
Los pastores se volvieron a sus campos,
    alabando y **glorificando** a Dios
        por **todo** cuanto habían visto y oído,
    según lo que se les había **anunciado**.

pastoreaba las ovejas. Y David fue el preferido sobre sus hermanos, mientras pastoreaba las ovejas de su padre.

Los pastores tienen una relación muy especial y estrecha con la creación. Saben mirar y leer el cielo para poder guiar a sus rebaños cuando los han de desplazar por las noches. Tienen saberes sobre los pozos de agua y conocen cuando se aproxima una tormenta o ha crecido la hierba primaveral. Su relación con sus ovejas y la disposición para defenderlas de los depredadores es excepcional. Por esa sencillez y disponibilidad para ver los signos en toda la creación es que fue-

ron elegidos para ser los primeros testigos del Dios nacido para nuestra salvación.

Sólo personas con sencillez de corazón y apertura para ver la obra de Dios en los elementos cotidianos de la creación son capaces de apreciar la salvación obrada en la humildad de un frágil niño nacido en un simple pesebre en un lugar cotidiano de Belén. Lo que han visto y oído puede parecer algo demasiado insignificante para los poderosos y soberbios, pero ellos han quedado maravillados.

Esa sencillez y apertura es la que distinguió a la Virgen María también. Ella esta-

ba ahí, en silencio, meditando todo en su corazón, como los grandes sabios del Antiguo Testamento, como quien susurra la Ley del Señor día y noche (Salmo 1:2). Esta misma debe ser la actitud de quien, en esta mañana santa, contempla el misterio de la salvación obrada por Dios en la sencillez del niño recostado en el pesebre.

NATIVIDAD DEL SEÑOR, MISA DEL DÍA

Es un poema que exige declamarlo con entusiasmo, gozo y esperanza.

Páusate en los dos puntos del "escucha", para captar la atención de la asamblea.

I LECTURA   Isaías 52:7–10

Lectura del libro del profeta Isaías

¡Qué hermoso es ver correr sobre los montes
    al mensajero que **anuncia** la paz,
    al mensajero que trae **la buena nueva**,
    que **pregona** la salvación,
    que dice a Sión: "Tu Dios **es rey**"!

Escucha: Tus centinelas alzan la voz
    y **todos a una** gritan alborozados,
    porque ven **con sus propios ojos** al Señor,
    que retorna a Sión.

Prorrumpan en gritos de alegría, ruinas de Jerusalén,
    porque el Señor **rescata** a su pueblo,
    consuela a Jerusalén.
Descubre el Señor su santo brazo
    a la vista **de todas** las naciones.
Verá la tierra **entera**
    la salvación que viene de **nuestro** Dios.

I LECTURA El poema de Isaías que sirve como preámbulo litúrgico en este día de Navidad comienza con una exclamación de admiración y enamoramiento: "Qué hermoso!" Es la misma expresión que prorrumpe el novio al contemplar la hermosura de su amada en el libro del Cantar (1:10). El mensajero corre para anunciar tres mensajes: paz, buenas noticias y salvación. No son, en realidad, tres cosas distintas, sino tres aspectos de un mismo mensaje. El mensaje es que Dios es el rey, lo demás deriva de esto.

El segundo párrafo anuncia el mismo mensaje, pero con otra faceta: el retorno del Señor a Sión. Según el profeta Ezequiel, la gloria del Señor había abandonado el templo (10:18s.) para trasladarse a Babilonia con los sacerdotes exiliados. Por eso Isaías enfatiza que esa misma Gloria ha retornado a Sión, aunque no necesariamente para posarse en el templo como antes, sino para morar entre su pueblo. Ya no es prerrogativa exclusiva de los sacerdotes poder ver su Gloria, sino que hasta los centinelas pueden contemplarla.

El tercer párrafo va todavía más allá en el alcance del mensaje de salvación. No es solamente para los judíos de Jerusalén; también es para todas las naciones. En la memoria histórica del pueblo, el "brazo" de Dios mostraba su poder para castigar a las naciones opresoras contra Israel. Ahora ese brazo sirve para consolar-abrazar a quien lo desee. Incluso toda la tierra, con sus animales y plantas, podrán disfrutar de este mensaje consolador. Justamente este es el mensaje centrar de este día de la Natividad.

Para meditar

SALMO RESPONSORIAL   Salmo 98:1, 2–3ab, 3cd–4, 5–6

R. Los confines de la tierra han contemplado la victoria de nuestro Dios.

Canten al Señor un cántico nuevo,
   porque ha hecho maravillas:
   su diestra le ha dado la victoria,
   su santo brazo. **R.**

El ha Señor da a conocer su victoria,
   revela a las naciones su justicia:
   se acordó de su misericordia y su fidelidad
   en favor de la casa de Israel. **R.**

Los confines de la tierra han contemplado
   la victoria de nuestro Dios.
Aclama al Señor, tierra entera;
   griten, vitoreen, toquen. **R.**

Tañen la cítara para el Señor,
   suenen los instrumentos:
   con clarines y al son de trompetas,
   aclamen al Rey y Señor. **R.**

II LECTURA   Hebreos 1:1–6

Lectura de la carta a los hebreos

En **distintas** ocasiones y **de muchas** maneras
   habló Dios en el pasado a nuestros padres,
   por **boca de los profetas**.
Ahora, **en estos** tiempos,
   nos ha hablado **por medio de su Hijo**,
   a quien constituyó **heredero** de todas las cosas
   y por medio del cual **hizo** el universo.

El Hijo es el resplandor de la gloria de Dios,
   la imagen **fiel** de su ser
   y el sostén **de todas las cosas** con su palabra **poderosa**.
Él mismo, después de efectuar la **purificación** de los pecados,
   se sentó **a la diestra** de la majestad de Dios, en **las alturas**,
   tanto **más encumbrado** sobre los ángeles,
   cuanto **más excelso** es el nombre que, **como herencia**,
   le corresponde.

El inicio del texto hazlo en tono normal
o bajo, y marca el contraste con el "ahora".

Eleva la intensidad de voz a partir de aquí.

El párrafo final debe sonar vigoroso, como
invitando a la exaltación.

II LECTURA Este prólogo de la Epístola a los hebreos es una de las piezas maestras de la literatura del Nuevo Testamento. Los primeros versos hacen un recuento de la memoria colectiva que recuerda muchas ocasiones en las que Dios ha ofrecido un mensaje de salvación. Aquí podemos aludir a la creación misma, a la luz de la razón, a la manifestación a los patriarcas, la revelación de la Ley o la inspiración de los profetas. En todas se hace patente la iniciativa permanente de Dios por querer entablar un diálogo con sus creaturas.

Pero nada puede compararse a la forma en que Dios habla a través de su propio Hijo encarnado. Es más, su Hijo ha estado presente de manera velada en todas esas ocasiones del pasado que se han mencionado. Ahí estaba en la creación del mundo, como su Sabiduría que lo asistía (Proverbios 8). Estaba ahí como Luz de las personas y como Palabra transmitida a patriarcas y profetas.

Pero con la encarnación, nacimiento del Hijo de Dios ha comenzado una nueva creación. El Hijo es imagen de Dios como Adán, pero de una manera más perfecta

(fiel). Así como Adán puso nombre a todas las cosas, también el Hijo de Dios sostiene todo con su Palabra, que es todavía más poderosa.

Y gracias a su entrega de vida que consiguió la purificación de los pecados es que llevó al género humano y a todos los vivientes a estar más encumbrados que los ángeles. El Salmo 8 cantaba que el ser humano había sido creado un poco inferior a los ángeles. Pero con la nueva creación obrada por el Hijo de Dios se ha encumbrado por encima de los ángeles. La Navidad nos recuerda esta vocación a la que nos ha llamado el Salvador.

El argumento puede ser complejo; frasea cuidadosamente para que la audiencia no lo pierda.

Porque ¿a cuál de los **ángeles** le dijo Dios:
*Tú eres mi **Hijo***; *yo te he engendrado hoy?*
¿O de **qué** ángel dijo Dios: *Yo seré para él **un padre***
*y él será para mí **un hijo**?*
Además, en **otro** pasaje,
cuando introduce en el mundo a **su primogénito**, dice:
***Adórenlo** todos los ángeles de Dios.*

EVANGELIO   Juan 1:1–18

Lectura del santo Evangelio según san Juan

En el principio **ya existía** aquel que es la Palabra,
y aquel que es **la Palabra** estaba con Dios y **era Dios**.
Ya en el principio él estaba **con Dios**.
Todas las cosas vinieron a la existencia **por él**
y sin él **nada** empezó de cuanto existe.
Él era **la vida**, y la vida era **la luz** de los hombres.
La luz **brilla** en las tinieblas
y las tinieblas **no la recibieron**.

Hubo un hombre enviado por Dios, que se llamaba Juan.
Este vino como **testigo**, para dar **testimonio** de la luz,
para que todos creyeran **por medio de él**.
Él no era la luz, sino **testigo** de la luz.

Aquel que es la Palabra era la luz verdadera,
que ilumina **a todo hombre** que viene a este mundo.
En el mundo **estaba**;
el mundo había sido hecho **por él**
y, sin embargo, el mundo **no lo conoció**.

Se avanza como en espiral; atiende a las palabras que consideres más significativas y alarga sus frases, para ayudar a la comprensión del mensaje.

El párrafo marca algo diferente, histórico, pero unido a lo poético y metafórico. Procura "leer de corrido" las frases, respetando siempre la puntuación.

Allá, a la derecha de Dios, en las alturas, está esperando por nosotros. Hacia allá estamos llamados todos los seres vivos. Hoy es un excelente día para recordarlo.

EVANGELIO El prólogo del evangelio de San Juan, como cualquier prólogo, fue redactado en la última etapa de la formación del escrito. Contiene una teología madura, fruto de varios años de reflexión, meditación y adaptación. La frase inicial "en el principio" alude, sin duda, a la primera frase del libro de Génesis 1:1. De nueva cuenta el lenguaje teológico de la

creación se hace presente. Puesto que todas las cosas fueron hechas por Dios a través de su Palabra, todas las obras de esa creación llevan la "huella" de su creador. Esta luz creacional sería suficiente para descubrir al Creador, pero las tinieblas no lo hacen tan fácil.

En la creación Dios otorgó al ser humano, de manera especial, la luz de la libertad, del conocimiento y de la razón. La reflexión, el arte o la espiritualidad podrían bastar para acceder al misterio del Dios presente en las conciencias y los talentos de los seres humanos. Pero el mundo decide con

frecuencia apagar esa luz y conocer otras frivolidades, que no al Autor de la vida.

Entonces Dios decidió formarse un pueblo para que fueran los "suyos", los privilegiados en recibir sus comunicaciones. Patriarcas y matriarcas, profetas y profetizas, jueces y sabias fueron mediadores del mensaje divino, pero, de nueva cuenta, no todos lo recibieron, sólo unos cuantos, un resto fiel, tuvo la voluntad de aceptar el mensaje de Dios y vivir conforme a él.

Ante tal rechazo, Dios tomó una decisión excepcional: la Palabra se hizo humana (carne). En griego, se dice que la Palabra

Vino a los suyos y los suyos **no lo recibieron**;
    pero **a todos** los que lo recibieron
    les **concedió** poder llegar a ser **hijos** de Dios,
    a los que **creen** en su nombre,
    los cuales **no nacieron** de la sangre,
    ni del deseo de la carne, ni por voluntad **del hombre**,
    sino que nacieron **de Dios**.

Y aquel que es la Palabra se hizo hombre
    y **habitó** entre nosotros.
Hemos visto **su gloria**,
    gloria que le corresponde como a **Unigénito** del Padre,
    lleno de gracia y **de verdad**.

Juan el Bautista dio testimonio de él, clamando:
    "**A éste** me refería cuando dije:
    'El que viene **después** de mí, tiene **precedencia** sobre mí,
    porque **ya existía** antes que yo'".

De su plenitud hemos recibido todos gracia sobre gracia.
Porque **la ley** fue dada por medio de Moisés,
    mientras que la gracia y la verdad vinieron **por Jesucristo**.
A Dios **nadie** lo ha visto **jamás**.
    El Hijo **unigénito**, que está en el seno del Padre,
    es quien lo **ha revelado**.

Abreviado: *Juan 1:1–5, 9–14*

Esta es una declaración de fe muy solemne. Proclámala acentuando cada una de sus palabras.

Concluye la proclamación haciendo contacto visual con la asamblea.

"puso su tienda" entre nosotros. Dios se hace "nómada" por nosotros, renuncia a los privilegios y comodidades para habitar esta tierra como uno más, con limitaciones y fragilidades. Ahora el gran reto es poder ver, con la luz de su Gloria, al Dios poderoso en la fragilidad de la carne de Jesús. Un cuerpo que en la solemnidad del día de hoy contemplamos recostado en un humilde pesebre.

Pero es sólo ese humano (carne) quien puede revelar el corazón del Padre, pues proviene de su seno (*kolpos*). Es un Hijo que no se guarda nada para sí, sino que permite a todo discípulo amado recostarse sobre su pecho (*kolpos*) en la última cena para continuar el mensaje de salvación. Y la Navidad nos invita a todos a continuar esparciendo este mensaje a toda la creación.

SAGRADA FAMILIA DE JESÚS, MARÍA Y JOSÉ

Se trata de un diálogo entre amigos desiguales, pero que se respetan mutuamente. Imprime serenidad a las intervenciones de Dios y cierto desencanto a las de Abram.

I LECTURA   Génesis 15:1–6; 21:1–3

Lectura del libro del Génesis

En aquel tiempo,
   el Señor **se le apareció** a Abram y le dijo:
   "No temas, Abram.
Yo soy tu protector y tu recompensa será **muy grande**".
Abram le respondió:
   "Señor, Señor mío, ¿**qué me vas a poder** dar,
   puesto que voy a morir **sin hijos**?
Ya que **no me has dado** descendientes,
   un criado de mi casa será mi heredero".

Pero el Señor le dijo:
   "Ése no será **tu heredero**, sino uno que saldrá **de tus entrañas**".
Y haciéndolo salir de la casa, le dijo:
   "Mira el cielo y **cuenta** las estrellas, si puedes".
Luego añadió: "Así **será tu descendencia**".
Abram creyó lo que el Señor le decía y, por esa fe,
   el Señor **lo tuvo por justo**.

Arranca este párrafo a baja velocidad de lectura y auméntala conforme te acercas al final.

Poco tiempo después,
   el Señor **tuvo compasión** de Sara,
   como lo había dicho y **le cumplió lo** que le había prometido.
Ella concibió y le dio a Abraham **un hijo en** su vejez,
   en el tiempo que Dios **había predicho**.
Abraham le puso por **nombre Isaac**
      al hijo que le había **nacido de Sara**.

O bien: *Sirácide 3:2–6, 12–14*

I LECTURA   Hoy celebramos a la Sagrada Familia de Nazaret. La primera lectura nos presenta una familia muy singular del pueblo hebreo. Es una familia que no sólo comprende al padre y la madre, sino también a la sierva, a su hijo, y otros parientes. Dios había sacado a Abram de su tierra con la promesa de una descendencia numerosa. Aunque era ya de edad avanzada, no había tenido hijo con su esposa Sara, que era estéril y de edad avanzada también, por lo que le dio a su esclava, Agar, para que Abram pudiera tener un hijo de ella. La promesa de Dios es que Abram tendrá un hijo de su "entraña" (*me'eh*; 15:4). Sorprende que la Biblia use la palabra que refiere al vientre materno (cf. Génesis 25:23; Rut 1:11) para hablar del hijo de Abram. Esto puede indicar muy bien la relación estrecha del hombre y la mujer en la concepción y crianza de los hijos, son de él y de ella, unidos por las "entrañas" de ambos.

Luego, Dios lo saca de la tienda para mostrarle las estrellas. No es sólo una visión cuantitativa (número grande de hijos prometidos), sino cualitativa: es Dios quien "crea" los hijos, como "hizo" las estrellas del firmamento (Génesis 1:16). Los hijos son criaturas de los padres y de Dios unidos en un proyecto de vida y de futuro.

En el último párrafo, narrativamente han pasado ya seis capítulos, Dios visita a Sara y "hace" con ella como le había prometido. De nuevo emerge la teología de la creación (hacer). El verbo "concebir" es el mismo que describe a Eva cuando concibió a su primer hijo (Génesis 4:1). Abram, como lo hiciera Adán, "pone el nombre" a su hijo. Sara y Abram son continuadores de la obra creadora de Dios al engendrar, concebir y cuidar (poner nombre) a su hijo Isaac. También los padres y madres de hoy son

Para meditar

SALMO RESPONSORIAL   Salmo 105:1b–2, 3–4, 5–6, 8–9

R. El Señor es nuestro Dios, se acuerda de su alianza eternamente.

Den gracias al Señor, invoquen su nombre
   den a conocer sus hazañas a los pueblos;
cántenle al son de instrumentos,
   hablen de sus maravillas. **R.**

Recuerden las maravillas que hizo,
   sus prodigios, las sentencias de su boca.
¡Estirpe de Abrahán, su siervo;
   hijos de Jacob, su elegido! **R.**

Gloríense de su nombre santo,
   que se alegren los que buscan al Señor.
Recurran al Señor y a su poder,
   busquen continuamente su rostro. **R.**

Se acuerda de su alianza eternamente,
   de la palabra dada, por mil generaciones;
de la alianza sellada con Abrahán,
   del juramento hecho a Isaac. **R.**

Salmo alternativo: *Salmo 127:1–2, 3, 4–5*

II LECTURA   Hebreos 11:8, 11–12, 17–19

Lectura de la carta a los hebreos

Hermanos:
   Por **su fe**, Abraham, **obediente** al llamado de Dios,
   y **sin saber** a dónde iba,
   partió hacia la tierra que habría de recibir como **herencia**.

Por **su fe**, Sara,
   aun siendo **estéril** y a pesar de su **avanzada** edad,
   pudo **concebir** un hijo,
   porque **creyó** que Dios habría de ser **fiel** a la promesa;
   y así, de un **solo** hombre, ya anciano, nació una descendencia,
   numerosa como las estrellas del cielo
   e **incontable** como las arenas del mar.

Por **su fe**, Abraham,
   cuando Dios le puso **una prueba**,
   se dispuso a **sacrificar** a Isaac, su hijo **único**,
   garantía de la promesa, porque Dios le había dicho:
   De Isaac nacerá la descendencia que ha de llevar tu nombre.
Abraham **pensaba**, en efecto,

"Por su fe" introduce cada desarrollo; es el nombre propio lo que le da color color propio al segmento.

El momento reclama cierto dramatismo, pero recuerda que es la Palabra el centro de atención, no el proclamador.

---

cocreadores en su misión de concebir y formar a los hijos e hijas que Dios les ha confiado para engrandecerlos.

II LECTURA La segunda lectura prolonga el tema de la familia de Abraham y Sara como modelo, ya no sólo para los hebreos, sino para los cristianos. Lo primero que se recuerda de Abraham es su "obediencia" (del verbo griego *hyp-akuo*). El sentido más literal del verbo es "escuchar debajo", es decir, poner atención a alguien en posición superior. Nadie como Abraham, en el Antiguo Testamento, supo escuchar aten-

tamente y poner en práctica la Palabra de Dios. Y solamente quien aprendió a obedecer, sería capaz de educar. Abraham fue un gran padre de su hijo y de su pueblo porque antes supo ser un bueno hijo respecto a Dios.

Al lado de Abraham se menciona a Sara. De ella se destaca su fe por haber creído en la promesa de Dios a pesar de su edad y esterilidad. En palabras más apegadas al texto griego, ella consideró "fidedigna" (*pistós*) la promesa de Dios. No basta con creer que Dios habla, sino que es necesario convencerse de que es verdadero

y realizable. La fe de Abraham y la fe de Sara son la misma, pero con sus peculiaridades. Ambos transmitieron esta fe a su hijo Isaac, quien "heredó", no por genética, sino por educación, la obediencia de su padre y la confianza de su madre hacia Dios.

Luego llega Isaac, el hijo. Desde pequeño, obedeció a su padre cuando le ordenó subir al monte donde sería sacrificado. Imaginemos también a la madre que miraba partir a su único hijo para ser degollado. Sara tuvo que ser *obediente* a la primera orden de Dios, algo que seguro aprendió de su esposo. Por su parte, Abraham tenía el

que Dios tiene **poder** hasta para **resucitar** a los muertos;
    por eso le fue devuelto Isaac,
que se **convirtió** así en un **símbolo** profético.

O bien: *Colosenses 3:12–21,* **o bien:** *3:12–17*

EVANGELIO   Lucas 2:22–40

Lectura del santo Evangelio según san Lucas

Transcurrido el tiempo de la purificación de María,
    según la ley de Moisés,
ella y José llevaron al niño a Jerusalén para presentarlo al Señor,
de acuerdo con lo escrito **en la ley**:
    Todo primogénito varón será consagrado al Señor,
y también para ofrecer, **como dice la ley**,
    un par de tórtolas o dos pichones.

Vivía en Jerusalén un hombre llamado Simeón,
    varón **justo** y **temeroso de Dios**,
que aguardaba el consuelo de Israel;
en él moraba el **Espíritu Santo**,
el cual le había revelado que **no moriría**
    sin haber visto antes al Mesías del Señor.
Movido por el **Espíritu**, fue al templo,
y cuando José y María entraban con el niño Jesús
    para cumplir con lo prescrito **por la ley**,
Simeón lo tomó en brazos y **bendijo a** Dios, diciendo:

"Señor, ya puedes dejar morir en paz a **tu siervo**,
    según lo que me habías **prometido**,
porque mis ojos **han visto** a tu Salvador,
    al que has preparado para bien de **todos los pueblos**;
luz que alumbra a las naciones
    y gloria de tu pueblo, Israel".

Eleva un tanto tu entonación de voz en las frases previas a los dos puntos para que se noten las palabras de la Escritura.

La oración es confiada y procura guardarle una lentitud moderada.

---

corazón destrozado al lleva consigo la daga con la que cortaría el cuello de su hijo, pero aprendió a creer en el poder de Dios, que podía resucitar a los muertos. En esta familia cada integrante enseña y aprende de los demás. No es patriarcado ni patriarcado, sino comunidad de amor en la que, en los momentos más complicados, cada uno aporta sus dones y carismas para beneficio de todos.

EVANGELIO Las dos lecturas anteriores hablan sobre la familia nuclear unida, en primera instancia, por lazos

de sangre y, en un segundo momento, por valores compartidos. Este evangelio trasciende esta familia para tender lazos más allá de lo consanguíneo. José y María cumplen con una tradición que se remonta hasta la Ley promulgada por Moisés. No lo hacen por obligación, sino por su convicción de formar parte de una familia más amplia, la del pueblo de Dios. Son lazos que originalmente eran de parentesco (familia-tribu), pero que después se convirtieron en lazos de fraternidad y sororidad surgidos de la creencia en un mismo Dios y en la obediencia a una misma Ley.

Como representantes de esa fe y esa obediencia dentro de una memoria común están Simeón y Ana, los "abuelos" de Jesús en el pueblo de Dios. Simeón (*Shamá:* escuchar) era, ante todo, un hombre que sabía escuchar la Palabra de Dios. Se encontraba en la puerta del templo, lo que indica que no era sacerdote, sino un hombre laico, pero "lleno del Espíritu Santo". Ese anciano de "afuera" del templo supo discernir para Escrituras para saber que la profecía de Isaías 51:4 se cumplía con el hijo del matrimonio de Nazaret: "Escúchame con atención, pueblo mío, porque de mí saldrá

El padre y la madre del niño
    estaban **admirados** de semejantes palabras.
Simeón los **bendijo**,
    y a **María**, la madre de Jesús, le anunció:
"**Este niño** ha sido puesto para **ruina y resurgimiento**
    de muchos en Israel, como **signo que provocará** contradicción,
    para que queden **al descubierto** los pensamientos
        de todos los corazones.
Y **a ti**, una espada te **atravesará** el alma".

Había también **una profetisa**,
    Ana, hija de Fanuel, de la tribu de Aser.
Era una mujer **muy anciana**.
De joven, había vivido siete años casada
    y tenía ya ochenta y cuatro años de edad.
No se apartaba del templo ni de día ni de noche,
    sirviendo a Dios con **ayunos y oraciones**.
Ana se acercó en aquel momento,
    dando gracias a Dios y **hablando del niño**
        a todos los que aguardaban **la liberación de Israel**.

Y cuando cumplieron todo lo que **prescribía la ley del** Señor,
    se volvieron a Galilea, a su ciudad de Nazaret.
El **niño iba** creciendo y fortaleciéndose,
    se llenaba de sabiduría y la **gracia de Dios** estaba con él.

O bien: *Lucas 2:22, 39–40*

Es terrible cómo cierra el oráculo. Este presagio pronúncialo con cierta rapidez.

la Ley, y de mí saldrá la justicia para luz de las naciones".

Ana era otra mujer anciana, que provenía de una tribu hebrea sin aparente relevancia. Ella nos recuerda a otra Ana, la que lloraba en la puerta del templo para pedir a Dios un hijo que la liberara de su angustia (1 Samuel 1). Esta otra mujer también acudía al templo para pedir la liberación de Israel. Y su oración fue escuchada con la llegada del Hijo de Dios, el niño que llevaría a cabo esa liberación. Simeón y Sara, los ancianos que, desde la sencillez de su vida, supieron escuchar la Palabra de Dios, estar atentos a los signos de los tiempos y reconocer en el niño presentado en el templo al Libertador del pueblo.

Jesús, como Samuel, el hijo pedido entre llantos por Ana, iba creciendo en sabiduría, "haciéndose grato ante los ojos del Señor y de los hombres" (1 Samuel 2:26). Volvió a su pueblo, Nazaret, para para vivir como un niño dentro de una familia ordinaria. Ya llegaría el tiempo de predicar con autoridad, pero, por ahora, debía estar bajo la autoridad de sus padres y la custodia educativa de todos sus "abuelos" y ancestros espirituales.

SOLEMNIDAD DE SANTA MARÍA, MADRE DE DIOS

Frasea cuidadosamente las palabras de la bendición; van pareadas.

I LECTURA   Números 6:22–27

Lectura del libro de los Números

En aquel tiempo, **el Señor** habló a Moisés y le dijo:
   "Di a Aarón y a **sus hijos**:
   'De **esta manera** bendecirán a los israelitas:
El Señor **te bendiga** y te proteja,
   haga **resplandecer** su rostro **sobre** ti y te conceda su favor.
Que el Señor te mire **con benevolencia**
   y te conceda **la paz**'.

Así invocarán mi nombre sobre los israelitas
   y yo los bendeciré".

Para meditar

SALMO RESPONSORIAL   Salmo 67:2–3, 5, 6 y 8

R. El Señor tenga piedad y nos bendiga.

El Señor tenga piedad y nos bendiga,
   ilumine su rostro sobre nosotros;
   conozca la tierra tus caminos,
   todos los pueblos tu salvación. **R.**

Que canten de alegría las naciones,
   porque riges el mundo con justicia,
   riges los pueblos con rectitud,
   y gobiernas las naciones de la tierra. **R.**

Oh Dios, que te alaben los pueblos,
   que todos los pueblos te alaben.
Que Dios nos bendiga; que le teman
   hasta los confines del orbe. **R.**

I LECTURA El inicio de un nuevo año civil impulsa a los cristianos a solicitar la bendición sacerdotal. Por esta razón la liturgia comienza con una oración de bendición "escondida" entre las cifras y medidas del libro de los Números. En el texto hebreo la oración contiene siete invocaciones, el número que hace alusión a los siete días de la creación. En dos ocasiones se explicita al "Señor" como fuente de la bendición. Los sacerdotes no son los que bendicen, sino los mediadores de la bendición de Dios.

La bendición se manifiesta en diversos aspectos de la vida de las personas. Implica protección amorosa, como quien guarda (*shamar*) con todo cuidado algo muy valioso. Este cuidado es para Dios un acto de amor, que hace que le "brille el rostro", como cuando alguien sonríe por la alegría de ver a alguien amado. Y si Dios está contento, entonces puede conceder cualquier favor. El mayor favor que puede conceder Dios es su paz (*shalom*), la misma paz con la que concluyó la obra de su creación.

De acuerdo con esta oración de bendición, entonces, el mayor beneficio del favor divino es su benevolencia que restaura las relaciones armoniosas surgidas en la creación: del Creador con su creación, del ser humano con el Creador, con los otros seres creados y con los cielos, tierra y mares que son su casa común.

II LECTURA En el santoral romano cada día del año está consagrado a un santo o santa para pedir su intercesión y bendición. El primer día del año civil se piden estos dones de María, la madre de Dios. Para iluminar esta consagración se acude a un extracto de la carta de Pablo a

II LECTURA   Gálatas 4:4–7

Lectura de la carta del apóstol san Pablo a los gálatas

Hermanos:
Al llegar **la plenitud** de los tiempos,
    envió Dios **a su Hijo**, nacido de una mujer, nacido **bajo la ley**,
    para **rescatar** a los que estábamos bajo la ley,
    a fin de hacernos **hijos suyos**.

Puesto que ya son ustedes hijos,
Dios **envió** a sus corazones el Espíritu **de su Hijo**,
    que clama "¡**Abbá**!", es decir, ¡**Padre**!
Así que **ya no eres siervo**, sino hijo;
    y siendo **hijo**, eres también **heredero** por voluntad de Dios.

EVANGELIO   Lucas 2:16–21

Lectura del santo Evangelio según san Lucas

En aquel tiempo,
    los pastores fueron **a toda prisa** hacia Belén
    y encontraron a María, a José y al niño,
        recostado en el pesebre.
Después de verlo,
    contaron lo que se les había dicho **de aquel niño**
    y cuantos los oían, quedaban **maravillados**.
María, por su parte, **guardaba** todas estas cosas
    y las meditaba **en su corazón**.

Los pastores se volvieron a sus campos,
    alabando y **glorificando a Dios**
        por todo cuanto habían **visto y oído**,
    según lo que se les había **anunciado**.

No te olvides de hacer contacto visual con la asamblea luego del anuncio litúrgico de la lectura. Advierte cómo ésta transita de lo impersonal a lo personal.

La lectura un tanto apresurada en las primeras líneas ayudará a proyectar la prisa de los pastores.

Ilumina también tu rostro con la alegría de los pastores.

---

los Gálatas. El apóstol es escueto en la mención de María. Sin anotar su nombre, la caracteriza de la manera aparentemente más sencilla: una mujer. La "mujer" es el símbolo de la vida, la madre de los vivientes como fue llamada Eva desde la creación del mundo (Génesis 3:20). Mujer-madre (*adamáh*) como la tierra que de la que el ser humano (*adam*) fue formado. Esa madre-tierra que engendra hijos, los sostiene y los alimenta con cariño.

Y María es la nueva mujer-madre que ejemplifica el don creador de otorgar vida. Con justa razón y por declaración solemne del magisterio, ella puede ser llamada con todo derecho "Madre de Dios". En este comienzo de año donde la muerte de inocentes se ha convertido en una constante, es bueno recurrir a ella, la "Mujer", para solicitar su intercesión a favor de la vida plena y segura.

EVANGELIO Retomamos este pasaje del evangelio de Lucas que fue proclamado en la misa de aurora de la Natividad. Sin perder el misterio del nacimiento del Hijo de Dios como el centro de este tiempo litúrgico, nos centramos en el personaje de María al que se invoca en esta celebración de principio de año. Ella está ahí en el pesebre; fue a la primera persona que vieron los ojos de Jesús al abrirse. También estará ella junto a la cruz (Juan 19:25), y será la última persona que Jesús vería al cerrar sus ojos.

Y en todo lo que le tocó experimentar como su madre y acompañante, "guardaba y meditaba en su corazón". Para la teología bíblica, el corazón no se relaciona, como hoy, con los sentimientos. El corazón es más bien algo cercano a la consciencia, el lugar donde se toman las grandes decisio-

SOLEMNIDAD DE SANTA MARÍA, MADRE DE DIOS ■ 1 DE ENERO DE 2024   43

Retoma el paso y el tono narrativo normal para concluir el pasaje.

Cumplidos los ocho días, circuncidaron al niño y le pusieron el nombre **de Jesús**, aquel **mismo** que había dicho el ángel, **antes** de que el niño fuera **concebido**.

nes y donde se planea la vida. Lo importante no es lo que entra al cuerpo, sino lo que sale del corazón, para bien o para mal.

Del corazón de María sólo podían salir cosas buenas, pues limpio era su corazón. Nadie como ella refleja la bendición de Dios en una persona. El rostro de Dios resplandece ante la belleza de la "Mujer", que es capaz de dar vida al autor de la Vida. La bendición y la vida, por intercesión de María, es la manera óptima de comenzar un nuevo año.

EPIFANÍA DEL SEÑOR

El poema guarda varios momentos. Distingue sus movimientos y procura el tono más conveniente a cada uno de ellos.

Este es el momento de la reunión de los peregrinos; el gozo comienza a llenarlo todo. Observa luego el cuadro de su llegada a la ciudad; la alegría se desborda.

I LECTURA   Isaías 60:1–6

Lectura del libro del profeta Isaías

Levántate y resplandece, Jerusalén,
    porque **ha llegado** tu luz
    y la gloria del Señor **alborea** sobre ti.
Mira: **las tinieblas** cubren la tierra
    y espesa niebla **envuelve** a los pueblos;
    pero sobre ti **resplandece** el Señor
    y en ti **se manifiesta** su gloria.
Caminarán los pueblos **a tu luz**
    y los reyes, **al resplandor** de tu aurora.

Levanta los ojos y **mira** alrededor:
    todos se reúnen y vienen **a ti**;
    tus hijos llegan **de lejos**, a tus hijas las traen **en brazos**.
Entonces verás esto **radiante** de alegría;
    tu corazón se **alegrará**, y se **ensanchará**,
    cuando se **vuelquen** sobre ti los tesoros del mar
    y te traigan **las riquezas** de los pueblos.
Te **inundará** una multitud de camellos y dromedarios,
    procedentes de Madián y de Efá.
Vendrán **todos** los de Sabá
        trayendo **incienso y oro**
    y **proclamando** las alabanzas del Señor.

I LECTURA Jerusalén fue considerada poco a poco, dentro de la teología bíblica, como un centro de atracción para todos los seres vivientes de la tierra. Para el siglo v a. C., sin embargo, un grupo de sacerdotes descendientes de Sadoq quisieron cerrar Jerusalén solamente para los judíos "puros" y expulsar a todos los demás. Es en este contexto posexílico que el Tercer Isaías pugna, nuevamente, por una ciudad abierta a todas y todos los vivientes. La ciudad es comparada con una gran luz que atrae a todos hacia a ellos para irradiarlos con su esplendor.

El llamado es totalmente incluyente. Se busca reunir a los hijos y a las hijas, sin distinciones de género, derribando así el machismo sacerdotal de los sadoquitas. Se lanza una invitación para traer tesoros del *mar* y de la *tierra*, derribando la aversión legendaria del pueblo israelita hacia el mar como lugar de monstruos y caos. Serán incluidos todos los seres vivos, simbolizados por los camellos y dromedarios, los animales más utilizados para los viajes, capaces de atravesar las zonas más inhóspitas del planeta, superando así cualquier atisbo de antropocentrismo.

Todos los seres de la creación llegan atraídos, como un imán, por una ciudad que les ofrece la luz del conocimiento. El árbol prohibido del conocimiento que había sido puesto en el jardín del Edén ahora podrá ser degustado por cualquier creatura que lo busque de corazón. Incluso de Sabá, famosa en su tiempo tanto por sus caravanas numerosas y ricas (cf. Job 6:19) como por su búsqueda insaciable de sabiduría, acudirán a Jerusalén, ya no atraídos por la inteligencia de un rey (cf. 1 Reyes 10), sino por la sabiduría de todos sus habitantes. Será el cumplimiento de la profecía donde todos

Para meditar

SALMO RESPONSORIAL   Salmo 72:1–2, 7–8, 10–11, 12–13

R. Se postrarán ante ti, Señor, todos los pueblos de la tierra.

Dios mío, confía tu juicio al rey,
   tu justicia al hijo de reyes,
   para que rija a tu pueblo con justicia,
   a tus humildes con rectitud. **R.**

Que en sus días florezca la justicia
   y la paz hasta que falte la luna;
   que domine de mar a mar,
   del Gran Río al confín de la tierra. **R.**

Que los reyes de Tarsis y de las islas
   le paguen tributo.
Que los reyes de Saba y de Arabia
   le ofrezcan sus dones;
   que se postren ante él todos los reyes,
   y que todos los pueblos le sirvan. **R.**

El librará al pobre que clamaba,
   al afligido que no tenía protector;
   él se apiadará del pobre y del indigente,
   y salvará la vida de los pobres. **R.**

II LECTURA   Efesios 3:2–3, 5–6

Lectura de la carta del apóstol san Pablo a los efesios

Hermanos:
Han oído hablar de la **distribución** de la gracia de Dios,
   que se me ha confiado **en favor** de ustedes.
Por revelación se me dio a conocer **este misterio**,
   que no había sido **manifestado** a los hombres
     en **otros** tiempos,
   pero que ha sido revelado **ahora** por el Espíritu a sus santos
     apóstoles y profetas:
   es decir, que por el Evangelio,
   también los paganos son **coherederos** de la **misma** herencia,
   miembros del **mismo** cuerpo
   y **partícipes** de la misma promesa en Jesucristo.

Esta revelación del autor invita a saberse amados por Dios. Haz contacto visual con la asamblea al llegar a los puntos.

tendrán el conocimiento del Señor (Jeremías 31:34), brillando e irradiando una luz tan intensa que iluminará cualquier obscuridad.

II LECTURA San Pablo recurre a una tradición que comenzó como una revelación (*apokalypsis*) personal. El antes perseguidor de los cristianos no cumplía con el requisito de haber estado junto a Jesús desde su bautismo para ser considerado apóstol (cf. Hechos 1:21–22). Pero una revelación personal lo hizo asumirse como el último de los apóstoles (cf. 1 Corintios 15:9). Sin embargo, esa revelación hubiera quedado en el ámbito privado sino la hubiera dado a conocer (*gnorizo*), es decir, sino la hubiera manifestado (*epifanía*) a los cristianos que perseguía.

Toda tradición consta de ambas fases del proceso: revelación y manifestación. Y en todo ese proceso interviene la inspiración del Espíritu Santo, que no sabe de fronteras. Por eso Pablo vuelve su mirada a la memoria del pasado: profetas han recibido la revelación del pasado para transmitirla a sus coetáneos. Pero la memoria se experimenta desde el presente: los apóstoles son, ahora, los destinatarios de la revelación para manifestarla a todos los cristianos. Y, finalmente, la memoria abre posibilidades al futuro: los paganos serán beneficiados, como actores y no sólo como receptores, de este proceso de revelación-manifestación. Nadie puede ser excluido de este misterio de salvación de Dios para toda la creación.

Justamente la solemnidad de este día sigue el mismo esquema teológico. Este domingo cierra el tiempo de la revelación (Navidad) para abrir el tiempo de la manifestación, donde Jesús dará a conocer su persona, su mensaje y sus obras. El niño del

EVANGELIO   Mateo 2:1–12

Lectura del santo Evangelio según san Mateo

Jesús nació en **Belén de Judá**, en tiempos del rey Herodes.
Unos **magos** de Oriente llegaron entonces a Jerusalén
    y preguntaron:
"**¿Dónde está** el rey de los judíos que acaba **de nacer**?
    Porque vimos **surgir** su estrella y hemos venido **a adorarlo**".

Al enterarse de esto,
    el rey Herodes se **sobresaltó** y **toda** Jerusalén con él.
Convocó entonces a los **sumos sacerdotes**
    y a los escribas del pueblo
y les preguntó **dónde** tenía que nacer el Mesías.
Ellos le contestaron:
    "En **Belén de Judá**, porque así lo ha escrito el profeta:
    Y tú, Belén, tierra de Judá,
    no eres en manera alguna
    la menor entre las ciudades ilustres de Judá,
    pues de ti saldrá un jefe,
    que será el pastor de mi pueblo, Israel".

Entonces Herodes llamó **en secreto** a los magos,
    para que le **precisaran** el tiempo en que se les había **aparecido**
    la estrella y los mandó a Belén, diciéndoles:
    "**Vayan** a averiguar cuidadosamente **qué hay** de ese niño,
y cuando lo encuentren,
avísenme para que yo también vaya a adorarlo".

Después de oír al rey, los magos se pusieron en camino,
    y **de pronto** la estrella que habían visto surgir,
    comenzó **a guiarlos**,
    hasta que se detuvo **encima** de donde estaba el niño.
Al ver de nuevo la estrella, **se llenaron** de inmensa alegría.

Nota el tono imparcial del inicio. Parece que todo lo que ocurre en nada concierne a la asamblea hasta que se oyen las palabras proféticas. Allí cambia el tono y la velocidad.

A las palabras de Herodes imprímeles cierta secrecía.

Acelera en esta porción y ralentiza la línea final del párrafo.

---

pesebre manifiesta a la creación, no solamente al mundo, el designio revelado, ya no a unas personas privilegiadas, sino a todos los vivientes sin distinción de género, raza, clase o religión.

EVANGELIO Con este domingo cierra el tiempo litúrgico de la Navidad. Seguimos ubicados en la aldea de Belén, pero, después de los pastores, entran en escena unos magos del oriente. Estos magos eran personas en estrecha relación con la creación. Contemplaban y estudiaban los astros del cielo, de día y de noche. Vivían en armonía con los animales. Cultivaban y cuidaban de plantas que les proporcionaban alimento y remedios médicos. Valoraban el agua tan indispensable para la supervivencia en los desiertos. Además, gustaban del conocimiento de las distintas culturas del mundo conocido por ellos.

Fue así que llegaron a la conclusión que en una población de Israel nacería alguien digno de adoración. La lectura de las Escrituras de Israel, la sabiduría de los cielos y su búsqueda inquieta los hizo ponerse en camino. Pero la luz de la estrella se apagó. Fue necesario para a preguntar a los "erudi-tos" de la religión judía. Ellos encontraron pronto la respuesta, pero nunca se pusieron en camino. Esos sacerdotes prefirieron quedarse en la comodidad del palacio y en lo seguro de su templo.

No fue así para los magos, que prosiguieron su camino a oscuras hasta que la luz volvió a encenderse. Y en el pesebre de Belén vieron al niño. Se dieron cuenta que no era la estrella, sino ese niño, quien los guiaba con su luz. Lo encontraron envuelto por la creación, con su madre como la mejor representante de la humanidad, con los animales del establo, con la paja como ofrenda

Aminora la velocidad y despliega la escena para que la asamblea la contemple. Haz una pausa de dos tiempos antes de las líneas finales.

Entraron en la casa y **vieron al niño** con María, su madre,
y postrándose, **lo adoraron**.
Después, **abriendo sus cofres**, le ofrecieron regalos:
oro, **incienso** y mirra.
Advertidos durante el sueño de que **no volvieran** a Herodes,
regresaron a su tierra **por otro camino**.

de las plantas, con la estrella en lo alto como símbolo de los cielos. No faltaba nadie, estaba José en representación de los israelitas justos, los del resto de Israel. Y ahora se sumaban ellos, desde oriente, figurando a todos los hombres y mujeres de buena voluntad que, por su contacto con la creación y su sed de conocimiento, buscan a Dios, a veces sin saberlo. Sus regalos deleitan los ojos de los presentes: el dorado fulgor y dureza del oro, la fragancia y el crepitar del incienso, la textura y el sabor de la mirra. Más aún, estaba representada la creación entera: las entrañas de la tierra de donde se extrae el oro, los vegetales y animales que regalan sus resinas aromáticas para el incienso, el agua y el sol que hacen crecer los árboles que producen la mirra. La escena es maravillosa; la manifestación es gloriosa. Alabemos al Creador nuestro.

BAUTISMO DEL SEÑOR

I LECTURA   Isaías 55:1–11

Lectura del libro del profeta Isaías

Esto dice el Señor:
  "**Todos ustedes**, los que tienen **sed**, vengan por **agua**;
  y los que **no** tienen dinero,
  vengan, tomen **trigo** y **coman**;
  tomen **vino** y **leche** sin pagar.
¿**Por qué** gastar el dinero en lo que **no** es **pan**
  y el **salario**, en lo que no **alimenta**?

Escúchenme atentos y **comerán** bien,
  saborearán platillos **sustanciosos**.
Préstenme atención, **vengan** a mí,
  escúchenme y **vivirán**.

Sellaré con ustedes una **alianza perpetua**,
  cumpliré las promesas que hice a **David**.
Como a **él** lo puse por **testigo** ante los **pueblos**,
  como **príncipe** y **soberano** de las naciones,
  así tú reunirás a un pueblo **desconocido**,
  y las naciones que **no te conocían acudirán** a ti,
  por **amor** del **Señor**, tu **Dios**,
  por el **Santo de Israel**, que te ha **honrado**.

Busquen al Señor mientras lo pueden **encontrar**,
  invóquenlo mientras está **cerca**;
  que el **malvado** abandone su **camino**,
  y el **criminal**, sus **planes**;

Es un texto poético para sembrar la esperanza y animar a los oyentes. Haz contacto visual con la asamblea entre párrafo y párrafo.

Pronuncia con serena certidumbre estas promesas de Dios. Infunde cierta vehemencia en las dos frases que cierran este párrafo.

Dale calidez a este ruego.

I LECTURA La liturgia de hoy lee una página del libro de Isaías. Pertenece al así llamado Deuteroisaías (Isaías 40–55), que es un bloque literario que reúne oráculos de un profeta que ejerció su ministerio durante los años del surgir del dominio persa. El profeta recibió el encargo de dar esperanza a un pueblo en el exilio babilónico, desanimado y que había perdido toda esperanza. No veía futuro delante de él, sino sólo recordaba con amargura lo que les había pasado a las generaciones anteriores. Entonces Dios suscita una voz que convoque y mueva al cambio.

El Señor llamó a este profeta del que desconocemos su nombre, a que despertara de nuevo la esperanza y que ahora concreta su misión en este anuncio del retorno de los desterrados. Esto era algo difícil de avalar por la incógnita de la nueva potencia que dominaba en el Oriente y porque muchos de los desterrados ya se habían hecho su vida y algunos con éxito, en las grandes ciudades de lo que había sido el Imperio babilónico.

El profeta emplea imágenes e invitaciones singulares. La voz del profeta se asemeja a la de un mercader que a la orilla de un camino o en una plaza: ofrece su mercancía. Lo raro está en que este hombre ofrece mercancía de rara cualidad. Lo más raro, no pide dinero a cambio, sino que ofrece gratuitamente. Quiere que lo escuchen. La escucha tiene un sentido metafórico. Ofrece algo más importante que las mercancías: la palabra de Dios. En concreto, esa palabra es nada menos que la oferta antigua que ahora sí se hará realidad: cumplirá el Señor las promesas a la casa davídica, sellará una alianza nueva. Esa vez será eterna. Entre los destinatarios estarán no sólo sus ante-

que **regrese** al Señor, y **él tendrá piedad**;
a **nuestro** Dios, que es **rico** en **perdón**.

Mis pensamientos no son los pensamientos **de ustedes**,
sus **caminos** no son **mis caminos**.
Porque **así** como aventajan los **cielos** a la **tierra**,
así aventajan **mis caminos** a los de **ustedes**
y **mis pensamientos** a **sus pensamientos**.

Como bajan del cielo la **lluvia** y la **nieve**
y no vuelven **allá**, sino **después** de empapar la tierra,
de **fecundarla** y hacerla **germinar**,
a fin de que dé **semilla** para **sembrar** y **pan** para **comer**,
así será la **palabra** que sale de **mi boca**:
no volverá a mí **sin resultado**,
sino que **hará mi voluntad**
y **cumplirá su misión**"

O bien: *Isaías 42:1–4, 6–7*

Para meditar

SALMO RESPONSORIAL   Isaías 12:2–3, 4bcd, 5–6

R. Sacarán agua con de las fuentes de la salvación.

El Señor es mi Dios y Salvador:
confiaré y no temeré,
porque mi fuerza y mi poder es el Señor,
él fue mi salvación.
Y sacarán aguas con gozo
de las fuentes de la salvación. **R.**

Den gracias al Señor
invoquen su nombre,
cuenten a los pueblos sus hazañas,
proclamen que su nombre es excelso.
Tañan para el Señor, que hizo proezas,
anúncienlas a toda la tierra;
griten jubilosos, habitantes de Sión:
"Qué grande es en medio de ti
el Santo de Israel". **R.**

---

pasados judíos, sino también gente que ellos no conocen.

El profeta acicatea a los entumecidos: "Busquen al Señor". Ponerse en búsqueda es cambiar la actitud, moverse con un fin; éste consiste en avivar el deseo de mirar a Dios. No se puede estar ante Dios en condiciones de iniquidad o injusticia. Por eso la exigencia de la conversión, para que aflore la novedad: habrá de parte de Dios un perdón general. Si Dios vuelve su faz hacia ellos, todo lo demás se arreglará. Esto será el fruto de su palabra, a la que, claro, deberán creer.

Esta lectura se hace realidad con la llegada de Jesús Mesías, que con su muerte y resurrección instaló esa nueva alianza de la que participamos todos, judíos y gentiles, por el bautismo.

II LECTURA El autor de esta carta es el líder de una comunidad de creyentes que enfrentan una crisis muy seria; ha habido un cisma o ruptura recientemente. Algunos creyentes se han desgajado porque, entre otras discrepancias, creen que para la salvación lo corpóreo es irrelevante ante lo espiritual, y que el Logos de Dios ha

venido al mundo para redimir a los que sean capaces de conocerlo mediante una iluminación personal. El autor escribe recordando las bases del kerigma cristiano y proporcionando algunos criterios básicos para discernir la verdad salvífica en medio del tumulto de ideas que pueden sofocar la fe.

Un punto fundamental de la fe es el mesianismo de Jesús. No es un asunto menor, porque significa que Jesús se ha de comprender en el marco de la tradición bíblica judía, donde los mandamientos de Dios es lo que da apoyo a la vida completa. Descuidar la guarda de los mandamientos es muestra

II LECTURA   1 Juan 5:1–9

Lectura de la primera carta de san Juan

El tono es amable y casi un ruego paternal. Dale ese tono a tu voz y a tu porte.

Queridos hijos:
   Todo el que cree que **Jesús es el Mesías**,
   ha nacido de Dios.
Todo el que ama a un padre,
   ama también a los hijos de éste.
Conocemos que amamos **a los hijos** de Dios
   en que amamos a Dios y **cumplimos sus mandamientos**,
   pues el amor de Dios consiste en que **cumplamos
      sus preceptos.**
Y sus mandamientos **no son pesados**,
   porque todo el que ha nacido de Dios **vence al mundo.**

Eleva un poco tu voz en esta línea sobre la fe común.

Y nuestra fe es la que nos ha dado la **victoria sobre el mundo.**
Porque, ¿**quién** es el que vence al mundo?
Sólo **el que cree** que Jesús es el Hijo de Dios.

Jesucristo es el que vino **por medio del agua** y de la sangre;
   él vino, no sólo con agua, sino con agua **y con sangre.**
Y el **Espíritu** es el que da testimonio,
   porque el **Espíritu es la verdad.**
Así pues, los testigos son tres:
   el **Espíritu**, el agua y la sangre.
Y los **tres están de acuerdo.**

Si aceptamos el **testimonio** de los hombres,
   el **testimonio** de Dios vale mucho más
   y ese **testimonio** es el que Dios ha dado de su Hijo.

---

clara de que no se ama a Dios, sino al mundo. Por mundo, el autor entiende la humanidad rebelde al orden divino. Por eso afirma que la fuerza para vencer al mundo rebelde proviene de creer en el Mesías, el Hijo de Dios.

Agrega también el profundo sentido de la muerte real del Mesías, cuando habla de dos elementos, agua y sangre, que fungen como testigos de la carne del Cristo, al que se añade el Espíritu. La referencia aquí es al cuadro de la lanzada en la crucifixión de Jesús (Juan 19:34) y a su resurrección, gracias al Espíritu de Dios (Juan 20). El punto vital de la

encarnación del Hijo de Dios es su resurrección de entre los muertos, porque la resurrección requiere el trance de la muerte.

La fe cristiana debe estar arraigada en la carne de Jesús. También hoy abundan ideas etéreas y hasta bellas que se dicen cristianas, pero que terminan negando o diluyendo lo corpóreo, sea despreciándolo o exaltándolo. La humanidad real del Señor es contenido sustantivo de la fe cristiana, y por lo mismo de nuestro hacer en el mundo. La victoria de Jesús, muerto y resucitado, nos ha redimido íntegramente para que nuestra humanidad pudiera participar de su gloria

desde ahora. Por eso, nuestra vocación es glorificar a Dios con todo nuestro ser, como hacemos en la liturgia.

EVANGELIO Desde hace mucho se ha discutido sobre si Juan no tendría relaciones con el grupo de los habitantes de Qumrán, dada la cercanía que hay entre este sitio y la región en que se coloca a Juan bautizando.

El evangelista, corto en sus noticias, empieza su evangelio citando las palabras del profeta Isaías con que llama al pueblo a penitencia. Como nuevo Elías, exhorta al

EVANGELIO　Marcos 1:7–11

Lectura del santo Evangelio según san Marcos

En aquel tiempo, Juan predicaba diciendo:
"Ya viene **detrás de** mi uno que es **más poderoso** que yo,
uno ante quien no merezco **ni siquiera** inclinarme
para **desatarle** la correa de sus sandalias.
Yo los he bautizado a ustedes **con agua**,
pero él los bautizará con el **Espíritu Santo**".

Por esos días, vino Jesús desde Nazaret de Galilea
y fue bautizado **por Juan** en el Jordán.
Al salir Jesús del agua, vio que los cielos **se rasgaban**
y que el **Espíritu,** en figura de paloma,
descendía **sobre él**.
Se **oyó** entonces una voz del cielo que decía:
"Tú eres **mi Hijo amado;** yo tengo **en ti** mis complacencias".

La figura de Juan es decisiva; procura darle solemnidad y peso a las líneas de su prédica.

No prolongues mucho la pausa antes del iniciar el párrafo. Avanza pausadamente apoyándote en la puntuación.

pueblo a un cambio de conducta ante la inminente venida del Ungido. Juan ejercía el rito de sumergir al que quería cambiar de vida, en las aguas del Jordán para de esa forma mostrar, con su cambio de conducta, su disposición para recibir al Mesías.

Jesús se somete a este rito. Dice Marcos que provenía Jesús de Nazaret, un pequeño poblado sin ninguna importancia. No dice ni insinúa el evangelio que Jesús fuera discípulo de Juan. Simplemente Jesús se sujeta al rito y al significado, como todos los que venían a donde estaba Juan. Al salir de la inmersión en el agua, asiste él y el lector

a una teofanía. El cielo se abre. Desde hacía mucho, decían los piadosos, el cielo se había cerrado, no había profetas. Ahora, al abrirse, se indica que Dios volvía a comunicarse con su pueblo. El Espíritu en forma de paloma se posó sobre Jesús. Es un signo de la reconciliación entre el hombre y la humanidad después del diluvio. De hecho, una voz proclama la filiación de Jesús del Padre celestial y su complacencia. A Jesús le está diciendo esta voz su identidad como Hijo amado, es decir, como ungido por Dios, preparado para su ministerio. Al lector le confirma lo que decía el prólogo, que Jesús es

el Hijo unigénito, el hijo amado, expresión con que designa a Isaac en la escena en que Dios pide a Abrahán que le sacrifique a su hijo. Esta misma expresión aparecerá en la transfiguración. Así también nosotros en el bautismo adquirimos la filiación divina, sometiéndonos fundamentalmente a este mismo rito.

II DOMINGO ORDINARIO

El relato es vívido y popular. Dale acentos y ritmo ligero. Imprime la candidez del niño en su desarrollo.

I LECTURA   1 Samuel 3:3b–10, 19

Lectura del primer libro de Samuel

En aquellos días,
    el joven Samuel servía en el templo
        a las órdenes del sacerdote **Elí**.
Una noche, estando Elí acostado en su habitación
    y Samuel en la suya,
        dentro del santuario donde se encontraba **el arca de Dios**,
    el Señor **llamó** a Samuel
    y éste respondió: "**Aquí** estoy".
Fue **corriendo** a donde estaba Elí y le dijo:
    "**Aquí** estoy. ¿**Para qué** me llamaste?"
Respondió Elí: "Yo **no** te he llamado. **Vuelve** a acostarte".
Samuel se fue a acostar.
Volvió el Señor a llamarlo y él **se levantó**,
    fue a donde estaba Elí y le dijo:
    "**Aquí** estoy. ¿**Para qué** me llamaste?"
Respondió Elí: "**No** te he llamado, hijo mío. **Vuelve** a acostarte".

Aún **no conocía** Samuel al Señor,
    pues **la palabra** del Señor no le había sido **revelada**.
Por **tercera** vez llamó el Señor a Samuel;
    éste se **levantó,** fue a donde estaba Elí y le dijo:
    "**Aquí** estoy. ¿**Para qué** me llamaste?"

Entonces **comprendió** Elí
    que era el Señor **quien llamaba** al joven
    y dijo a Samuel:

Aligera la lectura en esta parte para que se note la presteza obediente del muchacho.

I LECTURA Con el nacimiento de Samuel, Dios empieza una nueva relación con su pueblo. El pueblo, formado por las tribus que del desierto habían subido a habitar la parte montañosa de Canaán, vivía aglutinado alrededor de Silo, donde se resguardaba el arca de la alianza, que les daba cierta unidad. Su unidad se verá amenazada por el arribo belicoso de una nación que quería someterlo.

Silo estaba en la región llamada Canaán. En ese pueblecillo, un sacerdote, Elí, estaba muy anciano para velar por su pue-blo. Sus hijos eran unos sinvergüenzas y el anciano los dejaba hacer.

Dios le va a llevar a Elí un ayudante en la figura de un joven efraimita, entregado por su madre en cumplimiento de una promesa, porque hasta entonces no había podido concebir; ella entrega al servicio del templo ese fruto de su seno: Samuel.

El jovencito aprenderá el oficio de sacerdote. Una noche fue llamado por una voz que él desconocía, pero Elí le dirá que responda. Cuando de nuevo recibe la palabra de Dios, él responderá con su obediencia.

Con Samuel Dios va a empezar una etapa nueva en su pueblo. La judicatura, como había terminado de ejercerse, no correspondía a los tiempos nuevos que llegaban. Los filisteos, un pueblo guerrero, eran una serie amenaza para las tribus israelitas, diseminadas en la montaña, sin defensa efectiva contra pueblos más fuertes y violentos. En esa situación, Samuel fue el escogido por Dios para inaugurar la monarquía, una institución más adaptada para la defensa militar de las dispersadas tribus y para darles cohesión interna.

"**Ve a acostarte** y si te llama alguien responde:
  '**Habla**, Señor; tu siervo te **escucha**'".
Y Samuel se fue a acostar.

De nuevo el Señor se presentó y lo llamó **como antes:**
  "**Samuel,** Samuel".
Éste respondió: "**Habla,** Señor; tu siervo **te escucha**".

Samuel **creció** y el Señor estaba **con él.**
Y **todo** lo que el Señor le decía, **se cumplía.**

*Comienza a bajar la velocidad y alarga
la pausa antes del párrafo final.*

Para meditar

SALMO RESPONSORIAL   Salmo 39:2, 4ab, 7–8a, 8b–9, 10
R. Aquí estoy, Señor, para hacer tu voluntad.

Yo esperaba con ansia al Señor;
  él se inclinó y escuchó mi grito;
  me puso en la boca un cántico nuevo,
  un himno a nuestro Dios. **R.**

Tú no quieres sacrificios ni ofrendas,
  y, en cambio, me abriste el oído;
  no pides sacrificio expiatorio.

Entonces yo digo: "Aquí estoy
  -como está escrito en mi libro-
  para hacer tu voluntad".
Dios mío, lo quiero,
  y llevo tu ley en las entrañas. **R.**

He proclamado tu salvación
  ante la gran asamblea;
  no he cerrado los labios,
  Señor, tú lo sabes. **R.**

II LECTURA   1 Corintios 6:13–15, 17–20

Lectura de la primera carta del apóstol san Pablo a los corintios

Hermanos:
El cuerpo **no es** para fornicar,
  sino para **servir** al Señor;
  y el Señor, para **santificar** el cuerpo.
Dios **resucitó** al Señor
  y nos resucitará **también** a nosotros con su poder.

¿**No saben** ustedes que sus cuerpos son **miembros** de Cristo?
Y el que se une al Señor, se hace un solo espíritu con él.
Huyan, por tanto, de la fornicación.
Cualquier **otro pecado** que cometa una persona,
  queda **fuera** de su cuerpo;
  pero el que fornica, peca contra su propio cuerpo.

*Recuerda hacer contacto visual con la
asamblea en el saludo o alocución inicial.*

Acentúa debidamente la interrogación.

II LECTURA En Corinto confluían gentes de todas las regiones del Imperio Romano con sus mercancías y sus dioses, y entre ellas predicadores y filósofos buscando oídos para sus explicaciones sobre los eventos y la vida entera. Los escasos cristianos de la ciudad no estaban ajenos a lo que se aprendía en aquel puerto, y algo se deja ver en lo escuchamos como segunda lectura.

El cuerpo humano (*soma*) es un asunto capital en toda filosofía y religión o culto, y de un modo particular en lo que concierne al sexo. Algunos corintios no tenían reparo en acudir a la prostitución (*porneia*) para satisfacer su apetito sexual. En general, la prostitución era socialmente aceptada y considerada amoral en las sociedades helenístico-romanas. Vale considerar que algunos cristianos corintios vienen del paganismo y nunca pasaron por la propedéutica sinagogal de los temerosos de Dios, más familiarizados con la moral mosaica. El ejercicio sexual, enseña Pablo, no es algo ajeno a la fe en Cristo, asumida en el bautismo. Lo sexual es asunto toral de la vida cristiana, y Pablo no aduce lo estipulado en el sexto y noveno mandamientos, sino la experiencia bautismal.

El ejercicio sexual es algo natural, pero no siempre conviene al creyente. Este principio de talante estoico lo omite el fragmento proclamado. Pablo, además, se basa en lo corpóreo del bautismo: el cuerpo no ha sido destinado a la prostitución (*porneia*), sino "al Señor, y el Señor para el cuerpo". El cuerpo es indispensable en términos tanto de servicio y de santificación, como de resurrección y de vida nueva para toda persona bautizada.

Alarga esta pregunta. Luego pausa y baja la velocidad hasta la línea final.

¿O es que no saben ustedes
que su cuerpo **es templo** del Espíritu Santo,
que han **recibido** de Dios y habita **en ustedes**?
No son ustedes sus **propios** dueños,
porque Dios los ha comprado a un precio **muy caro**.
Glorifiquen, pues, a Dios con **el cuerpo**.

EVANGELIO   Juan 1:35–42

Lectura del santo Evangelio según san Juan

Este relato debe avivar el deseo de seguir a Jesús. Dale relevancia a las palabras del Bautista y viveza a los diálogos.

En aquel tiempo,
estaba **Juan el Bautista** con dos de sus discípulos,
y **fijando** los ojos en Jesús, que pasaba, dijo:
"**Éste es** el Cordero de Dios".
Los dos discípulos, al **oír** estas palabras, **siguieron** a Jesús.
Él se **volvió** hacia ellos, y viendo que lo seguían, les preguntó:
"**¿Qué buscan?**" Ellos le contestaron:
"**¿Dónde** vives, Rabí?" (Rabí significa "**maestro**").
Él les dijo: "**Vengan** a ver".

Fueron, pues, vieron dónde vivía
y se quedaron **con él** ese día.
Eran como las **cuatro** de la tarde.
Andrés, hermano de Simón Pedro,
era uno de los dos que **oyeron** lo que Juan el Bautista decía
y **siguieron** a Jesús.
El **primero** a quien encontró Andrés,
fue a su hermano **Simón**, y le dijo:
"Hemos encontrado al Mesías" (que quiere decir "el Ungido").
Lo llevó a donde estaba Jesús y éste fijando en él la mirada,
le dijo:
"Tú eres **Simón**, hijo de Juan. Tú te llamarás **Kefás**"
(que significa **Pedro**, es decir "roca").

Baja la velocidad de lectura, pero aumenta el volumen de voz en la frase final.

EVANGELIO Mientras Jesús va caminando, Juan Bautista lo reconoce y lo proclama ante sus discípulos como "el cordero de Dios que quita el pecado del mundo". Un par de ellos lo siguen.

El dicho de Juan indica lo que piensa de Jesús: "Quita el pecado". El pecado había sido el impedimento fundamental del pueblo bíblico para mantenerse fiel a Dios. El Señor había indicado, a través de la historia, que el hombre no podía por sus propias fuerzas mantenerse fiel a Dios, a quien habían jurado en el Sinaí fidelidad. Desde su pecado fundamental, la adoración al bece-

rro de oro, hasta las muchas y variadas faltas e infidelidades del pueblo, Israel había cobrado conciencia de que el ser humano necesitaba un algo, una ayuda interna para ser fiel a su Dios. Ya Jeremías, entre otros profetas, había acuñado en una poderosa interrogante ante esta realidad: "¿Puede un etíope cambiar el color de su piel o un leopardo sus manchas? Y ustedes, ¿son capaces de hacer el bien?" (Jeremías 13:23).

Ahora los discípulos de Juan tienen delante al que quita el pecado del mundo. Es el Mesías que esperaban los sabios y piadosos de Israel. Los dos que lo siguen, oirán

luego la llamada de Jesús, con la pregunta: "¿Qué buscan?". Ellos piden ser sus discípulos con la frase: "¿Dónde vives?". Y él los acepta: "Vengan a ver", es decir, una forma concreta de describir el discipulado de entonces y de ahora para nosotros. Para ser discípulos de Jesús hay que vivir con él, es decir, no solamente oír sus palabras y ver su manera de vivir, sino estar con él.

Esta frase bien describe el objetivo del evangelio: ¿qué busca uno como lector al leer el evangelio?

III DOMINGO ORDINARIO

Es un relato muy animado que urge a la conversión. El pregón de Jonás debe ser distintivo.

I LECTURA   Jonás 3:1–5, 10

Lectura del libro del profeta Jonás

En aquellos días,
   el Señor **volvió** a hablar a Jonás y le dijo:
   "**Levántate** y vete a Nínive, la gran capital,
   para **anunciar** ahí el mensaje que te voy a indicar".

Se levantó Jonás y **se fue** a Nínive,
   como le había mandado el Señor.
Nínive era una ciudad **enorme**:
   hacían falta **tres días** para recorrerla.
Jonás caminó por la ciudad durante un día, **pregonando**:
   "Dentro de **cuarenta días** Nínive será **destruida**".

Los ninivitas **creyeron** en Dios,
   ordenaron un ayuno y se vistieron de sayal, grandes
      y pequeños.
Cuando Dios **vio sus obras**
   y cómo se **convertían**
      de su mala vida,
   cambió de parecer y no les mandó el castigo
   que había **determinado** imponerles.

Como que alargas las frases que hablan de la reacción de Dios. Sal de la lectura como ampliando las palabras finales.

I LECTURA   Jonás es uno de los personajes más famosos en todo el mundo. Traspasa fronteras geográficas, temporales y de creencias. Es un libro raro dentro de los libros sagrados de la Biblia hebrea. Introduce dentro de la Escritura un poco de risa y algarabía.

En el centro del libro está un mensaje muy importante: El Dios de Israel no es un Dios de ira y venganza, sino, ante todo, un Dios de amor, de alegría y bondad. El librito se concentra en un viaje. Dios envía a un personaje simpático y juguetón a llevar su mensaje a Nínive, la ciudad más odiada por el pueblo de Dios, dado su comportamiento cruel con el pueblo elegido.

Jonás se llama el elegido por Dios para llevar un mensaje amenazador contra la ciudad de Nínive: Si no se convierte Nínive, será destruida. Se ve que Jonás no toma a pecho el mensaje. En lugar de dirigirse al norte donde se encontraba Nínive, se va al sur. La intención del escritor es clara. Jonás se aleja lo más que puede de Nínive. No obedece a Dios. Entonces el Señor provoca que ¡un cetáceo lo lleve al norte y lo deje en una playa, cercana a Nínive! Jonás entonces cumple el encargo. Predica la con-

versión a los ninivitas, anunciándoles que, de no convertirse, Nínive sería destruida.

Jonás no esperaba que los ninivitas se convirtieran. Pero, para su decepción, ellos toman en serio la palabra anunciada por el profeta y se convierten. Esto provocará el coraje del profeta, al menos el desdén.

El centro del librito quiere responder a la pregunta que se hacía y se hace el hombre de todos los tiempos: ¿Es duro y vengativo nuestro Dios, o, como lo preveía Jonás, es bueno, y lleno de clemencia para los seres humanos?

Para meditar

SALMO RESPONSORIAL   Salmo 24:4bc–5ab, 6–7bc, 8–9

R. Señor, enséñame tus caminos.

Señor, enséñame tus caminos,
    instrúyeme en tus sendas.
Haz que camine con lealtad;
    enséñame, porque tú eres mi Dios
        y Salvador. **R.**

Recuerda, Señor,
    que tu ternura y tu misericordia
        son eternas;
    acuérdate de mí con misericordia,
    por tu bondad, Señor. **R.**

El Señor es bueno y es recto,
    y enseña el camino a los pecadores;
    hace caminar a los humildes con rectitud,
    enseña su camino a los humildes. **R.**

II LECTURA   1 Corintios 7:29–31

Lectura de la primera carta del apóstol san Pablo a los corintios

Hermanos:
Les quiero decir una cosa: la vida es corta.
Por tanto, **conviene** que
    los casados vivan como si no lo **estuvieran**;
    los que sufren, como **si no sufrieran**;
    los que están alegres, como si no **se alegraran**;
    los que compran, como **si no compraran**;
    los que disfrutan del mundo, como si **no disfrutaran de él**;
    porque este mundo que vemos **es pasajero**.

Nota el ritmo casi cortante y categórico de las oraciones. Balancea bien las frases dobles. Retén un poco la última línea.

II LECTURA En esta parte de la carta, Pablo traza las líneas generales de la vida sexual de los creyentes desde la ética de la inminencia escatológica para casados, divorciados y gente sin casar. Todo se mira regido por la inminente llegada del Señor, misma que, aunque no aparece recogida en lo proclamado es necesaria para entender lo que el Apóstol instruye. De ese contexto literario asoma el fragmento que escuchamos hoy.

Acabando de decir que "el tiempo oportuno (*kairós*) se abrevia", san Pablo pasa a exhortar a los creyentes a no afanarse por moverse socialmente, sino a perseverar en esa especie de apatía o indiferencia espiritual (*ataraxia*) que él explicita. Ésta es una virtud que consiste en mantenerse imperturbable ante la turbulenta realidad que debe considerarse periférica. Esto no era algo simple en Corinto, donde el vaivén cotidiano exigía vivir "en la cresta de la ola". Pablo, sin embargo, exhorta a enfocarse en sola cosa: vivir pendientes de unirse al Señor victorioso que volverá de un momento a otro; el resto es periférico. Este horizonte de escatología inminente se ha ido evaporando de la conciencia cristiana con el paso de las generaciones, pero es indispensable retomarlo para poder preñar de sentido futuro nuestra vida creyente.

Al comienzo del año civil, cuando los planes y propósitos personales y familiares van tomando cauce, la palabra del Señor nos recuerda dónde debemos tener nuestro enfoque. De ninguna manera se trata de ser apáticos ante las realidades que nos rodean, sino de asumir el proyecto de vida y todas las decisiones que conlleve, con plena conciencia de nuestra caducidad.

EVANGELIO   Marcos 1:14–20

Lectura del santo Evangelio según san Marcos

Después de que **arrestaron** a Juan el Bautista,
     Jesús se fue a Galilea para **predicar** el Evangelio de Dios y decía:
     "Se **ha cumplido** el tiempo y el Reino de Dios ya **está cerca**.
Arrepiéntanse y crean en el Evangelio".

Caminaba Jesús por la orilla del lago de Galilea,
     cuando vio **a Simón** y a su hermano, Andrés,
     echando las redes en el lago, pues eran **pescadores**.
Jesús les dijo:
     "**Síganme** y haré de ustedes pescadores **de hombres**".
Inmediatamente dejaron las redes y lo siguieron.

Un poco más adelante, vio a **Santiago** y a **Juan,** hijos de Zebedeo,
     que estaban en una barca, **remendando** sus redes.
Los llamó, y ellos, **dejando** en la barca a su padre
     con los trabajadores, **se fueron** con Jesús.

El relato es bastante conocido, por lo que exige imprimirle novedad. Localiza aquello que parezca 'anormal' e imprímele énfasis al leerlo.

Subraya la presteza en el seguimiento haciendo contacto visual con la asamblea, antes de la rúbrica conclusiva.

EVANGELIO Nuestro evangelio abre con el arresto de Juan Bautista y una síntesis de la proclamación itinerante de Jesús. El evangelio o la Buena Noticia contiene dos afirmaciones, que el tiempo se ha cumplido, que el Reino de Dios está cerca y que, consecuencia de esto, hay que cambiar la mentalidad para aceptar la Novedad.

¿A quiénes les predica Jesús? No dice el texto en concreto, pero el tenor y ambiente de lo narrado indican que para el evangelista los invitados son todos los hombres, principalmente, los que leemos o escuchamos este evangelio. Nos pone un ejemplo. Jesús llama a cuatro pescadores y éstos lo siguen, es decir, aceptan ser discípulos suyos. Un discípulo debía oír al maestro, observar de cerca su comportamiento para imitarlo y convivir con él. El evangelista para hablar de ese encuentro y llamada dice que Jesús "vio".

Por otra parte, apreciamos que Jesús empieza y concluye su quehacer mesiánico en Galilea. Aquí llama a ser discípulos a dos pares de hermanos. Estos aceptan la llamada a un estilo de vida sencillo: eran pescadores, una profesión humilde que ofrecía bienes de primera necesidad y tenía buena reputación. Juega Jesús con la profesión de ellos, son llamados a ser *pescadores de hombres*. Su oficio, de alguna manera, los había preparado a la tarea de búsqueda continua que es fundamental para todo pescador.

Las dos parejas de discípulos no hablan, obran, haciendo lo que Jesús les exige. Al dejar su oficio, muestran que su vida va a ser de entrega completa. Un último dejo: Jesús escoge, no lo escogen, como pasaba entre los rabinos, donde el discípulo escogía a su maestro.

IV DOMINGO ORDINARIO

El profeta anunciado es Cristo. Extiende las frases que se refieren al profeta como Moisés. Tu reto personal es emular la cercania del amigo de Dios.

I LECTURA   Deuteronomio 18:15–20

Lectura del libro del Deuteronomio

En aquellos días, habló **Moisés** al **pueblo,** diciendo:
   "El Señor **Dios** hará **surgir** en medio de **ustedes,**
   entre sus **hermanos,** un **profeta** como **yo.**
A él lo **escucharán.**
Eso es lo que **pidieron** al **Señor,** su **Dios,**
   cuando estaban **reunidos** en el monte **Horeb:**
   'No queremos **volver** a oír la **voz** del **Señor** nuestro **Dios,**
   ni **volver** a ver **otra vez** ese gran **fuego;**
   pues no queremos **morir'.**

Nota la unidad entre el futuro profeta y Dios. El exhorto a la escucha debe ser poderoso y convincente.

"El **Señor** me respondió:
   'Está **bien** lo que han **dicho.**
Yo haré **surgir** en medio de sus **hermanos** un **profeta** como **tú.**
Pondré mis **palabras** en su **boca**
   y él **dirá** lo que le **mande** yo.
A quien no **escuche** las **palabras** que él **pronuncie** en mi **nombre,**
   yo le pediré **cuentas.**
Pero el **profeta** que se **atreva** a decir en mi **nombre**
      lo que yo no le haya **mandado,**
   o **hable** en **nombre** de otros **dioses,**
   será reo de **muerte'"**.

I LECTURA La profecía es una forma literaria de comunicación religiosa, en que el miembro de una agrupación religiosa se dice la voz de una divinidad. Recordemos entre otros ejemplos, el caso de Casandra en la Ilíada de Homero. Los nombres para designar este fenómeno varían; el fondo es la comunicación de lo divino con lo humano.

Israel tomó esta forma literaria, y aquí sí correspondió la realidad con el nombre.

En Israel pronto se diferenció entre el profeta y el charlatán. El trozo escuchado hoy en la liturgia describe a los profetas como una personalidad carismática, querida por Dios al instituirla con su discurso directo: "El Señor tu Dios, suscitará para ti, de en medio de ti, entre tus hermanos un profeta igual a mí. A él deberás escuchar" (18:15). La diferencia entre el profeta y el charlatán está en la figura que ambos dicen representar: Dios o el hombre. El profeta enviado por Dios debe ser como Moisés; deberá tener las características de ese modelo, y, además, que se cumpla lo que dice o anuncia. Primero hay que escuchar, con lo que subraya la importancia de la palabra transmitida. En otras partes se invita a recordar y a no olvidar. A escuchar se aprende en la familia y luego en la asamblea. El profeta debe decir, no su opinión, sino las palabras que el Señor le haya puesto en la boca. El profeta es solamente un intermediario fiel. El que no toma en cuenta esas palabras, sufrirá el castigo.

Israel muchas veces fue engañado por pseudoprofetas. El hecho de seguir la Ley y no estar en contra de ésta y de su espíritu, fue el criterio que se dio Israel para distinguir al auténtico profeta.

II LECTURA La lectura de hoy es continuación de la escuchada

Para meditar

SALMO RESPONSORIAL   Salmo 94:1–2, 6–7, 8–9

R. Ojalá escuchen hoy la voz del Señor: "No endurezcan el corazón".

Vengan, aclamemos al Señor,
  demos vítores a la Roca que nos salva;
  entremos en su presencia dándole gracias,
  vitoreándole al son de instrumentos. **R.**

Entren, postrémonos por tierra,
  bendiciendo al Señor, creador nuestro.
Porque él es nuestro Dios y nosotros
    su pueblo,
  el rebaño que él guía. **R.**

Ojalá escuchen hoy su voz:
  "No endurezcan el corazón como en
    Meribá,
  como el día de Masá en el desierto;
  cuando los padres de ustedes me pusieron
    a prueba
  y me tentaron, aunque habían visto
    mis obras". **R.**

II LECTURA   1 Corintios 7:32–35

Lectura de la primera carta del apóstol san Pablo a los corintios

Hermanos:
Yo **quisiera** que ustedes **vivieran** sin **preocupaciones**.
El hombre **soltero** se **preocupa** de las **cosas** del **Señor**
    y de cómo **agradarle**;
  en **cambio**, el hombre **casado** se **preocupa** de las **cosas**
    de **esta** vida y de cómo agradarle a su **esposa**,
  y por eso tiene **dividido** el **corazón**.
En la **misma** forma, la **mujer** que ya no tiene **marido** y la **soltera**
  se **preocupan** de las **cosas** del **Señor**
  y se pueden **dedicar** a **él** en **cuerpo** y **alma**.
Por el **contrario**, la mujer **casada** se **preocupa** de las **cosas**
    de esta **vida**
  y de cómo **agradarle** a su **esposo**.

Les digo **todo** esto para **bien** de **ustedes**.
Se lo digo, **no** para ponerles una **trampa**,
  sino para que puedan vivir **constantemente**
  y **sin** distracciones en **presencia** del **Señor**, tal como **conviene**.

Localiza las conjuntivas que unen una frase con otra y diferencia bien entre las consecutivas, las comparativas y las adversativas.

Exhorta aquí como aconsejando a un hermano menor.

---

el domingo pasado. Dos asuntos conviene resaltar en esta ocasión. El primero es el deseo paulino de que los creyentes vivan dedicados enteramente al Señor. Pablo considera que los cristianos unidos en matrimonio se afanan por las cosas "del mundo", para agradar a su cónyuge; en su óptica, esto les divide el corazón.

Con los solteros y solteras no sucede así, pues son capaces de dedicar toda su atención, cuerpo y espíritu "a las cosas del Señor". El apóstol no explicita cuáles sean éstas, pero lo cierto es que él nota una cierta

contradicción entre ambos órdenes, sin que estos lleguen a ser del todo incompatibles.

El horizonte paulino es el de la segunda venida del Señor. Pablo no se plantea que si un creyente se dedica a agradar al cónyuge adopta una forma de vida para santificarse y unirse al Señor, y que es tan valiosa como la de una vida cristiana de soltería o celibato, aunque esta idea parece advertirla Pablo, al apuntar que no quiere "entrampar" a los fieles. Por eso mismo contrasta con lo positivo.

El segundo tópico es el consejo paulino de afanarse por "lo digno y adecuado al

Señor, sin distracción". A fin de cuentas, esto es lo que el cristiano debe procurar. Conviene, al momento de adoptar una decisión, plantearnos cuál de las opciones es digna y acorde del Señor, al que hemos de servir con todo nuestro ser, sin restricción alguna.

EVANGELIO El Bautista amaba el espacio abierto y la soledad del desierto para invitar a escuchar el mensaje de Dios. Jesús prefería hablar en los pueblos, en sus sinagogas.

EVANGELIO Marcos 1:21–28

Lectura del santo Evangelio según san Marcos

En aquel tiempo, llegó **Jesús** en **Cafarnaúm**
y el **sábado** fue a la **sinagoga** y se puso a **enseñar**.
Los **oyentes** quedaron **asombrados** de sus **palabras**,
pues **enseñaba** como quien tiene **autoridad**
y **no** como los **escribas**.

Había en la **sinagoga** un hombre **poseído**
por un **espíritu** inmundo,
que se puso a **gritar**:
"¿Qué quieres **tú** con **nosotros, Jesús** de **Nazaret**?
¿Has venido a **acabar** con **nosotros**?
Ya sé **quién** eres: el **Santo** de **Dios**".
Jesús le **ordenó**:
"**¡Cállate** y **sal** de él!"
El espíritu inmundo, sacudiendo al hombre con **violencia**
y dando un **alarido**,
salió de él.
Todos quedaron **estupefactos** y se **preguntaban:** "¿Qué es **esto**?
¿Qué nueva doctrina es **ésta**? Este **hombre** tiene **autoridad**
para **mandar** hasta a los espíritus **inmundos** y lo **obedecen**".
Y muy pronto se extendió su **fama** por **toda** Galilea.

El relato tiene diálogos y acciones. Avanza sin prisa en los diálogos, pero modula conforme a las expresiones; nada de monotonía.

La orden de Jesús debe sonar con mucha fuerza. Pausa un poco antes de describir el efecto.

Haz contacto visual con la asamblea como invitándola a que participe de las reacciones de los presentes en la sinagoga.

¿Qué nos dice hoy el trozo evangélico? Jesús trae una doctrina nueva y la curación de enfermedades. La novedad siempre ha llamado la atención. Lo repetido cansa, dice un adagio. Y en Jesús había novedad. Era un maestro tan directo y sencillo que la gente simple del pueblo que acudía a la sinagoga captaba su enseñanza sin recovecos. Esa gente se había acostumbrado a escuchar una andanada de casos de venerables autoridades, letrados ilustres y agudos maestros de la ley, pero que no tenían incidencia en los problemas diarios.

En la sinagoga, el endemoniado lanza dos cuestiones: "¿Qué quieres tú con nosotros, Jesús de Nazaret? ¿Has venido a acabar con nosotros?" La primera pregunta rechaza la comunión con Jesús y expresa su ira e irritación. La segunda anuncia, en plural, el destino que le aguarda sin escape. La misión de Jesús es liberar al hombre de toda clase de mal. El mal espíritu da la primera afirmación de la identidad de Jesús en el evangelio: "Tu eres el Santo de Dios". Esta es la verdad profunda y real que toca a la gente: la liberación humana con la fuerza del Santo. Dos órdenes de Jesús: "Cállate y

sal de él". A lo largo de este evangelio, Jesús no quiere que se devele su divinidad, poque ésta, según Marcos, sólo se entiende a través de la muerte y resurrección del Señor.

Enseñar y curar, liberar la mente de la ignorancia y salvar al cuerpo de sus enfermedades, he aquí la misión que Jesús ejecuta y que encomienda a la Iglesia.

V DOMINGO ORDINARIO

I LECTURA Job 7:1–4, 6–7

Lectura del libro de Job

En aquel día, **Job** tomó la palabra y dijo:
   "La **vida** del hombre en la tierra es como un servicio militar
   y sus días, como días de **un jornalero**.
Como el esclavo suspira **en vano** por la sombra
   y el jornalero se queda **aguardando** su salario,
   así me han tocado en suerte meses **de infortunio**
   y se me han asignado noches **de dolor**.
Al acostarme, pienso: '¿**Cuándo** será de día?'
La noche se alarga y **me canso** de dar vueltas
   hasta que **amanece**.

Mis días corren **más aprisa** que una lanzadera
   y se consumen **sin esperanza**.
Recuerda, Señor, que mi vida **es un soplo**.
Mis ojos **no volverán** a ver la dicha".

Los textos sapienciales requieren un tono moderado y una actitud como de maestro. Recuerda que Job está lacerado y sufre.

Es un monólogo pesado que muchos pueden compartir. Las dos líneas finales son una oración de quien está cansado de luchar y se confía a su Hacedor.

Para meditar

SALMO RESPONSORIAL Salmo 146:1–2, 3–4, 5–6

R. El justo brilla en las tinieblas como una luz.

Alaben al Señor, que la música es buena;
   nuestro Dios merece una alabanza
      armoniosa.
El Señor reconstruye Jerusalén,
   reúne a los deportados de Israel. **R.**

Él sana los corazones destrozados,
   venda sus heridas;
cuenta el número de las estrellas,
   a cada una la llama por su nombre. **R.**

Nuestro Señor es grande y poderoso,
   su sabiduría no tiene medida.
El Señor sostiene a los humildes,
   humilla hasta el polvo a los malvados. **R.**

I LECTURA El libro de Job tiene más de una interpretación. Así sucede con las obras literarias clásicas y el libro de Job es el clásico de la literatura hebrea de todos los tiempos.

Job se ocupa de un problema: la vida terrenal humana es breve y corre veloz hacia su final. Como ser humano que es, Job aduce ante el Creador ese aspecto que es el suyo, "acuérdate que mi vida es un soplo". Siente Job que el fin de su vida es inminente y pide a Dios que se muestre como Dios de la vida.

No sólo es su vida, sino la de la humanidad. Es "el hombre sobre la tierra y sus días" (Job 7:1). Emplea varias imágenes para describir lo rápido que se va la vida y el sentido de dependencia como un asalariado que desea su retribución, su reposo (v. 2). Los insomnios e incertidumbres asaltan al enfermo. Se vale de una bella imagen: la del tejedor del talar para recalcar que la vida humana es frágil y breve. Se rompe como el hilo del tejedor. Hay un juego en las palabras hebreas entre *hilar* y *esperanza*. La esperanza significa una razón para vivir y también el

hilo de la vida, como la lanzadera de la que habla el inicio del verso.

Cierra con una angustiosa invocación al Dios de la vida: "Recuerda que mi vida es un soplo y que mis ojos no verán más la dicha". Job, al contario de sus amigos, ha creído firmemente en que Dios cuida la vida humana. No como sus amigos que se la pasan hablándole de lo que Job llama palabras vacías, porque no hablan del hombre sino de un Dios lejano que se la pasa, diríamos hoy, deleitándose en sus obras, jugando con las estrellas, sin ocuparse de su obra predilecta: el hombre. Por esto Job habla al

Somos misioneros del Evangelio. Con esa conciencia sirve la Palabra a la asamblea.

II LECTURA　　1 Corintios 9:16–19, 22–23

Lectura de la primera carta del apóstol san Pablo a los corintios

Hermanos:
No tengo por qué **presumir** de predicar el Evangelio,
　　puesto que ésa es mi **obligación**.
¡Ay de mí, si no anuncio el Evangelio!
Si yo lo hiciera por **propia iniciativa**,
　　merecería recompensa;
　　pero si no, es que se me ha **confiado** una misión.
Entonces, ¿**en qué** consiste mi recompensa?
Consiste en predicar el Evangelio **gratis**,
　　renunciando al derecho que tengo a vivir de la predicación.

Aunque no estoy sujeto **a nadie**,
　　me he convertido en esclavo **de todos**,
　　para **ganarlos** a todos.
Con los débiles **me hice débil**, para ganar a los débiles.
Me he hecho todo **a todos**, a fin de ganarlos a **todos**.
Todo lo hago por el Evangelio,
　　para participar **yo también** de sus bienes.

Avanza en este párrafo vocalizando deliberadamente las frases finales; apoyándote en las negrillas, imprime un tono sentencioso a estas líneas.

EVANGELIO　　Marcos 1:29–39

Lectura del santo Evangelio según san Marcos

En aquel tiempo,
　　al salir Jesús de la sinagoga,
　　fue con Santiago y Juan a casa **de Simón** y Andrés.
La **suegra** de Simón estaba en cama, con fiebre,
　　y **enseguida** le avisaron a Jesús.
Él se le acercó, y **tomándola** de la mano, la levantó.
En **ese** momento se le **quitó** la fiebre y se puso **a servirles**.

El relato es breve y suscinto. Recítalo con las pausas debidas y sin acelerar las acciones que son puntuales

Dios del aliento vital, el único que lo puede levantar del polvo. Ese Dios, aparte de ser Creador, es misericordioso.

II LECTURA En esta parte de la carta, Pablo aborda diversos asuntos cotidianos para que los cristianos tengan criterios claros para actuar. Es el caso de la carne de los sacrificios a los ídolos que se vendía en el mercado, y que algunos consideraban que no debían consumir, mientras que otros no reparaban en hacerlo. Esto lleva al Apóstol a explayarse en lo que significa la libertad ganada en Cristo. No

es una libertad "para presumir" (*kauchema*), que admita proceder sin límites, porque su frontera es "la gloria" del propio Evangelio. Pablo mismo pone de ejemplo su proceder evangelizador.

Él se dedica al Evangelio no por propia iniciativa, sino porque se le ha confiado esta tarea (*oikonomía*); es una empresa de Alguien más; por ende, él ha renunciado a su derecho de vivir de su predicación, en la esperanza de ser recompensado (*mysthós*) por quien se lo confió. Este es el fundamento de la gratuidad de su apostolado. ¿Se gana él algo? Hay un juego de sentidos detrás de lo que sigue.

La ganancia de Pablo es hacerse esclavo de todos, para ganarlos a la causa del Evangelio, es decir, en conducirlos a Cristo. No escuchamos en la lectura los ejemplos de esa esclavitud paulina, pero ellos ilustran la libertad ganada en Cristo. De lo que sí escuchamos resaltemos esto. El ejercicio de la libertad cristiana, el ser esclavo de todos rinde beneficio sólo si es por el Evangelio, y es el modo mejor de evangelizar. Esta verdad paulina conviene enraizarla en lo más profundo de nuestro celo de discípulos misioneros.

Al **atardecer**, cuando el sol se ponía,
    le llevaron a **todos** los enfermos y poseídos del demonio,
    y todo el pueblo **se apiñó** junto a la puerta.
Curó a muchos enfermos de diversos males
    y **expulsó** a muchos demonios,
    pero **no dejó** que los demonios hablaran,
    porque **sabían** quién era él.

De madrugada, cuando todavía estaba **muy oscuro**,
    Jesús **se levantó**, salió y se fue a un lugar **solitario**,
    donde se puso **a orar**.
Simón y sus compañeros lo fueron a buscar,
    y al encontrarlo, le dijeron:
    "**Todos** te andan buscando".
Él les dijo: "**Vamos** a los pueblos cercanos
    para predicar **también allá** el Evangelio,
    pues para eso **he venido**".
Y recorrió **toda** Galilea,
    predicando en las sinagogas
    y **expulsando** a los demonios.

Marca con tu tono de voz esta escena nueva. Imprime viveza al diálogo, cambia el ritmo de lectura en las intervenciones breves.

Haz contacto visual con la asamblea en esta parte.

EVANGELIO Jesús pasa de la sinagoga a la casa de Simón y Andrés, en compañía de Santiago y Juan. Tal vez era la casa paterna y Jesús ya desde antes la conociera. Le dicen que la suegra de Pedro estaba enferma de fiebre. Jesús entra a la casa y "la tomó de la mano" y quedó curada. Es muy sencilla, a la vez que expresiva, la frase tomar de la mano. Tantas cosas que pueden significar un apretón de manos: comunión, arreglo de algo, saludo, despedida, etc. Es un acto sumamente humano y generalmente expresa algo benéfico. Aquí, la salud.

Luego de enseñar, Jesús cura, primero a la suegra de Pedro, después a numerosos enfermos. La casa de Pedro empieza a ser una casa de cura, de enseñanza y de búsqueda de Jesús de parte de la muchedumbre. A diferencia de la sinagoga que en Marcos aparece como un lugar de desconfianza y rechazo de Jesús, la casa tiene un símbolo positivo: es el espacio de la acogida, del anuncio dirigido a los discípulos y de su obrar mesiánico.

Jesús sale de mañana de esta casa y se va a un despoblado a rezar. El verbo griego en imperfecto, "rezaba", indica que su ora-

ción era algo larga. Además, de esta oración, Jesús abraza la firme determinación de salir a predicar la Buena Noticia a otros poblados. La oración está en el origen de la misión expresión de su libre amor de llevar la Buena Noticia, madurada en esta plática con su Padre. Jesús no es un curandero, un predicador célebre, ni un liberador político social. En él hay algo que va más allá de lo humano que fascina a la gente y por esto lo busca. En estos tiempos, ¿qué buscamos en Jesús?

VI DOMINGO ORDINARIO

Este fragmento regula el proceder en dos momentos de un caso de lepra. Atiende a las frases que rematan las descripciones y dales realce, como alargándolas.

I LECTURA   Levítico 13:1–2, 44–46

Lectura del libro del Levítico

El Señor dijo a Moisés y a Aarón:
  "Cuando alguno tenga **en su carne**
    una o varias manchas escamosas
  o una mancha blanca **y brillante**, síntomas de la lepra,
    será llevado ante el sacerdote Aarón
    o ante cualquiera de sus hijos sacerdotes.
Se trata de **un leproso**, y el sacerdote lo declarará impuro.
El que haya sido **declarado** enfermo de lepra,
    traerá la ropa **descosida**, la cabeza descubierta,
    se cubrirá la boca e irá **gritando**:
      '¡Estoy **contaminad**o! ¡Soy impuro!'
Mientras le dure la lepra,
    seguirá **impuro** y vivirá solo, fuera del campamento".

Subraya las dos líneas que concluyen la lectura haciendo contacto visual con a asamblea.

Para meditar

SALMO RESPONSORIAL   Salmo 31:1–2, 5, 11

R. Tú eres mi refugio; me rodeas de cantos de liberación.

Dichoso el que está absuelto de su culpa,
  a quien le han sepultado su pecado;
  dichoso el hombre a quien el Señor
  no le apunta el delito. R.

Había pecado, lo reconocí,
  no te encubrí mi delito;
  propuse: "Confesaré al Señor mi culpa",
  y tú perdonaste mi culpa y mi pecado.
Alégrense, justos, con el Señor;
  aclámenlo, los de corazón sincero. R.

I LECTURA En la antigüedad no se tenían conocimientos. sólidos sobre la mayoría de las enfermedades, aunque sí había ciertos conocimientos de algunas causas de ciertas enfermedades y hierbas curativas. Sí había medidas para evitar la expansión de enfermedades. Es el caso que tenemos aquí sobre la dermatosis. Por esta razón, estamos ante un texto que supone el conocimiento del siglo IX u VIII antes de Cristo.

El texto tiene como objetivo, más que curar la enfermedad, impedir su propagación. Por esto exige que el sacerdote, que se tenía en esta sociedad como un hábil detector de enfermedades de este tipo, examine al enfermo y le decrete la enfermedad, a fin de evitar el contagio en la comunidad.

En el Levítico, luego del decreto del sacerdote inspector, se pasa a describir la enfermedad y a determinar el confinamiento del afectado (vv. 2–44). Se le separaba de la comunidad y del culto. Esto convertía a los excluidos en personas muertas en vida, porque visitar el templo y reunirse en comunidad era lo vital. Si se curaba el excluido, un sacerdote debía certificarlo antes de readmitirlo en la comunidad. Esta lectura se pone en la liturgia, para que podamos entender la importancia de lo que cuenta el Evangelio de hoy, donde Jesús cura a un leproso.

II LECTURA Continuamos en la misma sección de la carta, de modo que tenemos los mismos temas de fondo. Pablo ha puesto ejemplos de la historia del pueblo de Dios para que los corintios aprendan a no dejarse dominar por sus apetitos menos nobles, pues de hacerlo se corre el terrible riesgo de no aprovechar el favor divino e incluso de provocar que se confundan las cosas santas con las profa-

II LECTURA   1 Corintios 10:31—11:1

Lectura de la primera carta del apóstol san Pablo a los corintios

Hermanos:
Todo lo que hagan ustedes, sea comer, o beber,
   o cualquier **otra** cosa,
   háganlo todo para **gloria de Dios**.
No den motivo **de escándalo**
   ni a los judíos, ni a los paganos,
   ni a la **comunidad** cristiana.
Por mi parte,
   yo procuro dar gusto a todos **en todo**,
   sin buscar mi propio interés, sino el **de los demás**,
   para que **se salven**.
Sean, pues, imitadores **míos**,
   como yo lo soy **de Cristo**.

EVANGELIO   Marcos 1:40–45

Lectura del santo Evangelio según san Marcos

En aquel tiempo,
   se le acercó a Jesús un leproso
   para **suplicarle** de rodillas:
   "Si **tú quieres**, puedes curarme".
Jesús se **compadeció** de él,
   y extendiendo la mano, **lo tocó** y le dijo:
   "¡Sí quiero: **Sana!**"
Inmediatamente se le quitó la lepra y quedó **limpio**.

Esta instrucción debe hacerse como aconsejando de buena manera. Nota las diferencias entre lo general y lo personal con una pausa entre ambas.

Cierra elevando el volumen de voz pero no el tono. No levantes la mirada del libro hasta que hayas pronunciado la fórmula litúrgica conclusiva.

La curación es prodigiosa y conmovedora. Alarga la súplica del leproso y dale vigor a la respuesta de Jesús.

nas; peor aún, si no se tiene cuidado, se puede hasta escandalizar a los cristianos menos formados, y esto es muy reprobable. Las líneas que escuchamos van concluyendo esta sección de la carta, como se nota de la confluencia de los tres hilos mayores de la sección.

El tema principal es el de comprender la libertad ganada en Cristo Jesús. Porque el cristiano es una criatura trasladada de la oscuridad de los ídolos a la luz de Cristo, vive liberado de dietas y calendarios. Pero lejos de ser esto un permiso irrestricto para hacer como mejor le plazca, la libertad cris-

tiana le exige adoptar decisiones dignas y que honren su propia pertenencia al Señor, pero sin lastimar a judíos, a paganos ni a otros cristianos.

El punto segundo es el de la ganancia y la pérdida, en términos sociales. Vivir a lo cristiano es tener la disponibilidad de adaptarse y de renunciar al propio derecho para que el prójimo crezca y robustezca su pertenencia al Señor. Esto no desdice la propia libertad, sino que certifica su objetivo: la salvación de todos.

Finalmente, y como lo ha hecho a lo largo de la sección, Pablo se coloca ante los

corintios como modelo a imitar, pero sólo en cuanto refleja a Cristo Jesús. Sabido es que el Señor buscó en todo momento la gloria de Dios, al punto de entregarse en la cruz. Otro tanto está realizando Pablo, muriendo a su afirmación personal en aras de la gloria de Dios, y en eso lo hemos de emular todos. Es la gloria del Señor nuestra motivación primera y última en todas las decisiones que vayamos adoptando.

EVANGELIO Leemos el encuentro público entre un leproso y Jesús. El leproso es cortés en su petición:

Al despedirlo, Jesús le mandó **con severidad**:
    "No se lo cuentes **a nadie**;
    pero para que conste, ve a **presentarte** al sacerdote
    y **ofrece** por tu purificación lo prescrito por Moisés".

Pero aquel hombre comenzó a divulgar **tanto** el hecho,
    que Jesús **no podía ya** entrar abiertamente en la ciudad,
    sino que se quedaba fuera, en lugares **solitarios**,
    a donde acudían a él **de todas partes**.

"Si quieres, puedes curarme". En toda curación hay dos voluntades: la del curandero y la del enfermo. No siempre los enfermos quieren ser curados. Jesús se da cuenta de esto y sabe que, al ser curado, el leproso adquirirá una nueva vida y, como todo lo que empieza, traerá sus problemas. También una comunidad de leprosos ofrecía cierta seguridad, aunque excluida y al margen de la comunidad judía, pero así y todo formaban cierta comunidad. Por esto el leproso también empeña la libertad del curandero: "Si quieres, puedes sanarme".

El enfermo cae y queda de rodillas durante toda la escena. Esta postura expresa su angustia y prevé un regaño de parte de los presentes por el peligro de contagio. Pero hay algo más fuerte en el leproso: quiere estar sano para reinsertarse en la comunidad sana, en la sociedad.

Jesús se compadece. Su compasión sirve de puente entre el oír, tocar y hablar. Jesús pasa a la acción, lo tocó por un tiempo prolongado, dice el texto griego. Esto indica la seguridad de haber transmitido su fuerza salvadora a este leproso. La palabra purificadora de Jesús muestra y explica el gesto como una declaración de su poder: "Lo quiero, queda sano". La cura vino inmediatamente. Jesús le pide el silencio sobre lo hecho y que cumpla las reglas ante el sacerdote. Curado, el leproso va inmediatamente a anunciar el hecho. Está el leproso en la línea de la Biblia: agradecer, es contar. Los salmos nos invitan a contar a otros lo que Dios nos ha dado. Aquí Marcos introduce su concepto del silencio ante los milagros, porque sólo serán comprensibles a través de la vida nueva, la muerte y la resurrección del Mesías.

MIÉRCOLES DE CENIZA

I LECTURA   Joel 2:12–18

Lectura del libro del profeta Joel

Esto dice el Señor:
  "**Todavía** es tiempo.
Vuélvanse a mí de todo corazón,
  con ayunos, con **lágrimas** y llanto;
  enluten su corazón **y no** sus vestidos.

Vuélvanse al Señor Dios nuestro,
  porque es compasivo y **misericordioso**,
  lento a la cólera, rico en clemencia,
  y **se conmueve** ante la desgracia.

Quizá se arrepienta, **se compadezca** de nosotros
  y nos deje **una bendición**,
  que haga posibles las ofrendas y libaciones
  al Señor, nuestro Dios.

Toquen la trompeta en Sión, **promulguen** un ayuno,
  convoquen la asamblea, reúnan al pueblo,
  santifiquen la reunión, junten a los ancianos,
  convoquen a los niños, aun a los niños de pecho.
Que el recién casado **deje su alcoba**
  y su tálamo la recién casada.

Proclama este texto con tal persuasión que motive a los escuchas a la conversión. Enfatiza los imperativos que llaman a acciones concretas.

Pronuncia con fuerza estas líneas que presentan las cualidades de Dios. Baja la velocidad en el siguiente párrafo.

I LECTURA Después de la terrible catástrofe del exilio, aires de reconstrucción y de restauración están en camino en el pueblo, aunque todavía lo agobian las secuelas de aquella calamidad. Para aliviar la memoria de la catástrofe, el culto y los rituales cumplen un rol importante, aunque esconden el peligro de olvidar las causas de los eventos. Por ello, la voz del profeta Joel se hace sentir.

El profeta llama al pueblo a intensificar las prácticas penitenciales comunes: el ayuno colectivo, llanto, rasgar las vestiduras, expresar el duelo verbalmente, ofrendas, libaciones y purificaciones. Recuerda que estas prácticas son muestras sinceras de volver de todo corazón a Dios, la única fuente de bendición y gracia.

Es imprescindible que, a través de estos ritos y prácticas, el pueblo recuerde que Dios se hizo presente en medio de su desgracia, humillación, dolor, hambre, soledad, y muerte. Hacer experiencia del Dios compasivo y misericordioso les permitirá a los fieles transformar sinceramente su corazón y restaurar las relaciones con su Creador y con todo lo creado.

De modo especial sacerdotes y ministros deberán ser el engranaje entre el pueblo y Dios, cada vez que se realicen estos rituales penitenciales. Ellos han de procurar que el pueblo haga esta experiencia de retornar al Dios que perdona y salva. Testimoniar y celebrar al Dios compasivo y misericordioso, sin embargo, es tarea de todos: ancianos, niños, jóvenes, casados y célibes, mujeres y varones.

Esta cuaresma también nos encuentra viviendo las consecuencias de una gran catástrofe. La calamidad de la pandemia ha pasado, pero todavía estamos procesando sus

Entre el vestíbulo y el altar **lloren** los sacerdotes,
    ministros del Señor, diciendo:
    'Perdona, Señor, **perdona** a tu pueblo.
No entregues tu heredad **a la burla** de las naciones.
Que no digan los paganos: ¿**Dónde está** el Dios de Israel?'"
Y el Señor **se llenó** de celo por su tierra
    y **tuvo piedad** de su pueblo.

Para meditar

SALMO RESPONSORIAL   Salmo 51:3–4, 5–6a, 12–13, 14, 17
R. Misericordia, Señor, hemos pecado.

Por tu inmensa compasión y misericordia,
Señor, apiádate de mí y olvida mis ofensas.
Lávame bien de todos mis delitos
    y purifícame de mis pecados. **R.**

Puesto que reconozco mis culpas,
    tengo siempre presentes mis pecados.
Contra ti solo pequé, Señor,
    haciendo lo que a tus ojos era malo. **R.**

Crea en mí, Señor, un corazón puro,
    un espíritu nuevo para cumplir tus
    mandamientos.
No me arrojes, Señor, lejos de ti,
    ni retires de mí tu santo espíritu. **R.**

Devuélveme tu salvación, que regocija,
    y mantén en mí un alma generosa.
Señor, abre mis labios
    y cantará mi boca tu alabanza. **R.**

II LECTURA   2 Corintios 5:20—6:2

Lectura de la segunda carta del apóstol san Pablo a los corintios

Hermanos:
    Somos **embajadores** de Cristo,
    y por nuestro medio, es **Dios mismo** el que los exhorta
        a ustedes.
En **nombre** de Cristo les pedimos que se **reconcilien** con Dios.
Al que **nunca** cometió pecado,
    Dios lo hizo "**pecado**" por nosotros,
    para que, **unidos a él**, recibamos la salvación de Dios
    y nos volvamos **justos** y santos.

Al término de la primera línea haz contacto visual con la asamblea, pero sin perder el ritmo de lectura.

Es una parte densa. Avanza con claridad y reposadamente.

estragos: muertes, cambios en el estilo de vida, en las relaciones y en el trabajo. Hacer experiencia del Dios que bendice, perdona y comunica su gracia a todas sus creaturas hará posible un camino sincero de conversión como pueblo suyo. Que nuestros ritos, oraciones y prácticas cuaresmales orientados a cuidar de todo, incluido el medio ambiente, reflejen nuestro retorno a Dios.

II LECTURA Pablo se dirige a una comunidad cristiana que vive en medio de una sociedad cosmopolita y con grandes fraccionamientos sociales. La comunidad de Corinto incluía personas de diversos sectores sociales y culturales, lo que ocasionaba tensiones internas. En las cartas de Pablo a esta comunidad se evidencian dichas tensiones, a las que hay que sumar también aquellas entre la comunidad y el Apóstol.

Precisamente este distanciamiento que Pablo experimenta de su amada comunidad en Corinto lo impulsa a expresarles su deseo de que vivan una reconciliación íntegra. Pablo les confiesa que, como colaborador de Cristo, él se reconoce reconciliado por el Hijo de Dios y que esta reconciliación la recibe a través de su unión con Jesucristo. La experiencia de su unión o identificación con Cristo hace posible vivir unidos en medio de la diversidad, sabiéndose todos deudores de la reconciliación.

El Apóstol anuncia que la reconciliación no es algo que los fieles consigan por sus propias fuerzas, o la reciban por el cumplimiento de instrucciones precisas, como lo declaran los judaizantes en las comunidades cristianas. La reconciliación tampoco se obtiene de manera automática al recibir el bautismo, como lo reclaman ciertos iluminados en la comunidad de Corinto. Tanto en

Nota las cursivas; indican un nivel textual diferente.

Como **colaboradores** que somos de Dios,
los exhortamos a **no echar** su gracia en saco roto.
Porque el Señor dice:
En el tiempo favorable te escuché
y en el día de la salvación te socorrí.
Pues bien,
ahora es el tiempo favorable;
ahora es el día de la salvación.

EVANGELIO   Mateo 6:1–6, 16–18

Lectura del santo Evangelio según san Mateo

Estas enseñanzas son el camino al encuentro con Dios. No las pronuncies como imposiciones, sino como la manera de recuperar la humanidad. Nota las frases que se repiten y procura darles la misma entonación.

En aquel tiempo, Jesús dijo a sus discípulos:
"Tengan cuidado de **no practicar** sus obras de piedad
delante de los hombres para que **los vean**.
De lo contrario, **no tendrán** recompensa con su Padre celestial.

Por lo tanto, cuando des limosna,
no lo anuncies con trompeta,
como hacen **los hipócritas** en las sinagogas y por las calles,
para que los **alaben** los hombres.
Yo les **aseguro** que **ya recibieron** su recompensa.

El contraste entre la práctica general y la cristiana debe quedar claro. Trata de que tu voz surja desde tu diafragma, dale fondo y volumen.

Tú, **en cambio**, cuando des limosna,
que **no sepa** tu mano izquierda **lo que hace** la derecha,
para que tu limosna quede **en secreto**;
y tu Padre, que **ve** lo secreto, **te recompensará**.

los judaizantes como en los iluminados, está latente la tentación de la soberbia y la autosuficiencia.

A medida que la comunidad intensifica su unión de vida y misión con Cristo, la reconciliación verdadera llega como don gratuito y la santidad se hace evidente. Recuerda Pablo que éste es el tiempo favorable y la comunidad cristiana concreta es el espacio donde cabe vivir la identificación con Cristo.

Al entrar en la cuaresma, nos reconocemos en un mundo fragmentado, con grandes brechas sociales y en crisis ecológica. Las distancias sociales también se perciben al interior de nuestras comunidades cristianas. La creación entera clama por reconciliación. Este es el tiempo oportuno para hacer más intensa nuestra unión e identificación con el Hijo de Dios y su misión.

EVANGELIO En esta sección del Sermón del Monte (Mateo 5–7), se especifica el sentido de los tres actos de piedad judíos que también son importantes para la comunidad cristiana, especialmente durante la cuaresma: limosna, oración y ayuno.

El judaísmo promovía acciones comunitarias de solidaridad, rituales y oraciones en días festivos, pero también tenía días de luto y ayuno colectivos. A los pequeños se les inculcaban ya prácticas de piedad (limosna, oración y ayuno individual). En el evangelio de este domingo, Jesús no rechaza tales prácticas, ni les quita valor. Lo que cuestiona es la búsqueda del reconocimiento público y vanagloria personales en las prácticas privadas de piedad.

Para el cristiano, la práctica privada de la limosna ha de nacer a partir de la identificación con la misericordia y compasión

Aborda la última parte de la lectura. No la aceleres. Baja la velocidad, pero termina en tono alto.

Cuando ustedes hagan oración,
　no sean como los hipócritas,
　a quienes **les gusta** orar de pie
　　en las sinagogas y en **las esquinas** de las plazas,
　para que **los vea** la gente.
Yo les **aseguro** que **ya recibieron** su recompensa.
Tú, **en cambio**, cuando vayas a orar,
　entra en tu cuarto, **cierra** la puerta y ora ante tu Padre,
　que está **allí**, en lo **secreto**;
　y **tu Padre**, que **ve** lo secreto, te **recompensará**.

Cuando ustedes ayunen, **no pongan** cara triste,
　como esos **hipócritas** que **descuidan** la apariencia de su rostro,
　para que la gente **note** que están **ayunando**.
Yo **les aseguro** que **ya recibieron** su recompensa.
Tú, en cambio, cuando ayunes,
　perfúmate la cabeza y **lávate** la cara,
　para que **no sepa** la gente que estás ayunando,
　sino **tu Padre,** que está en lo secreto;
　y tu Padre, **que ve** lo secreto, te **recompensará**".

testimoniados por el Hijo de Dios; quien llegó hasta el punto de dar su propia vida para restaurar la humanidad a su dignidad originaria. Es desde el condolerse con el sufrimiento del otro y desde la búsqueda de la restauración de la creación, que surgen acciones concretas de solidaridad y justicia.

La oración como práctica privada consiste en un encuentro profundo con aquel que nos crea por amor, nos reconcilia en nuestras relaciones y nos regala la salvación. Ha de reflejar la conexión profunda testimoniada por Jesús con su Padre en momentos de gozo y de sufrimiento.

El ayuno como práctica privada, tiene el potencial de acrecentar nuestra dependencia como creatura para con el creador. Nos ayuda a contrarrestar la soberbia y autosuficiencia humanas.

Por muy privadas que sean estas tres prácticas cuaresmales, cuando se fundamentan en la identificación con Cristo y su misión, tienen repercusiones en el entorno de quien las realiza. Mirar a Cristo hoy, nos hace estar más atentos al clamor de los po-

bres y al clamor de la tierra. De escucharlos con atención, nuestras prácticas cuaresmales de la limosna, ayuno y oración serán respuesta amorosa y contribuirán a la humanización de quien la recibe y a la restauración de las relaciones en la creación que nos circunda.

I DOMINGO DE CUARESMA

I LECTURA   Génesis 9:8–15

Lectura del libro del Génesis

En aquellos días, dijo Dios a Noé y a sus hijos:
   "Ahora **establezco** una alianza con ustedes
   y **con sus descendientes**,
   con todos los animales que los acompañaron,
   aves, ganados y fieras, **con todos** los que salieron del arca,
   con todo ser viviente **sobre la tierra**.
Ésta es la alianza que establezco con ustedes:
No volveré **a exterminar** la vida con el diluvio
   ni habrá otro diluvio que destruya la tierra".

Y añadió:
   "**Ésta es** la señal de la alianza perpetua
   que yo **establezco** con ustedes
   y **con todo ser viviente** que esté con ustedes:
   pondré mi arco iris en el cielo **como señal**
     de mi alianza con la tierra,
   y cuando yo cubra de nubes la tierra,
   aparecerá el arco iris y me **acordaré** de mi alianza
     con ustedes y con todo ser viviente.
No **volverán** las aguas del diluvio a **destruir** la vida".

Nota la voz de Dios que dirige todo el relato. Él se compromete en alianza eterna con la vida. Haz contacto visual con la asamblea cuando el texto hable de "ustedes".

Prolonga la pausa antes de pronunciar la línea final. Proclámala con mayor volumen de voz.

I LECTURA Las narraciones del diluvio en el Antiguo Testamento insisten en el esfuerzo de Dios por salvar su creación. El relato de la alianza en el libro del Génesis hecha entre Dios y la creación sobreviviente, enfatiza el deseo de Dios que su creatura sea restaurada a su condición originaria. Dios toma la iniciativa para establecer una alianza; una que no sólo involucre a Noé y su familia, sino a toda la creación presente y futura.

El autor de este relato nos da a conocer que las relaciones entre Creador y creatura y entre todas las creaturas tienen la huella de la ruptura de la relación originaria. El ser humano, que se entendía a sí mismo como creatura privilegiada por su cercanía con Dios, se alienó y rompió sus relaciones con su Creador y con el resto de la creación. Ello podría haber ocasionado que el Creador exterminara toda su obra. Pero no ocurrió. El texto menciona que, al momento de la alianza, el Creador sabe hasta dónde puede llegar la alienación de su creatura. Y, sin embargo, él se muestra fiel a su promesa de crear y restaurar. Dios ofrece su amor y promete que nunca exterminará la vida.

Al leer este pasaje hacemos memoria de la fidelidad del Dios misericordioso a esta alianza a lo largo de todos estos milenios. La causa de muchos desastres que están exterminando la vida son humanos. Dios permanece fiel. La cuaresma se presenta como tiempo propicio para reconocer nuestra responsabilidad en la catástrofe ecológica y social y renovar nuestra parte en la alianza. Es urgente actuar como creaturas reconciliadas con Dios que tienen la tarea de colaborar en la restauración de toda la casa común.

Para meditar

SALMO RESPONSORIAL   Salmo 24:4–5ab, 6, 7bc, 8–9

R. Tus sendas, Señor, son misericordia y lealtad, para los que guardan tu alianza.

Señor, enséñame tus caminos,
  instrúyeme en tus sendas:
  haz que camine con lealtad;
  enséñame, porque tú eres mi Dios
  y Salvador. **R.**

Recuerda, Señor,
  que tu ternura y tu misericordia
    son eternas.
Acuérdate de mí con misericordia,
  por tu bondad, Señor. **R.**

El Señor es bueno, es recto,
  y enseña el camino a los pecadores;
  hace caminar a los humildes con rectitud,
  enseña su camino a los humildes. **R.**

Las tres oraciones del himno cristológico guardan un balance de tres frases y cierra con dos. Identifícalas y dales su correcta entonación.

II LECTURA   1 Pedro 3:18–22

Lectura de la primera carta del apóstol san Pedro

Hermanos:
Cristo murió, **una sola vez** y para siempre,
  por los pecados de los hombres;
  él, el justo,
  por nosotros, los injustos,
  para **llevarnos** a Dios;
  murió en su cuerpo y **resucitó** glorificado.
En esta ocasión,
  fue a proclamar su mensaje
    a los espíritus encarcelados,
  que habían sido **rebeldes** en los tiempos de Noé,
  cuando la **paciencia** de Dios aguardaba,
  mientras se construía el arca,
  en la que **unos pocos**,
  ocho personas,
  se salvaron **flotando** sobre el agua.

II LECTURA ¿Por qué el poder de las tinieblas y el mal aparecen más evidentes que la victoria de Cristo en nuestro medio?

El autor de esta carta no responde el por qué. Prefiere afirmar que la victoria sobre el pecado y la muerte se dio una vez y para siempre con la muerte y resurrección del Cristo. La expresión "muerto en la carne y vivificado en el espíritu", denota dos dimensiones de la existencia del Cristo, una antes y otra después de la resurrección.

Cristo llevó a plenitud la misión de Enoc que fue anunciar el poder absoluto de Dios en el mundo sobrenatural. La resurrección del Cristo confirma la victoria absoluta de Dios en el espacio sobrenatural y también en el espacio terrenal. La muerte no tuvo éxito sobre Él. La resurrección del Cristo aniquila el poder de todo aquello que se opone a la causa de Dios y de los seguidores del Cristo. El llamado al creyente es a la confianza. No hay poder que esté por encima del poder de Dios.

En la tradición judía, Noé aparece como "pregonero de la justicia" en medio de un mundo corrompido. Para el autor de la carta, el diluvio condenó la corrupción del mundo y rescató al justo Noé y a la creación presente en el arca de tal corrupción. De modo análogo, el bautismo rescata al creyente de la corrupción y le hace participar de la victoria absoluta del Cristo.

Esto es Buena Noticia también hoy para una comunidad que en lo cotidiano enfrenta padecimientos y experimenta la aparente victoria de la injusticia. Como comunidad de bautizados somos fortalecidos en la Eucaristía para continuar el camino cuaresmal como pregoneros de la justicia y del poder absoluto de Dios cada día.

Apóyate en las negrillas para enfatizar los términos. Termina como elevando el tono de voz, no bajándolo.

Aquella agua era **figura** del bautismo,
    que **ahora** los salva a ustedes
    y que **no consiste** en quitar la inmundicia corporal,
    sino en el **compromiso** de vivir
        con una **buena conciencia ante** Dios,
    por la **resurrección** de Cristo Jesús, Señor nuestro,
    que **subió** al cielo y está a la **derecha** de Dios,
    a quien están **sometidos** los ángeles,
    las potestades y las virtudes.

EVANGELIO   Marcos 1:12–15

Lectura del santo Evangelio según san Marcos

En aquel tiempo,
    el Espíritu impulsó a Jesús a retirarse
        al desierto,
    donde permaneció **cuarenta días**
        y fue tentado por Satanás.
Vivió allí entre animales salvajes,
    y los ángeles le servían.

Después de que arrestaron a Juan el Bautista,
    Jesús se fue a Galilea **para predicar** el Evangelio de Dios
    y decía:
    "Se **ha cumplido** el tiempo
    y el Reino de Dios **ya está cerca**.
Arrepiéntanse y **crean** en el Evangelio".

La brevedad no significa poca importancia. En tu proclamación marca la pausa entre los dos parágrafos.

Eleva el tono y baja el ritmo al pronunciar las palabras de Jesús. El mensaje debe ser claro y liso.

EVANGELIO Los cuarenta días no reflejan un momento en la vida de Jesús. Representan esta doble realidad durante toda su vida histórica. Los animales salvajes representan estas fuerzas del mal, que se opusieron a él en todo momento. De manera extrema, este poder se hizo presente en su pasión, a través de personajes y situaciones concretas que lo llevaron a la cruz. Los ángeles caracterizan esta presencia providencial del Padre que fortaleció a Jesús a lo largo de su vida y ministerio y que no lo abandonó ni en el momento del sufrimiento mayor, la muerte.

La entrega y encarcelamiento de Juan prefiguran el destino doloroso de Jesús. El evangelista enfatiza que estos eventos marcan el tiempo de inicio de la proclamación pública de la cercanía del Reino de Dios por parte de Jesús. El anuncio de la Buena Nueva y llamado a la conversión se vuelven más urgentes.

La comunidad cristiana para la cual escribe el evangelista vivía en medio de un contexto hostil. El evangelista invita a quienes vivían confrontación, padecimientos y cárcel a verse reflejados en esta experiencia de Jesús en el desierto. A recordar que Dios está presente cuando las fuerzas del mal parecen ganar espacio. En esta realidad de adversidad, se hace más urgente hacer visible la cercanía del reinado de Dios y el llamado a la conversión.

Para los discípulos y discípulas que hoy viven en medio de una sociedad que se opone a los valores del Reino, el primer llamado es a incrementar la conexión profunda con Dios que nos sostiene en medio de experiencias de desierto. La segunda invitación es a continuar proclamando y haciendo visibles los signos de su presencia y de la victoria del Reino.

II DOMINGO DE CUARESMA

I LECTURA   Génesis 22:1–2, 9a, 10–13, 15–18

Lectura del libro del Génesis

En aquel tiempo, Dios le puso **una prueba** a Abraham y le dijo:
   "**¡Abraham, Abraham!**" Él respondió: "**Aquí estoy**".
Y Dios le dijo: "Toma a tu **hijo único,** Isaac,
   a quien tanto amas;
   vete a la región de Moria y ofrécemelo **como sacrificio**,
   en uno de los montes que yo te indicaré".

Cuando llegaron al sitio que Dios le había señalado,
Abraham **levantó** un altar y acomodó la leña.
Luego **ató** a su hijo Isaac, lo puso sobre el altar,
   encima de la leña **y tomó** el cuchillo para degollarlo.

Pero el ángel del Señor **lo llamó** desde el cielo y le dijo:
   "**¡Abraham, Abraham!**" Él contestó: "**Aquí estoy**".
El ángel le dijo:
   "**No descargues** la mano contra tu hijo,
   ni le hagas daño.
Ya veo que **temes** a Dios,
   porque **no le has negado** a tu hijo único".

Abraham levantó los ojos y vio un carnero,
   enredado por los cuernos en la maleza.
Atrapó el carnero y **lo ofreció** en sacrificio en lugar de su hijo.

El ángel del Señor **volvió** a llamar a Abraham desde el cielo
   y le dijo:

Es un relato cargado de dramatismo. Deja que cale en la audiencia la orden ominosa y terrible de Dios. No avances sin hacer contacto visual con la asamblea.

El relato llega al clímax y su desenlace. La vida del hijo es preservada al precio del sacrificio del carnero. Extiende tu mirada por la asamblea antes de la última frase.

I LECTURA El relato fue compuesto en tiempos de la monarquía. Durante este periodo, la práctica de las religiones cananeas del sacrificio de niños se había introducido en Israel. La denuncia a esta práctica se puede encontrar en otros lugares bíblicos (2 Reyes 16:3; 17:17; 21:6), en textos legislativos (Levítico 18:21; Deuteronomio 12:31; 18:10), y en libros de los profetas (Jeremías 7:31; Ezequiel 16:20–21), por ejemplo.

El pueblo de Israel conservaba en la memoria la promesa recibida de Dios, de hacerlo una nación grande (Génesis 12).

Durante la monarquía, Israel no ve que esta promesa se esté realizando. Israel es un reino pequeño y constantemente amenazado por los reinos cananeos. Estos reinos son más fértiles, más poderosos en armas y más desarrollados. En el relato que nos ocupa, Abraham personifica al pueblo que se pregunta si Yahvé, como los dioses cananeos, reclama el sacrificio de vidas humanas a cambio de su bendición y el cumplimiento de sus promesas.

Las acciones de Abraham siguen la práctica del sacrificio de los primogénitos de los pueblos cananeos. Abraham va a un

lugar alto, levanta un altar, acomoda a su hijo sobre este altar y toma el cuchillo para degollarlo. Pero Dios lo detiene mediante su mensajero, que le hace entender que Yahvé no necesita de la sangre de Isaac para cumplir su promesa.

Durante esta cuaresma estamos invitados a creer en este Dios de la vida y gratuidad. Más aún, a renunciar al deseo de comprar la bendición divina con nuestros sacrificios cuaresmales. La bendición de Dios está presente, aunque no aparezca clara a nuestros ojos.

"Juro por **mí mismo**, dice el Señor, que por haber **hecho esto**
y no haberme negado **a tu hijo único**,
yo te bendeciré y **multiplicaré** tu descendencia
como las estrellas del cielo y las **arenas del mar**.
Tus descendientes **conquistarán** las ciudades enemigas.
En tu descendencia serán bendecidos **todos los pueblos**
    de la tierra,
porque **obedeciste** a mis palabras".

Para meditar

SALMO RESPONSORIAL   Salmo 115:10, y 15, 16–17, 18–19

R. Caminaré en presencia del Señor, en el país de la vida.

Tenía fe, aun cuando dije:
  "¡Qué desgraciado soy!"
Mucho le cuesta al Señor
  la muerte de sus fieles. **R.**

Señor, yo soy tu siervo,
  siervo tuyo, hijo de tu esclava:
  rompiste mis cadenas.
Te ofreceré un sacrificio de alabanza,
  invocando tu nombre, Señor. **R.**

Cumpliré al Señor mis votos
  en presencia de todo el pueblo;
  en el atrio de la casa del Señor,
  en medio de ti, Jerusalén. **R.**

II LECTURA   Romanos 8:31b–34

Lectura de la carta del apóstol san Pablo a los romanos

Hermanos:
Si Dios está a **nuestro favor**,
  ¿**quién** estará en contra nuestra?
El que **no nos escatimó** a su propio Hijo,
  sino que lo entregó **por todos nosotros**,
  ¿cómo no va a estar dispuesto a dárnoslo **todo**,
      junto con su Hijo?
¿**Quién** acusará a los elegidos de Dios?
Si Dios **mismo** es quien los perdona,
  ¿quién será **el que los condene**?
¿Acaso **Jesucristo**, que murió, **resucitó**
  y está a la derecha de Dios para **interceder** por nosotros?

Cada oración avanza en dos momentos; primero, a una condición corresponde cada pregunta; luego siguen preguntas nada más. Observa la entonación debida.

II LECTURA En el capítulo 8 de esta Carta, Pablo recuerda a la comunidad de Roma que está destinada a la gloria, ya que Cristo ha rescatado al ser humano y le ha abierto la posibilidad de vivir desde el Espíritu. Por puro amor, Dios procura la vida, justificación y glorificación de quienes ama. El Espíritu que resucitó a Jesús actúa también en medio de los padecimientos e injusticias que experimenta el seguidor de Jesús. Pablo concluye este capítulo con un himno triunfante (8:31–39).

Dios ha mostrado la abundancia de su gracia y amor al enviar a su propio Hijo al mundo. En el Hijo, los cristianos y cristianas ya han recibido todo lo que podían recibir de Dios. Quienes han reconocido, aceptado y quienes lo siguen, son herederos del plan salvífico de Dios desde el momento de la creación.

Las tres preguntas finales acentúan la figura judicial de Dios. Dios, el único que tiene el poder de perdonar o condenar, se ha pronunciado en favor de los seguidores y seguidoras de su Hijo. Por lo mismo, los sufrimientos padecidos por la comunidad cristiana no son signo de la condena o castigo de Dios. El Hijo mismo sufrió y padeció. Así como Dios rescató a su Hijo, Dios rescata también a los cristianos incluso viviendo situaciones de dolor, injusticia o persecución.

En esta cuaresma recordemos que los padecimientos que vivimos no vienen como castigo o condena de Dios. Pidamos la gracia de reconocer los signos de la presencia amorosa de Dios. El Señor Jesús camina con nosotros, su pueblo. Su espíritu está presente. Abramos los ojos y oídos para reconocerlo.

EVANGELIO El evangelio nos presenta una cristofanía. Esto es, la

EVANGELIO   Marcos 9:2–10

Lectura del santo Evangelio según san Marcos

La descripción es de algo maravilloso y singular. No pases por los detalles con celeridad. Haz que la asamblea imagine la escena con viveza. Proclama con intensidad.

En aquel tiempo,
   Jesús tomó **aparte** a Pedro, a Santiago y a Juan,
   subió con ellos a un monte alto y se transfiguró **en su presencia**.
Sus vestiduras se pusieron **esplendorosamente** blancas,
   con una blancura **que nadie** puede lograr sobre la tierra.
Después se les aparecieron **Elías y Moisés**, conversando con Jesús.

Entonces Pedro le dijo a Jesús:
   "**Maestro, ¡qué a gusto** estamos aquí!
Hagamos **tres chozas**,
   una para ti, otra para Moisés y otra para Elías".
En realidad **no sabía** lo que decía, porque estaban **asustados**.

Se formó entonces una nube, que **los cubrió** con su sombra,
   y de esta nube salió una voz que decía:
   "**Éste** es mi Hijo amado; **escúchenlo**".

Haz una doble pausa antes de atacar este párrafo, y levanta tu rostro del evangeliario.

En ese momento miraron alrededor
   y no vieron **a nadie** sino a Jesús, que estaba **solo** con ellos.

Cuando bajaban de la montaña,
   Jesús les mandó que **no contaran a nadie** lo que habían visto,
   hasta que el Hijo del hombre **resucitara** de entre los muertos.
Ellos guardaron esto **en secreto**,
   pero discutían entre sí qué querría decir eso
   de "**resucitar** de entre los muertos".

Ve bajando la velocidad de lectura y cierra como dejando un aire de extrañeza en el aire.

revelación de la verdadera identidad de Jesús. El color blanco brillante revela la identidad victoriosa y gloriosa del Hijo de Dios que normalmente aparece oculta en el evangelio. Moisés y Elías eran figuras capitales en el judaísmo. Moisés fue el único que vio a Dios cara a cara y continuó vivo. Elías fue el único profeta que fue llevado al cielo. Todo Israel esperaba su regreso al final de los tiempos. En el relato de la transfiguración, Jesús aparece al nivel de Moisés y Elías. Los discípulos aparecen desconcertados ante este evento y con razón.

La voz del Padre en el relato es clave para entender el evento. Esta voz celestial que se dejó escuchar en el bautismo dirigiéndose sólo a Jesús como hijo suyo (Marcos 1:11), ahora se dirige a los discípulos y les urge a escucharle. La nube aparece ante los ojos de los discípulos para asegurar que la presencia de Dios se da ahora en el Hijo. El pueblo de Dios, durante su caminar por el desierto, reconoció que la nube era el signo de que Dios caminaba con ellos.

La revelación plena se dio a los discípulos que acompañaron a Jesús. Sin embargo, según el evangelista, ellos no estaban listos para entender este misterio. Lo entenderán después de la resurrección. Nosotros somos parte de la comunidad de discípulos que sigue al Resucitado. Este relato nos anima, pues sabemos que nuestro destino como discípulos y discípulas, seguidores de Aquél que entregó su vida hasta el extremo, es glorioso.

III DOMINGO DE CUARESMA

I LECTURA   Éxodo 20:1–17

Lectura del libro del Éxodo

En aquellos días, el Señor **promulgó** estos preceptos para su pueblo
en el monte Sinaí, diciendo:
"**Yo soy el Señor**, tu Dios, que te sacó de la tierra de Egipto
y de la esclavitud.
No tendrás **otros dioses** fuera de mí;
no te fabricarás ídolos **ni imagen alguna** de lo que hay arriba,
en el cielo, o abajo, en la tierra,
o en el agua, y debajo de la tierra.
No adorarás nada de eso ni le rendirás culto,
porque yo, el Señor, tu Dios, soy un Dios celoso,
que castiga **la maldad** de los padres en los hijos
hasta la tercera y cuarta generación de aquellos que me odian;
pero **soy misericordioso** hasta la **milésima** generación
de aquéllos que me aman y **cumplen** mis mandamientos.

No harás mal uso **del nombre** del Señor, tu Dios,
porque no dejará el Señor **sin castigo**
a quien haga **mal uso** de su nombre.

Acuérdate de santificar el sábado.
Seis días trabajarás y en ellos harás **todos** tus quehaceres;
pero el día **séptimo** es día de **descanso**,
dedicado al Señor, tu Dios.

Las frases primeras son las que fundan lo demás. Subraya el yo de Dios.

Ralentiza la primera palabra acuérdate y haz contacto visual con la asamblea al momento de pronunciarla.

Realiza una pausa al terminar cada mandamiento. Si el mandamiento trae una promesa, compártela con entusiasmo y motivación.

I LECTURA El Decálogo, o las diez palabras de Yahvé, forma parte de la unidad textual de la Alianza en el Sinaí (Éxodo 19–24). En él, se puede reconocer un preámbulo que introduce el evento e identifica a Yahvé como una de las partes de la alianza. La primera palabra pronunciada por Yahvé constituye una presentación de sí mismo. Esta palabra otorga autoridad al documento. Al preámbulo sigue un prólogo histórico que enfatiza los beneficios obrados por Yahvé en favor de la otra parte, el pueblo de Israel. Yahvé recuerda al pueblo el rescate que ha obrado por pura gratuidad

y amor. Este es el motivo por el cual el pueblo ha de comprometerse a obedecer las leyes. Finalmente, se enumeran estipulaciones en forma absoluta e incondicional que comprometen a Israel con Yahvé. Las leyes que aparecen abarcan el campo religioso y moral. Obedecerlas implican la fidelidad del pueblo a Yahvé.

En primer lugar, aparecen las normas que comprometen al pueblo con Dios. Testimoniar exclusividad hacia Yahvé, no sobreponer imagen alguna ante el misterio que representa y mostrar reverencia reflejan la pertenencia de ese pueblo a Dios. Las rela-

ciones justas entre los miembros del pueblo también son la carta de presentación de la comunidad de la alianza. Las obligaciones respecto al prójimo ofrecen la posibilidad de una vida digna no sólo a este pueblo, sino a toda la creación. Y la violación a cualquiera de estas normas constituye un crimen contra Dios mismo.

La Cuaresma es tiempo propicio para hacer memoria de todos los beneficios que Dios obra en nuestra vida y revisar nuestro compromiso de pertenecerle. Vivir los mandamientos nos libera del peligro constante de recaer en diversas formas de esclavitud.

Los mandatos son breves y lapidarios. Deja que cada frase haga su efecto; no precipites la lectura queriendo llegar rápido al final.

No harás en él **trabajo alguno**,
> ni tú, ni tu hijo, ni tu hija, ni tu esclavo,
> ni tu esclava, ni tus animales,
> ni el forastero que viva contigo.
Porque **en seis días** hizo el Señor el cielo,
> la tierra, el mar y cuanto hay en ellos,
> pero el séptimo, **descansó**.
Por eso **bendijo** el Señor el sábado y lo **santificó.**

Honra a tu padre y a tu madre
> para que vivas **largos años** en la tierra
> que el Señor, tu Dios, te va a dar.
No matarás. No **cometerás** adulterio. No **robarás**.
No darás falso testimonio contra tu prójimo.
No codiciarás la casa de tu prójimo,
> ni a su mujer, ni a su esclavo,
> ni a su esclava, ni su buey, ni su burro,
> **ni cosa alguna** que le pertenezca".

Forma breve: *Éxodo 20:1–3, 7–8, 12–17*

Para meditar

SALMO RESPONSORIAL   Salmo 18:8, 9, 10, 11

R. Señor, tú tienes palabras de vida eterna.

La ley del Señor es perfecta
> y es descanso del alma;
> el precepto del Señor es fiel
> e instruye al ignorante. **R.**

Los mandatos del Señor son rectos
> y alegran el corazón;
> la norma del Señor es límpida
> y da luz a los ojos. **R.**

La voluntad del Señor es pura
> y eternamente estable;
> los mandamientos del Señor
> son verdaderos
> y enteramente justos. **R.**

Más preciosos que el oro,
> más que el oro fino;
> más dulces que la miel
> de un panal que destila. **R.**

II LECTURA La comunidad cristiana en Corinto, en un medio gentil o pagano, era muy diversa en su constitución, perspectiva y costumbres religiosas. Esto ocasionaba brechas y tensiones a su interior.

Había cristianos más inclinados al mundo helenizado que alimentaban ideas liberales sobre la autoridad que habían recibido del Cristo. Esta autoridad les hacía verse a sí mismos como "fuertes" y "conocedores" del misterio divino, muy por encima de quienes no lo comprendían. La cruz y los sufrimientos eran percibidos como debilidad por los griegos e inaceptables en la experiencia de sus dioses. Los cristianos cercanos a este mundo evadían la referencia a la cruz. Preferían predicar un Cristo ilustre y celestial.

Los cristianos más cercanos al mundo judío trataban de conciliar la fidelidad a sus orígenes y la fe en el Cristo. Para asegurar que estaban libres de impurezas por la convivencia con el mundo gentil, seguían normas alimenticias y rituales judíos. Su seguridad todavía estaba puesta en ese cumplimiento. Seguir a un mesías que fue crucificado, en medio de un pueblo judío que esperaba un mesías sacerdotal, regio, o a la manera de una figura gloriosa, les acarreaba además la mofa.

Pablo busca unificar esta comunidad clarificando la identidad del Cristo. El énfasis de la predicación de Pablo es el Cristo crucificado. Quienes aceptan la Buena Nueva están llamados a vivir la paradoja de la cruz, que no representa la debilidad de Dios, sino su fuerza. El Cristo crucificado anima al cristiano a confiar en el amor de Dios. Ese amor no falló a Cristo en la cruz. La fortaleza del cristiano ayer y hoy en sus momentos de

II LECTURA   1 Corintios 1:22–25

Lectura de la primera carta del apóstol san Pablo a los corintios

Hermanos:
Los judíos **exigen** señales milagrosas
   y los paganos piden **sabiduría.**
Pero nosotros predicamos a **Cristo crucificado,**
   que es **escándalo** para los judíos y **locura** para los paganos;
   en cambio, para los llamados, sean **judíos o paganos,**
   Cristo es **la fuerza** y **la sabiduría** de Dios.
Porque la locura de Dios es **más sabia** que la sabiduría
   de los hombres,
   y la debilidad de Dios **es más fuerte** que la fuerza
   de los hombres.

La lectura tiene mucha fuerza; no la disipes en el centro del párrafo.

EVANGELIO   Juan 2:13–25

Lectura del santo Evangelio según san Juan

Cuando se **acercaba** la Pascua de los judíos,
   Jesús llegó a Jerusalén
   y encontró en el templo a los vendedores de bueyes,
   ovejas y palomas, y a los cambistas con sus mesas.
Entonces hizo un látigo de cordeles y **los echó** del templo,
   con todo y sus ovejas y bueyes;
   a los cambistas **les volcó** las mesas
   y les tiró al suelo
    las monedas;
   y a los que vendían palomas les dijo:
   "**Quiten** todo de aquí
   y **no conviertan** en un mercado la casa
    de mi Padre".

El episodio tiene varios momentos. Nota que las Escrituras marcan la pausa reflexiva en medio de la agitación de los eventos.

sufrimiento como discípulo, es que la cruz no es el final, sino la resurrección.

Pablo también anuncia que la sabiduría divina implica la cruz. El Crucificado testimonia que su objetivo no fue el éxito, admiración y satisfacciones tangibles. Conocer a Dios y penetrar en su misterio exige vivir desde el amor gratuito del Cristo quien se anonadó e hizo humano y pasó por la cruz para mostrar el amor del Padre. En un mundo en el que se predica la felicidad por el éxito tangible, el llamado de Pablo de regresar la mirada al Cristo crucificado sigue vigente hoy más que nunca.

EVANGELIO La escena de este episodio y el tiempo en el que sucede evidencian dos instituciones judías muy importantes en tiempos de Jesús. El templo de Jerusalén representaba la santidad, pureza y presencia de Dios. La pascua conmemoraba la liberación obrada por Dios para con su pueblo en Egipto.

El templo, sin embargo, se había convertido en espacio que discriminaba y excluía a muchos peregrinos. Al lugar principal sólo accedía la clase sacerdotal, el siguiente espacio era para los varones en estado de purificación y la parte más externa era para

mujeres. Otros muchos cuerpos ni accedían a él. Durante la pascua, el tinte económico se hacía más evidente por la venta de animales sacrificiales e intercambio de monedas. Mucha gente vivía del templo, pero los que se aprovechaban de las ganancias era la aristocracia sacerdotal.

Este episodio posiblemente fue real pues encontramos narraciones similares en Marcos 11:15–19, Mateo 21:12–17 y Lucas 19:45–48. San Juan ubica el episodio al principio del ministerio de Jesús. La acción y palabras de Jesús denuncian primero la manipulación que se hace de la fe y la

En ese momento,
    sus discípulos **se acordaron** de lo que estaba escrito:
    *El celo de tu casa **me devora**.*

Después intervinieron los judíos para preguntarle:
    "**¿Qué señal** nos das de que tienes autoridad para actuar **así?**"
Jesús les respondió:
    "**Destruyan este** templo y en **tres días** lo reconstruiré".
Replicaron los judíos:
    "**Cuarenta y seis años** se ha llevado la construcción
    del templo,
    ¿y tú lo vas a levantar **en tres días?**"

Pero él hablaba del templo **de su cuerpo**.
Por eso, cuando resucitó Jesús de entre los muertos,
    se acordaron sus discípulos de que había dicho aquello
    y **creyeron** en la Escritura
    y en las palabras que Jesús había dicho.

Mientras estuvo en Jerusalén para las fiestas de Pascua,
    muchos creyeron en él, **al ver** los prodigios que hacía.
Pero Jesús no se fiaba de ellos, porque los conocía a **todos**
    y no necesitaba **que nadie** le descubriera lo que es el hombre,
    porque **él sabía** lo que hay en el hombre.

Este párrafo marca una pausa narrativa que invita a repasar lo ocurrido. Respira profundamente antes de avanzar este párrafo.

opresión que se ejerce a los demás en nombre de Dios. Dado que el templo era un lugar santo, no podían introducirse armas y tampoco cabían monedas romanas. Por ello estaban los cambistas y quizá por ello Jesús echa mano a cuerdas para expulsarlos. Su acto no fue de protesta sino una llamada de atención. Jesús no dañó a nadie al exponer la Verdad.

Las palabras de Jesús que se refieren a la destrucción y a la reconstrucción del santuario nos presentan la reflexión del autor y de su comunidad después de la resurrección. De esta manera el episodio señala la centralidad de la persona de Jesús para la comunidad cristiana y ya no de las instituciones judías.

También hoy existen medios para acercarnos a Dios: templos, devociones, o asociaciones religiosas. En ocasiones estos medios en lugar de acercarnos a Dios pueden alejarnos e impedir a otros hacer la experiencia de Dios.

III DOMINGO DE CUARESMA, AÑO A

La situación es grave y el reclamo serio. Endurece el tono de voz en esta parte.

Apóyate en las negrillas. Pronuncia con claridad los acentos de los nombres del lugar.

I LECTURA   Éxodo 17:3–7

Lectura del libro del Éxodo

En aquellos días, el pueblo, **torturado** por la sed,
    fue a protestar **contra Moisés**, diciéndole:
"¿Nos has hecho **salir** de Egipto
    para **hacernos morir** de sed a nosotros,
a nuestros hijos y a nuestro ganado?"
Moisés **clamó** al Señor y le dijo:
    "¿**Qué puedo hacer** con este pueblo?
Sólo falta que me **apedreen**".
Respondió el Señor a Moisés:
    "**Preséntate** al pueblo, llevando contigo
        a algunos de los ancianos de Israel,
    toma en tu mano el cayado con que golpeaste el Nilo y **vete**.
Yo estaré **ante ti**, sobre la peña, en Horeb.
Golpea la peña y saldrá de ella **agua** para que beba el pueblo".

Así lo hizo Moisés a la vista de los ancianos de Israel
    y puso por nombre a aquel lugar **Masá y Meribá**,
    por la **rebelión** de los hijos de Israel
    y porque habían **tentado** al Señor, diciendo:
        "¿**Está** o **no está** el Señor en medio de nosotros?"

I LECTURA Este episodio se enmarca en la unidad textual que relata las experiencias del pueblo liberado de la esclavitud egipcia en el desierto antes de su llegada al pie del monte Sinaí (Éxodo 15:22—18:27). En su recorrido, ha padecido diversos reveses: cansancio por la caminata, falta de alimentos y agua, enfrentamientos y guerras con habitantes de estas regiones, y, al interior del grupo de libertos, riñas y rebeliones. Varias veces el pueblo expresa su deseo de regresar a Egipto.

Este pasaje nos presenta un pueblo sediento. Ciertamente está enfrentando lo duro del desierto. Sin embargo, lejos de confiar en aquél que los sacó de la esclavitud, protestan contra su mensajero, Moisés, por la falta de agua que enfrentan y dudan de la presencia de Dios. A nuestro pasaje le sigue el relato del enfrentamiento con los amalecitas (Éxodo 17:8–16). Nuestro episodio no es la primera ocasión en que el pueblo protesta por no tener agua. En Éxodo 15:22–27, se refiere que Dios provee de aguas dulces al pueblo en Mará. Sequedad y conflicto con otros reinos fueron los dos grandes problemas de Israel en todos los tiempos.

Los nombres Masá y Meribá, más allá de pretender dar información geográfica exacta al lector, acentúan el estado del pueblo. Masá, de la radical hebrea *nsh* significa "poner a prueba" y Meribá, del término hebreo *rib*, significa "protesta". La infelicidad del pueblo parece haber escalado tanto que estos nombres y otros verbos detallan la violencia contra Moisés, el líder de este pueblo. El nombre Horeb está relacionado con el Sinaí, el monte sagrado por excelencia para Israel. Allí ocurre la alianza. En la mitología antigua de Medio Oriente, los montes

Para meditar

SALMO RESPONSORIAL   Salmo 95:1–2, 6–7, 8–9

R. Ojalá escuchen hoy la voz del Señor: "No endurezcan el corazón".

Vengan, aclamemos al Señor,
   demos vítores a la Roca que nos salva;
   entremos a su presencia dándole gracias,
   aclamándolo con cantos. **R.**

Entren, postrémonos por tierra,
   bendiciendo al Señor, creador nuestro.
Porque él es nuestro Dios,
   y nosotros su pueblo,
   él rebaño que él guía. **R.**

Ojalá escuchen hoy su voz:
   "No endurezcan el corazón como
     en Meribá,
   como el día de Masá en el desierto;
   cuando vuestros padres me pusieron
     a prueba
   y me tentaron, aunque habían visto
     mis obras". **R.**

II LECTURA   Romanos 5:1–2, 5–8

Lectura de la carta del apóstol san Pablo a los romanos

Hermanos:
Ya que hemos sido justificados **por la fe**,
   mantengámonos **en paz** con Dios,
   por mediación de nuestro Señor **Jesucristo**.
Por él hemos obtenido, con **la fe**,
   la **entrada** al mundo de la gracia,
   en el cual nos **encontramos**;
   por él, podemos **gloriarnos**
     de tener la **esperanza** de participar en **la gloria** de Dios.

La esperanza **no defrauda**,
   porque Dios ha **infundido** su amor en **nuestros corazones**
     por medio del **Espíritu Santo**, que **él mismo** nos ha dado.
En efecto, cuando **todavía** no teníamos fuerzas
     para **salir** del pecado,
   Cristo murió **por los pecadores** en el tiempo **señalado**.

La lectura presenta ciertos desafíos. Ejercítate en la entonación de las frases encerradas entre comas, para que no se pierda el sentido de la oración. Proclama sin temor, pero sin exceso de confianza.

sagrados también vertían aguas que proporcionaban vida.

El contraste entre el pueblo y Dios es clarísimo. El pueblo duda si Dios está con ellos y duda de su líder. Olvidó las gracias obradas por su Dios y lo duro que fue vivir esclavo en Egipto. Quiere regresar allá. Yahvé, que es fuente de vida, escucha a Moisés y responde una vez más otorgando al pueblo lo necesario para continuar su marcha. Se resalta la paciencia de Dios.

Este episodio es propicio para revisar nuestro propio camino de conversión de esta Cuaresma. Es imprescindible que re-

cordemos todas las gracias obradas por Dios en nuestra vida y la paciencia que nos tiene. La tentación de llevar una vida de esclavitud material y de dudar de la presencia de Dios está siempre latente. En la Eucaristía de este domingo pidamos perdón a Dios por nuestros cansancios, dudas, y protestas, al tiempo que retomamos la ruta de transformación, regenerados por el agua viva de su palabra.

II LECTURA Pablo ya ha establecido que el ser humano recibe la justificación de Dios por medio de la fe en

Cristo, y en el pasaje que escuchamos hoy, explica cómo se vive la justificación en la experiencia cristiana.

El primer efecto de la justificación, escribe Pablo, es la paz con Dios. Invita a la comunidad cristiana de Roma a dar testimonio de esta paz que experimenta con su Dios aún en medio de las aflicciones y persecuciones. Esta paz no se consigue mediante el mero esfuerzo humano. El cristiano, por su fe en Cristo, recibe la paz vivida por el Cristo durante su pasión y muerte. El creyente recibe además la capacidad de

Difícilmente habrá alguien que **quiera morir** por un justo,
     aunque puede haber **alguno**
          que esté **dispuesto** a morir por una persona
          sumamente buena.
Y **la prueba** de que Dios nos ama
     está en que Cristo murió **por nosotros**,
cuando aún éramos pecadores.

Nota que el párrafo es unitario. No separes las dos oraciones que lo conforman.

EVANGELIO   Juan 4:5–42

Lectura del santo Evangelio según san Juan

En aquel tiempo,
     llegó **Jesús** a un pueblo de Samaria, llamado **Sicar**,
     cerca del campo que dio Jacob a su hijo José.
Ahí estaba **el pozo de Jacob**.
     Jesús, que venía **cansado** del camino,
     se **sentó** sin más en el brocal del pozo.
Era cerca del mediodía.

Entonces llegó una mujer de Samaria a **sacar agua**
     y Jesús le dijo:
     "**Dame** de beber".
(Sus discípulos habían ido al pueblo **a comprar** comida).
La samaritana le **contestó**:
     "¿**Cómo** es que tú, **siendo judío**, me pides de beber **a mí,**
          que soy **samaritana**?"
(Porque los judíos **no tratan** a los samaritanos).
Jesús le dijo:
"Si conocieras **el don de Dios** y **quién es** el que te pide de beber,
     tú le pedirías **a él,** y él te daría **agua viva**".

El relato es largo, pero no monótono. Busca los distintos momentos para que aligeres o ralentices el ritmo de lectura.

Las palabras de la mujer demarcan la realidad; pronúncialas con esa obviedad.

---

permanecer en esta paz, pese a las tribulaciones que la vida ofrece.

El segundo efecto de la justificación es la esperanza del cristiano de participar de la gloria de Dios. El cristiano puede asegurar que su destino no es de vergüenza, sino de gloria debido a la experiencia del Cristo muerto y resucitado. Pablo subraya lo esencial de la fe que consiste en el misterio pascual, que no es otro que el poder de Dios en resucitar a Cristo y en sus efectos a través de él.

La esperanza para el apóstol no es una cuestión ilusoria pues está fundada en el amor que Dios tiene por su creatura. Este amor de Dios ha estado firme desde el principio, igual que el Espíritu ha estado presente en el momento creativo. Sin embargo, asegura Pablo, el amor de Dios se ha desbordado ahora y el Espíritu se ha mostrado plenamente en el acontecimiento Jesucristo. Pablo nos recuerda que la entrega del Hijo no fue exclusiva para un grupo selecto. El Hijo fue enviado para rescatar a toda creatura y dar a toda la creación la plenitud de la redención.

En este domingo de cuaresma nos regocijamos por este desbordante amor del Padre, del Hijo y del Espíritu. Nos reconocemos pecadores sí, pero centrando la mirada en el Hijo, reconozcámonos también creatura redimida. Esto nos lleva a continuar la tarea de colaborar en el rescate de toda la creación; especialmente en los espacios en los que la vida se encuentra muy amenazada.

En esta tarea, el desafío del creyente es testimoniar la paz y la esperanza recibidos como dones por la confesión de fe en Cristo resucitado. En medio de los padecimientos que acarrea nuestro discipulado, la vida nueva del Cristo nos garantiza que es posible reflejar esta paz y esperanza.

Conforme avanza la respuesta de Jesús la comprensión se complica. Baja un poco la velocidad de una línea a otra.

La mujer le respondió:
"Señor, **ni siquiera** tienes con qué sacar agua
    y el pozo es **profundo**,
    ¿**cómo** vas a darme **agua viva**?
¿**Acaso** eres tú **más** que nuestro padre Jacob,
    que nos dio **este pozo**, del que bebieron él,
    sus hijos y sus ganados?"
Jesús le contestó: "El que bebe de esta agua **vuelve** a tener sed.
Pero el que beba del agua que yo le daré, **nunca más** tendrá sed;
    el agua que **yo le daré** se convertirá **dentro de él**
        en un **manantial** capaz de dar **la vida eterna**".

Cárgale acento de admiración a la confesión de la mujer, pero sin tono melodramático.

La mujer le dijo:
"Señor, dame de esa agua para que no vuelva a tener sed
    ni tenga que venir hasta aquí a sacarla".
Él le dijo:
"Ve a llamar a tu marido y vuelve".
La mujer le contestó:
"No tengo marido".
Jesús le dijo:
"Tienes razón en decir: 'No tengo marido'.
Has tenido cinco, y el de ahora no es tu marido.
En eso has dicho la verdad".

Acelera un poco en este intercambio, para hacer más notable la contundente respuesta de Jesús. Allí haz una pausa doble.

La mujer le dijo:
"Señor, ya veo que eres **profeta**.
Nuestros padres dieron culto **en este monte**
    y ustedes **dicen** que el sitio donde
    se debe dar culto está **en Jerusalén**".
Jesús le dijo:
"**Créeme**, mujer, que se acerca la hora
    en que **ni en este monte** ni en Jerusalén adorarán al Padre.
Ustedes adoran **lo que no conocen**;
    nosotros adoramos **lo que conocemos**.
Porque la salvación **viene** de los judíos.

EVANGELIO En el evangelio de este domingo, Juan enfatiza el proceso de conversión vivido por el pueblo samaritano. La Buena Nueva se abre más allá de los judíos y llega a territorio samaritano. Esto es presentado como motivo de alegría para la comunidad de Juan. El evangelista presenta a Jesús como aquel que toma la iniciativa y se hace accesible desde un espacio que este pueblo consideraba sagrado, el pozo de Jacob. Ha llegado el momento propicio de salvación para este pueblo cismático a los ojos judíos. El detalle

del tiempo, el mediodía, especifica este momento favorable.

En el relato, Juan presenta a Jesús tomando la iniciativa en la conversación con una mujer que llega por agua al pozo. Derribando las barreras convencionales religiosas, Jesús inicia el intercambio a partir de un diálogo desde una necesidad cotidiana pero apremiante, beber agua. Sin embargo, Jesús centra su atención en su objetivo, ofrecer el agua de vida; esto es, la salvación. Aunque la mujer muestra cierta resistencia y hasta actúa con sarcasmo, Jesús persiste en sostener un diálogo con ella. La desafía

a reconocer que el regalo del agua del pozo, dado por Jacob puede ser superado por el agua que viene de Dios. El encuentro se da sin violencias. Las palabras de Jesús logran que ambos vayan más allá de las diferencias religiosas y geográficas y se comuniquen de persona a persona. Ante ello, la mujer responde con respeto y lo llama "Señor".

Jesús la lleva a dar un paso más: reconocer la tradición común que comparten samaritanos y judíos. La revelación de su vida privada no tiene nada que ver con el énfasis de Jesús en el tema de pecado sino con su poder para conocer lo más íntimo de

Hay dos focos en este parágrafo. Procura que la asamblea distinga esto.

Pero se acerca la hora, **y ya está aquí**,
en que los que quieran dar culto **verdadero**
adorarán al Padre **en espíritu y en verdad**,
porque **así es** como el Padre **quiere** que se le dé culto.
Dios es **espíritu**, y los que lo adoran
deben hacerlo en espíritu **y en verdad**".

La mujer le dijo: "**Ya sé** que va a venir el Mesías
(es decir, **Cristo**).
Cuando venga, **él** nos dará razón **de todo**".
Jesús le dijo: "**Soy yo,** el que habla contigo".

En esto **llegaron** los discípulos
y se **sorprendieron** de que estuvieran conversando **con una mujer**;
sin embargo, **ninguno** le dijo:
'**¿Qué** le preguntas o **de qué** hablas con ella?'
Entonces la mujer dejó su cántaro,
se fue **al pueblo** y comenzó a decir a la gente:
"**Vengan** a ver a un hombre que me ha dicho
todo lo que he hecho.
¿No será éste **el Mesías**?"
Salieron del pueblo y se pusieron **en camino** hacia donde él estaba.

La frase es como un enigma en labios de Jesús. Acentúa esto dándole cierta autonomía al dicho.

Mientras tanto, sus discípulos le **insistían**:
"Maestro, **come**".
Él les dijo:
"Yo **tengo** por comida, un **alimento** que ustedes **no conocen**".
Los discípulos comentaban **entre sí**:
"¿Le habrá traído alguien **de comer**?"
Jesús les dijo:
"Mi **alimento** es hacer la voluntad del que **me envió**
y llevar a **término** su obra.
¿**Acaso** no dicen ustedes que **todavía** faltan
cuatro meses para la siega?

la persona (cf. Juan 2:23–25). Jesús reconoce la constante búsqueda de Dios hecha por el pueblo samaritano. Y conduce a la mujer a reconocer que puede recibir un regalo más grande que el agua del pozo por parte de Jesús. Ante ello, la mujer cae en la cuenta de es que está ante un profeta.

Jesús gira la conversación del tema de profecía al tema de la adoración verdadera. Esto hace que el dialogo teológico llegue a lo más esencial de la fe que tanto judíos como samaritanos comparten, el deseo de adorar a Dios en espíritu y en verdad. La samaritana evidencia su esperanza en la llegada del Mesías, capaz de conocer todo y en la llegada de la plenitud de los tiempos. Es en este momento que Jesús se revela ante ella como el Mesías esperado. La mujer, aun sin mucha claridad, se reconoce enviada para proclamar lo que ha descubierto, Jesús conoce todo, hasta lo más íntimo de la persona; en pocas palabras, es el Mesías esperado por su pueblo. Ella no puede hacer otra cosa sino ser emisaria de la Buena Nueva ante sus paisanos.

La mujer logra que su pueblo salga al encuentro de Jesús y haga experiencia personal con ese extranjero que conoce el corazón humano. Los samaritanos, según el relato, van a movidos por las palabras de esta mujer. Pero luego de su encuentro personal con el Mesías, modelan las acciones del discípulo, hacen que se quede con ellos, creen en él y confiesan su fe en Jesús como "Salvador del mundo". Este título corresponde con la confesión de cristianos de otras culturas y pueblos más allá del mundo judío en tiempos de las comunidades juánicas.

Gracias a la conversación de Jesús con sus discípulos, el evangelista presenta el desafío para su comunidad. Las palabras de Jesús recuerdan a la comunidad de

Pues bien, **yo** les digo:
> **Levanten** los ojos y **contemplen** los campos,
> que ya están **dorados** para la siega.

Ya el segador **recibe** su jornal y almacena
> frutos para la **vida eterna.**

De **este** modo se alegran **por igual** el sembrador y el segador.

Aquí **se cumple** el dicho:
> '**Uno** es el que siembra y otro **el que cosecha**'.

Yo los envié a **cosechar** lo que no habían **trabajado.**

Otros trabajaron y ustedes **recogieron** su fruto".

Muchos samaritanos de aquel poblado
> **creyeron** en Jesús por el testimonio de la mujer:
> 'Me dijo **todo** lo que he hecho'.

Cuando los samaritanos **llegaron** a donde él **estaba,**
> le **rogaban** que se quedara con ellos,
> y **se quedó allí** dos días.

Muchos más creyeron **en él** al oír su palabra.

Y decían **a la mujer:**
> "**Ya** no creemos por lo que tú nos **has contado,**
> pues **nosotros mismos** lo hemos oído
> y sabemos **que él es,** de veras,
> el **salvador** del mundo".

Abreviado: *Juan 4:5–15, 19–26, 39, 40–42*

Nota el énfasis con el verbo "creer".
Eleva un tanto la voz en esas instancias.

discípulos la urgencia de la evangelización. Ofrecer la salvación es el alimento del Hijo. A la vez, Jesús enfatiza que la voluntad del Padre es que sus discípulos continúen la misión del Hijo y cosechen lo que ya fue sembrado. El Hijo es quien inició el trabajo de evangelización y es quien ofrece el agua viva. Beber del agua viva tiene que comprometer al discípulo.

Este pasaje nos recuerda que como discípulos hoy, estamos también urgidos a continuar el proceso de evangelización iniciado por Jesús. Tenemos en este relato detalles que pueden ayudarnos en este proceso. La evangelización ha de hacerse con mucho respeto y reconociendo el momento que vive el pueblo. La fe ya está sembrada y las semillas del Reino ya están presente en el mundo. La evangelización tiene como objetivo conducir al evangelizado al encuentro con la persona de Jesús. Finalmente, la confesión de la fe ha de variar, de acuerdo a las categorías culturales de cada pueblo. Esto exige la apertura del discípulo.

Regocijémonos por quienes están haciendo el camino de preparación para su bautismo durante esta cuaresma. Y renovemos nuestro compromiso de discípulos: continuar la labor de cosechadores de lo que Jesús ha comenzado. Hemos bebido del agua viva y nos corresponde alimentarnos de hacer la voluntad del que nos envía.

IV DOMINGO DE CUARESMA

Este repaso de la historia implica una confesión de las culpas. Esto no es sino preparación a la gracia restauradora de Dios.

I LECTURA   2 Crónicas 36:14–16, 19–23

Lectura del segundo libro de las Crónicas

En aquellos días,
   todos los sumos sacerdotes y el pueblo
      multiplicaron sus infidelidades,
   practicando **todas** las abominables costumbres de los paganos,
   y **mancharon** la casa del Señor,
   que él se había consagrado en Jerusalén.
El Señor, Dios de sus padres, los exhortó **continuamente**
      por medio de sus mensajeros,
   porque sentía **compasión** de su pueblo
   y quería preservar su santuario.
Pero ellos **se burlaron** de los mensajeros de Dios,
   despreciaron sus advertencias y s**e mofaron** de sus profetas,
   hasta que **la ira del Señor** contra su pueblo llegó **a tal grado**,
   que ya **no hubo remedio.**

Envió entonces contra ellos al rey de los caldeos.
Incendiaron la casa de Dios
   y **derribaron** las murallas de Jerusalén,
   pegaron fuego **a todos** los palacios
   y **destruyeron** todos sus objetos preciosos.

I LECTURA   Leemos en este pasaje una parte de la conclusión del segundo libro de Crónicas. Este texto nos ofrece una interpretación de la mayor catástrofe vivida por el pueblo de Israel, el exilio. El pasaje también nos recuerda el rescate operado por Yahvé a su pueblo, por medio de Ciro, el rey de Persia.

En el autor considera que la causa de la destrucción del reino de Judá y del exilio fue la infidelidad del pueblo a Dios. Las alianzas realizadas con los pueblos paganos que los circundaban hicieron que el pueblo adoptara sus costumbres; aceptara la adoración de dioses de estos pueblos en Judá; y que los líderes del pueblo pusieran por encima de la búsqueda de la justicia y el derecho de los más pobres, la ambición, el poder y la fama. Los tesoros del templo de Jerusalén habían sido vandalizados varias veces por los reyes para pagar tributos a otros reinos.

Muchas veces Dios llamó al pueblo a volver a la fidelidad, a través de profetas como Jeremías, mencionado justo antes de este pasaje (2 Crónicas 36:12). Tanto las autoridades como el pueblo en general no escucharon a estos mensajeros de Dios. La muerte a espada, el incendio del templo, la destrucción de las murallas de la ciudad de Jerusalén y de los palacios y la esclavitud, resultan de haber entrado en dinámicas de guerra contra Babilonia, también llamada Caldea.

El autor ofrece una reflexión. No es que Dios los haya abandonado o que los dioses Babilonios sean más fuertes que el propio. El pueblo se acarreó su propia desgracia y Dios permitió que experimentaran las consecuencias de sus decisiones. Dios, sin embargo, se apiada de su pueblo una vez más. Hace que Babilonia también viva las consecuencias de la violencia que produjo. Luego

Dale un timbre de autoridad a las palabras proféticas que aparecen en itálicas.

A los que escaparon de la espada,
    los llevaron cautivos **a Babilonia**,
    donde fueron **esclavos** del rey y de sus hijos,
    hasta que el reino pasó al dominio de los persas,
    para que **se cumpliera** lo que dijo Dios
        por boca del profeta Jeremías:
Hasta que el país **haya pagado** *sus sábados perdidos,*
    descansará de la desolación,
    hasta que se cumplan **setenta años***.*

En el año primero de Ciro, rey de Persia,
    en **cumplimiento** de las palabras que habló el Señor
    por boca de Jeremías, el Señor **inspiró** a Ciro, rey de los persas,
    el cual mandó **proclamar** de palabra y por escrito
        en todo su reino, lo siguiente:
"Así habla Ciro, **rey de Persia:** El **Señor,** Dios de los cielos,
    me ha dado **todos** los reinos de la tierra
    y me ha mandado que **le edifique una casa**
        en Jerusalén de Judá.
En consecuencia, **todo aquel** que pertenezca a este pueblo,
    que **parta** hacia allá, y que su Dios **lo acompañe**".

Para meditar

SALMO RESPONSORIAL · Salmo 136:1–2, 3, 4–5, 6

R. Que se me pegue la lengua al paladar si no me acuerdo de ti.

Junto a los canales de Babilonia
    nos sentamos a llorar con nostalgia
        de Sión;
    en los sauces de sus orillas
    colgábamos nuestras cítaras. **R.**

Allí los que nos deportaron
    nos invitaban a cantar,
    nuestros opresores, a divertirlos:
    "Cántennos un cantar de Sión". **R.**

¡Cómo cantar un cántico del Señor
    en tierra extranjera!
Si me olvido de ti, Jerusalén,
    que se me paralice la mano derecha. **R.**

Que se me pegue la lengua al paladar
    si no me acuerdo de ti,
    si no pongo a Jerusalén
    en la cumbre de mis alegrías. **R.**

de unos cincuenta años, Ciro, rey de Persia, acaba con Babilonia y ofrece a los judíos la posibilidad de retornar a las relaciones de fidelidad con Dios para reconstruir su ciudad y su templo.

Este domingo es propicio para revisar la firmeza de nuestra fidelidad con Dios y lo que mueve nuestras decisiones. ¿Dinero? ¿Deseo de poder? ¿Apariencia? Que su Palabra nos ayude a ser siempre fieles a él.

II LECTURA Al inicio de este capítulo, el autor de la carta recuerda a la comunidad cristiana de Éfeso, la novedad que ha recibido el pueblo de la promesa y toda la creación a través del Cristo. Los primeros versículos describen un estado de no plenitud de toda la creación antes de su llegada. El autor trae a la memoria la caída constante del pueblo en su propia voluntad y su alejamiento persistente de Dios (Efesios 2:1–3).

Los versículos que hoy reflexionamos comienzan afirmando que, con la llegada del Cristo, Dios ha ofrecido a todo ser humano, de modo radical, la posibilidad de ya no caer en el pecado ni en la muerte sin sentido.

Para el autor, la fe en el Cristo hace posible una vida sin pecado. La comunidad cristiana de Éfeso está desafiada a hacer visible esta fe recibida de Dios, a través de su bautismo y de su testimonio o modo de vida. El ritual simboliza la muerte a la antigua condición de caídas constantes y el nacimiento a una vida plena que tiene a Cristo como modelo. Sin embargo, el ritual no es mágico. El cristiano está llamado a vivir día a día, al estilo del Cristo en quien cree y a quien confiesa como su salvador.

La otra consecuencia de la llegada del Cristo para el creyente es la vida en el cielo

II LECTURA   Efesios 2:4–10

Lectura de la carta del apóstol san Pablo a los efesios

Hermanos:
La misericordia y el amor de Dios **son muy grandes**;
    porque nosotros estábamos **muertos** por nuestros pecados,
    y él **nos dio la vida** con Cristo y en Cristo.
Por pura generosidad **suya**, hemos sido **salvados**.
Con Cristo y en Cristo **nos ha resucitado** y con él **nos ha
    reservado** un sitio en el **cielo**.
Así, **en todos** los tiempos, Dios muestra, por medio **de Jesús**,
    la **incomparable** riqueza de su gracia y de su bondad
    para con nosotros.

En efecto, ustedes **han sido salvados** por la gracia,
    mediante la fe;
y esto no se debe a **ustedes mismos,**
    sino que es un don de Dios.
Tampoco se debe a las obras, para que **nadie** pueda presumir,
    porque somos **hechura** de Dios,
    creados por medio de Cristo Jesús,
    para hacer el bien que Dios **ha dispuesto** que hagamos.

Nota que el parágrafo primero funda lo que se dice en el segundo. Proclama este con un corazón reverente y acogiendo lo que apunta.

Haz contacto visual con la asamblea pronunciada la primera línea. Es fundamental que los oyentes se sientan involucrados.

---

o la vida eterna. El Hijo fue enviado para ofrecerla gratuitamente. La comunidad cristiana está desafiada a no querer comprar el cielo mediante la práctica de sus devociones, la adquisición de mayor conocimiento sobre lo divino, o de cualquier esfuerzo meramente humano. La vida eterna o resurrección se hacen realidad a través de la unión personal e identificación con Jesús y su misión.

El autor de la carta afirma que con Cristo se ha producido una nueva creación. Como bautizados también tenemos esta misma posibilidad de no caer en el pecado y de participar de la resurrección. En este domingo, hacemos memoria de nuestro bautismo y renovamos los compromisos que asumimos en este sacramento para vivir cada día, al estilo del Cristo en nuestra familia, comunidad de fe y en el trabajo.

EVANGELIO El evangelista afirma que el Hijo es el único que puede revelar al Padre, porque ha bajado del cielo (Juan 3:13). En el pasaje que nos ocupa, el autor nos explica de qué modo el Hijo hace realidad esta revelación.

El evangelista retoma el texto sobre el mandato de Dios a Moisés que consistió en hacer una serpiente de bronce, para sanar a su pueblo de la mordedura de serpientes (cf. Números 21:8–9). Juan utiliza la imagen de la serpiente elevada en el mástil para compararla con la salvación de Dios operada en la elevación del Hijo en la cruz.

La muerte del Hijo en la cruz y su resurrección proveen del conocimiento básico al evangelista para utilizar esta imagen. Para Juan, la cruz no representa desgracia sino el momento cumbre en el que el Padre y el Hijo muestran el amor profundo que tienen por la creación. La crucifixión es a la vez su exaltación. Jesús salva desde la cruz.

EVANGELIO Juan 3:14–21

Lectura del santo Evangelio según san Juan

En aquel tiempo, Jesús dijo a Nicodemo:
"Así como **levantó** Moisés la serpiente en el desierto,
así tiene que ser levantado **el Hijo del hombre**,
para que **todo** el que crea en él **tenga** vida eterna.

Porque **tanto** amó Dios al mundo, que **le entregó** a su Hijo único,
para que todo **el que crea** en él no perezca,
sino que tenga **vida eterna**.
Porque Dios no envió a su Hijo **para condenar** al mundo,
sino para que el mundo **se salvara** por él.
El que cree en él **no será condenado**;
pero el que no cree **ya está** condenado,
por **no haber creído** en el Hijo único de Dios.

La causa de la condenación **es ésta**:
habiendo venido la luz al mundo,
los hombres **prefirieron** las tinieblas a la luz,
porque sus obras **eran malas**.
Todo aquél que hace el mal,
aborrece la luz y no se acerca a ella,
para que sus obras **no se descubran**.
En cambio, el que obra el bien conforme **a la verdad**,
se **acerca** a la luz,
para que **se vea** que sus obras están hechas **según Dios**".

Jesús expone verdades profundas que tan sólo los cristianos comprenden. Eleva un poco tu voz en la parte del levantamiento.

Esfuérzate por vocalizar esta partecita y apóyate en la misma secuencia de las frases pareadas. Nota cómo decae el tono en el fragmento.

Nota que la exposición avanza a lo positivo. Dale eso desde tu voz y concluye con tono elevado.

La diferencia del Cristo en relación con la serpiente del relato de Números se evidencia en su origen celestial. Jesús es el Hijo único de Dios. Además, el Hijo ofrece la vida eterna. Para Juan, ni el Padre ni el Hijo son jueces condenadores. El deseo de Dios es mostrar su amor al ofrecer la salvación. Y el Hijo fue enviado a salvar.

El evangelista destaca la importancia de la respuesta humana a esta acción del Padre. Rechazar el regalo hecho por Dios trae como consecuencia la propia condenación. Juan utiliza la dicotomía luz-tinieblas para hablar de la opción que su comunidad tiene delante. Hacer el mal, es decir, condenarse, resulta de no aceptar al Hijo, o escoger la propia ambigüedad en las sombras. El que acepta la salvación y vive con y como el Hijo, hace el bien y vive en la luz.

La cuaresma es tiempo propicio para revisar nuestra decisión continua y cotidiana ante el regalo de la salvación. Cada día hemos de levantar la mirada hacia la cruz y retomar el camino de los seguidores y seguidoras del ejemplo del Hijo en el tiempo y lugar que nos toca vivir.

IV DOMINGO DE CUARESMA, AÑO A

I LECTURA   1 Samuel 16:1b, 6–7, 10–13a

Lectura del primer libro de Samuel

En **aquellos** días, dijo el Señor a **Samuel**:
"Ve a la casa de Jesé, en **Belén**,
  porque de entre sus **hijos** me he escogido **un rey**.
Llena, pues, tu cuerno de aceite **para ungirlo** y **vete**".

Cuando llegó Samuel a Belén y **vio** a Eliab,
  el hijo mayor de Jesé, **pensó:**
   "Éste es, **sin duda**, el que voy a **ungir** como rey".
Pero el Señor le dijo:
"No te dejes **impresionar** por su aspecto ni por su **gran estatura**,
  pues yo lo **he descartado**,
  porque **yo no juzgo** como juzga el hombre.
El hombre se fija **en las apariencias**,
  pero el Señor se fija **en los corazones**".

Así fueron pasando ante Samuel **siete** de los hijos de Jesé;
  pero Samuel dijo:
   "**Ninguno** de éstos es el **elegido** del Señor".
Luego le preguntó a Jesé:
   "¿Son **éstos todos** tus hijos?"
Él respondió:
    "Falta el **más pequeño**, que está cuidando el rebaño".
Samuel le dijo:
   "**Hazlo venir**,
  porque **no** nos sentaremos a comer **hasta** que llegue".
  Y **Jesé** lo mandó llamar.

El relato es fresco y corre con mucha naturalidad. La asamblea puede seguirlo si proclamas apegándote a la puntuación.

Baja un poco el volumen de tu voz y alarga las frases de la voz del Señor.

I LECTURA Este texto conecta una de las tradiciones en torno a David con aquellas del juez y profeta Samuel. Reinado y profecía fueron dos instituciones importantes al inicio del tiempo de la monarquía en Israel. El rey ponía en evidencia la acción salvadora de Dios y el profeta comunicaba su palabra.

Para Israel, la instauración de un rey sólo era posible con la cooperación y legitimación de los profetas de Dios. La unción indicaba la autorización divina del ungido y confirmaba la presencia del espíritu divino en el ungido. Esto se hizo claro cuando Samuel ungió a Saúl (1 Samuel 10:1). Sin embargo, Saúl había dejado de manifestar esta presencia salvadora de Dios (1 Samuel 15:11). Por eso, Samuel recibe el envío divino de ungir a un nuevo rey.

El elegido, según el relato, es el pastorcillo David. Éste será el más significativo de los reyes de Israel. Sin embargo, al momento de su unción, era aún un personaje insignificante y desconocido. David no provenía de una ciudad distinguida sino de un pueblito rural, Belén. Es el último de los hijos de Jesé. Así como el pueblo de Israel, pequeño e insignificante, David no había realizado proeza alguna que lo distinguiera al momento de su elección. La concesión del espíritu de Dios y el poder divino, es el comienzo del ascenso de David. Lo mismo sucedió con el pueblo de Israel. Dios lleva a cabo su acción salvífica en la historia al elegir un pueblo y a personajes aparentemente insignificantes.

Es la fuerza de Dios que hace proezas. Precisamente, las tradiciones davídicas posteriores nos evidencian lo que Dios es capaz de obrar a través de su elegido. En el duelo con Goliat, David luchará contra todas las huestes del Dios vivo (1 Samuel 17:26). David peleará las batallas de Yahvé (1 Samuel

Infunde entusiasmo a la indicación del Señor.
Eleva la voz en el punto de cierre.

El muchacho era rubio, de ojos vivos y buena presencia.
Entonces el Señor dijo a Samuel:
   "Levántate y **úngelo**, porque **éste es**".
Tomó Samuel el cuerno con el **aceite**
   y lo **ungió** delante de sus **hermanos**.

Para meditar

SALMO RESPONSORIAL   Salmo 22:1–3a, 3b–4, 5, 6
R. El Señor es mi pastor, nada me falta.

El Señor es mi pastor, nada me falta:
   en verdes praderas me hace recostar;
   me conduce hacia fuentes tranquilas
   y repara mis fuerzas. **R.**

Me guía por el sendero justo,
   por el honor de su nombre.
Aunque camine por cañadas oscuras,
   nada temo, porque tú vas conmigo:
   tu vara y tu cayado me sosiegan. **R.**

Preparas una mesa ante mí,
   enfrente de mis enemigos;
   me unges la cabeza con perfume,
   y mi copa rebosa. **R.**

Tu bondad y tu misericordia me acompañan
   todos los días de mi vida,
   y habitaré en la casa del Señor
   por años sin término. **R.**

II LECTURA   Efesios 5:8–14

Lectura de la carta del apóstol san Pablo a los efesios

Hermanos:
En **otro** tiempo ustedes fueron **tinieblas**,
   pero **ahora**, unidos al Señor, son **luz**.
Vivan, por lo tanto, como **hijos de la luz**.
Los **frutos** de la luz son la **bondad**, la **santidad** y la **verdad**.
Busquen lo que es **agradable** al Señor
   y **no** tomen parte en las obras **estériles** de los
       que son **tinieblas**.

Al **contrario**, repruébenlas **abiertamente**;
   porque, si bien las cosas que ellos hacen **en secreto**
       da rubor **aun mencionarlas**,
   al ser reprobadas **abiertamente**, todo queda **en claro**,
   porque **todo** lo que es iluminado **por la luz** se convierte en luz.

Recuerda hacer contacto visual con la asamblea después de anunciar la lectura.

No le des los tres tiempos a esta pausa del parágrafo. Nota que el razonamiento prosigue.

18:17). Yahvé operará por medio de él su salvación (1 Samuel 19:5). Aunque dicha elección no lo hará perfecto, el pueblo reconoce que David ha recibido de Dios el espíritu para pastorear y ser caudillo de Israel (2 Samuel 5:2).

El día de nuestro bautismo, fuimos ungidos y se proclamó públicamente que el Espíritu de Dios está en nosotros, criaturas insignificantes. Este domingo celebramos este don recibido en comunidad y renovamos nuestro compromiso de comunicar la fuerza salvadora de Dios y de anunciar su Palabra.

II LECTURA Este texto se encuentra en la sección exhortativa de la carta (Efesios 4–6). En nuestra lectura se establece un contraste entre la antigua vida y la nueva vida de los cristianos en Cristo. El vocabulario y contenido reflejan un público influenciado por enseñanzas gnósticas; a esto se debe el énfasis en el contraste luz y tinieblas para hablar del bien y el mal, la mención de los "iluminados", al acto de "levantarse", y otros. Paralelos y dualismos muy similares se encuentran en algunos escritos judíos de Qumrán para hablar de los miembros de aquella comunidad, probable-mente esenia. Los miembros de esta comunidad son designados muchas veces como "hijos de la luz" en lucha constante contra las tinieblas que representa a los hombres que se oponen a Dios.

En la Carta a los efesios, la referencia al tiempo pasado enfatiza el momento de ruptura con las tinieblas y al parecer el autor se refiere al bautismo. Desde este momento los cristianos de Éfeso "son luz" y son llamados "hijos de la luz".

A partir de ello, el autor de la carta hace una primera llamada a la comunidad de los bautizados: mostrar concretamente

Baja la velocidad aquí y alarga la frase final.

Por eso se dice:
Despierta, *tú que duermes*;
levántate de entre los muertos **y Cristo** *será tu* **luz.**

EVANGELIO   Juan 9:1–41

Lectura del santo Evangelio según san Juan

Es un relato muy vivo y pintoresco pero amplio. Cuida mucho la entonación y el ritmo de lectura.

En **aquel** tiempo, Jesús vio al pasar a un **ciego de nacimiento**,
    y sus discípulos **le preguntaron**:
    "Maestro, ¿**quién** pecó para que **éste** naciera ciego,
        él o sus **padres**?"
Jesús respondió: "**Ni él** pecó, **ni tampoco** sus padres.
Nació así para que **en él** se manifestaran las **obras de Dios**.
Es **necesario** que yo haga las obras del que **me envió**,
    mientras es de **día**,
    porque luego **llega** la noche y ya **nadie** puede trabajar.
Mientras esté en el **mundo**, yo soy la **luz** del mundo".

En la descripción acelera, pero sin precipitarte.

Dicho esto, **escupió** en el suelo, hizo **lodo** con la saliva,
    se lo puso en **los ojos** al ciego y le dijo:
    "Ve a **lavarte** en la piscina de **Siloé**" (que significa '**Enviado**').
Él **fue**, se **lavó** y **volvió** con vista.

Haz que la duda suene convincente.

Entonces los vecinos y los que lo habían visto antes
        pidiendo limosna, preguntaban:
    "¿No es **éste** el que se sentaba a pedir **limosna**?"
Unos decían:
    "Es el **mismo**".
Otros:
    "No es **él**, sino que se le **parece**".
Pero él decía:
    "**Yo soy**".
Y le preguntaban:
    "**Entonces**, ¿**cómo** se te abrieron los ojos?"

---

a través de la práctica de tres virtudes: bondad, justicia y verdad que están viviendo en la luz. La segunda llamada que hace el autor es a buscar lo que agrada al Señor. Esto consiste en ajustar la voluntad humana a la voluntad divina, por puro deleite. La tercera llamada es a reprobar la tiniebla públicamente. No basta con evadirla.

En la última línea de nuestra lectura encontramos un fragmento de un canto que habría sido usado en el bautismo, inspirado en Isaías 26:10; 60:1. El motivo central es la exaltación a Cristo quien es el único que durante el bautismo puede despertar al ser hu-

mano de un sueño o de su muerte y traerlo a la vida, como un nuevo acto creativo.

La cuaresma es una ocasión para profundizar continuamente en este acto creativo obrado por Jesús el día de nuestro bautismo. Nuestra bondad, la vivencia de las relaciones justas con toda la creación y el actuar desde la verdad manifiestan que estamos caminando de acuerdo a la luz.

EVANGELIO En la sección que va de Juan 5:1 a 10:42, el evangelista relata varias visitas de Jesús a Jerusalén con ocasión de las fiestas judías principales:

el Sábado, la Pascua, los Tabernáculos, la Dedicación del templo. El evangelista utiliza los ritos y símbolos de estas fiestas para enseñar que las esperanzas del judaísmo encuentran su verdadero significado en la persona de Jesús y ya no en estas fiestas.

La fiesta de las Tiendas o Tabernáculos conmemoraba la providencia de Dios experimentada por el pueblo de Israel en el camino del desierto. A la par que se realizaban rituales y sacrificios en el templo durante esta fiesta, los fieles construían tiendas fuera de sus casas para celebrar la providencia de Dios presente y futura. Dos ele-

No des por consabido el relato. Imprime viveza y agilidad en esta parte.

Él les **respondió**:
    "El hombre que se llama **Jesús** hizo **lodo**,
    me lo puso en los **ojos** y me dijo: 'Ve a **Siloé** y **lávate**'.
Entonces **fui**, **me lavé** y comencé a **ver**".
Le preguntaron:
    "¿En **dónde** está él?"
Les contestó:
"**No lo sé**".

Esta información redondéala. Haz una pausa de dos tiempos en el punto y seguido.

Llevaron **entonces** ante los fariseos al que había sido **ciego**.
Era **sábado** el día en que Jesús **hizo lodo** y le **abrió los ojos**.
También los **fariseos** le preguntaron
    cómo había adquirido la **vista**.
Él les contestó:
    "Me puso **lodo** en los ojos, me lavé y **veo**".
Algunos de los **fariseos** comentaban:
    "Ese hombre **no** viene de Dios, porque **no guarda el sábado**".
Otros replicaban:
    "¿Cómo puede un **pecador** hacer semejantes **prodigios**?"
Y había **división** entre ellos.
Entonces **volvieron** a preguntarle al **ciego**:
    "Y **tú**, ¿qué piensas del que te **abrió los ojos**?"
Él les contestó:
    "Que es un **profeta**".

Baja la velocidad en este párrafo porque da una clave para entender lo que sucede.

Pero los judíos **no creyeron** que aquel hombre,
    que había sido **ciego**,
    hubiera recobrado la **vista**.
Llamaron, pues, a sus **padres** y les **preguntaron**:
    "¿Es **éste** su hijo, del que ustedes dicen que **nació ciego**?
¿Cómo es que **ahora** ve?"
Sus padres contestaron:
    "Sabemos que **éste** es nuestro hijo
        y que **nació ciego**.
Cómo es que **ahora** ve o quién le haya dado la vista,
        no lo sabemos.

mentos significativos durante esta fiesta eran el agua y la luz. Es en este contexto que Jesús provee de la vista al ciego de nacimiento. Jesús, el enviado de Dios y la luz del mundo, se hace presente y provee gratuitamente la luz a quien nunca la tuvo.

El relato de la curación es corto, pero está lleno de detalles que aluden el bautismo. El ciego es reconocido públicamente como persona por Jesús. Luego, es "ungido" en los ojos con lodo. De este modo Jesús hace de él una nueva creación. Recibe del enviado Jesús, el mandato de lavarse en las aguas de la piscina de Siloé, que significaba

"enviado." La fuente de la sanación del ciego no es el agua, sino Jesús.

La propia experiencia con Jesús lleva a este iluminado a madurar progresivamente en la luz de la fe. Una y otra vez es obligado a relatar su experiencia fundante en un contexto de incredulidad y cuestionamiento por parte de sus vecinos y de los fariseos. Cada vez que cuenta su experiencia, profundiza en ella y avanza en su descubrimiento de la identidad de aquel que lo curó. Su capacidad de discernimiento e integridad con su experiencia fundante le hacen pasar de no estar seguro cómo explicar el origen de la fuerza

que lo curó, hasta reconocer que la providencia de Dios se hace presente en Jesús.

Los padres del que fue curado tienen miedo de reconocer la transformación producida en su hijo públicamente. Estos personajes representan a la porción de la comunidad del evangelista que vive aun temerosa y no se atreve a defender su fe. Contrariamente, el curado refleja al discípulo quien a medida que es escudriñado va creciendo en su capacidad de dar razón de lo que va conociendo, hasta llegar incluso a cuestionar el conocimiento de sus verdugos. En el relato, la adversidad forma en

Es el momento de la expulsión; inyéctale cierto dramatismo a tu voz.

Pregúntenselo **a él**;
> ya tiene edad **suficiente**
> > y responderá **por sí mismo**".

Los **padres** del que había sido ciego dijeron **esto**
> por **miedo** a los judíos,
> porque **éstos** ya habían convenido en **expulsar** de la sinagoga
> a quien reconociera a **Jesús** como el **Mesías**.

Por eso sus padres dijeron:
> '**Ya** tiene edad; pregúntenle **a él**'.

Llamaron **de nuevo** al que había sido **ciego** y le dijeron:
> "Da gloria a **Dios**.

Nosotros sabemos que **ese hombre** es pecador".

Contestó él:
> "Si es pecador, **yo no lo sé**;
> **sólo** sé que yo era ciego y **ahora** veo".

Le preguntaron **otra vez**:
> "¿Qué te hizo? ¿**Cómo** te abrió los ojos?"

Les contestó:
> "**Ya** se lo dije a ustedes y **no** me han dado **crédito**.

¿Para qué quieren oírlo **otra vez**?

¿Acaso **también** ustedes quieren hacerse discípulos **suyos**?"

Entonces ellos lo **llenaron** de **insultos** y le dijeron:
> "Discípulo de **ése** lo serás **tú**.

Nosotros somos discípulos de **Moisés**.

Nosotros **sabemos** que a **Moisés** le habló Dios.

Pero **ése**, no sabemos de **dónde** viene".

Deja alargar el silencio antes de este párrafo. Modula la voz con calidez para crear cierta intimidad en el cuadro, aunque es una escena pública.

Replicó **aquel** hombre:
> "Es **curioso** que ustedes no sepan de **dónde** viene
> y, sin embargo, me ha **abierto** los ojos.

Sabemos que Dios no escucha a los **pecadores**,
> pero al que lo **teme** y **hace su voluntad**, a ése **sí** lo escucha.

Jamás se había oído decir que alguien
> abriera los ojos a un **ciego de nacimiento**.

---

carácter al curado y lo fortalece para reconocer a Jesús como el enviado de Dios, confesarlo como su Señor y creer en él. Como discípulo, al final sufre el mismo destino del Maestro. Es expulsado cuando intenta enseñarles lo erróneo de su comprensión de Dios, pero es abrazado por aquel a quien confiesa como su Señor.

A la par que se produce este progreso en la fe del que recibe la vista, la sorpresa y confusión entre los vecinos llega a tal magnitud de llevarlo ante los fariseos. Los fariseos, sin mucha claridad como grupo, inician un proceso judicial al que recibió la

vista. Estos mismos van a cuestionar ante el tribunal a los padres del curado y finalmente establecen un juicio remoto al que obró la curación. Irónicamente, al final del relato, son los fariseos quienes terminan siendo juzgados por las palabras del curado. Su teología también es puesta en tela de juicio. La mirada de los fariseos no se concentra en la persona curada y la liberación obrada en él. Su enfoque está en cuestionar si Jesús siguió las prescripciones sabáticas, si realmente el curado fue ciego de nacimiento, y si Jesús realmente viene de Dios.

El constante rechazo de los fariseos a que la revelación de Dios ocurra en la persona de Jesús a pesar de la claridad de sus obras, aleja a los fariseos la posibilidad de la fe. Su objeción para abrirse a la novedad ofrecida por Jesús, de un Dios que busca la redención plena de su creación; hace que los fariseos no sólo se queden estancados en defender a un Dios de premios y castigos, sino que además pierdan el don gratuito de la salvación.

También nosotros recibimos gratuitamente la luz de la fe en nuestro bautismo. Por ser discípulos, estamos llamados a

Si **éste** no viniera de Dios, no tendría **ningún poder**".
Le **replicaron**:
  "Tú eres **puro pecado** desde que naciste,
  ¿cómo pretendes darnos **lecciones**?"
Y lo echaron **fuera**.

Supo **Jesús** que lo habían echado fuera,
  y cuando lo **encontró**, le dijo:
  "¿Crees **tú** en el **Hijo del hombre**?"
Él contestó:
  "¿Y **quién** es, Señor, para que **yo crea** en él?"
Jesús le dijo:
  "**Ya** lo has **visto**;
  el que está hablando contigo, **ése** es".
Él dijo:
  "Creo, Señor".
Y postrándose, lo adoró.

Entonces le dijo Jesús:
  "Yo he venido a este mundo para que **se definan los campos**:
  para que los ciegos vean, y los que ven **queden ciegos**".
Al oír esto, algunos fariseos que estaban con él le preguntaron:
  "¿Entonces **también nosotros** estamos ciegos?"
Jesús les contestó:
  "Si estuvieran ciegos, **no tendrían pecado**;
  pero como dicen que ven, **siguen en su pecado**".

Forma abreviada: Juan 9: 1, 6–9, 13–17, 34–38

madurarla a través del discernimiento constante, la coherencia con la experiencia que hicimos de Dios y la apertura para reconocer que la revelación de Dios se experimenta siempre de manera nueva y dinámica. El camino hecho por el curado nos puede ayudar a revisar donde estamos en el camino de nuestro discipulado. Las opciones tomadas por los fariseos también pueden servir para revisar si estamos perdiendo el rumbo. Nuestra rigidez y cerrazón pueden acarrearnos nuestra propia condena.

V DOMINGO DE CUARESMA

I LECTURA   Jeremías 31:31–34

Lectura del libro del profeta Jeremías

"**Se acerca** el tiempo, dice el Señor,
    en que haré con la casa de Israel
    y la casa de Judá una **alianza nueva**.
No será como la alianza que hice con los padres de ustedes,
    cuando los tomé de la mano para sacarlos de Egipto.
Ellos rompieron mi alianza
    y **yo tuve** que hacer un escarmiento con ellos.

Ésta **será** la alianza nueva
    que voy a hacer con la casa de Israel:
    Voy a poner mi ley en lo más profundo de su mente
    y **voy a grabarla** en sus corazones.

Yo seré su Dios y ellos **serán** mi pueblo.
Ya nadie tendrá que instruir a su prójimo ni a su hermano,
    diciéndole: '**Conoce** al Señor',
    porque **todos** me van a conocer,
    desde el más pequeño hasta el mayor de todos,
    cuando **yo les perdone** sus culpas
    y **olvide** para siempre sus pecados".

Es un oráculo de buenaventura. Coloca entusiasmo en tu voz y en tu presencia.

Eleva un tanto tu tono para darle solemnidad a estas palabras. Alarga la fórmula de la alianza.

Enfatiza el "cuando", para que quede claro en qué consiste esta alianza nueva.

I LECTURA El oráculo que escuchamos habría sido compuesto por el profeta de cara a la destrucción del reino del norte hacia el año 721 a. C. El profeta ofrece la esperanza del retorno a los sobrevivientes de la tragedia. Luego de algunos años, este poema también servirá de consuelo a los habitantes del reino del sur, que sobreviven el exilio y destrucción ocasionados por Babilonia. La convicción comunicada por el profeta es que la catástrofe nacional se debe a la ruptura de la alianza por parte del pueblo. Dios ha permanecido fiel constantemente. Pero el pueblo, ha sido infiel una y otra vez.

Jeremías anuncia una nueva alianza que no podrá ser quebrantada por el pueblo. Es una alianza novedosa porque ya no habrá necesidad de intermediarios (sacerdotes, reyes, profetas). Dios establece su alianza en y con cada miembro del pueblo. Ya no necesita de un templo ni de ritos externos purificatorios, sino que quedará sellada en el corazón de cada persona por el "conocimiento íntimo de Dios". La obediencia, amor, y experiencia de Dios la testimonian. No hay necesidad de ser adoctrinados en esta alianza, pues cada miembro del pueblo conoce lo que implica ser pueblo de Dios. Involucra a todos, pequeños y grandes. Y comunica la disposición divina para perdonar los pecados.

Esta nueva alianza entre Dios y el pueblo se hace realidad con la llegada del Cristo. Del Cristo aprendimos lo que implica vivir en obediencia, amor y conocer a Dios. En esta Eucaristía celebramos esta alianza con el Padre a través del Hijo y renovamos nuestro compromiso de vivir como pueblo de la nueva alianza cuidando de la casa común.

Para meditar

SALMO RESPONSORIAL   Salmo 50:3–4, 12–13, 14–15

R. Oh Dios, crea en mí un corazón puro.

Misericordia, Dios mío, por tu bondad,
    por tu inmensa compasión borra
        mi culpa;
    lava del todo mi delito,
    limpia mi pecado. **R.**

Oh Dios, crea en mí un corazón puro,
    renuévame por dentro con espíritu firme;
    no me arrojes lejos de tu rostro,
    no me quites tu santo espíritu. **R.**

Devuélveme la alegría de tu salvación,
    afiánzame con espíritu generoso:
    enseñaré a los malvados tus caminos,
    los pecadores volverán a ti. **R.**

II LECTURA   Hebreos 5:7–9

Lectura de la carta a los hebreos

Hermanos:
Durante su vida mortal,
    Cristo ofreció oraciones y súplicas,
    con **fuertes** voces y lágrimas,
    a **aquél** que podía librarlo de la muerte,
    y fue escuchado por **su piedad**.
A pesar de que **era** el Hijo,
    aprendió a **obedecer** padeciendo,
    y llegado a su **perfección**,
    se convirtió en **la causa de** la salvación eterna
    para todos los que lo obedecen.

Es un fragmento que requiere mucha claridad en tu proclamación. Encuentra un tono sereno y profundo.

EVANGELIO   Juan 12:20–33

Lectura del santo Evangelio según san Juan

Entre los que habían llegado a Jerusalén
    para adorar a Dios en la fiesta de Pascua,
    había algunos griegos,

Dale un tono leve a este inicio del episodio. Vocaliza muy bien la solicitud de los griegos.

II LECTURA En este pasaje, el autor enfatiza la condición humana del Cristo sacerdote durante su vida terrenal. Las fuertes voces y las lágrimas formaban parte de algunos rituales de súplica colectivos o individuales en el templo. Los sacerdotes entregaban a Dios las oraciones del pueblo y las suyas. Recordando lo que Dios había hecho desde antiguo, sus gestos y palabras expresaban la confianza en el Dios que no abandona y pedían alivio a Dios por los sufrimientos presentes. Estas acciones, en la experiencia de Jesús en Getsemaní, reflejan que toda su vida fue una entrega continua a hacer la voluntad al Padre.

La convicción que este pasaje comunica a la comunidad cristiana es que Aquel que podría librar a Jesús de la muerte, lo escuchó. Sin embargo, ¿Es que Dios libró a Jesús de la muerte? Jesús murió crucificado. La liberación a la que se refiere el autor es tanto la resurrección como la liberación de la ansiedad y desesperación en momentos de persecución y cruz. Dios "escuchó" a Jesús, es decir lo libró, de la angustia en el momento de su entrega máxima y lo resucitó.

Este pasaje nos desafía hoy a testimoniar y comunicar la misma confianza de Jesús, mientras nos entregamos la vida en un contexto de adversidad y nos solidarizamos con las luchas por la dignidad de los más pobres y de toda la creación.

EVANGELIO El detalle de la intermediación de Felipe y Andrés entre los griegos y Jesús y el hecho que Jesús no habla directamente a los griegos, reflejan la fidelidad del evangelista a la verdad histórica de que el ministerio terreno de Jesús estuvo dirigido exclusivamente a su

los cuales **se acercaron** a Felipe,
el de Betsaida de Galilea, y le pidieron:
"Señor, **quisiéramos ver** a Jesús".

Felipe fue a decírselo a Andrés;
Andrés y Felipe **se lo dijeron** a Jesús y él les respondió:
"Ha **llegado la hora** de que el Hijo del hombre sea glorificado.
Yo les aseguro que si el **grano de trigo**,
sembrado en la tierra, no muere, **queda infecundo**;
pero **si muere**, producirá mucho fruto.
El que se ama **a sí mismo**, se pierde;
el que se aborrece **a sí mismo** en este mundo,
se asegura para la vida **eterna**.

El **que quiera** servirme, que me siga,
para que donde yo esté, **también esté** mi servidor.
El que **me sirve** será honrado por mi Padre.

Ahora que tengo miedo, ¿le voy a decir a mi Padre:
'Padre, **líbrame de** esta hora'?
No, pues precisamente para esta hora he venido.
Padre, dale gloria a tu nombre".
Se oyó entonces **una voz** que decía:
"Lo he glorificado y **volveré** a glorificarlo".

De entre los que estaban **ahí** presentes y oyeron **aquella** voz,
unos decían que había sido **un trueno**;
otros, que le había hablado **un ángel**.
Pero Jesús les dijo:
"Esa voz no ha venido por mí,
sino por **ustedes**.
Está llegando **el juicio** de este mundo;
ya va a ser arrojado el **príncipe** de este mundo.
Cuando yo sea **levantado** de la tierra, atraeré a todos hacia mí".
Dijo esto, indicando de qué manera **habría de** morir.

Envuelve en tono solemne estas palabras de Jesús que se prolongan varias líneas. Distingue la enunciación del resto y dale a cada momento su acento.

Eleva tu tono en "unos", "otros" y luego alarga el "Pero Jesús…"

pueblo. Sin embargo, el discurso hace énfasis en Jesús como Salvador del mundo y en su triunfo de la vida sobre la muerte para los cristianos de origen "gentil".

La búsqueda y deseo de ver a Jesús enfatiza el proceso en el crecimiento de la fe de los gentiles y contrasta con el rechazo de los fariseos, que no alcanzó a tomar nuestra lectura litúrgica. El anuncio de la hora refiere a su pasión que ya ha comenzado. Jesús ofrece dos imágenes para explicar el sentido de su Pasión.

La primera imagen proviene de la naturaleza. El grano de trigo no produce nada si se queda tal cual. Cuando éste cae, se entierra y muere a sí mismo, produce fruto y se hace abundante. Esta paradoja esboza el misterio pascual del Hijo quien cayendo en manos del mundo ofrece la vida eterna ya no sólo al pueblo judío.

La segunda imagen refleja la paradoja del sentido de la vida que escapa muchas veces a quien cree vivirla bien. El egoísmo o amor exagerado a uno mismo termina por destruir a la persona. La expresión semítica "aborrecerse a sí mismo" indica un amarse menos desde la perspectiva del mundo. Los opositores de Jesús se aman tanto a sí mismos, han hecho de su conocimiento un absoluto que les da seguridad y ello no les capacita a abrirse a la novedad que Dios ofrece a través de Jesús. El Hijo entrega su vida y ellos le lleva a la gloria.

La Hora o Pascua de Jesús, ha llegado. Él está listo para pasar por ella. La voz que se escucha asegura a la comunidad de discípulos el destino glorioso en medio de las tribulaciones. Esta voz también se dirige a nosotros hoy, a través de su Palabra para darnos coraje en el discipulado y en la entrega como seguidores del Hijo.

V DOMINGO DE CUARESMA, AÑO A

Vibra con el espíritu del profeta al proclamar esta lectura. Distingue los tres momentos de esta breve lectura: el anuncio inicial, la indicación de condición "cuando abra sus sepulcros" y la conclusión fundamental que inicia con "entonces".

Dale certeza con tu porte también a este anuncio divino. Fija la mirada en la congregación y baja la velocidad en la última frase.

I LECTURA   Ezequiel 37:12–14

Lectura del libro del profeta Ezequiel

Esto dice el Señor Dios:
"Pueblo mío, **yo mismo abriré** sus sepulcros,
los **haré salir** de ellos
y los **conduciré** de nuevo
    a la tierra de **Israel**.

Cuando **abra** sus sepulcros
y los **saque** de ellos,
pueblo mío,
ustedes **dirán** que **yo soy** el Señor.

Entonces les **infundiré** a ustedes mi espíritu y **vivirán**,
los **estableceré** en su tierra
y ustedes **sabrán** que yo, el Señor,
lo **dije** y lo **cumplí**".

Para meditar

SALMO RESPONSORIAL   Salmo 129:1–2, 3–4, 5–7ab, 7cd–8

R. Del Señor viene la misericordia, la redención copiosa.

Desde lo hondo a ti grito, Señor;
    Señor, escucha mi voz;
    estén tus oídos atentos
    a la voz de mi súplica. **R.**

Si llevas cuentas de los delitos, Señor,
    ¿quién podrá resistir?
Pero de ti procede el perdón,
    y así infundes respeto. **R.**

Mi alma espera en el Señor,
    espera en su palabra;
    mi alma aguarda al Señor,
    más que el centinela la aurora.
Aguarde Israel al Señor,
    como el centinela la aurora. **R.**

Porque del Señor viene la misericordia,
    la redención copiosa;
    y él redimirá a Israel
    de todos sus delitos. **R.**

I LECTURA | El profeta Ezequiel pronuncia este oráculo de salvación al grupo de exiliados judíos en Babilonia. Antes de este texto encontramos la visión de los huesos secos (Ezequiel 37:1–10). El pueblo que ha perdido su templo, su rey, sus propiedades, sus seres queridos y encima está en un país lejano trabajando para otros, parece haber perdido toda esperanza en el futuro y en Dios. Los huesos secos en el valle representan a este pueblo muerto en vida y con sus esperanzas enterradas (Ezequiel 37:11).

Sólo Dios es capaz de traer esperanza a este pueblo abatido. Y por ello le comunica tres promesas a través del profeta: Dios promete abrir los sepulcros de su pueblo. Es decir, eliminar aquello que los mantiene encerrados y estancados.

La segunda promesa es hacer salir a su pueblo los sepulcros. Es decir, restaurarles la vida. En antiguo, los sepulcros familiares se abrían cada vez que alguien en la familia moría para que el difunto sea enterrado y "reunido con quienes le precedieron" (Génesis 25:8). En este caso se promete invertir esta realidad de muerte.

La tercera promesa de Dios es hacer retornar a su pueblo a Israel. Cuando Judá fue destruida en el 587 a. C., y gran parte del pueblo fue llevado a Babilonia, ellos creyeron que su relación con Dios y con la tierra se había hecho añicos para siempre. El oráculo anuncia que el lugar de muerte tiene que ser abandonado para que el pueblo sea restaurado completamente.

Por mucho tiempo, el pueblo había estado seguro de su relación con Yahvé porque habitaba su propia tierra. El profeta anuncia que la restitución de Dios implica una restitución física, pero ante todo espiritual. Dios ha de infundir primero su propio espíritu y ellos reconocerán a su Dios. Una

II LECTURA   Romanos 8:8–11

Lectura de la carta del apóstol san Pablo a los romanos

Hermanos:
Los que viven en forma **desordenada** y **egoísta**
    no pueden **agradar** a Dios.
Pero ustedes **no llevan** esa clase de vida,
    sino una vida **conforme al Espíritu**,
    puesto que el Espíritu de Dios habita **verdaderamente**
        en **ustedes**.

Quien **no tiene** el Espíritu de Cristo,
    no es de Cristo.
En cambio, si Cristo **vive** en ustedes,
    aunque su cuerpo **siga sujeto** a la muerte a causa del **pecado**,
    su espíritu **vive** a causa de la actividad **salvadora** de Dios.

Si el **Espíritu** del Padre,
    que resucitó a Jesús de entre los muertos,
    habita en **ustedes**,
    entonces el **Padre**,
    que resucitó a Jesús de entre los muertos,
    también les dará **vida** a sus cuerpos mortales,
    por obra de su **Espíritu**, que habita en **ustedes**.

EVANGELIO   Juan 11:1–45

Lectura del santo Evangelio según san Juan

En **aquel** tiempo, se encontraba enfermo **Lázaro**, en **Betania**,
    el pueblo de **María** y de su hermana **Marta**.
María era la que una vez **ungió** al Señor con **perfume**
    y le **enjugó los pies** con su **cabellera**.
El **enfermo** era su hermano **Lázaro**.

Modula de manera que tu voz parezca más un ruego que una exhortación.

Esta aseveración es consecuente con lo dicho. Marca las frases de contraste.

Enfatiza el "ustedes" haciendo contacto visual con varias secciones de la asamblea.

Es un relato amplio que exige cambios de tono y ritmo, de modo que identifica bien dónde administrar mejor tus talentos de proclamador.

---

vez restituido en vida, este pueblo retornará a ser Israel.

Las palabras finales "lo dije y lo cumplí", recuerda a quienes escuchan la profecía que Dios es soberano de la historia y a la vez fuente de vida. En esta cuaresma es preciso revisar cómo andamos de esperanza. Desafiemos a nuestra comunidad parroquial a testimoniar el espíritu de Dios que hemos recibido.

II LECTURA San Pablo desarrolla ampliamente que, por puro amor gratuito, Dios ha rescatado al ser humano de la esclavitud del pecado y de la muerte a través de Cristo para darle la posibilidad de vivir conforme al Espíritu que ahora ofrece sin medida (cf. Romanos 5–11).

En el pasaje que nos ocupa, Pablo declara que vivir según el Espíritu se traduce en agradar a Dios. La persona por sí misma no puede "lograr" este objetivo. El Espíritu recibido de Dios nos capacita para ello. Por lo tanto, la existencia del cristiano está dominada por el Espíritu de Dios, no por la carne.

Al parecer, "carne" indica vivir una vida ausente de Cristo y sin el Espíritu. Es un estar dominados por el propio "yo", un sinsentido ya que no se espera ni es posible participar de la resurrección. Esto no es posible para el cristiano. Para Pablo, el cristiano bautizado no sólo accede al Espíritu, sino que el Espíritu de Dios habita en él. El Espíritu impregna el ser y dirige la conducta del bautizado para que pueda "vivir para Dios".

Pablo intercambia "espíritu de Dios", "espíritu de Cristo" y "Cristo" para expresar los múltiples matices de la experiencia cristiana en torno a su participación en la vida divina. Por eso Pablo retorna a la fuente originaria, el Padre. El cristiano que

Dale fuerza y seguridad a esta declaración de Jesús.

Por eso las dos hermanas le mandaron decir a **Jesús**:
  "**Señor**, el amigo a quien tanto quieres está **enfermo**".

Al oír esto, **Jesús** dijo:
"Esta enfermedad **no acabará** en la muerte,
  sino que servirá para la **gloria de Dios**,
  para que el **Hijo de Dios** sea **glorificado** por ella".

Jesús amaba a **Marta**, a su **hermana** y a **Lázaro**.
Sin embargo, cuando se enteró de que **Lázaro** estaba **enfermo**,
  se detuvo **dos días más** en el lugar en que se hallaba.
Después dijo a sus discípulos: "Vayamos **otra vez** a Judea".
Los **discípulos** le dijeron:
  "**Maestro**, hace poco que los judíos querían **apedrearte**,
  ¿y tú vas a **volver** allá?"
Jesús les contestó:
  "¿**Acaso** no tiene doce horas el día?
El que camina de **día** no tropieza,
    porque ve la **luz** de este mundo;
  en cambio, el que camina de **noche** tropieza,
    porque le **falta** la luz".

Imprime un tono moderado, pero no dulzón a esta parte. Nota cómo avanza la incomprensión de los discípulos, como con impaciencia.

Dijo esto y **luego** añadió:
  "**Lázaro**, nuestro amigo, se ha **dormido**;
  pero yo voy **ahora** a despertarlo".
Entonces le dijeron sus discípulos:
  "**Señor**, si duerme, es que va a **sanar**".
Jesús hablaba de la **muerte**,
  pero ellos **creyeron** que hablaba del **sueño natural**.
Entonces Jesús les dijo **abiertamente**:
  "Lázaro **ha muerto**, y me alegro por ustedes
    de **no** haber estado ahí,
  para que crean.
Ahora, vamos allá".
Entonces **Tomás**, por sobrenombre el **Gemelo**,
  dijo a los **demás** discípulos:
  "Vayamos **también nosotros**, para **morir** con él".

pertenece a Cristo es el que ha recibido la vitalidad de Dios.

Como cualquier ser humano, los cristianos estamos sujetos al tiempo. Pero la resurrección del Cristo, que es la acción salvadora de Dios por excelencia, nos permite la eternidad. Entonces, asegura Pablo a su comunidad, ¡el camino en el que estamos como cristianos es de la muerte a la vida! Y no hay que esperarla fuera de este tiempo. El espíritu nos permite vivir como creaturas resucitadas y agradar a Dios ya en nuestra historia.

A las puertas ya de la Semana Santa para celebrar los misterios de nuestra redención, pidamos la gracia de caminar en comunidad agradando a Dios con un corazón filial, purificado y arraigado en la oración contemplativa.

EVANGELIO En este pasaje, el carácter principal, Jesús, conduce al lector a una serie de reacciones que van desde perplejidad, desconcierto, alarma, curiosidad, admiración, alegría hasta la ratificación en la fe hacia Jesús. Cada etapa del relato apunta al final.

La primera parte del relato nos presenta a Lázaro, Marta y María, los amigos de Jesús en Betania. Se nos ofrecen dos detalles, el cariño que sentía Jesús no sólo por Lázaro sino también por sus hermanas. Por ello llama la atención que cuando se le anuncia la enfermedad de su amigo, Jesús decide demorarse en atender el llamado y se queda dos días más al otro lado del Jordán (Juan 10:30). El otro detalle que desconcierta es la referencia a la unción de María a Jesús. La acción no ha sido relatada a este punto (Juan 12). Ambos detalles resaltan los lazos de cariño entre los personajes. Lo que

Notarás que hay como escenas repetidas. Procura que las variaciones entre ellas sean relevantes.

Cuando llegó **Jesús**, Lázaro llevaba **ya cuatro días** en el sepulcro.
Betania quedaba **cerca** de Jerusalén,
como a unos **dos kilómetros y medio**,
  y **muchos** judíos habían ido a ver a **Marta** y a **María**
  para **consolarlas** por la muerte de su hermano.
Apenas oyó Marta que Jesús llegaba, **salió** a su encuentro;
  pero María **se quedó** en casa.
Le dijo **Marta** a Jesús:
  "**Señor**, si hubieras estado aquí, no habría **muerto** mi hermano.
Pero **aún ahora** estoy **segura** de que Dios
  te **concederá** cuanto le **pidas**".
Jesús le dijo: "Tu hermano **resucitará**".
Marta respondió:
  "**Ya sé** que resucitará en la resurrección del **último día**".
Jesús le dijo:
  "**Yo soy** la resurrección y la vida.
El que **cree** en mí, aunque haya muerto, **vivirá**;
  y todo aquel que está vivo y **cree en mí**,
    no morirá para siempre.
¿Crees **tú** esto?"
Ella le contestó:
  "**Sí**, Señor. Creo **firmemente** que tú eres el **Mesías**,
    el **Hijo de Dios**,
  el que tenía que **venir** al mundo".

Con aplomo y seguridad total, pronuncia esta declaración de Jesús.

Después de decir **estas palabras**,
  fue a buscar a su hermana **María** y le dijo en **voz baja**:
  "**Ya vino** el Maestro y **te llama**".
Al oír **esto**, María **se levantó** en el acto
  y **salió** hacia donde estaba **Jesús**,
  porque **él** no había llegado aún al pueblo,
    sino que estaba en el lugar donde **Marta** lo había **encontrado**.
Los **judíos** que estaban con María en la casa, **consolándola**,
  viendo que ella **se levantaba** y salía **de prisa**,
  pensaron que iba al sepulcro para **llorar** ahí y la **siguieron**.

Nota el parecido con la escena previa, y dale relevancia a los rasgos propios de ésta.

sí se aclara en esta subsección es que la gloria de Dios y la glorificación del Hijo han de resultar de esta situación de enfermedad y presentimiento de muerte.

La segunda parte incluye la llamada de Jesús "vayamos otra vez a Judea" y la respuesta de Tomás. Este viaje alarma al lector pues es crítico para Jesús. El viaje ha de darse a plena luz. Los discípulos son invitados a unirse a Jesús en este viaje. El retorno del foco de atención sobre Lázaro se da tanto por el narrador como por Jesús. Ambos comunican que Lázaro ha muerto. Es curioso, sin embargo, el regocijo de

Jesús. Quizá porque Jesús espera que quienes harán el viaje con él a Betania, van a creer en él (v. 45) y no a perderse o morir como lo presume Tomás.

El encuentro, conversaciones y sentimientos de Jesús en su intercambio con Marta y María causan admiración. Marta es desafiada a moverse progresivamente de creer en Jesús, solamente por su capacidad de obrar maravillas hasta transformar su percepción de que la resurrección ocurrirá sólo al fin de los tiempos. Ella llega a confesar que Jesús es el Cristo. Sin embargo, Marta no confiesa que Jesús es la resurrec-

ción y la vida, y lo sigue llamando Maestro (Juan 11:27–28). En el intercambio con María, la iniciativa la toma Jesús. Una vez que escucha del llamado de Jesús, la discípula sale a su encuentro. El gesto de adoración y las palabras de María reflejan la confianza incondicional en el poder de Jesús. Sin embargo, esta muestra de confianza se transforma en abatimiento por la situación de muerte que la circunda. El desconsuelo de judíos, de las hermanas y de todos los presentes conmueven a Jesús. La muerte y desconsuelo están ganando espacio.

Haz que la pregunta de Jesús suene emotiva.

Cuando llegó **María** adonde estaba Jesús, al verlo,
se **echó** a sus pies y le dijo:
"**Señor**, si hubieras estado aquí, no habría **muerto** mi **hermano**".
Jesús, al verla **llorar** y al ver llorar a los judíos
que la **acompañaban**,
se conmovió hasta **lo más hondo** y preguntó:
"¿**Dónde** lo han puesto?"
Le contestaron: "**Ven**, Señor, y lo **verás**".
Jesús se puso a **llorar** y los judíos **comentaban**:
"De veras ¡**cuánto lo amaba!**"
Algunos decían:
"¿No podía **éste**, que abrió los **ojos** al **ciego de nacimiento**,
hacer que Lázaro **no muriera?**"

Jesús, **profundamente** conmovido **todavía**,
se detuvo ante el **sepulcro**, que era una **cueva**,
sellada con una **losa**.
Entonces dijo Jesús: "**Quiten** la losa".
Pero **Marta**, la hermana del que había muerto, **le replicó**:
"**Señor**, ya huele mal, porque lleva **cuatro días**".
Le dijo Jesús: "¿No te he dicho que **si crees**,
verás la **gloria de Dios**?"
Entonces **quitaron** la piedra.

Inicia con ritmo lento, pero ve elevándolo hasta el grito potente de Jesús.

Jesús **levantó** los ojos a lo alto y **dijo**:
"**Padre**, te doy **gracias** porque me has **escuchado**.
Yo **ya sabía** que tú siempre me **escuchas**;
pero lo he dicho a causa de esta **muchedumbre** que me rodea,
para que **crean** que tú me has **enviado**".
Luego **gritó** con voz potente: "¡**Lázaro, sal de ahí!**"
Y salió el **muerto**, atados con **vendas** las **manos** y los **pies**,
y la **cara** envuelta en un **sudario**.
Jesús les dijo: "**Desátenlo**, para que pueda **andar**".

Muchos de los judíos que habían ido a casa de **Marta** y **María**,
al **ver** lo que había hecho Jesús, **creyeron en él**.

Forma breve: Juan 11:3–7, 17, 20–27, 33b–45

En la última parte del amplio relato, Jesús, con todo y estar un tanto frustrado, toma control de la situación. Su oración es oída por Marta, María, los judíos y los discípulos que todavía tienen mucho que aprender sobre su persona. Jesús no es un curandero, es el Enviado del Padre y es uno con él. Llamar a Lázaro a salir de la tumba era necesario para que quienes están presentes lleguen a creer que Jesús es la resurrección y la vida. La resucitación de Lázaro revela la presencia de Dios en Jesús y su voluntad de que haya vida. Muchos de los que fueron a la casa de Marta y María hicieron experiencia de ello y creyeron.

Mientras nos acercamos a la Pascua estamos desafiados a revisar nuestro discipulado y fe en Jesús a la luz de los personajes en este pasaje. Quizá como Tomás, testimoniamos sólo la tribulación del discipulado y no la esperanza. Puede ser que, como Marta, no somos capaces de ver los signos de vida presentes en nuestro medio. Tal vez como María, estamos dejando que el dolor y las aflicciones aniquilen nuestra fe y esperanza. Posiblemente necesitemos escuchar una y otra vez la Palabra de Jesús para salir de la tumba y reavivar nuestra fe.

DOMINGO DE RAMOS DE LA PASIÓN DEL SEÑOR

EVANGELIO   Marcos 11:1–10

Lectura del santo Evangelio según san Marcos

Cuando Jesús y los suyos iban de camino a **Jerusalén**,
    al llegar a Betfagé y Betania,
    cerca del monte de los Olivos,
    les dijo a dos de sus discípulos:
    "**Vayan** al pueblo que ven allí enfrente;
    al entrar, encontrarán amarrado un burro
    que **nadie** ha montado todavía.
Desátenlo y **tráiganmelo.**
Si **alguien** les pregunta por qué lo hacen, contéstenle:
    'El Señor **lo necesita** y lo devolverá pronto'".

Fueron y encontraron al burro en la calle,
    atado junto a una puerta, y lo desamarraron.
Algunos de los que allí estaban les preguntaron:
    "**¿Por qué** sueltan al burro?"
Ellos les contestaron lo que había dicho Jesús
    y ya **nadie los molestó.**

Llevaron el burro, le echaron encima los mantos
    y Jesús montó en él.
Muchos extendían su manto en el camino,
    y otros lo tapizaban con ramas cortadas en el campo.
Los que iban delante de Jesús y los que lo seguían,
    iban gritando vivas:

Jesús prepara con esmero su entrada a Jerusalén. Que tu proclamación solemne prepare a la comunidad para contemplar al Mesías que llega.

Jesús cuenta con aliados en la ciudad santa. Todo parece confluir para que el plan de Dios llegue a su cumplimiento. Refleja esta impresión cuando leas este párrafo.

El pueblo reconoce con júbilo al Mesías que llega a cumplir con el plan de Dios. Que tu anuncio contagie esa alegría.

PROCESIÓN   Entramos en este domingo a la semana más importante del año para el cristiano. Una vez más, la liturgia nos permite hacer experiencia del misterio pascual de Jesús y caminar con la certeza de que Jesús es el Mesías.

La entrada triunfal de Jesús en Jerusalén, narrada por el evangelista Marcos, sigue el formato de una acción simbólica. En el Antiguo Testamento encontramos muchos relatos sobre acciones simbólicas ejecutadas mayormente por profetas. Las acciones simbólicas consisten en comportamientos públicos muy llamativos o hasta extravagantes a través de los cuales los profetas comunicaban en nombre de Dios, un mensaje preciso a su pueblo. Estas acciones impulsaban al pueblo a reflexionar. Los detalles de la entrada de Jesús en Jerusalén son similarmente extravagantes. Este episodio confirma las expectativas del pueblo, Jesús es el Mesías. Sin embargo, los que le rodean y todos los participantes en este episodio, todavía no parecen tener claro el tipo de Mesías que es Jesús.

Lo primero que sorprende es la detallada preparación para el evento mismo. Al final de las instrucciones que les da a sus discípulos, el título que Jesús se atribuye a sí mismo enfatiza su señorío. Este señorío es confirmado cuando los discípulos llevan a compleción la instrucción recibida. La acción de la multitud que extiende su manto en el camino nos recuerda la entronización del rey Jehú (en 2 Reyes 9:13). Esta acción, parece indicar que el mesías que espera la multitud es aquel que conducirá a la victoria de la nación de Israel. Esta esperanza entrará en cuestionamiento hacia el fin de la semana. Las acciones de Jesús en Jerusalén no confirman una victoria nacionalista ni de tipo militar.

"¡Hosannna! ¡Bendito el que viene en nombre del Señor!
¡Bendito el reino que llega, el reino de nuestro padre David!
¡Hosanna en el cielo!"

O bien: *Juan 12:12–16*

I LECTURA   Isaías 50:4–7

Lectura del libro del profeta Isaías

En aquel entonces, dijo Isaías:
    "El Señor me ha dado una **lengua** experta,
    para que pueda **confortar** al abatido
    con palabras de **aliento**.

Mañana tras mañana, el Señor **despierta** mi oído,
    para que **escuche** yo, como discípulo.
El Señor Dios me ha **hecho oír** sus palabras
    y yo **no he opuesto resistencia**
    ni me he echado **para atrás**.

Ofrecí la espalda a los que me **golpeaban**,
    la mejilla a los que me tiraban de la barba.
No aparté mi rostro de los insultos y salivazos.

Pero el Señor me **ayuda**,
    por eso **no quedaré** confundido,
    por eso **endureció** mi **rostro** como roca
    y sé que **no quedaré avergonzado**".

El Siervo de Yahveh proclama que recibe de Dios su misión. Ante las dificultades que ella implica, el siervo no se echa para atrás. Que tu lectura refleje esa inquebrantable fortaleza.

Los sufrimientos descritos tienen un eco de lo que le sucederá al Mesías Jesús. Mantén un sano dramatismo en la lectura.

El último párrafo es la culminación de la lectura y ensalza la confianza del siervo en la intervención divina. Inspira esa misma confianza en los oyentes.

La arenga de la multitud evoca parte del Salmo 118:25–26. La expresión hebrea transliterada "Hosanna" es en realidad una súplica "¡Sálvanos por favor!". Quienes llegaban en peregrinación por las fiestas expresaban con esta aclamación su necesidad de la bendición de Dios ante el templo. La multitud en este pasaje dirige esta expresión delante de Jesús, todavía en camino a Jerusalén y mostrando júbilo y elogio. Jesús está en el centro de todo el evento, y es él quien llama la atención de los peregrinos que son gente foránea y periférica.

La acción de Jesús que alude la compleción de la profecía en Zacarías 9:9: "Viene a ti tu rey justo y victorioso, humilde montado en un burro, en una cría de asna" y la referencia a la llegada del reino de David confirman el mesianismo de Jesús. Cuatro veces en el relato se menciona el burro que Jesús monta desde Betfagé hasta Jerusalén (cf. Génesis 49:11). El fundamento de la esperanza de la llegada del Mesías de la Casa de David era la interpretación tardía de la promesa hecha a David en relación con Salomón (cf. 2 Samuel 7:12–13). En un texto no canónico, muy popular y contemporáneo de Jesús, *Salmos de Salomón* 17, se encuentra esta misma idea, aunque allí se espera un mesías belicoso. En sentido diferente, en el pasaje de la sanación a Bartimeo, Jesús es interpelado como "Hijo de David" (Marcos 10:47–48). La expectativa popular encontrará desafiante abrazar el tipo de reinado que Jesús anuncia. Le será difícil comprender el tipo de victoria de este Mesías que sale victorioso de una muerte en cruz. Entremos pues en el misterio de esta semana en espíritu de peregrinación, como discípulos que todavía tienen que profundizar en la identidad del Mesías al que seguimos.

Para meditar

SALMO RESPONSORIAL   Salmo 21:8–9, 17–18a, 19–20, 23–24

R. Dios mío, Dios mío, ¿por qué me has abandonado?

Al verme se burlan de mí,
   hacen visajes, menean la cabeza:
   "Acudió al Señor, que lo ponga a salvo;
   que lo libre si tanto lo quiere". **R.**

Me acorrala una jauría de mastines,
   me cerca una banda de malhechores:
   me taladran las manos y los pies,
   puedo contar mis huesos. **R.**

Se reparten mi ropa,
   echan a suerte mi túnica.
Pero tú, Señor, no te quedes lejos;
   fuerza mía, / ven corriendo
      a ayudarme. **R.**

Contaré tu fama a mis hermanos,
   en medio de la asamblea te alabaré.
Fieles del Señor, alábenlo,
   linaje de Jacob, glorifíquenlo,
   témanle, linaje de Israel. **R.**

II LECTURA   Filipenses 2:6–11

Lectura de la carta del apóstol san Pablo a los filipenses

El primer párrafo se refiere al abajamiento de Jesús. Que tu lectura exprese la admiración ante ese supremo misterio de humildad.

Cristo, siendo Dios,
   no consideró que debía aferrarse
      a las prerrogativas de su condición **divina**,
   sino que, por el contrario, se anonadó **a sí mismo**,
   tomando la condición de **siervo**,
   y se hizo semejante a los **hombres**.
Así, hecho uno de ellos, se humilló **a sí mismo**
   y **por obediencia** aceptó incluso la muerte,
   y una **muerte de cruz**.

Lee más lenta y solemnemente estas tres líneas: son el clímax del proceso de humillación al que Jesús se somete.

Este párrafo final es un estallido de gloria. Proclámalo con voz firme y gozosa.

Por eso Dios lo exaltó sobre todas las cosas
   y le otorgó el nombre que está **sobre todo nombre**,
   para que, al nombre **de Jesús**, todos doblen la rodilla
      en el cielo, en la tierra y en los abismos,
   y todos reconozcan públicamente que **Jesucristo** es el Señor,
      para gloria de **Dios Padre**.

I LECTURA El texto de Isaías en su segunda sección (Isaías 40–65) contiene cuatro cantos comúnmente conocidos como los "Cantos del Siervo". El texto que proclamamos este domingo pertenece al tercero de ellos. A medida que avanzan los cantos, el autor refleja un contexto en el que la oscuridad es más fuerte y la persecución más violenta.

Este poema fue originalmente compuesto de cara a la experiencia del exilio. El poema abre con la declaración de que la palabra de Dios es fuente de salvación. El que pronuncia el poema en primera persona no se presenta directamente ni como siervo, ni como sabio, ni como profeta. Sin embargo, enfatiza su rol como discípulo.

En los versos 4–5 también se refleja la disponibilidad y no resistencia a la Palabra. El cansancio puede estar relacionado a la desesperanza del discípulo en una tierra lejana, luego de haber experimentado muerte y destrucción.

La segunda parte del poema (vv. 6–7) presenta una realidad de sufrimiento, pero de confianza en el Señor por parte de quien proclama este poema.

Reflexionamos en este texto de cara a la experiencia de Jesús durante su pasión, muerte y resurrección que conmemoramos esta semana. Podemos ver reflejados en sus gestos y palabras que su alimento es hacer la voluntad del Padre. La fidelidad del Hijo a su misión le acarreó sufrimientos, pero revela hasta el extremo, su total confianza en Dios, su Padre. Por ser discípulos suyos estamos desafiados a vivir esta atención a la palabra y confianza en Dios en nuestro continuo aprendizaje.

La pasión de Cristo es el centro de la liturgia de la Palabra. Una lectura previa ayudará a dar la entonación adecuada a cada bloque. Es un relato largo, habrá que combinar matices para que la lectura sea disfrutable.

La acción de la mujer está llena de significado. Pronuncia con claridad los verbos.

La respuesta de Jesús aclara el sentido de la acción de la mujer: está anunciando, sin saberlo, la muerte y sepultura de Jesús. Que tu proclamación sea firme y se haga tierna en los últimos tres renglones.

La traición de Judas subraya el drama humano detrás de la pasión. Lee pausadamente el párrafo.

EVANGELIO   Marcos 14:1—15:47

Pasión de nuestro Señor Jesucristo según san Marcos

Faltaban dos días para **la fiesta de Pascua** y de los panes Ázimos.
Los sumos sacerdotes y los escribas **andaban buscando**
      una manera de apresar a Jesús **a traición**
   y darle muerte, pero decían:
   "**No** durante las fiestas, porque el pueblo podría **amotinarse**".

Estando Jesús sentado a la mesa,
   en casa de Simón el leproso, en Betania,
   llegó una mujer con un frasco de perfume **muy caro**,
      de nardo puro;
      quebró el frasco
   y **derramó** el perfume en la cabeza de Jesús.
Algunos comentaron **indignados**:
   "¿A qué viene este **derroche** de perfume?
Podría haberse vendido por más de trescientos denarios
      para dárselos a **los pobres**".
Y **criticaban** a la mujer; pero Jesús replicó:
   "**Déjenla**.
   ¿Por qué la molestan?
Lo que ha hecho conmigo **está bien**,
   porque a los pobres los tienen **siempre** con ustedes
   y pueden socorrerlos **cuando quieran**;
   pero **a mí** no me tendrán siempre.
Ella ha hecho lo que podía.
Se **ha adelantado** a embalsamar mi cuerpo para la sepultura.
Yo **les aseguro** que en cualquier parte del mundo
      donde se predique el Evangelio,
   se **recordará** también en su honor lo que ella **ha hecho** conmigo".

Judas Iscariote, uno de los Doce,
   se presentó a los sumos sacerdotes **para entregarles** a Jesús.
Al oírlo, **se alegraron** y le prometieron dinero;
   y él andaba buscando **una buena ocasión** para entregarlo.

II LECTURA Como parte de su exhortación a la humildad dirigida a la comunidad de Filipos (Filipenses 2:3–11), Pablo inserta un himno que muy probablemente editó, en el que encontramos una especie de confesión de fe. El himno original parece tener origen judeocristiano. El himno habla de un personaje divino que no hizo más que renunciar a su estatus para anularse, anonadarse, tomar forma de esclavo y someterse hasta una muerte humillante; todo esto es impensable y desafiante en un contexto cultural heleno-romano. En el himno, una adición paulina parece ser la

expresión "y una muerte de cruz" (v. 8). De cuño judío es la expresión "el nombre" usada para sustituir al sujeto divino (v. 9), pero muy rara en Pablo.

El himno es muy rico poéticamente por el ritmo, el uso de paralelismos y la división en seis estrofas que contienen un verbo cada una. Esto atrae a su audiencia y posibilita que elementos fundamentales de la fe queden fijados en la memoria de los nuevos evangelizados. Las primeras tres estrofas tienen a Cristo como sujeto, en las tres últimas el sujeto es Dios.

La primera estrofa exalta la preexistencia del Hijo y su condición divina. A la vez, deja claro que tal estatus divino Jesús no lo tuvo que conseguir como premio o arrebatarlo de un ser superior. Pablo anuncia que el Hijo poseía desde siempre la dignidad divina. La segunda estrofa declara que la manifestación de tal dignidad se refleja en el misterio de la encarnación. Jesús se vació del privilegio de la gloria divina al hacerse humano. Es una renuncia voluntaria y que servirá para exaltar la humanidad. La "forma de siervo/esclavo" implica tanto una condición intrínseca como una forma externa.

El **primer día** de la fiesta de los panes Ázimos,
    cuando se sacrificaba **el cordero pascual**,
    le preguntaron a Jesús sus discípulos:
    "**¿Dónde quieres** que vayamos a prepararte la cena de Pascua?"
Él les dijo a dos de ellos:
    "Vayan a la ciudad.
Encontrarán a un hombre que lleva un cántaro de agua; **síganlo**,
    y díganle al dueño de la casa en donde entre:
    'El Maestro manda preguntar:
¿Dónde está la habitación en que **voy a comer**
    la Pascua con mis discípulos?'
Él les enseñará una sala en el segundo piso, arreglada con divanes.
Prepárennos allí la cena".
Los discípulos se fueron,
    llegaron a la ciudad, encontraron lo que Jesús **les había dicho**
    y prepararon la cena de Pascua.

Al atardecer, llegó Jesús **con los Doce**.
Estando a la mesa, cenando, les dijo:
    "Yo **les aseguro** que uno de ustedes,
    uno que está comiendo conmigo, **me va entregar**".
Ellos, **consternados**, empezaron a preguntarle uno tras otro:
    "**¿Soy yo?**"
Él respondió:
    "Uno de los Doce,
    alguien que moja su pan **en el mismo plato** que yo.
El Hijo del hombre va a morir, **como está escrito**:
    pero, ¡**ay del que va a entregar** al Hijo del hombre!
¡Más le valiera **no haber nacido**!"

Mientras cenaban, Jesús tomó un pan y, **pronunció la bendición**,
    lo partió y se lo dio a sus discípulos, diciendo:
    "Tomen: **esto es mi cuerpo**".
Y tomando en sus manos una copa de vino,
    pronunció **la acción de gracias**, se la dio,
    todos bebieron y les dijo:

Las palabras de Jesús muestran el dominio que tiene sobre los acontecimientos. Dales una relevancia especial

El anuncio de la entrega de Jesús a mano de su amigo, rodea de dramatismo especial a la Cena. Que esto se note en tu lectura.

La traición del amigo le duele al mismo Jesús. Que tu lectura lo refleje.

Es el relato de la institución de la Eucaristía. Cada palabra cuenta. Pronuncia con claridad, pero sin afectaciones.

Cristo no dejó de ser divino, pero tampoco se atenúa su humanidad. Su porte externo es descrito de tal manera que se conecta con la figura del Siervo en el libro de Isaías (52:13—53:12). La tercera estrofa presenta la etapa más profunda de la humillación del Cristo con su muerte en la cruz. La distancia con su dignidad gloriosa está clara. Este punto es el más desafiante para una comunidad cristiana que vive en una cultura en la que los honores, el renombre y los privilegios constituían valores anhelados.

Desde los versos 9–11, el himno refleja el ascenso del Cristo. Se canta en primer lugar la exaltación por parte de Dios a este Siervo que se ha abajado. Pablo no menciona la resurrección, uno de sus temas favoritos. El himno, en cambio, enfatiza el paso de la muerte a la exaltación, un tema más cercano a los escritos juánicos. El "Nombre" parece ser revelado al final del canto, en el título Señor, que equivalente al hebreo YHVH.

Pablo canta además la adoración que le debe al Cristo todo el universo. El doblar la rodilla ya no corresponde solamente a los humanos sino a que se trata de un acto cósmico. Le corresponde a Jesús la misma adoración de todas las creaturas al Creador. La última estrofa clarifica que no se trata de una rivalidad o competencia con el Padre, a la manera de los dioses paganos. La humillación voluntaria del Hijo rinde honor al Padre y por ello es posible confesar con la comunidad primitiva que Jesucristo es Señor.

Con esta conciencia cósmica entramos en esta semana de conmemoración del culmen del abajamiento y exaltación del Hijo. Toda la creación, el universo, camina con nosotros hacia la plenitud. Quienes seguimos al Cristo, estamos desafiados a vaciarnos para colaborar en este proceso y

Ante el reproche de Jesús, Pedro y los discípulos se sienten aludidos. Da la entonación correcta a este diálogo.

"Ésta es mi sangre,
sangre de la alianza,
que se derrama
   por todos.
Yo **les aseguro** que **no volveré** a beber del fruto de la vid
   hasta el día en que beba **el vino nuevo** en el Reino de Dios".

Getsemaní es el lugar del pavor y la angustia de Jesús. Que los oyentes sientan el dramatismo de esta hora, pero evita exageraciones en la lectura.

Después de cantar el himno,
   salieron hacia el monte de los Olivos y Jesús les dijo:
   "**Todos ustedes** se van a escandalizar por mi causa,
   como está escrito:
   Heriré al pastor y se dispersarán las ovejas;
   pero **cuando resucite,** iré por delante de ustedes a Galilea".
Pedro replicó:
   "Aunque todos se escandalicen, **yo no**".
Jesús le contestó:
   "Yo **te aseguro** que hoy, **esta misma noche,**
   antes de que el gallo cante dos veces, **tú me negarás tres**".
Pero él **insistía:**
   "Aunque tenga **que morir** contigo, **no te negaré**".
Y los demás decían **lo mismo.**

Que el tierno reproche de Jesús a Pedro y los demás se sienta en tu proclamación.

Fueron luego a un huerto, llamado **Getsemaní,**
   y Jesús dijo a sus discípulos:
   "**Siéntense aquí** mientras hago oración".
Se llevó a Pedro, a Santiago y a Juan,
   y empezó a sentir **temor y angustia,** y les dijo:
   "Tengo el alma **llena** de una tristeza mortal.
Quédense aquí, **velando**".
Se adelantó un poco,
   se **postró** en tierra y pedía que, si era posible,
   se alejara de él **aquella hora.**
Decía:
   "**Padre,** tú lo puedes todo: **aparta** de mí este cáliz.
Pero que no se haga lo que yo quiero, sino **lo que tú quieres**".

El momento ha llegado. La entereza de Jesús debe notarse en la lectura.

Volvió a donde estaban los discípulos,

despojarnos de toda ambición de poseer privilegios, honores y dominio terreno.

EVANGELIO Al comparar con Lucas y Mateo descubrimos tradiciones propias en la narración de Marcos como la del joven desnudo (cf. Marcos 14:51–52). Marcos también insiste en la inocencia de Jesús frente a una decisión que fue tomada por el gobernador romano bajo presión de las autoridades judías. Las citas del Antiguo Testamento juegan un rol importante para presentar una respuesta teológica

probablemente a quienes cuestionaban la muerte violenta del Mesías.

El *complot contra Jesús* es breve. Marcos nos presenta dos grupos aliados en contra de Jesús. El grupo de sacerdotes aquí incluye al colectivo exclusivo de varones de familias nobles en control administrativo del templo. Marcos parece referirse con el término "escribas" al grupo de especialista alrededor del espacio religioso, por lo tanto, expertos en la Ley.

El relato de *la unción en Betania* por una mujer anónima ha quedado vivo en la memoria de la comunidad de discípulos y

discípulas de todos los tiempos. La acción de una mujer aparece en los cuatro evangelios (cf. Marcos 14:3–9; Mateo 26:6; Lucas 7:36–50; Juan 12:1–8). Lo común a estos cuatro relatos es que una mujer, en el contexto de una cena, unge el cuerpo de Jesús y genera una controversia. Ya que esta narración es ampliamente usada, aunque con diferencias significativas, muy probablemente refleja un incidente en la vida de Jesús. El relato marquiano tiene doble énfasis. El primero es cristológico, ya que el evento anticipa la muerte de Jesús y evoca su identidad mesiánica. La unción es en la

y al encontrarlos **dormidos,** dijo a Pedro:
    "Simón, ¿**estás dormido**? ¿No has podido velar **ni una hora**?
Velen y oren, para que **no caigan** en la tentación.
El espíritu está pronto, pero la carne **es débil**".
De nuevo se retiró y se puso a orar,
    repitiendo **las mismas** palabras.
Volvió y **otra vez** los encontró dormidos,
    porque tenían los ojos **cargados** de sueño;
    por eso no sabían **qué contestarle**.
Él les dijo:
    "Ya pueden dormir y descansar.
¡Basta! Ha llegado **la hora.**
Miren que el Hijo del hombre
    va a ser entregado en manos de los pecadores.
¡Levántense! ¡**Vamos!** Ya está cerca el traidor".

Todavía estaba hablando,
    cuando se presentó **Judas,** uno de los Doce,
    y con él, gente con **espadas y palos,**
    enviada por los sacerdotes, los escribas y los ancianos.
El traidor les había dado **una contraseña,** diciéndoles:
    "Al que yo bese, **ése es.**
Deténganlo y llévenlo bien sujeto".
Llegó, se acercó y le dijo:
    "**Maestro**".
Y lo **besó.** Ellos le echaron mano y **lo apresaron.**
Pero uno de los presentes **desenvainó** la espada
    y de un golpe **le cortó** la oreja a un criado del sumo sacerdote.
Jesús tomó la palabra y les dijo:
    "¿Salieron ustedes **a apresarme** con espadas y palos,
    como si se tratara de **un bandido?**
Todos los días he estado entre ustedes,
    enseñando en el templo y **no me han apresado.**
Pero así **tenía que ser** para que se cumplieran las Escrituras".
Todos lo abandonaron y **huyeron.**
Lo iba siguiendo un muchacho,

Un gesto de amor se vuelve instrumento de traición. Lee pausadamente.

El abandono de los discípulos deja a Jesús solo ante el misterio de su Pasión. Lee lenta y firmemente la frase.

cabeza. Sacerdotes y reyes eran ungidos en la cabeza (cf. 1 Samuel 10:1; 2 Reyes 9:1–13). El otro énfasis está en el tipo de acción de la mujer, impactante y extraordinario. Ella irrumpe en medio de un espacio público reservado sólo a los varones y toca a Jesús. Ella vierte el precioso perfume, equivalente al pago de 300 días de jornada, y Jesús clarifica que la acción de esta mujer es profética pues se ha anticipado a preparar al Mesías sufriente con dignidad. Ella es modelo de la discípula que reconoce los signos de los tiempos y la necesidad de atender al Cristo. La presentación de Judas Iscariote

en esta escena sirve para contrastar la acción devota de una mujer anónima con la acción de uno de su círculo cercano que no ha reconocido el mesianismo de Jesús.

El tiempo indicado en el relato sobre *la preparación* para la Cena de Jesús con sus discípulos relaciona la última cena de Jesús con la Pascua. El primer día de la fiesta era cuando se comía el cordero pascual. Marcos detalla el encargo de la preparación, así como lo hizo para la entrada de Jesús en Jerusalén (cf. Marcos 12:1–6).

La *traición de Judas* se da en el marco del círculo íntimo de Jesús que sentado a la

mesa con Jesús. El que lo traiciona es su compañero de mesa. Las palabras de Jesús hacen eco del Salmo 41:10. El detalle de los Doce a quienes se nombra dos veces nos recuerda que la palabra discípulos incluye a muchos más que estos Doce y que también estuvieron presentes. El texto a la vez refleja que la manera de comer señalada en Éxodo 12:11, evolucionó en el primer siglo para convertirse en una comida festiva en la que todos comían reclinados en una sala, al estilo de los griegos.

Durante la cena, Jesús, toma el rol del padre de familia de la casa, quien explicaba

envuelto nada más con una sábana,
y lo detuvieron; pero él **soltó la sábana**,
huyó y **se les escapó** desnudo.

Condujeron a Jesús a casa del sumo sacerdote
y se reunieron **todos** los pontífices, los escribas y los ancianos.
Pedro lo fue siguiendo **de lejos**,
hasta el interior del patio del sumo sacerdote,
y se sentó con los criados, cerca de la lumbre, **para calentarse**.

Los sumos sacerdotes y el sanedrín **en pleno**
buscaban **una acusación** contra Jesús
para condenarlo a muerte y **no la encontraban**.
Pues, aunque muchos presentaban **falsas acusaciones** contra él,
los testimonios **no concordaban**.
Hubo unos que se pusieron de pie y dijeron:
"Nosotros lo hemos oído decir:
'Yo **destruiré** este templo, edificado por hombres,
y **en tres días** construiré otro, no edificado por hombres'".
Pero **ni aun en esto** concordaba su testimonio.
Entonces el sumo sacerdote se puso de pie y le preguntó a Jesús:
"¿No tienes **nada que responder** a todas esas acusaciones?"
Pero él no le respondió **nada**.
El sumo sacerdote le **volvió** a preguntar:
"¿**Eres tú** el Mesías, el **Hijo de Dios** bendito?"
Jesús contestó:
"Sí **lo soy**.
Y **un día** verán cómo **el Hijo del hombre**
está sentado **a la derecha** del Todopoderoso
y cómo **viene** entre las nubes del cielo".
El sumo sacerdote **se rasgó** las vestiduras exclamando:
"¿Qué falta **hacen ya** más testigos?
Ustedes **mismos** han oído la blasfemia.
¿Qué les parece?"
Y **todos** lo declararon **reo de muerte**.

El proceso de Jesús ante el sanedrín terminará con la condena a muerte. Lee el episodio enfatizando cada una de sus partes.

La proclamación de Jesús es una de las cumbres del evangelio de Marcos. Léela con solemnidad.

al inicio de la celebración de la pascua judía el significado del "pan de la aflicción" (Deuteronomio 16:3). Jesús en medio de la comida explica el sentido del pan en términos de su cuerpo. El verbo *einai* "ser" permite la interpretación en sentido "figurado" o "real". La tradición católica, ayudada por otros pasajes del Nuevo Testamento (por ejemplo, 1 Corintios 11:24–32), concibe el pan como presencia real del Cristo. Jesús al repartir el pan hace partícipes a sus discípulos de su misión. La copa de bendición seguía al plato principal y precedía el canto del Hallel. Jesús interpreta la copa en términos

de "sangre de la nueva alianza" aludiendo al rito que concluyó la alianza en el Sinaí (Éxodo 24:8). La sangre en el ritual judío simboliza la vida. Esparcirla o derramarla durante el ritual hacía que el pueblo participara en la vida de la víctima ofrecida. Jesús en este relato, es la víctima cuya sangre es fuente de vida para toda la humanidad.

Para Marcos, tanto el pan como la copa de vino contienen la presencia de Jesús. La expresión "por todos" indica que toda la humanidad puede ahora participar de la nueva alianza con Dios. La participación, implica compromiso con la misión del Cristo de en-

tregar la vida como pan partido y como sangre esparcida. Jesús también señala la dimensión escatológica de esta nueva alianza. Las alianzas en el mundo judío eran el momento culmen de un proceso que involucraba dos partes. La alianza en boca de Jesús posee la cualidad de un "ya" pero a la vez de un "todavía no". La plenitud de la unión entre Jesús y el pueblo de la nueva alianza se llevará a cabo en el reino de Dios.

La escena de *Getsemaní* está descrita con mucho realismo. Marcos describe el estado psicológico de Jesús: temor y angustia. Luego, Jesús mismo aparece revelando su

Algunos se pusieron a escupirle, y tapándole la cara,
   lo abofeteaban y le decían:
   "**Adivina** quién fue",
y los criados **también** le daban de bofetadas.

Mientras tanto, Pedro estaba abajo, en el patio.
Llegó una criada del sumo sacerdote,
   al ver a Pedro calentándose, lo miró **fijamente** y le dijo:
   "Tú **también** andabas con Jesús Nazareno".
Él **lo negó**, diciendo:
   "Ni sé **ni entiendo** lo que quieres decir".
Salió afuera hacia el zaguán, y **un gallo cantó**.
La criada al verlo, se puso de nuevo a decir a los presentes:
   "Ése es **uno de ellos**".
Pero él **volvió a negar**.
Al poco rato, también los presentes dijeron a Pedro:
   "Claro que eres uno de ellos, pues eres **galileo**".
Pero él se puso a echar **maldiciones** y a jurar:
   "**No conozco** a ese hombre del que hablan".
Enseguida cantó un gallo **por segunda vez**.
Pedro **se acordó** entonces de las palabras que le había dicho Jesús:
   '**Antes** que el gallo cante **dos veces**,
   tú me habrás negado **tres**', y rompió a **llorar**.

Luego que amaneció,
   se reunieron los sumos sacerdotes con los ancianos,
   los escribas y el sanedrín en pleno, para deliberar.
Ataron a Jesús, se lo llevaron y lo entregaron a Pilato.
Éste le preguntó:
   "¿**Eres tú** el rey de los judíos?"
Él respondió:
   "**Sí lo soy**".
Los sumos sacerdotes lo acusaban **de muchas cosas**.
Pilato le preguntó de nuevo:
   "¿No contestas **nada**? Mira de cuántas cosas te acusan".
Jesús ya no le contestó **nada**,
   de modo que Pilato estaba **muy extrañado**.

Viene la triple negación de Pedro. La intensidad debe subir en cada una de ellas. El clímax es el segundo canto del gallo: la profecía de Jesús se cumple.

Detente un breve momento antes de comenzar el proceso ante Pilato, para señalar que ha pasado tiempo desde el arresto hasta el amanecer.

---

profunda tristeza. El salmo 42, como lamento individual del inocente parece haber influido en la narración de este episodio. Pedro, Santiago y Juan, quienes habían contemplado el poder y la gloria de Jesús en la transfiguración, son invitados ahora a acompañarle en su momento más vulnerable.

Jesús está en "la hora" decisiva en que pasará al Padre a través de la muerte. Este término conecta el presente de sufrimiento con el advenimiento del Reino de Dios. La angustia del Hijo es tan profunda que llega a contemplar la muerte como un alivio. Sin embargo, y muy a pesar de su angustia,

Jesús nunca deja de reconocer a Dios como Padre suyo; expresa su plena confianza en él y, finalmente, se muestra resuelto enfrentar su destino. El sentido de la "prueba" en el texto parece ser la lucha por decidirse entre la fidelidad a Dios y la apostasía. El pasaje también sirve como texto edificante. El evangelista enfatiza la humildad y nobleza de Jesús en contraste con la debilidad de los discípulos. Jesús reconoce y acepta la voluntad de su Padre. Los soñolientos discípulos, permanecen inconscientes de que "la hora" de Jesús había llegado. En lugar de prepararse para esta hora terrible, duer-

men. La repetición realza lo desgarrador de la angustia y la soledad de Jesús.

En el relato del evangelista, el *arresto de Jesús* es el resultado de la traición de Judas y del complot de las autoridades judías. A la vez es resultado de la fidelidad del justo y noble Jesús a su misión. Se hace eco al arresto del justo y noble profeta Jeremías (Jeremías 36:26 y 37:13). Marcos subraya con la huida de los once y de aquél que probablemente dejó todo para estar con Jesús y ahora lo deja, el profundo abandono y soledad de los miembros de su comunidad

La envidia de los sumos sacerdotes ha entregado a Jesús al poder romano. Barrabás será reclamado en lugar de Jesús. Subraya el diálogo leyendo con entonación.

Durante la fiesta de Pascua,
   Pilato solía soltarles al preso **que ellos pidieran**.
Estaba entonces en la cárcel un tal **Barrabás**,
   con los revoltosos que habían cometido un homicidio
     en un motín.
Vino la gente y empezó a pedir el indulto **de costumbre**.
Pilato les dijo:
   "¿Quieren que les suelte **al rey de los judíos**?"
Porque **sabía** que los sumos sacerdotes
   se lo habían entregado por envidia.
Pero los sumos sacerdotes **incitaron** a la gente
   para que pidieran la libertad **de Barrabás**.
Pilato les **volvió** a preguntar:
   "¿Y **qué voy a hacer** con el que llaman rey de los judíos?"
Ellos gritaron:
   "**¡Crucifícalo!**"
Pilato les dijo:
   "Pues ¿**qué mal** ha hecho?"
Ellos gritaron **más fuerte**:
   "**¡Crucifícalo!**"
Pilato, queriendo **dar gusto** a la multitud, les soltó a Barrabás;
   y a Jesús, después de **mandarlo azotar**,
   lo entregó para que lo crucificaran.

Comienza la parodia de los soldados romanos, que se burlan de la realeza de Jesús. En medio de la mofa y el escarnio Jesús aparece como rey. Que tu lectura denote ese matiz irónico. •

Los soldados se lo llevaron al interior del palacio, al pretorio,
   y reunieron a **todo** el batallón.
Lo vistieron con un manto de **color púrpura**,
   y le pusieron una **corona de espinas** que habían trenzado,
   y comenzaron a **burlarse de él**, dirigiéndole este saludo:
   "¡Viva **el rey de los judíos**!"
Le **golpeaban** la cabeza con una caña, le escupían y,
   doblando las rodillas, **se postraban ante él**.
Terminadas **las burlas**, le quitaron aquel manto de color púrpura,
   le pusieron su ropa y lo sacaron **para crucificarlo**.

Entonces **forzaron** a cargar la cruz
   a un individuo que pasaba por ahí de regreso del campo,

sufriendo situaciones parecidas, carentes de fidelidad a Jesús.

Marcos parece haber ubicado *el proceso de Jesús* ante el sumo sacerdote y el sanedrín durante la noche, mientras Lucas y Juan lo sitúan durante la mañana. En Marcos, el grupo de autoridades busca, sin éxito, testimonios en contra de Jesús. Finalmente, dos cargos son presentados: la amenaza de destruir el santuario y blasfemia. En los capítulos precedentes del evangelio encontramos a Jesús criticando el templo y el culto. Esto indica que la acusación tenía alguna base. Sin embargo, el evangelista especifica que los testigos tomaron las palabras de Jesús al pie de la letra, como si Jesús hubiera amenazado con destruir el templo con sus propias manos. Los tres títulos cristológicos (Mesías, Hijo de Dios e Hijo del Hombre), se fueron otorgando a Jesús a lo largo del evangelio. A este punto, los tres títulos están ligados a su pasión y muerte. La confirmación por parte de Jesús de su identidad mesiánica y la auto aplicación del Salmo 110:1 y Daniel 7:13, que sugieren su entronización en una esfera sobrehumana y su rol de juez en perspectiva escatológica, causan el horror religioso y rechazo judicial del sumo sacerdote y el sanedrín. Los jueces terrenos declaran a Jesús blasfemo.

El relato de la negación de Pedro presenta tres ascensos. La confrontación a Pedro se produce primero por una mujer, luego incluye algunos otros y al final un grupo. Pedro es inicialmente acusado de estar con Jesús, luego de ser uno de ellos y al final de ser uno de ellos y galileo. Finalmente, Pedro pasa de negar a Jesús a jurar y echar maldiciones. Esta presentación tan negativa de Pedro quizá se deba a la importancia de su figura para la comunidad cris-

Hay citas del Antiguo Testamento implícitas en el pasaje. Que tu tono revele la profundidad de esta catequesis.

Simón de Cirene, padre de Alejandro y de Rufo,
   y llevaron a Jesús **al Gólgota** (que quiere decir
      "lugar de la Calavera").
Le ofrecieron vino con mirra, pero él **no lo aceptó**.
Lo crucificaron y se repartieron sus ropas,
   echando suertes para ver **qué le tocaba a cada uno**.

Era media mañana cuando lo crucificaron.
En el letrero de la acusación **estaba escrito**:
   "El rey de los judíos".
Crucificaron con él **a dos bandidos**,
   uno a su derecha y otro a su izquierda.
Así **se cumplió** la Escritura que dice:
   Fue contado entre los malhechores.

Sin romper el ritmo del relato, lee con firmeza las burlas que le dirigen a Jesús los que están presentes en la crucifixión.

Los que pasaban por ahí **lo injuriaban** meneando la cabeza
      y **gritándole**:
   "¡Anda! Tú, que destruías el templo y lo reconstruías
      en tres días,
   sálvate **a ti mismo** y baja de la cruz".
Los sumos sacerdotes se **burlaban** también de él y le decían:
   "Ha salvado a otros, pero a sí mismo **no se puede salvar**.
Que el Mesías, el rey de Israel,
   baje ahora de la cruz, para que lo veamos y creamos".
Hasta los que estaban crucificados con él **también** lo insultaban.

La plegaria de Jesús refleja su sentimiento de abandono, pero es al mismo tiempo el inicio de una súplica confiada al Padre desde el sufrimiento. Su grito final, estremece. Lee con solemnidad el momento de la muerte.

Al llegar el mediodía, **toda** aquella tierra se quedó **en tinieblas**
      hasta las tres de la tarde.
Y a las tres, Jesús gritó **con voz potente:**
   "Eloí, Eloí, ¿lemá sabactaní?"
   (que significa: **Dios mío**, Dios mío,
   ¿por qué me has **abandonado**?).
Algunos de los presentes, al oírlo, decían:
   "**Miren**, está llamando a Elías".
 Uno **corrió** a empapar una esponja en vinagre,
      la sujetó a un carrizo y se la acercó **para que bebiera**, diciendo:
   "Vamos a ver si viene Elías **a bajarlo**".

tiana de Marcos. Miembros de la comunidad sufren la traición de sus compañeros debido a la persecución por Nerón y tienen también el desafío de vivir con aquellos que fallaron. La figura de Pedro otorga esperanza.

La narrativa de *Jesús ante Pilato* enfatiza que el juicio se hace al inocente Siervo de Dios. Hay tres fases en este proceso: interrogatorio, sentencia y burlas. El autor clarifica que Jesús sufrió a manos de Pilato. Pero también disminuye la culpa del procurador al presentarlo débil de carácter. Pilato da a los judíos la posibilidad de elegir, no porque busca hacer justicia, sino para librarse de la

encrucijada. Los judíos, irónicamente rechazan al genuino Hijo de Dios y logran la libertad de quien se atribuía el nombre de "hijo del Padre" (Barr-abás) y así se imputan la responsabilidad en la muerte del Mesías. La burla y abuso de los soldados destaca la incomprensión en el mundo gentil en torno a Jesús. Para ellos, Jesús es un reo más, y el título civil que le otorgan no es el adecuado.

Marcos presenta la *crucifixión y muerte* de Jesús de manera concisa, pero dramática. Referencias y alusiones a textos del Antiguo Testamento le permiten al evangelista dar sentido a la muerte cruel y vergon-

zosa de Jesús en la cruz. El Salmo 22 es usado en relación a la costumbre romana de repartirse los vestidos de la víctima como botín, en el marco de las burlas por parte de todos y hasta de los criminales, y para reflejar el sufrimiento Jesús, el Siervo inocente y justo que acude a su Dios en la angustia extrema. Este salmo alterna lamentos y expresiones de confianza y termina declarando la confianza en el poder de Dios que rescata al inocente. El otro texto que aparece aludido es el Salmo 69:22 para referirse a la esponja untada en vinagre que le ofrecen. Isaías 53 continúa como marco de referen-

La declaración del centurión romano es la culminación de todo el evangelio. Proclámala con fuerza y claridad.

La aparición de José de Arimatea da paso a la sepultura de Jesús. La narración es vívida. Lee como si fueras testigo ocular de los acontecimientos.

Pero Jesús, dando un fuerte grito, **expiró**.

[Todos se arrodillan y guardan silencio por unos instantes.]

Entonces el velo del templo **se rasgó en dos**, de arriba abajo.
El oficial romano que estaba frente a Jesús,
    al ver cómo había expirado, dijo:
        "De veras este hombre **era Hijo de Dios**".

Había también ahí unas mujeres
    que estaban mirando todo **desde lejos**;
    entre ellas, María Magdalena, María,
    (la madre de Santiago el menor y de José) y Salomé,
    que cuando Jesús estaba en Galilea,
    lo seguían **para atenderlo**; y además de ellas,
    otras muchas que habían venido **con él** a Jerusalén.

Al anochecer, como era el día **de la preparación**,
    víspera del sábado, vino José de Arimatea,
    miembro **distinguido** del sanedrín,
    que también **esperaba** el Reino de Dios.
Se presentó **con valor** ante Pilato y **le pidió** el cuerpo de Jesús.
Pilato **se extrañó** de que **ya** hubiera muerto, y llamando al oficial,
    le preguntó si hacía mucho tiempo que **había muerto**.
Informado por el oficial, concedió el cadáver a José.
Este compró una sábana, bajó el cadáver,
    y **lo envolvió** en la sábana
    y lo puso en un sepulcro excavado en una roca
    y tapó con una piedra la entrada del sepulcro.
María Magdalena y María, madre de José,
    se fijaron en dónde lo ponían.

Forma breve: *Marcos 15:1–39*

cia para presentar a Jesús. Marcos guía a sus lectores a mirar más allá de los sufrimientos físicos y reconocer el mayor sufrimiento que experimentó Jesús, incomprensión y rechazo. En la cruz, el justo inocente está solitario y abandonado por sus amigos y rodeado de enemigos. En contraste con la falta de fe, cobardía y abandono de los Doce, se encuentran sin embargo personajes paradigmáticos como el que le ofrece a beber el vinagre, el centurión que confirma su identidad y las mujeres que aparecen como fieles seguidoras de Jesús desde Galilea.

Dos signos extraordinarios acompañan su muerte: las tinieblas y la ruptura del velo del santuario. Las tinieblas, desde la perspectiva cristológica, enfatizan el día de Yahvé anunciado por los profetas (cf. Joel 2:10; 3:4, 15; Isaías 13:10). La ruptura del velo del santuario parece indicar que el paso de Jesús ha abierto un nuevo camino de acceso a Dios y ha dado fin a aquella inaccesibilidad simbolizada en el santo de los santos inviolable.

La sepultura de Jesús ocurre mencionando a personajes ya familiares y prepara al lector para el momento siguiente. La apa-rición en escena de José de Arimatea resalta por un lado el entierro digno de Jesús y por otro, el riesgo que toma toda persona justa y coherente para hacerse cargo de un repudiado por el pueblo. No se menciona aquí que José sea seguidor de Jesús. Lo que queda como desafío es reconocer dónde están sembradas las semillas del Reino.

JUEVES SANTO, MISA DE LA CENA DEL SEÑOR

I LECTURA   Éxodo 12:1–8, 11–14

Lectura del libro del Éxodo

En **aquellos** días, el Señor les dijo a **Moisés** y a **Aarón**
   en tierra de **Egipto**:
"**Este mes** será para ustedes el **primero** de **todos** los meses
   y el **principio** del año.
Díganle a **toda** la comunidad de Israel:
'El día **diez** de este mes,
   tomará cada uno un cordero por **familia**, uno por **casa**.
Si la familia es **demasiado pequeña** para comérselo,
   que se junte **con los vecinos**
   y elija un cordero adecuado **al número** de personas
   y a la cantidad que **cada cual** pueda comer.
Será un animal **sin defecto**, macho, de un año, cordero o cabrito.

Lo guardarán hasta el día **catorce** del mes,
   cuando **toda la comunidad** de los hijos de Israel
      lo inmolará **al atardecer**.
Tomarán la sangre y rociarán **las dos jambas**
   y el **dintel de la puerta** de la casa
      donde vayan a comer el **cordero**.
Esa noche comerán la **carne, asada** a fuego;
   comerán **panes sin levadura** y **hierbas amargas**.
Comerán **así**:
   con la **cintura ceñida**, las **sandalias** en los **pies**,
   un **bastón** en la **mano** y a **toda prisa**,
   porque es la **Pascua**, es decir, el **paso del Señor**.

Las instrucciones son detalladas; no las pases con ligereza. Haz contacto visual con la asamblea antes de pasar de un elemento a otro: el tiempo, los comensales, la comida.

Siguen las prescripciones. Procede como en el párrafo previo al describir: tiempo, comensales y los gestos del ritual completo.

I LECTURA   Este texto expone, a manera de un manual, lo que habría sido una práctica asumida por Israel y que llegó a ser una festividad litúrgica fundamental para el pueblo. El relato que escuchamos tiene dos secciones importantes: la descripción de la comida (vv. 1–8) y su significado (vv. 11–13).

En la primera parte, se detalla que este mes es el primero de todos los meses del calendario, lo que probablemente alude a la vocación libertaria del pueblo que es lo que está por experimentar. La separación del cordero para el sacrificio enfatiza el carácter sagrado de esta cena. El cordero es separado y de modo análogo, en esa noche, Dios separa a su pueblo del resto de Egipto.

La instrucción de invitar al vecino si la familia es pequeña refleja la importancia de que cada miembro de la comunidad tenga acceso al evento celebrativo y salvífico. El uso de la sangre del cordero sugiere que un rito pastoril anterior fue resignificado por los Israelitas. El texto no muestra ningún interés en explicar este rito. Pero el elemento significativo parece haber sido la sangre. La sangre untada en los dinteles de las casas de los Israelitas prefigura ya la sangre que se ha de esparcir al concluir la alianza en el Sinaí (Éxodo 24:8). De este modo se subraya el enlace entre Israel y su Dios. Esta cena también une al pueblo entre sí. De las diversas tribus esparcidas en Egipto, un único pueblo liberado está por surgir.

En la segunda parte, aparece la dramática intención de esta comida. Se resalta la integridad del cordero en el modo de cocer, no se ha de quebrar hueso alguno. Los que participan de la comida están listos para salir y emprender el viaje; lo que requiere que no se dejen sobras, que los comensales estén vestidos, con los zapatos puestos y el

Enfatiza las acciones del "yo" del discurso divino. Haz una pausa de tres tiempos antes de avanzar al párrafo final.

Yo pasaré esa noche por la tierra de **Egipto**
    y **heriré** a **todos los primogénitos** del país de Egipto,
    desde los hombres **hasta** los ganados.
Castigaré a **todos los dioses** de Egipto, **yo**, el Señor.
La **sangre** les servirá de **señal** en las casas donde **habitan ustedes**.
Cuando yo vea la sangre, **pasaré de largo**
    y **no habrá** entre ustedes **plaga exterminadora**,
    cuando **hiera yo** la tierra de **Egipto**.

Ese día será para ustedes un **memorial**
    y lo celebrarán como **fiesta** en **honor del Señor**.
De generación en generación **celebrarán** esta festividad,
    como **institución perpetua'''**.

Apóyate en la puntuación para ritmar bien las oraciones gramaticales y sea muy claro el mensaje.

Para meditar

SALMO RESPONSORIAL   Salmo 115:12–13, 15–16, 17–18
R. El cáliz de la bendición es comunión con la sangre de Cristo.

¿Cómo pagaré al Señor
    todo el bien que me ha hecho?
Alzaré la copa de la salvación,
invocando su nombre. **R.**

Mucho le cuesta al Señor
    la muerte de sus fieles.
Señor, yo soy tu siervo,
    siervo tuyo, hijo de tu esclava;
    rompiste mis cadenas. **R.**

Te ofreceré un sacrificio de alabanza,
    invocando tu nombre, Señor.
Cumpliré al Señor mis votos,
    en presencia de todo el pueblo. **R.**

II LECTURA   1 Corintios 11:23–26

Lectura de la primera carta del apóstol san Pablo a los corintios

Hermanos:
Yo **recibí** del Señor **lo mismo** que les he **trasmitido**:
    que el **Señor Jesús**, la noche en que iba a ser **entregado**,
    tomó pan en sus manos,
    y pronunciando la **acción de gracias**, lo **partió** y **dijo**:
    "Esto es mi **cuerpo**, que se entrega por **ustedes**.
Hagan **esto** en **memoria mía**".

Recita estas líneas con total reverencia y serenidad; nota el paralelo con el pan y con la copa, para que sostengas el mismo tono en ambas instancias.

bastón en mano. A este punto, el texto conecta la sangre con el éxodo. El festival de la Pascua marca el tiempo en el que Yahvé pasa de largo por las casas donde se encuentran los miembros del pueblo de Israel. La sangre en los dinteles servirá como signo de protección y salvación de la destrucción que ocurrirá esa noche en Egipto. Es interesante que la destrucción operada por Yahvé incluye a los dioses de los egipcios. De este modo, la salvación incluye liberación incluso de la teología del opresor.

II LECTURA En el capítulo 11 de la primera carta a los Corintios, Pablo trata problemas internos relacionados con ciertos abusos que se daban en las asambleas de la comunidad. En estos versículos, Pablo explica positivamente cuál es el estilo, sentido y espíritu de la Cena del Señor. Se refiere a ésta como una tradición cuyo origen se remonta al mismo Señor. Por lo tanto, el acto litúrgico tiene peso histórico.

La referencia a la noche y a la entrega de Jesús además de ser datos temporales sugieren un sentido simbólico. Aquella noche se reflejaron de tal modo la maldad y

cobardía humanas que fueron superadas por la acción de Jesús en esta cena. Al tomar el pan y dar gracias, Jesús parece seguir el ceremonial judío de la pascua. La novedad está en que Jesús asocia este pan con su cuerpo que se entregará por ellos a la muerte. El detalle del partir el pan y dar a cada uno una parte de éste, desafía a los corintios en torno a su propia conducta, que no refleja ni unidad ni el darse a los demás. Con la bendición del cáliz, Pablo introduce el tema de la nueva alianza. Esta nueva alianza se da con la sangre del mismo Hijo de Dios quien se da a sí mismo.

Lo **mismo** hizo con el cáliz **después** de cenar, diciendo:
"Este **cáliz** es la **nueva alianza** que se sella con mi **sangre**.
Hagan **esto** en **memoria mía** siempre que **beban** de él".

Por eso,
cada **vez** que ustedes comen de **este pan** y beben de **este cáliz**,
proclaman la muerte del Señor, **hasta que vuelva**.

EVANGELIO   Juan 13:1–15

Lectura del santo Evangelio según san Juan

Nota el solemne inicio de este relato.
Identifica cada frase y respeta su sentido propio.

Antes de la fiesta de la **Pascua**,
sabiendo Jesús que había **llegado** la hora
de pasar de este mundo al **Padre**
y habiendo amado a los **suyos**, que estaban en el **mundo**,
los amó **hasta el extremo**.

Tu acento debe indicar el cambio de foco sobre cada uno de los caracteres mencionados. Pon énfasis en cada verbo que describe alguna acción de Jesús.

En el transcurso de la **cena**,
cuando ya el **diablo** había puesto en el corazón
de **Judas Iscariote**, hijo de **Simón**,
la idea de **entregarlo**,
Jesús, **consciente** de que el Padre había puesto en sus manos
todas las cosas
y **sabiendo** que había **salido** de Dios y a Dios **volvía**,
se levantó de la mesa, **se quitó** el manto
y tomando una **toalla**, se la **ciñó**;
luego **echó agua** en una **jofaina**
y se puso a **lavarles los pies** a los **discípulos**
y a **secárselos** con la **toalla** que se había **ceñido**.

Haz que la resistencia de Pedro suene sincera y dale relevancia a la comprensión posterior que se anuncia.

Cuando llegó a **Simón Pedro**, éste le dijo:
"**Señor**, ¿me vas a lavar tú **a mí** los pies?"
Jesús le replicó:
"Lo que estoy haciendo tú no lo entiendes **ahora**,
pero lo comprenderás **más tarde**".

En la tradición recibida por Pablo, el mandato de la conmemoración aparece duplicado. Otros elementos de la cena estarían entre la bendición del pan y de la copa de vino. Conmemorar para Pablo parece implicar una acción festiva, que hace presente la acción salvífica del pasado y posibilita nuevamente la salvación para quienes participan de ella. Pero, además, comer este pan y beber del cáliz trae consigo consecuencias para la comunidad. La comunidad debe proclamar que el Viviente, el Resucitado, el que mostrará su fuerza y su majestad cuando venga, es quien se da en el pan y vino. Participar de esta cena además desafía a la comunidad a la doble comunión, con Jesús en el pan y el cáliz y con el resto de la comunidad.

EVANGELIO Dos tiempos que se fueron enfatizando progresivamente en la narración del evangelio de Juan ahora se vienen a fusionar: la pascua o paso de Jesús al Padre y su Hora. El paso de Jesús, que implica su muerte en cruz y resurrección, es a la vez culminación suprema del amor de Jesús a los suyos. En contraste con este amor de Jesús hasta el extremo surge la figura de Judas.

El contexto del evento que se introduce es la cena de Jesús con sus discípulos que aparece relatada en los sinópticos. Sin embargo, la acción simbólica del lavatorio de pies es el evento significativo en Juan. Esta acción realza la suprema libertad de Jesús quien se digna prestar a sus discípulos el servicio más humilde. Al mismo tiempo, es una explicación simbólica de la muerte de Jesús. El amor y comunión con los suyos se expresa en esta acción concreta. Los verbos que expresan el lavado y secado sugieren una acción que continúa. El amor extremo que se da en la muerte de cruz se prefigura en este

Pedro le dijo:
 "Tú **no** me lavarás los pies **jamás**".
Jesús le contestó:
 "Si no te lavo, **no tendrás parte** conmigo".
Entonces le dijo Simón Pedro:
 "En **ese caso**, Señor, **no sólo** los pies,
 sino **también** las **manos** y la **cabeza**".
Jesús le dijo:
 "El que se ha **bañado** no **necesita** lavarse más que los **pies**,
 porque **todo él** está limpio.
Y **ustedes** están **limpios**, aunque no **todos**".
Como **sabía** quién lo iba a entregar, **por eso** dijo:
 '**No todos** están **limpios**'.

Cuando **acabó** de lavarles los **pies**,
 se puso **otra vez** el manto, **volvió** a la mesa y les **dijo**:
 "**¿Comprenden** lo que acabo de hacer con **ustedes**?
Ustedes me llaman **Maestro y Señor**, y dicen bien, porque **lo soy**.
Pues si **yo**, que soy el **Maestro** y el Señor, **les he lavado los pies**,
 también ustedes deben lavarse los pies **los unos a los otros**.
Les he dado **ejemplo**,
 para que lo que yo he hecho **con ustedes**,
 también ustedes lo **hagan**".

Haz contacto visual con la asamblea a la pregunta de Jesús; luego avanza con pausa y con voz firme y ve bajando la velocidad de lectura.

gesto de despojarse de sus vestidos y ofrecerse a los suyos como siervo.

Los versículos 6–11, cuyo núcleo es la conversación de Jesús con Pedro, subrayan la incomprensión del discípulo. El "más tarde" de Pedro sugiere el tiempo posterior a la muerte y resurrección de Jesús, cuando la ignorancia se transforma en comprensión del amor incondicional que tiene frente a sí. Con este detalle, Juan comunica a su comunidad el ángulo visual desde el cual ha de entender la historia.

Con este gesto Jesús invita a Pedro, al resto de sus discípulos e incluso a Judas a tomar parte de su mismo destino. Y deja claro que la purificación completa se ofrece a cuantos quieren acogerla. Con su traición, Judas se excluye a sí mismo de la comunión con Jesús, en quien radica la salvación.

Al lavatorio de pies se añade una segunda explicación e instrucción de dicho acto (vv. 12–15). El diálogo subraya la importancia del comprender la acción de Jesús, de su amor a los suyos y de actuar conforme a lo comprendido. Si la comunidad de discípulos reconoce en Jesús a su Maestro y Señor, no ha contentarse con una simple confesión de labios. Está obligada al compromiso de amor hasta el extremo, al estilo de Jesús. Junto a la comunidad de Juan estamos desafiados a renovar este compromiso en esta Eucaristía.

VIERNES SANTO
DE LA PASIÓN DEL SEÑOR

I LECTURA   Isaías 52:13—53:12

Lectura del libro del profeta Isaías

El poema busca suscitar rechazo de lo que va describiendo. Acompaña las líneas con estupefacción, como quien no da crédito a lo que va retratando.

He aquí que mi siervo **prosperará**,
    será **engrandecido** y exaltado,
    será **puesto en alto**.
Muchos se horrorizaron al verlo,
    porque estaba **desfigurado** su semblante,
    que **no tenía ya** aspecto de hombre;
    pero muchos pueblos se **llenaron** de asombro.
Ante él los reyes **cerrarán** la boca,
    porque verán lo que **nunca** se les había contado
    y **comprenderán** lo que nunca se habían imaginado.

Presta el tono correcto a las preguntas y pausa. Luego subraya el desencanto que causa lo descrito en estas líneas; avanza pausadamente.

¿**Quién** habrá de creer lo que **hemos anunciado**?
¿A quién se le **revelará** el poder del Señor?
Creció en su presencia como **planta débil**,
    como una raíz **en el desierto**.
No tenía gracia **ni belleza**.
No vimos en él **ningún** aspecto atrayente;
    despreciado y rechazado por los hombres,
    varón de dolores, **habituado** al sufrimiento;
    como uno del cual se aparta **la mirada**,
    despreciado y **desestimado**.

Proclama este párrafo a manera de confesión.

Él **soportó** nuestros sufrimientos
    y **aguantó** nuestros dolores;
    nosotros lo tuvimos por **leproso**,
    herido por Dios y humillado,

I LECTURA Estamos ante un poema sencillo y enigmático que nos habla de un Siervo de Dios, paciente y glorificado. Se pueden distinguir cuatro partes. En la primera y última partes habla Dios (52:13–15 y 53:11b–12). Con el título "mi siervo", Dios anuncia el éxito y exaltación del Siervo. Este breve anuncio, sin embargo, da paso a la descripción del efecto que produce el dolor del Siervo en aquellos que lo ven. Un rostro desfigurado que incluso produce terror. Quienes lo ven reflexionan, pero no parecen comprender su situación. Los oyen-

tes del canto tampoco acaban de creer lo que escuchan.

Entre Isaías 52:1–11 aparece un grupo (quizá todo el pueblo o un grupo de cantores), describiendo poéticamente la pasión, sufrimientos y triunfo del Siervo. Este grupo aparece en el "nosotros" y canta una trayectoria escueta del Siervo a manera de testimonio; quien parece ser fuente de gracia para los cantores.

El sufrimiento del Siervo se presenta en términos claros: es un brote, pero la tierra apenas puede alimentarlo. Está abandonado por quienes interpretan su sufrimiento

como castigo de Dios y quienes a la vez temen que ese castigo les alcance. El Siervo no habla. Su silencio parece significar paciencia; pero también sugiere su carencia de derecho a dejar oír su voz. En los Salmos de lamento, muchas veces el que sufre confiesa su propio pecado. En este caso, el que sufre no expresa pecado alguno. El grupo de cantores confiesa que el Siervo carga con los males de los otros. Éstos también clarifican que la rebeldía o pecado es del "nosotros", mientras que el dolor lo sufre el siervo inocente. Se usa la imagen de la oveja que está siendo llevada al matadero para reflejar

traspasado por nuestras rebeliones,
triturado por nuestros crímenes.
Él **soportó** el castigo que nos **trae** la paz.
Por sus llagas hemos sido **curados**.

Todos andábamos errantes **como ovejas**,
cada uno siguiendo **su camino**,
y el Señor **cargó** sobre él **todos** nuestros crímenes.
Cuando lo maltrataban, se humillaba y **no abría** la boca,
como un cordero llevado a **degollar**;
como **oveja** ante el esquilador,
enmudecía y no abría la boca.

Inicuamente y **contra toda justicia** se lo llevaron.
¿**Quién** se preocupó de su suerte?
Lo **arrancaron** de la tierra de los vivos,
lo **hirieron de muerte** por los pecados de mi pueblo,
le dieron sepultura **con los malhechores** a la hora de su muerte,
aunque **no había cometido** crímenes,
ni hubo **engaño** en su boca.

El Señor quiso **triturarlo** con el sufrimiento.
Cuando **entregue** su vida como expiación,
verá a sus descendientes, **prolongará** sus años
y **por medio de él** prosperarán los designios del Señor.
Por las fatigas de su alma, **verá** la luz y se saciará;
con sus sufrimientos **justificará** mi siervo a muchos,
cargando con los crímenes de ellos.

Por eso le daré una parte **entre los grandes**,
y con los fuertes **repartirá** despojos,
ya que indefenso **se entregó** a la muerte
y fue **contado** entre los malhechores,
cuando tomó sobre sí **las culpas de todos**
e **intercedió** por los pecadores.

Lee sosegadamente cada detalle. Que tu tono de voz comunique la tristeza del pueblo al dar testimonio del sufrimiento del siervo.

Localiza las frases positivas y alarga su pronunciación para que la asamblea retenga esas expresiones.

Nota el paralelismo de las frases de este párrafo y déjalo patente en tu proclamación. Termina con tono alto, como si algo restara por anunciar.

---

este juicio y condena. El reclamo por la justicia, que también aparece en los salmos de lamentación, en este canto aparece reclamado directamente por los testigos del sufrimiento del Siervo. Finalmente, éstos expresan que la sepultura del Siervo sella una vida de dolor y desprecio. Sin embargo, el humillado triunfa. Si bien sufrió desgracia desde su nacimiento hasta su sepultura, su triunfo abarca ahora toda su existencia. Los cantores proclaman su extraordinario retorno a la vida. Más aún, confiesan que ellos mismos han transformado su actitud y que reconocen el valor del Siervo.

El canto comunica un final esperanzador. En los versos finales, Dios mismo proclama el triunfo de su Siervo. Le promete una vida larga y descendencia, bendiciones clásicas en el Antiguo Testamento. Aclara que el triunfo del Siervo es parte del plan divino. La pasión del inocente y su triunfo servirá para llevar la justicia a los demás.

Este canto leído en conexión con los otros tres Cantos del Siervo en el libro de Isaías permite identificar al Siervo con el pueblo judío o una parte de él, en su experiencia de sufrimientos y reivindicación. Como cristianos, leemos el texto a la luz de la pregunta del eunuco en Hechos 8:34 y en el contexto de lo que conmemoramos en la liturgia de este día. Por lo tanto, Jesús en su vida, pasión, muerte y resurrección modeló al siervo de este canto.

II LECTURA El motivo del sumo sacerdote misericordioso como identidad de Jesús apareció brevemente al principio del escrito (2:17). Ahora el autor lo desarrolla como preparación a la exposición acerca del sacerdocio de Jesús que desarrolla a continuación.

Para meditar

SALMO RESPONSORIAL   Salmo 31:2 y 6, 12–13, 15–16, 17 y 25

R. Padre, en tus manos encomiendo mi espíritu.

A ti, Señor, me acojo:
   no quede yo nunca defraudado;
   tú, que eres justo, ponme a salvo.
A tus manos encomiendo mi espíritu:
   tú, el Dios leal, me librarás. **R.**

Soy la burla de todos mis enemigos,
   la irrisión de mis vecinos,
   el espanto de mis conocidos;
   me ven por la calle y escapan de mí.
Me han olvidado como a un muerto,
   me han desechado como a un
      cacharro inútil. **R.**

Pero yo confío en ti, Señor,
   te digo: "Tú eres mi Dios".
En tu mano están mis azares;
   líbrame de los enemigos que me
      persiguen. **R.**

Haz brillar tu rostro sobre tu siervo
   sálvame por tu misericordia.
Sean fuertes y valientes de corazón,
   los que esperan en el Señor. **R.**

II LECTURA   Hebreos 4:14–16; 5:7–9

Lectura de la carta a los hebreos

Hermanos:
Jesús, el **Hijo** de Dios,
   es nuestro **sumo sacerdote**, que ha entrado en el cielo.
Mantengamos **firme** la profesión de nuestra fe.
En efecto, **no tenemos** un sumo sacerdote
      que no sea capaz **de compadecerse** de nuestros sufrimientos,
   puesto que **él mismo**
      ha pasado por **las mismas pruebas** que nosotros,
   excepto el pecado.
Acerquémonos, por tanto,
   con **plena** confianza al trono de la gracia,
   para **recibir** misericordia,
   hallar la gracia y **obtener** ayuda en el momento oportuno.

Precisamente por eso, Cristo, durante su vida mortal,
   ofreció oraciones y súplicas, con **fuertes** voces y lágrimas,
   a aquel que **podía** librarlo de la muerte,
   y **fue escuchado** por su piedad.

El hilo argumentativo no es fácil de seguir. Localiza el verbo principal de cada oración para que le des el tono adecuado a las frases subordinadas.

Respalda este segundo exhorto con el contacto visual sobre la asamblea. Apoya la voz desde el diafragma y dale profundidad.

Nota el drama que se describe y modula la velocidad de lectura para que la asamblea capte muy bien las referencias.

La imagen de Cristo en el texto de Hebreos tiene rasgos solemnes y cultuales. El autor parece perfeccionar esta presentación insistiendo en la misericordia compasiva de Cristo en estos versículos.

El pasaje que nos ocupa presenta primeramente una reflexión en torno a Jesús como perfecto sumo sacerdote. El autor señala la superioridad de Jesús con respecto al sumo sacerdote judío. Jesús fue hijo de Dios desde siempre, existente antes de aparecer sobre la tierra. Sin embargo, en los días de su vida mortal todavía debía llegar a ser lo que era ya desde la eternidad.

Jesús, asegura el autor, es capaz de compadecerse de los pecados de los seres humanos por que conoció la tentación como ser humanos. Aún más, llegó a experimentar el miedo a la muerte. Esto sirve de garantía a su comunidad para llamarles a confiar en su sacerdocio.

La segunda parte de nuestra lectura (5:7–9) enfatiza la pasión de Jesús, sumo sacerdote. El motivo de aprender a través del sufrimiento está presente en la literatura griega y en Pablo (cf. Romanos 5:18 y Filipenses 2:8), así como en este texto. El sufrimiento de Jesús es presentado como

camino que lo llevó a alcanzar la perfección, en la esfera terrestre y celeste. Las oraciones, súplicas y confianza en su Padre fueron marcas constantes a lo largo de su vida. Pero estos aspectos aparecen mucho más evidentes en momentos en que experimentó el abandono, traición y persecución extremos. Su sufrimiento llegó a liberar y asegurar a los suyos la fidelidad de Dios Padre que escucha el clamor de su pueblo en momentos de sufrimiento extremo.

Este texto, leído en el contexto que conmemoramos hoy, nos invita a postrarnos ante Dios y agradecerle profundamente por su

A pesar de que **era el Hijo**, **aprendió** a obedecer **padeciendo**,
    y llegado a su **perfección**,
    se **convirtió** en la causa de la salvación **eterna**
        para **todos** los que lo obedecen.

EVANGELIO   Juan 18:1—19:42

Pasión de nuestro Señor Jesucristo según san Juan

En **aquel** tiempo, Jesús fue con sus discípulos
    al **otro** lado del torrente Cedrón,
    donde había un huerto, y entraron **allí** él y sus discípulos.
Judas, el traidor, conocía **también** el sitio,
    porque Jesús se reunía a menudo allí con sus discípulos.

Entonces **Judas** tomó un batallón de soldados y guardias
    de los sumos sacerdotes y de los fariseos
    y **entró** en el huerto con linternas, antorchas y armas.

Jesús, sabiendo **todo** lo que iba a suceder, se **adelantó** y les dijo:
    "**¿A quién** buscan?"
Le contestaron:
    "A Jesús, **el nazareno**".
Les dijo Jesús:
    "**Yo soy**".
Estaba también con ellos Judas, **el traidor**.
Al decirles '**Yo soy**', retrocedieron y **cayeron** a tierra.
Jesús les **volvió** a preguntar:
    "¿A **quién** buscan?"
Ellos dijeron:
    "A Jesús, **el nazareno**".
Jesús contestó:
    "Les he dicho que **soy yo**.
Si me buscan **a mí**, dejen que éstos se vayan".
Así **se cumplió** lo que Jesús había dicho:
    'No he perdido **a ninguno** de los que me diste'.

El relato de la pasión está lleno de energía y movimiento. Es importante identificar los distintos cuadros para que la voz narradora principal dé el tono adecuado a cada uno de ellos, y regule la velocidad y los énfasis.

La voz de Jesús debe reflejar autoridad y firmeza. Esto contrasta con la inestabilidad de sus opositores.

Hijo. Nos desafía a la vez, a preguntarnos qué hemos aprendido hasta ahora de nuestras experiencias de sufrimiento como discípulos; y si estamos creciendo en la obediencia a él, conforme al modelo del Cristo.

EVANGELIO El relato de la pasión en el evangelio de san Juan empieza y termina en un huerto. Este punto nos trae a la memoria los relatos de los orígenes de la humanidad en el huerto. En los primeros 11 versículos, Jesús, sus discípulos y sus enemigos aparecen en él.

A diferencia de los sinópticos, Juan precisa mejor la escena geográfica del primer evento. Sin embargo, su descripción del grupo policial que llega al huerto (Judas, soldados romanos, sumos sacerdotes, guardias de los sumos sacerdotes y fariseos) es históricamente improbable. Estos personajes no solían actuar en conjunto. Además, los elementos que éstos portan (linternas, antorchas y armas) sugieren que su mención tiene tonos simbólicos. Lo común que los enemigos de Jesús brindan es su propia luz, opuesta a Jesús, la luz del mundo.

Juan hace hincapié en el conocimiento de Jesús de lo que estaba por venir y en su control de la situación. En su relato, Jesús inicia la interrogación a sus enemigos, se revela a sí mismo abiertamente con la fórmula usada por Dios ante Moisés "Yo soy" y ante tal revelación, sus enemigos retroceden y caen por tierra. Además, sus palabras comunican la certeza que Jesús no ha perdido a ninguno de los suyos, incluido Judas. La imagen que Juan parece enfatizar es la de un mesías que bebe voluntariamente del cáliz y que de este modo desencadena su pasión. Jesús no tiene miedo, no aparece abandona-

Este episodio es violento y parte del arresto de Jesús. Acelera un tanto la descripción y enfatiza las dos últimas líneas, la resolución de Jesús.

Entonces **Simón Pedro**, que llevaba una espada,
   la sacó e **hirió** a un criado del sumo sacerdote
   y **le cortó** la oreja derecha. Este criado se llamaba **Malco**.
Dijo entonces Jesús **a Pedro**:
   "**Mete** la espada en la vaina.
¿No voy **a beber** el cáliz que me **ha dado** mi Padre?"

Baja la velocidad al pronunciar los nombres. Eleva el tono en la última línea.

El batallón, su comandante y los criados de los judíos
   apresaron a Jesús, lo ataron y lo llevaron primero **ante Anás**,
   porque era suegro de Caifás, **sumo sacerdote** aquel año.
Caifás era el que había dado a los judíos **este consejo**:
   '**Conviene** que muera **un solo hombre** por el pueblo'.

Los episodios se alternan entre lo que sucede con Pedro y lo que sucede con Jesús. La voz narrativa debe reflejar la angustia de Pedro al responder a la portera.

Simón Pedro y otro discípulo iban siguiendo a Jesús.
Este discípulo era **conocido** del sumo sacerdote
   y **entró** con Jesús en el palacio del sumo sacerdote,
   mientras Pedro se quedaba **fuera**, junto a la puerta.
Salió el otro discípulo, el conocido del sumo sacerdote,
   habló con la portera e **hizo entrar** a Pedro.
La portera dijo entonces a Pedro:
   "¿No eres **tú también** uno de los discípulos de **ese** hombre?"
Él dijo:
   "**No lo soy**".
Los criados y los guardias habían **encendido** un brasero,
   porque hacía **frío**, y se calentaban.
También Pedro estaba con ellos **de pie**, calentándose.

Jesús está en control de la situación; su serenidad debe ser patente en el tono y la velocidad al leer sus intervenciones.

El sumo sacerdote **interrogó** a Jesús acerca de sus discípulos
   y de su doctrina.
Jesús le contestó:
   "Yo he hablado **abiertamente** al mundo
   y he enseñado **continuamente** en la sinagoga y en el templo,
   donde se reúnen **todos** los judíos,
   y no he dicho **nada** a escondidas.
¿**Por qué** me interrogas **a mí**?
Interroga a los que **me han oído**, sobre lo que **les he hablado**.
   Ellos **saben** lo que he dicho".

do por sus discípulos ni experimentando soledad y dolor. Él mismo dictamina que sus enemigos dejen ir a los discípulos. Pedro no parece entender que en ello radica el poder de Jesús y una vez más aparece bloqueando el designio de Dios.

En los versos 12–26 aparecen entrelazados los relatos de la negación de Pedro y el interrogatorio a Jesús. Luego de ser capturado, Jesús es llevado a la casa de Anás, que era suegro de Caifás, sumo sacerdote en tiempos de la muerte de Jesús. La finalidad del interrogatorio del sumo sacerdote habría sido recoger las acusaciones necesa-

rias para conseguir una condena por parte del procurador romano.

Juan parece usar la referencia a un discípulo anónimo para explicar la presencia de Pedro en la casa del sumo sacerdote, con lo que sugiere que Jesús no está solo durante el proceso. Pedro es localizado en el exterior, alrededor de la luz y calor del fuego, junto a los sirvientes y guardias de los sumos sacerdotes. De este modo, Juan sugiere que, como Judas, Pedro también se va distanciando de la luz del mundo. El relato de la negación de Pedro contiene varias re-

ferencias a su discipulado que subrayan la fragilidad del discípulo.

Simultáneamente, Jesús es interrogado en torno a sus discípulos y su doctrina. Al responder, Jesús invierte el orden de la pregunta. Jesús aparece franco y abierto al hablar de su enseñanza. No ha ofrecido nada secreto, peligroso u obscuro. Ha enseñado en los espacios públicos de los judíos. Los verbos en tiempo pasado (perfecto y aoristo) indican que su presencia histórica como Maestro ha llegado a su fin. Sin embargo, su Palabra sigue disponible para el mundo. Y

Apenas dijo esto, uno de los guardias
  le dio una **bofetada** a Jesús, diciéndole:
  "**¿Así** contestas al sumo sacerdote?"
Jesús le respondió:
  "Si he **faltado** al hablar, demuestra **en qué** he faltado;
  pero si he hablado **como se debe**, ¿**por qué** me pegas?"
Entonces **Anás** lo envió atado a Caifás, el **sumo** sacerdote.

Simón Pedro estaba de pie, calentándose, y le dijeron:
  "¿No **eres tú** también **uno** de sus discípulos?"
Él **lo negó** diciendo:
  "**No lo soy**".
Uno de los criados del sumo sacerdote,
  pariente de aquel a quien Pedro
    le **había cortado** la oreja, le dijo:
  "¿Qué no te vi yo **con él** en el huerto?"
Pedro **volvió** a negarlo y **en seguida** cantó un gallo.

Llevaron a Jesús de casa de Caifás **al pretorio**.
Era muy de mañana y ellos **no entraron** en el palacio
    para **no incurrir** en impureza
  y poder así **comer** la cena de Pascua.

Salió entonces Pilato a donde estaban ellos y les dijo:
  "**¿De qué** acusan a ese hombre?"
Le contestaron:
  "Si **éste** no fuera **un malhechor**, no te lo hubiéramos traído".
Pilato les dijo:
  "Pues **llévenselo** y júzguenlo **según su ley**".
Los judíos le respondieron:
  "No estamos autorizados para **dar muerte** a nadie".
Así **se cumplió** lo que había dicho Jesús,
  indicando **de qué muerte** iba a morir.

Entró **otra vez** Pilato en el pretorio, llamó a Jesús y le dijo:
  "**¿Eres tú** el rey de los judíos?"
Jesús le contestó:
  "¿Eso lo preguntas **por tu cuenta** o te lo han dicho **otros**?"

Imprime energía a la respuesta de Jesús. Nota que los roles en el interrogatorio se van invirtiendo. Jesús se convierte en juez ante sus verdugos.

Las distintas voces de los personajes han de procurar entonar bien las oraciones interrogativas y declarativas.

Cambia la velocidad de lectura para este nuevo desarrollo con dos escenarios. Debe haber una pausa antes de las palabras de Jesús dirigidas a estos personajes.

---

por ello Jesús invita a recurrir a quienes lo han escuchado.

El golpe que Jesús recibe de uno de los guardias pone en evidencia la inocencia, dignidad y posesión de la verdad por parte de Jesús, quien no se excusa. Es el guardia quien es obligado a explicar su acción. A este punto Juan refiere que Anás envió a Jesús atado a Caifás (v. 24). Lo que allí ocurrió no es comunicado por el evangelista. Su atención retorna más bien a Pedro. En su tercera negación, Pedro rechaza que estuvo en el huerto, precisamente a quien estuvo frente a él en aquel espacio. El canto del

gallo cierra dramáticamente el episodio. Jesús había indicado que su palabra estaba esparcida en el mundo gracias a quienes lo han escuchado. Sin embargo, uno de los que lo han escuchado lo niega de modo muy atrevido y otro lo traiciona. Pese a esta fragilidad de los discípulos, su enseñanza sigue disponible. Y de ello somos testigos.

El siguiente espacio en el que encontramos a Jesús es en el pretorio frente a Pilato. El relato empieza con el grupo denominado como "los judíos" llevando a Jesús ante la autoridad romana (18:28) y termina con la autoridad romana entregan-

do a Jesús en sus manos, para que eleven al Hijo de Dios en la cruz (19:16). En la escena central, Jesús es coronado, vestido como rey y proclamado Rey de los Judíos (19:1–3). Todo el proceso resalta su dignidad real.

Pilato descendía de la estirpe romana de los Poncios, y el año duodécimo del gobierno de Tiberio había sido enviado a Judea como procurador. Éste solía desplazarse a Jerusalén durante las principales fiestas judías, para salvaguardar el orden público. El autor hace teología del tiempo, amanecía el día del triunfo y de la consumación. El día en que iban a sacrificarse los corderos de la

Pilato le respondió:
"**¿Acaso** soy yo judío?
Tu pueblo y los sumos sacerdotes te han entregado **a mí**.
¿**Qué** es lo que has hecho?"
Jesús le contestó:
"Mi Reino **no es de este mundo**.
Si **mi Reino** fuera de este mundo,
mis servidores **habrían luchado** para que no cayera yo
en manos de los judíos.
Pero mi Reino **no es de aquí**".
Pilato le dijo:
"¿Conque tú eres rey?"
Jesús le contestó:
"**Tú** lo has dicho. **Soy rey**.
Yo nací y **vine** al mundo para ser **testigo de la verdad**.
Todo el que es de la verdad, **escucha** mi voz".
Pilato le dijo:
"¿Y **qué es** la verdad?"

Dicho esto, salió **otra vez** a donde estaban los judíos y les dijo:
"No encuentro en él **ninguna** culpa.
Entre ustedes **es costumbre**
que por Pascua **ponga en libertad** a un preso.
¿Quieren que les suelte **al rey** de los judíos?"
Pero **todos ellos** gritaron:
"¡No, a **ése no**! ¡A **Barrabás**!"
(El tal Barrabás era **un bandido**).

Entonces Pilato tomó a Jesús y lo mandó **azotar**.
Los soldados **trenzaron** una corona **de espinas**,
se la pusieron en la cabeza,
le echaron encima un manto color **púrpura**,
y acercándose a él, le decían:
"**¡Viva** el rey de los judíos!", y le daban de bofetadas.

Pilato salió otra vez afuera y les dijo:
"Aquí lo traigo para que sepan que **no encuentro**
en él **ninguna** culpa".

Eleva el tono de voz en estas palabras para que resalte la identidad de Jesús.

No es fácil modular la ironía tras el relato que representa la entronización y proclamación del rey Jesús.

pascua y el verdadero Cordero pascual. Dos juicios ocurren simultáneamente: uno entre Pilato y los judíos fuera del pretorio y otra dentro entre Pilatos y Jesús. El proceso judicial en Juan es en realidad un proceso a Pilato y a "los judíos".

Pilato inicia preguntando a los judíos por el fundamento de la acusación. La respuesta es muy vaga "es un malhechor". Con semejante imprecisión, Pilato no puede abrir un proceso. Al intentar deshacerse de él, los judíos le revelan que su intención es dar muerte a Jesús y que su jurisdicción es limitada. Pilato va entonces ante Jesús en

busca de un hecho jurídico. Jesús evita hablar de su estatus en el plano político e introduce el tema del reino, que corresponde al plano teológico y escatológico, pero con consecuencias en la historia. Se presenta como el que revela la verdad y el que conduce a quienes escuchan su voz hacia este reino de la verdad. Esta revelación que a la vez es invitación, es rechazada por el procurador quien no se abre a una comprensión más allá de categorías políticas y militares.

Pilato sale nuevamente hacia fuera y declara la inocencia de Jesús a los judíos,

les ofrece liberar a su rey. Pero los judíos prefieren a Barrabás, hombre de violencia. Quienes se resisten a abrazar al rey verdadero acabarán con un rey criminal. Nuevamente Pilato va hacia Jesús y esta vez ordena azotarle. Contrariamente a la hiperbólica presentación de los sufrimientos del Cristo en los sinópticos, Juan simplifica este evento. Jesús es coronado, vestido y aclamado como Rey de los Judíos. El motivo de la realeza de Jesús es subrayado de modo paradójico.

En su tercera aparición frente a los judíos, Pilato no sólo declara la inocencia de

Salió, pues, **Jesús** llevando la corona de espinas
    y el manto color púrpura.
Pilato les dijo:
    "**Aquí está** el hombre".
Cuando lo vieron los sumos sacerdotes
    y sus servidores, **gritaron**:
    "**¡Crucifícalo, crucifícalo!**"
Pilato les dijo:
    "**Llévenselo** ustedes y **crucifíquenlo**,
    porque yo **no encuentro** culpa en él".
Los judíos le contestaron:
    "Nosotros tenemos **una ley** y según esa ley **tiene que morir**,
    porque se ha declarado **Hijo de Dios**".

Cuando Pilato oyó estas palabras, se asustó aún más,
    y entrando otra vez en el pretorio, dijo a Jesús:
    "**¿De dónde** eres tú?"
Pero Jesús **no le respondió**.
Pilato le dijo entonces:
    "**¿A mí** no me hablas?
¿No sabes que tengo **autoridad** para soltarte
    y autoridad para **crucificarte**?"
Jesús le contestó:
    "No tendrías **ninguna** autoridad sobre mí,
    si no te la hubieran dado **de lo alto**.
Por eso, el que me entregado a ti tiene un pecado **mayor**".

Desde ese momento, Pilato **trataba** de soltarlo,
    pero los judíos **gritaban**:
    "**¡Si sueltas a ése, no eres amigo** del César!**;** porque todo el que
        pretende ser rey, es enemigo del César".
Al oír **estas** palabras, Pilato sacó a Jesús y lo **sentó** en el
    tribunal, en el sitio que llaman "**el Enlosado**"
        (en hebreo Gábbata).
Era el día de **la preparación** de la Pascua, hacia el mediodía.
Y dijo Pilato a los judíos:

Este doble grito tiene aire de violencia irracional. Dale ese tono también tono a la intervención de los judíos.

Este intercambio ha de reflejar el contraste entre el vulnerable procurador y el sereno reo.

Debe sonar amenazante este último intercambio. Eleva un tanto la voz en las negrillas para enfatizar detalles importantes.

Jesús, lo presenta con solemnidad y honor, ¡He aquí el hombre! La reacción de los judíos pone en evidencia su propia culpabilidad e inhumanidad. Se refieren a la ley para justificar sus exigencias de que muera Jesús. Su argumento es que Jesús ha desafiado sus leyes al atribuirse el título de Hijo de Dios. Pilato vuelve a ingresar al pretorio ya con mayor preocupación. Ha entendido que el título que se imputa Jesús puede ser peligroso. Se acerca a Jesús, pero éste rechaza la conversación en torno a su identidad en términos terrenales. Desilusionado, el procurador se ampara en su autoridad.

Ante ello Jesús le aclara que su autoridad es mayor, pues viene de arriba. Cuanto haya comprendido el procurador escapa a nuestro conocimiento, pero es evidente que todavía no encontró hasta este punto motivo alguno para condenarle.

El autor nos indica los intentos de Pilato por liberar a Jesús. Sin embargo, los judíos llegan al punto de enseñar al procurador en qué consiste la lealtad al César y la autoridad general de su emperador. Pilato se rinde ante los judíos. A la sexta hora, tiempo en que el cordero Pascual debía ser sacrificado, los judíos gritan pidiendo la

muerte del Cordero de Dios. En nombre de una pretendida lealtad al emperador, los judíos no sólo repudian al Mesías. Se distancian además del ideal mesiánico en general. Según la perspectiva juánica, ambos, la autoridad romana y la autoridad judía llegan a atribuirse la responsabilidad en la condena del inocente Cordero de Dios.

Jesús es entregado por Pilato en las manos de los judíos, pero los romanos también están involucrados en la crucifixión. La crucifixión era una pena romana y ejecutarla era de su competencia. En el relato de Juan, la crucifixión física es descrita en términos

"**Aquí tienen a su rey**".
Ellos gritaron:
"¡Fuera, fuera! ¡**Crucifícalo**!"
Pilato les dijo:
"¿A **su rey** voy a crucificar?"
Contestaron los sumos sacerdotes:
"**No** tenemos más rey que **el César**".
Entonces se lo entregó para que **lo crucificaran**.

Tomaron a Jesús y él, **cargando** con la cruz,
    se dirigió hacia el sitio llamado "**la Calavera**"
        (que en hebreo se dice Gólgota),
    donde lo **crucificaron**, y con él a **otros dos**,
    uno de **cada lado**, y en medio **Jesús**.
Pilato **mandó** escribir un letrero
    y ponerlo **encima** de la cruz;
        en él estaba escrito: 'Jesús el nazareno, **el rey** de los judíos'.
Leyeron el letrero **muchos** judíos,
    porque **estaba cerca** el lugar donde crucificaron a Jesús
    y estaba escrito en **hebreo, latín y griego**.
Entonces los sumos sacerdotes de los judíos le dijeron a Pilato:
    "**No escribas**: 'El **rey** de los judíos',
    sino: '**Éste ha dicho: Soy rey** de los judíos'".
Pilato les contestó:
    "Lo escrito, **escrito está**".

Cuando crucificaron a Jesús,
    los soldados cogieron su ropa e hicieron **cuatro partes**,
    una para cada soldado, y **apartaron** la túnica.
Era una túnica **sin costura**,
    tejida **toda** de una pieza de arriba a abajo.
Por eso se dijeron:
    "No la rasguemos, sino **echemos suertes**
        para ver a quién le toca".

Aminora la velocidad en esta parte. Distingue los cuadros descriptivos y procura modificar tu proclamación acorde a ellos. Ralentiza en las negrillas.

breves. Se omiten escenas dramáticas y personajes de los sinópticos que distraigan la atención.

Juan se centra primero en el título que es colocado en la cruz. El reinado de Jesús es proclamado en hebreo, latín y griego, los tres idiomas universales conocidos por la comunidad de Juan. Aunque los judíos rechazan esta proclamación, el anuncio queda patente.

En un segundo momento el narrador se enfoca en la túnica de una pieza de Jesús. Los soldados romanos se reparten su vestuario, pero dejan intacta y echan suertes para ver quién se quedaría con la túnica, Se comportan exactamente según el Salmo 22:19. Para Juan, todo discurre según el plan de Dios vaticinado por las Escrituras.

El siguiente momento enfatizado es la palabra que Jesús dirige a su madre y al discípulo amado. A este punto sabemos que este último personifica al discípulo modelo. Muy rápidamente el autor menciona también a otras mujeres. Por la cruz y desde ella se forma una nueva familia, la comunidad de los suyos en la que prima el amor. No es posible interpretar que este discípulo es invitado a cuidar de una viuda y frágil mujer.

El rol de la madre de Jesús al pie de la cruz es significativo. Ella estuvo al inicio del ministerio público de Jesús y está ahora al inicio de la nueva familia.

El momento de la muerte de Jesús contiene referencias al cumplimiento de las Escrituras. Primeramente, la mención del hisopo recuerda la instrucción a los israelitas de untar los dinteles de las casas con un hisopo, en preparación al paso del Señor. En segundo lugar, la expresión "Tengo sed" y el vinagre hacen eco al Salmo 68:22. Y su última frase expresa que muere quien ha llevado a término su obra. En tercer lugar, Juan

Haz una breve pausa antes de las tres últimas líneas de este párrafo.

El cuadro es muy importante; baja la velocidad pero no la intensidad de este diálogo.

Infunde reverencia a las palabras de Jesús pronunciándolas con cierta lentitud. Baja enseguida la velocidad hasta el silencio prescrito (unos treinta segundos). Luego retoma la lectura como con cierta distancia y reverencia.

Así se **cumplió** lo que dice la Escritura:
Se repartieron mi ropa y echaron a suerte mi túnica.
Y eso hicieron los soldados.

Junto a la cruz de Jesús estaba **su madre**,
la hermana de su madre,
María la de Cleofás, y **María Magdalena**.
Al **ver** a su madre y **junto a ella** al discípulo que **tanto** quería,
Jesús dijo a su madre:
"**Mujer**, ahí está **tu hijo**".
Luego dijo al discípulo:
"**Ahí está** tu madre".
Y **desde entonces** el discípulo se la llevó a vivir **con él**.

Después de esto,
sabiendo Jesús que **todo** había llegado a **su término**,
para que **se cumpliera** la Escritura, dijo:
"Tengo sed".
Había allí un jarro **lleno** de vinagre.
Los soldados sujetaron una esponja **empapada** en vinagre
a una caña de hisopo
y se la acercaron a la boca.
Jesús probó el vinagre y dijo:
"**Todo está cumplido**",
e, inclinando la cabeza, **entregó** el espíritu.

[Aquí se arrodillan todos y se hace una breve pausa.]

Entonces, los judíos,
como era el día **de la preparación** de la Pascua,
para que los cuerpos de los ajusticiados
no se quedaran en la cruz **el sábado**,
porque **aquel** sábado era un día **muy** solemne,
pidieron a Pilato que les **quebraran** las piernas
y los **quitaran** de la cruz.
Fueron los soldados, le quebraron las piernas **a uno**
y luego **al otro** de los que habían sido crucificados **con él**.

confirma que Jesús ha entregado su espíritu, el paráclito prometido, que ahora está disponible para su nueva familia.

Además, Jesús, en su condición de Cordero pascual, ha sido sacrificado sin que un hueso suyo fuese quebrado (Éxodo 12:46). Las indicaciones tempranas de Juan el Bautista que Jesús es el Cordero de Dios (Juan 1:29, 35) han llegado a ser confirmadas. Finalmente, la referencia al "traspasado" evoca la figura del inocente en Zacarías 12:10.

El agua y la sangre que brotan del costado sugiere el nacimiento de la nueva comunidad al pie de la cruz. La revelación de Dios continuará a través de la comunidad bautizada que celebra y testimonia la Eucaristía.

El relato de la sepultura de Jesús cierra la conmemoración de la pasión de Jesús. Dos personajes emergen a este punto en el evangelio de Juan. Nicodemo y José de Arimatea, a quienes Juan presenta como discípulos de Jesús en lo secreto antes de su muerte, ahora aparecen públicamente como miembros de su nueva familia. Ambos ungen y envuelven en lienzo el cuerpo de Jesús y lo entierran como si fuese un rey.

En el huerto, ahora Jesús está rodeado de una comunidad que acoge el cuerpo de un crucificado con la dignidad que le corresponde. En el huerto ocurre la inversión y la nueva creación. Entre el primer y último huerto, Jesús ha sido proclamado rey, ha ejercido tal autoridad ante Pilato y los judíos, ha llevado a cumplimiento la tarea encomendada por su Padre, ha sido elevado, reunió a los suyos y fundó la comunidad de fe y amor, su nuevo reino.

Aunque sean capaces de fallar, les confía su Palabra y amar en abundancia tal como él ha amado. José de Arimatea y

Pero al llegar **a Jesús**,
  viendo que ya **había muerto**,
  no le quebraron las piernas,
  sino que uno de los soldados
    le traspasó el costado con una lanza
  e **inmediatamente** salió **sangre y agua**.

El que vio **da testimonio** de esto y su testimonio es **verdadero**
  y él **sabe** que dice la verdad, para que **también** ustedes **crean**.
Esto sucedió para que **se cumpliera** lo que dice la Escritura:
  No le quebrarán ningún hueso;
  y en **otro** lugar la Escritura dice:
  Mirarán al que traspasaron.

Después de esto, **José de Arimatea**, que era **discípulo** de Jesús,
  pero **oculto** por miedo a los judíos,
  pidió a Pilato que lo **dejara llevarse** el cuerpo de Jesús.
Y Pilato lo **autorizó**.
Él fue entonces y **se llevó** el cuerpo.

Llegó **también** Nicodemo, el que había ido a verlo **de noche**,
  y trajo unas **cien** libras de una mezcla de mirra y áloe.

Tomaron el cuerpo de Jesús
  y lo **envolvieron** en lienzos con esos aromas,
  según **se acostumbra** enterrar entre los judíos.
Había **un huerto** en el sitio donde lo crucificaron,
  y en el huerto, un sepulcro **nuevo**,
  donde **nadie** había sido enterrado **todavía**.
Y como para los judíos era el **día de la preparación** de la Pascua
  y el sepulcro **estaba cerca**, **allí** pusieron a Jesús.

Al llegar a este párrafo eleva un poco el tono de tu voz y a manera de una declaración pronuncia las dos primeras líneas.

Haz una breve pausa antes de empezar este párrafo. Enfatiza la descripción de los dos personajes que aparecen en este episodio.

Con voz reflexiva avanza con esta información conclusiva del sepulcro y del destino del cuerpo de Jesús. Alarga las palabras en negrillas para insinuar que habrá un nuevo comienzo.

Nicodemo son testimonio de la abundancia de esta nueva comunidad, que continúa desafiando a la comunidad de Jesús de nuestro tiempo.

VIGILIA PASCUAL
EN LA NOCHE SANTA

Recuerda que hay una escalada de días, pero cada uno tiene una maravilla a admirar. El inicio es solemne y misterioso. Recuerda hacer las pausas antes de cada discurso divino y sus efectos.

Conviene pausar antes de presentar cada día.

I LECTURA   Génesis 1:1—2:2

Lectura del libro del Génesis

En el principio **creó** Dios el cielo y la tierra.
La tierra era **soledad** y caos;
    y las tinieblas **cubrían** la faz del abismo.
El espíritu de Dios **se movía** sobre la superficie de las aguas.

Dijo Dios:
    "Que **exista** la luz",
    y la luz existió.
Vio Dios que la luz **era buena**,
    y **separó** la luz de las tinieblas.
Llamó a la luz "**día**" y a las tinieblas, "**noche**".
Fue la tarde y la mañana del **primer** día.

Dijo Dios:
    "Que haya una **bóveda** entre las aguas,
    que **separe** unas aguas de otras".
E hizo Dios una bóveda
    y **separó** con ella las aguas de arriba, de las aguas de abajo.
Y así fue.
Llamó Dios a la bóveda "**cielo**".
Fue la tarde y la mañana del **segundo** día.

Dijo Dios:
    "Que se **junten** las aguas de debajo del cielo en un **solo** lugar
    y que aparezca el suelo seco".
Y así fue.

I LECTURA Abrimos esta noche de memoria de la historia salvífica operada por Dios para con su pueblo, con un poema que exalta la obra creadora de Dios. El poema refleja un largo proceso de reflexión teológica condensado y reelaborado por el círculo sacerdotal de Israel.

El poema nos presenta una descripción cósmica y con categorías propias de su tiempo. A la base están los mitos cosmogónicos de varios pueblos antiguos de Medio Oriente en los que el origen del ser humano y de la creación solían ir juntos. Israel adaptó muchos elementos de esos mitos bajo la concepción de un único Dios que está por encima de todo elemento cósmico, que crea por iniciativa propia, confirma todo lo creado como bueno y lo bendice.

Desde el punto de vista poético, el texto es una pieza magistral. Luego de una introducción general se van presentando cada uno de los siete días, como siete momentos creativos. Los seis primeros siguen un esquema regular que contiene una formula introductoria "Y dijo Dios", el mandato divino "Haya…", el cumplimiento del mandato "Y hubo", "Y así fue", La valoración positiva otorgada por Dios, y una fórmula conclusiva.

A nivel de estructura, el poema refleja la importancia de la división y clasificación en los diversos momentos creativos. Desde la perspectiva sacerdotal, la división es principio de orden y la clasificación sirve para distinguir un ente creado de otro. Además, la introducción resalta la situación caótica, antes de iniciar el proceso de creación, en la que el espíritu de Dios está presente, así como el séptimo momento creativo destaca el orden y armonía conseguidos por el Creador. A ello, la teología sacerdotal le añade la liturgia, que para Israel también refleja orden y armonía. De este modo, todo lo

132

Llamó Dios "**tierra**" al suelo seco y "**mar**" a la masa de las aguas.
Y **vio** Dios que era **bueno**.

Dijo Dios:
   "**Verdee** la tierra con plantas que den **semilla**
   y **árboles** que den fruto y semilla, según su especie,
      sobre la tierra".
Y así fue.
Brotó de la tierra hierba **verde**,
   que producía semilla, según su especie,
   y **árboles** que daban fruto y **llevaban** semilla,
   según su especie.
Y **vio** Dios que era bueno.
Fue la tarde y la mañana del **tercer** día.

Dijo Dios:
   "Que haya **lumbreras** en la bóveda del cielo,
   que **separen** el día de la noche,
   señalen las estaciones,
   los días y los años,
   y **luzcan** en la bóveda del cielo para **iluminar** la tierra".
Y así fue.
Hizo Dios las **dos** grandes lumbreras:
   la lumbrera **mayor** para regir el **día**
   y la **menor**, para regir la **noche**;
   y **también** hizo las estrellas.
Dios puso las lumbreras en la bóveda del cielo
      para **iluminar** la tierra,
   para **regir** el día y la noche,
   y **separar** la luz de las tinieblas.
Y vio Dios que **era bueno**.
Fue la tarde y la mañana del **cuarto** día.

Dijo Dios:
   "**Agítense** las aguas con un **hervidero** de seres vivientes
   y **revoloteen** sobre la tierra las aves, bajo la bóveda del cielo".

Muestra la admiración que despierta la aparición de las lumbreras celestes. Los verbos enfatizan que Dios las crea, las pone.

creado está impregnado de la Palabra de Dios, y ello ha causado que se establezca la armonía en el cosmos.

Es interesante que el relato de los orígenes comience con la creación del cielo y de la tierra. Desde ya se establece un comienzo que luego continúa, a la vez que refleja la concepción de Israel de que su Dios, y el mundo divino, se mueve y está presente en el cosmos. Dentro de los siete días creativos, el día cuarto aparece como central y el séptimo como el culmen. En el día cuarto, la división de los astros permite distinguir las fiestas, los días y años. Éstos son impor-

tantes en Israel para recordar el calendario litúrgico y establecer el culto. El día séptimo, que es el día de reposo de Dios, tiene carácter ejemplar para Israel. Apunta a la práctica del shabbat, día de descanso y de conmemoración al Creador. No sólo el tiempo es sagrado para el autor o grupo de autores. El cosmos es espacio sagrado. La invitación al pueblo es a la adoración a su Creador en cada elemento de la creación. Todo es bendecido por Dios y designado "Muy bueno".

En la creación de los seres humanos se puede distinguir pequeñas diferencias: el plural y la referencia a que son creados a

su imagen y semejanza. El plural refleja el mundo divino que es comunidad en la concepción del Israel antiguo. De acuerdo a una inscripción antigua encontrada en Siria que hace referencia a la imagen de un rey, la imagen representa al rey mismo. El énfasis está en la misión más que en explicar en qué consisten estos aspectos. La imagen y semejanza de la humanidad, en el poema creacional de Israel, evidencia la función del ser humano de imitar la capacidad creadora de Dios en el resto de su obra, y de representar toda la creación delante de su Creador. En palabras postmodernas, la

Antes de la bendición haz contacto visual con la asamblea. Alarga las palabras de bendición.

Creó Dios los **grandes** animales marinos
 y los **vivientes** que en el agua se deslizan y la **pueblan**,
 según su especie.
Creó **también** el mundo de las aves, según sus especies.
Vio Dios que **era bueno** y los **bendijo**, diciendo:
 "Sean fecundos y **multiplíquense**; llenen las aguas del mar;
 que las aves se multipliquen **en la tierra**".
Fue la tarde y la mañana del **quinto** día.

Dijo Dios:
 "**Produzca** la tierra vivientes, según sus especies:
 animales **domésticos**, reptiles y fieras, según sus especies".
Y así fue.
Hizo Dios las fieras, los animales domésticos y los reptiles,
 cada uno según su especie.
Y vio Dios que **era bueno**.

Eleva el tono de tu voz en estas palabras de Dios. Alarga el "Hagamos", y en el siguiente parágrafo la bendición y la donación generosa de Dios.

Dijo Dios:
 "Hagamos al hombre a nuestra imagen **y semejanza**;
 que **domine** a los **peces** del mar, a las **aves** del cielo,
 a los animales **domésticos**
 y a **todo** animal que se arrastra sobre la tierra".

Y **creó** Dios al hombre a su imagen;
 a **imagen suya** lo creó;
 hombre y mujer los creó.

Y los **bendijo** Dios y les dijo:
 "**Sean** fecundos y **multiplíquense**, llenen la tierra y **sométanla**;
 dominen a los peces del mar, a las aves del cielo
 y **a todo ser viviente** que se mueve sobre la tierra".

Y dijo Dios:
 "**He aquí** que les entrego **todas** las plantas de semilla
 que hay sobre la faz de la tierra,
 y **todos** los árboles que producen frutos y semilla,
 para que les sirvan **de alimento**.

humanidad creada tiene la función de cuidar de la casa común y alabar a su Creador con el resto del cosmos.

II LECTURA Este relato, en su presunta forma más antigua habría constituido una leyenda etiológica relacionada a un lugar de culto. El santuario, que aquí aparece localizado en la región de Moria, habría sido testigo del rescate de un niño pedido en sacrificio por la divinidad. Este niño habría sido sustituido por un animal. El relato recorrió muchas etapas de reelaboración y el texto final refleja varios niveles de significado, y guarda similitudes con las prácticas corrientes en los pueblos circunvecinos.

El autor final narra un evento significativo para el pueblo de Israel. A través de este relato expresa una verdad religiosa: El Dios que se reveló a Israel es plenamente libre en su dar y en su tomar, pero quiere la vida de su pueblo. Nadie puede dudar que el Dios de Israel está rescatando y ofreciendo la vida, aunque aparentemente su pueblo experimente su silencio o abandono.

Una clave de lectura es descubrir a Isaac como representante del pueblo de Israel. En el relato, Isaac no es sólo un objeto con el que Abraham ha de probar su obediencia sin cuestionamiento alguno a Dios. Isaac es el hijo de la promesa hecha por Dios a Abraham y Sara. Cuando Israel escucha el relato, tiene la convicción de que Isaac es la garantía de lo que Dios ha propuesto en materia de salvación. De él había de crecer el pueblo bendecido. Con su muerte la promesa se aleja de la vida de Abraham y Sara.

En el relato, Abraham confía en la promesa de Dios, aunque no lo entienda totalmente. Si en la primera llamada que recibió

Haz una breve pausa antes de leer esta fórmula conclusiva del poema. Luego retrasa la fórmula litúrgica con la que concluye toda lectura.

Y a **todas** las fieras de la tierra, a **todas** las aves del cielo,
    a **todos** los reptiles de la tierra, a **todos** los seres que respiran,
    también les doy por alimento las verdes plantas".
Y **así fue**.
Vio Dios **todo** lo que había hecho y lo encontró **muy bueno**.
Fue la tarde y la mañana del **sexto** día.

Así **quedaron concluidos** el cielo y la tierra
        con todos sus ornamentos,
    y **terminada** su obra,
    descansó Dios el **séptimo** día de **todo** cuanto había hecho.

Abreviada: *Génesis 1:1, 26–31*

Para meditar

SALMO RESPONSORIAL   Salmo 104:1–2a, 5–6, 10 y 12, 13–14, 24 y 35c
R. Envía tu espíritu, Señor, y repuebla la faz de la tierra.

Bendice, alma mía, al Señor:
¡Dios mío, qué grande eres!
Te vistes de belleza y majestad,
    la luz te envuelve como un manto. **R.**

Asentaste la tierra sobre sus cimientos,
    y no vacilará jamás;
        la cubriste con el manto del océano,
    y las aguas se posaron sobre
        las montañas. **R.**

De los manantiales sacas los ríos,
    para que fluyan entre los montes;
    junto a ellos habitan las aves del cielo,
    y entre las frondas se oye su canto. **R.**

Desde tu morada riegas los montes,
    y la tierra se sacia de tu acción fecunda;
    haces brotar hierba para los ganados,
    y forraje para los que sirven al hombre. **R.**

Cuántas son tus obras, Señor,
    y todas las hiciste con sabiduría;
    la tierra está llena de tus criaturas.
¡Bendice, alma mía, al Señor! **R.**

O bien: *Salmo 33:4–5, 6–7, 12–13, 20 y 22*

no puso objeción (Génesis 12:1–4), tampoco objeta ahora. En su primera llamada, Abraham fue desafiado a renunciar a su pasado. De acuerdo al texto, ahora es llamado a renunciar a su deseo de controlar su futuro. Tres días camina hacia un monte. Para el pueblo de Israel, los lugares altos eran espacios por excelencia en los que Dios se manifestaba. Allí hará la experiencia de quién es Dios.

El pueblo se ve reflejado en el hijo que camina vulnerable y sin mucha claridad. Pero camina confiando en su padre biológico y en su Creador. Por evasiva que parezca

la respuesta de Abraham a Isaac, cuando éste pregunta sobre el animal para el sacrificio, encierra una convicción profunda: el asunto está en manos de Dios. Esto confirma la fe del pueblo en momentos de oscuridad. Con frecuencia Dios parece contradecirse, parece no estar presente con quienes lo aman. Al escuchar este relato, el pueblo de Israel debía sentirse invitado a revisar su fe y reafirmar confianza en Dios. La promesa y bendición no son bienes que se puedan conservar por virtud o que se puedan controlar. Israel se ve en el lugar de Isaac, experimentando cómo, de modo ex-

traordinario, su promesa y bendición se hacen efectivos en los momentos de aparente muerte.

El pueblo de Israel recordó continuamente que fue rescatado y recibió la vida una y otra vez solamente de la mano de Dios. En contraste con otros pueblos, Israel no funda su existencia en su pretendida elección o algún título jurídico que le asegure su futuro. Esta noche celebramos los continuos rescates que han experimentado el pueblo de la promesa, las primeras comunidades cristianas, la Iglesia, nuestra comu-

II LECTURA   Génesis 22:1–18

Lectura del libro del Génesis

En aquel tiempo, Dios le puso **una prueba** a Abraham y le dijo:
    "**¡Abraham**, **Abraham!**"
Él respondió: "**Aquí** estoy".
Y Dios le dijo:
    "**Toma** a tu hijo único, **Isaac**, a quien **tanto** amas;
    vete a la región de Moria y **ofrécemelo** en sacrificio,
    en el monte que **yo te indicaré**".

Abraham **madrugó**, aparejó su burro,
    tomó consigo a dos de sus criados y a su hijo Isaac;
    cortó leña para el sacrificio
    y se **encaminó** al lugar que Dios le había **indicado**.
Al **tercer** día divisó a lo lejos el lugar.
Les dijo entonces a sus criados:
    "**Quédense** aquí con el burro;
    yo iré con el muchacho hasta allá, para **adorar** a Dios
    y después regresaremos".

Abraham tomó la leña para el sacrificio, se la cargó a su hijo Isaac
    y tomó en su mano el fuego y **el cuchillo**.
Los dos caminaban **juntos**.
Isaac dijo a su padre Abraham:
    "**¡Padre!**" Él respondió: "**¿Qué quieres, hijo?**"
El muchacho contestó: "**Ya tenemos** fuego y leña, pero,
    ¿dónde está el cordero para el sacrificio?"
Abraham le contestó:
    "Dios **nos dará el** cordero para el sacrificio, hijo mío".
Y siguieron caminando juntos.

Cuando llegaron al sitio que Dios le **había señalado**,
    Abraham **levantó** un altar y acomodó la leña.
Luego **ató** a su hijo Isaac, lo puso sobre el altar, **encima** de la leña,
    y tomó el cuchillo para degollarlo.

La lectura de este primer párrafo ha de reflejar la firmeza de las palabras de Dios.

Avanza con claridad, pero con cierta presteza en la descripción de las acciones de Abraham.

Haz las inflexiones de voz debidas para que reflejen el desconcierto de Isaac y la determinación de Abraham.

---

nidad de fe y nosotros mismos por parte de este Dios.

III LECTURA   El texto propuesto nos presenta parte de uno de los relatos fundacionales de Israel. Con este relato el pueblo conmemora al Dios liberador quien hizo posible dejar atrás una situación de esclavitud y opresión y continuar su camino como pueblo liberado. El protagonista es Yahvé.

El relato que nos ocupa pareciera centrarse en la maravilla de las aguas que se dividen y las aguas que se juntan de nuevo.

Sin embargo, la confrontación real tiene que ver con mucho más que las aguas. La intención del relato es mostrar la gloria del Dios de un pueblo oprimido ante un reino opresor que se siente más poderoso que el Dios de los hebreos.

La primera escena muestra a Yahvé recriminando al pueblo a través de Moisés por su falta de confianza. Yahvé desafía a su pueblo a continuar su camino. Y ordena a Moisés ejercer su liderazgo con firmeza ("Alza tu bastón... Extiende tu brazo") ya que ha recibido el poder de Dios. La salida del pueblo de Egipto es ya fue una muestra

de su gloria. Lo que sigue a Moisés es ejercer su liderazgo y al pueblo le toca confiar y ponerse en marcha. El tema principal del evento no es la sobrevivencia de Israel sino el reconocimiento del poder del Dios de los hebreos por parte de los egipcios.

Dios está presente con su pueblo para defenderlos de los egipcios a través del ángel. Esta figura representa a todos aquellos que abren el paso e impulsan al pueblo a caminar confiado. También aparece nombrada en el relato la nube delante y detrás del pueblo. Este elemento simboliza a lo largo del éxodo del pueblo, la presencia de

Eleva un tanto tu voz al proclamar el mandato del ángel. Luego, pausa antes de continuar con las tres líneas finales de este relato.

Pero el **ángel** del Señor lo llamó desde el cielo y le dijo:
"**¡Abraham**, **Abraham!**"
Él contestó:
"**Aquí estoy**".
El ángel le dijo:
"**No** descargues la mano contra tu hijo, **ni le hagas daño**.
Ya veo que **temes** a Dios,
porque **no** le has negado a tu hijo **único**".
Abraham **levantó** los ojos y vio un carnero,
enredado por los cuernos en la maleza.
Atrapó el carnero y lo **ofreció** en sacrificio, **en lugar** de su hijo.
Abraham puso por nombre a aquel sitio "el Señor **provee**",
por lo que aun el **día de hoy** se dice:
"el monte donde el Señor **provee**".

Las palabras del mensajero divino son categóricas. Pronuncia con serenidad cada una de las promesas divinas.

El ángel del Señor **volvió** a llamar a Abraham desde el cielo
y le dijo:
"**Juro** por mí mismo, dice el Señor, que por haber **hecho esto**
y no haberme negado a tu hijo **único**,
yo te **bendeciré**
y **multiplicaré** tu descendencia como las estrellas del cielo
y las arenas del mar.
Tus descendientes **conquistarán** las ciudades enemigas.
En tu descendencia **serán bendecidos**
todos los pueblos de la tierra,
porque **obedeciste** a mis palabras."

Abreviada: *Génesis 22:1–2, 9–13, 15–18*

Para meditar

SALMO RESPONSORIAL   Salmo 16:5 y 8, 9–10, 11
R. Protégeme, Dios mío, porque me refugio en ti.

El Señor es el lote de mi heredad y mi copa;
mi suerte está en tu mano:
tengo siempre presente al Señor,
con él a mi derecha no vacilaré. **R.**

Por eso se me alegra el corazón,
se gozan mis entrañas,
y mi carne descansa serena.
Porque no me entregarás a la muerte,
ni dejarás a tu fiel conocer la corrupción. **R.**

Me enseñarás el sendero de la vida,
me saciarás de gozo en tu presencia,
de alegría perpetua a tu derecha. **R.**

Dios. La referencia al ángel y a la nube son una forma extravagante de caracterizar la protección vigilante que Dios le da a Israel.

Pero otro frente ante el cual Yahvé ha de salir victorioso constituye el mar. La acción de Moisés de dividir las aguas y devolverlas a su cauce por el poder de Dios sugiere que se está replicando el momento creativo en que las aguas se separaron y dieron paso a la tierra seca. En muchos mitos creacionales de medio oriente, las aguas o el mar representan el caos. La acción de Dios permite que las aguas se separen y que el pueblo pase por la tierra seca y

viva. Dios no solamente está liberando sino también recreando a su pueblo. El pueblo es salvado y recreado. Los egipcios, por el contrario, queda anulado en su poderío y atrapado en la confusión y caos de las aguas. Dios triunfa ante los egipcios y triunfa ante todo lo que pueda causar caos y confusión en su pueblo.

Irónicamente, el texto nos refiere que son los egipcios quienes confiesan lo que los israelitas habían dudado, que el Señor está luchando en favor de su pueblo (v. 25). En este momento Yahvé es reconocido, exaltado y glorificado como el verdadero so-

berano. El capítulo 14 concluye comunicando que Yahvé salva. El foco de atención se mueve hacia la orilla de las aguas donde se contempla el final trágico de los egipcios y el caos. El narrador ubica a Israel contemplando a distancia ambos elementos. Una primera consecuencia de esta contemplación es el temor del pueblo. El verbo implica también que el pueblo está asombrado ante la acción de Dios. Israel ha de dejarse asombrar solamente por Dios y no por el poder de los opresores. Solamente Dios puede hacer por ellos lo que ellos no pueden hacer por sí mismos. La segunda consecuencia de

III LECTURA   Éxodo 14:15 —15:1

Lectura del libro del Éxodo

En aquellos días, dijo el Señor a **Moisés**:
  "¿**Por qué** sigues clamando a mí?
Diles a los israelitas que se pongan **en marcha**.
Y **tú**, alza tu bastón,
  extiende tu mano sobre el mar y **divídelo**,
  para que los israelitas entren en el mar **sin mojarse**.
Yo voy a **endurecer** el corazón de los egipcios
    para que los persigan,
  y me **cubriré** de gloria a expensas del faraón
  y de **todo** su ejército, de sus carros y jinetes.
Cuando me haya cubierto de gloria a **expensas** del faraón,
  de sus carros y jinetes,
  los egipcios **sabrán** que **yo soy** el Señor".

El **ángel** del Señor, que iba **al frente** de las huestes de Israel,
  se colocó **tras ellas**.
Y **la columna** de nubes que iba adelante,
  también se desplazó y se puso a sus espaldas,
  entre el campamento de los israelitas
  y el campamento de los egipcios.
La nube era **tinieblas** para unos y claridad para otros,
  y **así** los ejércitos no trabaron contacto durante **toda** la noche.

Moisés **extendió** la mano sobre el mar,
  y el Señor hizo soplar durante **toda** la noche
  un **fuerte** viento del este, que **secó** el mar, y **dividió** las aguas.
Los israelitas **entraron** en el mar y **no** se mojaban,
  mientras las aguas formaban **una muralla** a su derecha
    y a su izquierda.
Los egipcios **se lanzaron** en su persecución
  y **toda** la caballería del faraón,
  sus carros y jinetes, entraron **tras ellos** en el mar.

Este relato épico exige particular energía. La orden de Dios a Moisés no admite titubeos.

Pausa antes de describir las acciones que Dios obrará frente a los egipcios.

Son acciones dramáticas, de modo que el tono de tu voz ha de reflejar ese matiz.

la contemplación del pueblo es la fe. Fe en Dios y en Moisés como su líder de quien también habían dudado. La tercera consecuencia constituye el canto de Moisés y de los hijos de Israel que exalta a Dios. La fórmula introductoria hace eco de otra referida a un canto, mucho más antiguo, entonado por la profetiza María y las mujeres de Israel en Éxodo 15:20–21.

En el contexto de esta vigilia, renovamos nuestra admiración por este Dios que constantemente libera y recrea a su pueblo, nuestra fe en los medios y mediadores que testimonian su poder, providencia y presen-

cia y cantamos con Moisés la gloria de nuestro Dios.

IV LECTURA Leído de cara a la situación deprimente del exilio, el poema anuncia la inversión de la situación de sufrimiento del pueblo en gozo y felicidad. El exilio fue para Israel una experiencia de vergüenza por la esterilidad, debido a la muerte de sus hijos: no había futuro. Israel también experimentó ignominia ya que abatido sentía que su Dios lo había abandonado. El exilio representó además humillación. Israel perdió su honor como nación.

El autor presenta este nuevo momento en la relación del pueblo con su Dios con categorías esponsales. Las expresiones nos recuerdan a los oráculos de salvación del profeta Oseas. Para el autor, Dios se siente incapaz de repudiar a su amada, se compadece de ella, busca su redención y santidad. Si ella sintió abandono y humillación, ese momento ya ha pasado porque la ira de Dios se ha transformado en misericordia.

El autor va hacia el pasado para presentar la inversión que está por suceder. Encuentra en el diluvio una catástrofe de proporción mundial con el cual puede com-

Hacia el **amanecer**,
    el Señor miró **desde** la columna de fuego y humo
        al ejército de los egipcios
    y **sembró** entre ellos el **pánico**.
Trabó las ruedas de sus carros,
    de suerte que no avanzaban sino **pesadamente**.
Dijeron entonces los egipcios:
    "**Huyamos** de Israel,
    porque el Señor lucha en su favor **contra** Egipto".

Entonces el Señor le dijo a Moisés:
    "**Extiende** tu mano **sobre** el mar,
    para que **vuelvan** las aguas sobre los egipcios,
    sus carros y sus jinetes".
Y **extendió** Moisés su mano sobre el mar,
    y al amanecer, las aguas **volvieron** a su sitio,
    de suerte que **al huir**, los egipcios se encontraron **con ellas**,
    y el Señor **los derribó** en medio del mar.
Volvieron las aguas y **cubrieron** los carros, a los jinetes
    y a **todo** el ejército del faraón,
    que se había metido en el mar para **perseguir** a Israel.
Ni uno solo se salvó.

Pero los **hijos** de Israel caminaban por lo seco en **medio** del mar.
Las aguas les hacían **muralla** a derecha e izquierda.
Aquel día **salvó** el Señor a Israel de las manos de Egipto.
Israel **vio** a los egipcios, **muertos** en la orilla del mar.
Israel vio la **mano fuerte** del Señor sobre los egipcios,
    y el pueblo **temió** al Señor y **creyó** en el Señor
    y en **Moisés**, su siervo.
Entonces Moisés y los hijos de Israel
    cantaron **este cántico** al Señor:

*[El lector no dice "Palabra de Dios" y el salmista de inmediato
entona el salmo responsorial.]*

Dale cierta precipitación a las palabras de los egipcios.

Ralentiza la descripción de esta parte del relato. Continua pausadamente, para que el remate suene contundente.

Imprime entusiasmo a este párrafo. Procura darle a tu voz un crescendo que desemboque en el canto.

---

parar el exilio. Es verdad que ambas catástrofes ocurrieron por la desobediencia del pueblo. Pero la comparación acentúa más bien que el Dios redentor del pueblo es el mismo Dios creador; que el amor de Dios es mucho más grande que la infidelidad de Israel y que permanece fiel a su alianza. La promesa de la nueva obra salvífica es una confirmación de la alianza. Dios quien había jurado a Noé no enojarse más con su obra creadora, ahora promete específicamente a Israel no enojarse con ella, y que su gracia no le faltará jamás.

En la segunda parte del poema, el profeta consuela a su pueblo con una visión de la Jerusalén celestial. Frente a la lamentación por la destrucción de la ciudad, ahora Jerusalén aparece descrita como un paraíso mitológico. Mientras que las visiones de restauración en Ezequiel se enfocan en el templo, la visión isaiana se refiere a la ciudad. El objetivo de la visión es presentar este nuevo momento de salvación. Además, el pueblo no va a experimentar sólo restauración sino un futuro maravilloso.

Resulta significativo que no se habla de la seguridad militar sino del esplendor de la ciudad. Para el poeta y profeta, la nueva Jerusalén refleja una mayor majestuosidad que las paredes de lapislázuli de las construcciones babilónicas. Se describen muros y fundaciones cubiertos de piedras preciosas. Tal esplendor emana de la palabra del Señor. Además, se contrasta el discipulado y prosperidad de los hijos de Israel, la cual contrasta con la situación anterior al exilio. Finalmente, el poeta asegura que la justicia de Dios se verá reflejada en su pueblo y que Israel será protegida de cualquier signo de terror o angustia. Conmemoramos en esta noche el cumplimiento de esta promesa no

Para meditar

SALMO RESPONSORIAL   Éxodo 15:1–2, 3–4, 5–6, 17–18

R. Cantaré al Señor, sublime es su victoria.

Cantaré al Señor, sublime es su victoria:
  caballos y jinetes arrojó en el mar.
Mi fortaleza y mi canto es el Señor,
  él es mi salvación.
    Él es mi Dios, y yo lo alabaré,
    es el Dios de mis padres,
    y yo lo ensalzaré. **R.**

El Señor es un guerrero, su nombre es
  el Señor.
Los carros del faraón los lanzó al mar
  y a sus guerreros;
  ahogó en el mar Rojo a sus mejores
    capitanes. **R.**

Las olas los cubrieron,
  bajaron hasta el fondo como piedras.
Tu diestra, Señor, es fuerte y terrible,
  tu diestra, Señor, tritura al enemigo. **R.**

Los introduces y los plantas en el monte
  de tu heredad,
  lugar del que hiciste tu trono, Señor;
  santuario, Señor, que fundaron tus manos.
El Señor reina por siempre jamás. **R.**

IV LECTURA   Isaías 54:5–14

Lectura del libro del profeta Isaías

"El que **te creó**, te tomará **por esposa**;
  su nombre es '**Señor** de los ejércitos'.
Tu redentor es el **Santo** de Israel;
  será llamado 'Dios de **toda** la tierra'.
Como a una mujer abandonada y **abatida**
  te **vuelve** a llamar el Señor.
¿**Acaso** repudia uno a la esposa de la juventud?,
  dice tu Dios.

Por un instante te **abandoné**,
  pero con **inmensa** misericordia te **volveré** a tomar.
En un arrebato **de ira**
  te **oculté** un instante mi rostro,
  pero con amor **eterno** me he apiadado **de ti**,
  dice el Señor, tu redentor.

Me pasa **ahora** como en los días de Noé:
  entonces **juré** que las aguas del diluvio
  no volverían a cubrir la tierra;

La esperanza rebosa en este poema. Marca con cierta exaltación los títulos de Dios y sus acciones.

en una ciudad sino en Jesús resucitado y aguardamos la plenitud de esta promesa en el pueblo de Dios.

V LECTURA El texto ofrece un anuncio de salvación. El profeta adopta el estilo de un pregonero ambulante. Se puede notar la influencia del lenguaje de los vendedores de agua en los mercados. Los bienes elementales de la vida son la mercancía del profeta: el agua y trigo o pan nos recuerdan el éxodo; la leche trae a la memoria la descripción de la tierra de la promesa; el vino sugiere un banquete. De este modo

el anuncio contrarresta las privaciones del exilio. Las referencias al saciarse y deleitarse describen un estado de salvación.

En un segundo momento el texto menciona el deseo de Dios de establecer una alianza con el pueblo. No se menciona la alianza del Sinaí sino la alianza hecha con David. El oráculo de Natán (2 Samuel 7:8–16) y el Salmo 89 ofrece palabras y temas que pueden iluminar el tipo de alianza expresada en el texto. La promesa hecha a David se caracterizó por ser duradera y gratuita. El profeta transfiere la promesa de gracia y bendición hecha a David hacia el pueblo;

una promesa de gracia y bendición estable, duradera, que no ha de perecer. Por esta alianza, la acción salvífica tendrá lugar en todo el pueblo. En el desarrollo del contenido de esta alianza el profeta explica que Dios hará de este pueblo testigo suyo ante las naciones. La victoria del pueblo consistirá en que pueblos extranjeros llegarán a Jerusalén, querrán pertenecer al pueblo de Dios y alabarán su hermosura. Israel crecerá de nuevo. El Santo de Israel la rendirá santa.

Lo que le corresponde al pueblo es escuchar a su Dios, buscarlo. La serie de imperativos que normalmente eran usados

Haz contacto visual con la asamblea en este punto.

ahora **juro** no enojarme ya **contra ti**
　　ni volver a amenazarte.
Podrán **desaparecer** los montes
　　y **hundirse** las colinas,
　　pero mi amor por ti **no desaparecerá**
　　y mi alianza de paz quedará firme **para siempre**.
Lo dice el Señor, el que se **apiada** de ti.

Tú, la **afligida**, la zarandeada por la tempestad,
　　la **no** consolada:
He aquí que **yo mismo** coloco tus piedras sobre piedras **finas**,
　　tus cimientos sobre **zafiros**;
　　te pondré almenas **de rubí**
　　y puertas de **esmeralda**
　　y murallas de **piedras preciosas**.

Todos tus hijos serán discípulos del Señor,
　　y **será grande** su prosperidad.
Serás consolidada **en la justicia**.
Destierra la angustia,
　　pues ya **nada** tienes que temer;
　　olvida tu miedo,
　　porque ya no se acercará **a ti**".

Eleva un tanto tu voz para que la asamblea se sienta aludida. Haz contacto visual con ella antes de la fórmula litúrgica.

Para meditar

SALMO RESPONSORIAL　Salmo 30:2 y 4, 5–6, 11 y 12a y 13b

R. Te ensalzaré, Señor, porque me has librado.

Te ensalzaré, Señor, porque me has librado
　　y no has dejado que mis enemigos
　　　　se rían de mí.
Señor, sacaste mi vida del abismo,
　　me hiciste revivir cuando bajaba
　　　　a la fosa. **R.**

Tañan para el Señor, fieles suyos,
　　den gracias a su nombre santo;
　　su cólera dura un instante;

su bondad de por vida;
　　al atardecer nos visita el llanto;
　　por la mañana, el júbilo. **R.**

"Escucha, Señor, y ten piedad de mí;
Señor, socórreme".
Cambiaste mi luto en danzas,
　　Señor, Dios mío,
　　　　te daré gracias por siempre. **R.**

---

en un contexto del culto ahora son usados para exhortar al pueblo a retornar a Dios. El pueblo es llamado a la conversión, debe abandonar el pecado. Para ello es preciso que el pueblo supere su perspectiva, su pequeño horizonte para entrar en el horizonte de Dios y comprender sus caminos. El profeta anuncia al pueblo la cercanía de Dios, pero a la vez le recuerda que el horizonte de Dios es vasto y superior a cualquier comprensión humana.

　　La palabra sirve de instrumento o mediación al pueblo ya que ella baja del cielo para exponer el plan de Dios, realizar su vo-

luntad y revelarlo. Se compara esta Palabra con la lluvia. La lluvia pone en movimiento el ciclo de la semilla y propicia su fecundidad. La palabra de Dios es análogamente dinámica pues cuando Dios habla, se realiza y se puede verificar lo que sucede. El profeta recuerda que la palabra no obra de modo mágico un nuevo estado de salvación. Produce lo que Dios quiere solamente a través de la escucha y la acogida del mensaje salvífico. La plenitud de esta promesa se da con la llegada de Jesucristo, Palabra del Padre que expuso el plan de Dios, realizó su

voluntad y reveló de manera única a Dios a través de su vida, pasión y resurrección.

VI LECTURA　El texto nos sitúa en un nuevo momento de la historia de Israel. Es el tiempo helenístico en el que la filosofía y cultura griega se encuentra con el mundo semita. La percepción y teología de Israel va tomando nueva forma. En este contexto, el autor de este texto sapiencial presenta un nuevo medio que Dios ofrece a su pueblo para que viva plenamente, la sabiduría. El contraste entre vida y muerte es característico de la literatura sapiencial.

V LECTURA   Isaías 55:1–11

Lectura del libro del profeta Isaías

Esto dice el Señor:
  "**Todos** ustedes, los que tienen sed, **vengan** por agua;
  y los que no tienen dinero,
  vengan, tomen trigo y coman;
  tomen vino y leche **sin pagar**.
¿**Por qué** gastar el dinero en lo que **no es pan**
  y el salario, en lo que **no alimenta**?
Escúchenme atentos y comerán **bien**,
  saborearán platillos **sustanciosos**.
Préstenme atención, **vengan** a mí,
  escúchenme y **vivirán**.

Sellaré con ustedes una alianza **perpetua**,
  cumpliré las promesas que hice a David.
Como **a él** lo puse por testigo **ante** los pueblos,
  como **príncipe** y soberano de las naciones,
  así tú reunirás a un pueblo **desconocido**,
  y las naciones que no te conocían **acudirán a ti**,
  por amor del Señor, **tu Dios**,
  por el **Santo** de Israel, que te **ha honrado**.

Busquen al Señor mientras lo pueden encontrar,
  invóquenlo mientras está cerca;
  que el malvado **abandone** su camino,
  y el criminal, sus planes;
  que **regrese** al Señor, y **él** tendrá piedad;
  a nuestro Dios, que es **rico** en perdón.

Mis pensamientos **no son** los pensamientos de ustedes,
  sus caminos no son mis caminos.
Porque así como **aventajan** los cielos a la tierra,
  así aventajan mis caminos a **los de ustedes**
  y **mis** pensamientos a **sus** pensamientos.

La voz del profeta debe resonar con esperanza y entusiasmo, como la de un vendedor en el mercado. Eleva tu voz, pero sin estridencia.

Pronuncia esta serie de imperativos con energía. Que se advierta el llamado urgente a la comunidad.

Nota cómo las líneas van pareadas; haz que el paralelismo se note.

En la primera parte del texto, el autor describe a un pueblo que parece estar sufriendo enemistad, deshonra, contacto con la muerte, una situación de no paz y de no vida. Israel aparentemente se encuentra en un espacio fuera del alcance de la protección y bendición de Dios. Más allá de un espacio geográfico, al parecer se trata de una experiencia existencial. La razón de su sufrimiento parece ser que ha transgredido los mandamientos, se ha separado del camino de Dios. Quienes escuchan el poema reconocen que, si sus ancestros hubiesen caminado en los caminos de los mandamientos del Señor, su situación sería diferente. En la esperanza que esta situación se transforme, el pueblo está llamado a escuchar y aprender para adquirir prudencia, comprensión, conocimiento, inteligencia, paz; en otras palabras, sabiduría. Para el autor, ser sabio es vivir.

Y entonces, el poeta plantea la pregunta en torno a quién tiene acceso o posee los tesoros de la sabiduría. Los versos 16–31, que no están incluidos en nuestra lectura, responden en negativo. No hay nadie entre el cielo y la tierra que tenga acceso a la sabiduría. Sin embargo, el verso 32 abre una nueva sección en la que se ofrece una respuesta positiva. Dios es el único que tiene acceso a la sabiduría. La sabiduría de Dios se refleja en su poder creador. Por ello comienza el autor una alabanza a Dios en tanto que reina y tiene poder sobre la tierra y firmamento. Se enfatiza de manera particular la alabanza de las creaturas astrales. Al centro de la alabanza se encuentra una confesión, "no hay otro como él". Esta declaración refleja un momento nuevo en la teología monoteísta del pueblo.

El autor afirma que sólo Dios es poseedor del conocimiento. A la vez comunica que Israel tiene la posibilidad de llegar a ser

Como **bajan** del cielo la lluvia y la nieve
  y no **vuelven allá**, sino **después** de **empapar** la tierra,
  de **fecundarla** y hacerla germinar,
  a fin de que dé semilla **para sembrar** y pan **para comer**,
  así será la palabra que **sale** de mi boca:
  no volverá a mí sin resultado,
  sino que **hará** mi voluntad
  y **cumplirá** su misión".

> Pausa brevemente antes de avanzar hacia las líneas conclusivas. Dale parsimonia a cada frase, enfatizando la importancia de la palabra de Dios.

> Para meditar

SALMO RESPONSORIAL   Isaías 12:2–3, 4bcd, 5–6

R. Sacarán aguas con gozo de las fuentes de la salvación.

El Señor es mi Dios y Salvador:
  confiaré y no temeré,
  porque mi fuerza y mi poder es el Señor,
  él fue mi salvación.
Y sacarán aguas con gozo
  de las fuentes de la salvación. **R.**

Den gracias al Señor
  invoquen su nombre,
  cuenten a los pueblos sus hazañas,
  proclamen que su nombre es excelso. **R.**

Tañan para el Señor, que hizo proezas,
  anúncienlas a toda la tierra;
  griten jubilosos, habitantes de Sión:
"Qué grande es en medio de ti
  el Santo de Israel". **R.**

VI LECTURA   Baruc 3:9–15, 32—4:4

Lectura del libro del profeta Baruc

Escucha, Israel, los mandatos de vida,
  presta oído para que adquieras prudencia.
¿**A qué** se debe, Israel, que estés aún en país enemigo,
  que **envejezcas** en tierra extranjera,
  que te hayas **contaminado** por el trato con los muertos,
  que te veas contado entre los que **descienden** al abismo?

Es que **abandonaste** la fuente de la sabiduría.
Si hubieras **seguido** los senderos de Dios,
  habitarías **en paz** eternamente.

> Las invitaciones tienen tono sapiencial deben ser presentadas con la voz de un maestro experimentado. Procura hacer las inflexiones de voz para que se escuchen magistrales.

sabio porque Dios la ha elegido para que adquiera la sabiduría. Y ello se da a través del cumplimiento de los mandatos del Señor. Los mandatos se presentan como un libro que puede ser enseñado, transmitido, aprovechado, y estudiado. La vida está conectada al cumplimiento de esta ley. También se compara la ley con la luz. El poema crea una noción atractiva de la sabiduría para motivar a su audiencia a seguirla.

Otro aspecto importante que resalta el autor es que la sabiduría no es exclusiva a Israel. Sin embargo, lo que distingue a Israel de otros pueblos es que la sabiduría para este pueblo no se materializa ni en riqueza ni en poder. Desde que la sabiduría apareció en medio del pueblo, Israel ha recibido la revelación de Dios sobre su voluntad y tiene la posibilidad de vivir acorde a ella para ser feliz.

VII LECTURA En medio de la oscuridad y angustia, el profeta Ezequiel recibe la palabra de Yahvé. Los versos de nuestro oráculo presuponen que el pueblo exiliado está en situación de sufrimiento. El autor recuerda a su pueblo que Dios había concedido a Israel la tierra para hacerse responsable de ella. Utilizando vocabulario cultual, el profeta explica que el pueblo contaminó la tierra y por ello Dios desbordó en cólera sobre Israel y la dispersó. Las referencias a los animales sacrificiales presuponen la memoria viva del pueblo de los grandes festivales en el templo de Jerusalén.

El exilio parece haber revelado a las naciones que Israel como pueblo ha llegado a ser profano. Su profanación no es culpa de Dios, sino del pasado maligno del pueblo mismo. Más aún, Israel ha profanado su santo nombre ante las naciones. Y, sin em-

Aprende **dónde** están la prudencia,
    la inteligencia y la energía,
    así aprenderás **dónde** se encuentra el **secreto** de vivir larga vida,
    y **dónde** la luz de los ojos y **la paz**.
¿**Quién** es el que **halló** el lugar de la sabiduría
    y tuvo acceso **a sus tesoros**?
El que **todo** lo sabe, la conoce;
    con su inteligencia la ha **escudriñado**.
El que **cimentó** la tierra para **todos** los tiempos,
    y la **pobló** de animales cuadrúpedos;
    el que **envía** la luz, **y ella va**,
    la llama, y **temblorosa** le obedece;
    llama a los astros, que **brillan** jubilosos
    en sus puestos de guardia,
    y ellos le responden: "**Aquí** estamos",
    y refulgen **gozosos** para **aquel** que los hizo.
Él es **nuestro** Dios
    y no hay **otro** como él;
    él ha **escudriñado** los caminos de la sabiduría,
    y se la dio a su hijo **Jacob**,
    a Israel, **su predilecto**.
Después de esto, ella apareció en el mundo
    y **convivió** con los hombres.

La **sabiduría** es el libro de los **mandatos** de Dios,
    la ley de validez **eterna**;
    los que la guardan, **vivirán**,
    los que la abandonan, **morirán**.

Vuélvete a ella, Jacob, y **abrázala**;
    camina hacia la claridad de su luz;
    no entregues a otros tu gloria,
    ni tu dignidad a un pueblo **extranjero**.
Bienaventurados nosotros, Israel,
    porque lo que agrada al Señor
        nos ha sido **revelado**.

Pausa antes y después de esta pregunta que se ampliará en los versículos siguientes.

Dale firme serenidad al tono de tu voz al pronunciar esta confesión de fe.

Estas líneas deben sonar convincentes. Páusate antes de proclamar la bienaventuranza y haz contacto visual con la asamblea.

---

bargo, Yahvé revela a través del profeta que la salvación es posible y que esa reivindicación ocurrirá ante los ojos de las naciones.

El profeta explica, es verdad que el pueblo no tiene nada de qué elogiarse. Dios, sin embargo, mantiene su palabra. Ya en el pasado, muchas veces Yahvé perdonó a su pueblo rebelde, por su fidelidad unilateral a la alianza. Esta consideración es de nuevo revelada, aunque no se escuchan referencias a la misericordia divina, o a su amor o fidelidad a su alianza y justicia. En Ezequiel el concepto dominante es el de la majestad de Yahvé. Es por el honor de su nombre que

Dios reivindicará el honor de su pueblo y lo guiará en su camino delante del mundo. El pueblo de Yahvé y la tierra de la promesa serán unidas de nuevo. Y si en el pasado, Israel fue incapaz de ser obediente a la alianza; ahora Ezequiel anuncia una nueva alianza que ha de perdurar y corregir desde dentro la desobediencia del pueblo.

La renovación de la nación al parecer se ha de dar en tres etapas. Primero, Dios purificará a su pueblo rociándole con agua pura. Esto sugiere un tipo de ritual introductorio de purificación que más adelante evolucionará en rituales de purificación con

agua en diversas comunidades judías y en el ritual del bautismo en la comunidad cristiana. En un segundo momento, Dios dará un nuevo corazón a su pueblo. El corazón de piedra que posee Israel sugiere la sordera del pueblo al llamado de Dios a seguir su voluntad. Según la interpretación talmúdica, "piedra" es uno de los siete nombres otorgados a la inclinación maligna. Finalmente, Dios promete poner su propio espíritu en el corazón humano. Espíritu en el Antiguo Testamento sugiere un poder otorgado al ser humano para hacer cosas nuevas

Para meditar

SALMO RESPONSORIAL   Salmo 19:8, 9, 10, 11

R. Señor, tú tienes palabras de vida eterna.

La ley del Señor es perfecta
  y es descanso del alma;
  el precepto del Señor es fiel
  e instruye el ignorante. **R.**

Los mandatos del Señor son rectos
  y alegran el corazón;
  la norma del Señor es límpida
  y da luz a los ojos. **R.**

La voluntad del Señor es pura
  y eternamente estable;
  los mandamientos del Señor
  son verdaderos
  y enteramente justos. **R.**

Más preciosos que el oro,
  más que el oro fino;
  más dulces que la miel
  de un panal que destila. **R.**

VII LECTURA   Ezequiel 36:16–28

Lectura del libro del profeta Ezequiel

En **aquel** tiempo,
  me fue dirigida la palabra del Señor **en estos términos**:
  "**Hijo** de hombre,
  cuando los de la casa de Israel habitaban **en su tierra**,
  la **mancharon** con su conducta y **con sus obras**;
  como **inmundicia** fue su proceder **ante** mis ojos.
Entonces **descargué** mi furor contra ellos,
  por la **sangre** que habían **derramado** en el país
  y por haberlo **profanado** con sus idolatrías.
Los **dispersé** entre las naciones
  y anduvieron **errantes** por todas las tierras.
Los juzgué **según** su conducta, **según** sus acciones los **sentencié**.
Y en las naciones a las que se fueron,
  desacreditaron mi santo nombre,
  haciendo que de ellos se dijera:
  '**Este** es el pueblo del Señor,
  y ha tenido que salir **de su tierra**'.

Cambia el ritmo para que se note el discurso directo. Estas palabras son acusatorias y condenatorias; deben sonar un tanto cortantes.

(1 Samuel 10:6); en este caso se trataría del poder divino para vivir en obediencia.

En esta noche celebramos estas promesas hechas desde antiguo al pueblo de Dios. Por el honor de su nombre participamos una vez más de la maravilla operada por Dios en Jesucristo. Y como pueblo de la nueva alianza, celebramos la purificación de nuestros pecados, que hemos recibido al don de Dios, Jesucristo quien nos vino a mostrar y guiar en la voluntad de Dios y quien nos dejó su espíritu.

EPÍSTOLA   Entre los capítulos 5–7 de la epístola a los Romanos, Pablo desarrolla que la vida cristiana proporciona una triple liberación al ser humano que ha sido justificado. En Romanos 5 hace referencia a la liberación del pecado y de la muerte. En Romanos 6 se habla de la liberación de sí mismo a través de la unión con Cristo. Y en Romanos 7 desarrolla cómo ocurre la liberación de la ley.

Los cristianos de Roma que han sido catequizados conocen bien los efectos del bautismo. Pablo utiliza precisamente el bautismo para desarrollar el tema de la nueva vida del cristiano que supone una remodelación de su ser a través de su unión con Cristo. El rito bautismal representa simbólicamente la muerte, sepultura y resurrección de Cristo. Ritualmente, esto se entiende mejor cuando consideramos que los bautismos se hacían por inmersión, aunque no hay evidencia, ni en favor ni contraria, a que este ritual fuese familiar para los cristianos de Roma.

Pablo recuerda que como bautizados hemos experimentado la unión en la muerte del Cristo. El texto no resuelve cómo ocurre esta vinculación; pero sugiere que hay que

Modula el tono de tu voz con resolución y cierto entusiasmo para anunciar la restauración.

Pero, por mi **santo** nombre,
  que la casa de Israel **profanó** entre las naciones a donde llegó,
  me **he compadecido**.
Por eso, **dile** a la casa de Israel:
  '**Esto** dice el Señor:
  no lo hago **por ustedes**, casa de Israel.
Yo mismo mostraré la santidad de mi nombre excelso,
  que ustedes **profanaron** entre las naciones.
Entonces ellas **reconocerán** que **yo soy** el Señor,
  cuando, por medio de ustedes les **haga ver** mi santidad.

Avanza pausadamente por cada una de las promesas. Eleva el tono de tu voz gradualmente para marcar de modo especial la última declaración.

Los **sacaré** a ustedes de entre las naciones,
  los **reuniré** de **todos** los países y los **llevaré** a su tierra.
Los **rociaré** con agua **pura** y quedarán purificados;
  los purificaré de **todas** sus inmundicias e idolatrías.

Les daré un corazón **nuevo** y les **infundiré** un espíritu nuevo;
  arrancaré de ustedes el corazón **de piedra**
  y les daré un corazón **de carne**.
Les infundiré **mi espíritu**
  y los **haré vivir** según mis preceptos
  y guardar y cumplir **mis mandamientos**.
Habitarán en la tierra que di a sus padres;
  ustedes serán **mi pueblo** y **yo** seré su Dios'".

Para meditar

SALMO RESPONSORIAL   Salmo 42:3, 5bcd, 43:3, 4
R. Como busca la cierva corrientes de agua, así mi alma te busca a ti, Dios mío.

Tiene sed de Dios, del Dios vivo:
  ¿cuándo entraré a ver
  el rostro de Dios? **R.**

Cómo marchaba a la cabeza del grupo,
  hacia la casa de Dios,
  entre cantos de júbilo y alabanza,
  en el bullicio de la fiesta. **R.**

Envía tu luz y tu verdad:
  que ellas me guíen
  y me conduzcan hasta tu monte santo,
  hasta tu morada. **R.**

Que yo me acerque al altar de Dios,
  al Dios de mi alegría;
  que te dé gracias al son de la cítara,
  Dios, Dios mío. **R.**

entenderlo más allá del ritual. Pablo parece formular un aspecto de la relación que media entre Cristo y el cristiano. Compartir en su muerte se extiende de forma exhaustiva a toda la vida del cristiano. No se trata solamente de un identificarse con la muerte del Cristo, sino que el cristiano ha de morir al pecado.

De este modo, la vida nueva se realiza en su tiempo histórico, en cuanto el cristiano responde, sin limitaciones y con libertad, a las exigencias de la gracia.

Pablo también asegura que la gloria del Padre afecta al cristiano a través del resuci-tado. Se atribuye al Padre la obra de la resurrección. La gloria del Padre brilla en el rostro del resucitado. Y la resurrección del Cristo, según el apóstol, ha introducido al ser humano en la esfera de la gloria. Para Pablo, el bautismo no sólo anticipa nuestra esperada resurrección, sino que constituye el fundamento de la nueva vida del hombre justificado. El bautismo establece una nueva realidad. El yo viejo es el que estaba domi-nado por el pecado.

Cristo resucitado se halla en una nueva relación con el Padre. A través del bautismo, él introduce en esta nueva relación a sus seguidores. El cristiano es incorporado al verdadero cuerpo de Cristo y toma parte de su vitalidad.

Lo que Pablo subraya con este desarro-llo en torno al bautismo es el compromiso peculiar de la nueva vida para el cristiano. Esta noche celebramos el evento que abrió la posibilidad para toda la comunidad de bautizados. Renovemos este compromiso de vivir la vida cristiana como creaturas jus-tificadas en esta victoria del Cristo.

EVANGELIO El relato de la tumba vacía anuncia de modo narrativo

Para meditar

O bien:

SALMO RESPONSORIAL   Isaías 12:2–3, 4bcd, 5–6

R. Sacarán aguas con gozo de las fuentes de la salvación.

El Señor es mi Dios y Salvador:
   confiaré y no temeré,
   porque mi fuerza y mi poder es el Señor,
   él fue mi salvación.
Y sacarán aguas con gozo
 de las fuentes de la salvación. **R.**

Den gracias al Señor
   invoquen su nombre,
   cuenten a los pueblos sus hazañas,
   proclamen que su nombre es excelso. **R.**

Tañan para el Señor, que hizo proezas,
   anúncienlas a toda la tierra;
   griten jubilosos, habitantes de Sión:
   "Qué grande es en medio de ti
   el Santo de Israel". **R.**

O bien: *Salmo 51:12–13, 14–15, 18–19*

EPÍSTOLA   Romanos 6:3–11

Lectura de la carta del apóstol san Pablo a los romanos

Proclama con la conciencia de compartir en este misterio de fe cristiana. Válete de las negrillas como apoyo para enfatizar cada línea.

Hermanos:
Todos los que hemos sido **incorporados** a Cristo Jesús por medio
   del bautismo,
   hemos sido incorporados **a él en su muerte.**
En efecto, por el bautismo fuimos **sepultados** con él en su muerte,
   para que, así como Cristo **resucitó** de entre los muertos
      por la **gloria** del Padre,
   así también **nosotros** llevemos una vida **nueva.**

Alarga los verbos que describen la unión íntima con Cristo.

Porque, si hemos estado **íntimamente** unidos a él
      por una muerte **semejante** a la suya,
   también lo estaremos en su **resurrección.**
Sabemos que nuestro viejo yo fue crucificado **con Cristo,**
   para que el cuerpo del pecado quedara **destruido,**
   a fin de que ya **no sirvamos** al pecado,
   pues el que ha muerto **queda libre** del pecado.

la Buena Noticia que fue declarada por Pablo en sus cartas, Jesús ha sido resucitado de entre los muertos.

El texto comienza con la llegada de un nuevo día en una nueva semana. Esto sugiere la apertura de un nuevo momento en la historia. Se trata de un nuevo inicio. Las tres mujeres que se dirigen al sepulcro fueron las mismas que presenciaron la muerte de su maestro (Marcos 15:40). La primera acción que ellas realizan y las tres referencias temporales sugieren su preocupación por honrar el cuerpo muerto de Jesús y la fidelidad en su discipulado. Ellas no se han dis-

persado luego de la muerte ignominiosa de su maestro. Acompañarle y servirle más allá de su muerte es la expresión máxima del amor de las discípulas. Sin embargo, las tres todavía siguen vinculadas al ámbito de la muerte. Las mujeres son descritas por el evangelista caminando con la preocupación de lo que les supondrá acceder al cuerpo muerto de Jesús al interior del sepulcro. El evangelista hace hincapié en la dificultad al describir la piedra. Y, sin embargo, este elemento que separaba el espacio de la muerte del espacio de la vida aparece removido.

Las tres ingresan en el espacio de muerte y se encuentran con una persona cuya descripción enfatiza victoria (vestido de blanco). El verbo usado para describir la reacción de las mujeres nos recuerda la descripción de los discípulos durante la experiencia de la transfiguración (Marcos 9:6) y la experiencia de Jesús en el Getsemaní (Marcos 14:33); una mezcla de asombro, ansiedad y turbación.

Esta persona desafía a las mujeres a dejar ir tal emoción. Luego les anuncia que Jesús, el líder de la comunidad itinerante de Galilea, el que fue crucificado, ya no está en

Por lo tanto, si hemos muerto **con Cristo**,
    estamos seguros de que también **viviremos** con él;
    pues **sabemos** que Cristo,
    una vez **resucitado** de entre los muertos, ya nunca morirá.
La muerte ya **no tiene** dominio sobre él,
    porque al morir,
    murió al pecado de una vez **para siempre**;
    y al resucitar,
    vive ahora para Dios.
Lo mismo ustedes,
    considérense **muertos** al pecado
    y **vivos** para Dios en Cristo Jesús,
    Señor nuestro.

Haz una pausa breve antes de estas líneas; ve bajando el ritmo de lectura, pero aumenta el tono de tu voz.

Para meditar

SALMO RESPONSORIAL   Salmo 118:1–2, 16ab–17, 22–23

R. Aleluya, aleluya, aleluya.

Den gracias al Señor porque es bueno,
    porque es eterna su misericordia.
Diga la casa de Israel:
    eterna es su misericordia. **R.**

La diestra del Señor es poderosa,
    la diestra del Señor es excelsa.
No he de morir, viviré
    para contar las hazañas del Señor. **R.**

La piedra que desecharon los arquitectos
    es ahora la piedra angular.
Es el Señor quien lo hecho,
    ha sido un milagro patente. **R.**

el espacio de muerte. Ellas son llamadas a "mirar" esta nueva realidad, es decir, comprender el nuevo momento. No se trata del llamado a una comprensión intelectual sino de un desafío a acoger el mensaje de la resurrección a partir de los encuentros y experiencia que hicieron ellas con el Jesús histórico. Finalmente son enviadas a proclamar esta buena noticia al resto de los discípulos.

Los discípulos tienen que movilizarse a Galilea. El verbo en presente les indica que Jesús ya está en camino a ese lugar del comienzo del discipulado y de misión. El texto no enfatiza tanto el lugar geográfico sino el movimiento que la comunidad discípula ha de hacer una vez más para hacer experiencia del resucitado. Este salir es imprescindible como parte de su seguimiento y le permitirá regenerarse en su discipulado. Como comunidad cristiana reunida durante esta vigilia estamos recibiendo una vez más la proclamación de la Buena Nueva. Hagamos este movimiento hacia Galilea y seamos signo renovado de la victoria y gozo de quienes siguen al resucitado.

EVANGELIO   Marcos 16:1–7

Lectura del santo Evangelio según san Marcos

Transcurrido **el sábado,**
María Magdalena, María (la madre de Santiago) y Salomé,
compraron perfumes para ir **a embalsamar** a Jesús.
Muy de madrugada, el **primer** día de la semana,
a la salida del sol, se dirigieron al sepulcro.
Por el camino se decían unas a otras:
"**¿Quién** nos quitará la piedra de la entrada del sepulcro?"
Al llegar, vieron que la piedra **ya estaba** quitada,
a pesar de ser **muy grande.**

Entraron en el sepulcro y vieron a un **joven,**
vestido con una túnica blanca, **sentado** en el lado derecho,
y se **llenaron** de miedo.
Pero él les dijo:
"No se **espanten.**
Buscan a Jesús de Nazaret, el que fue crucificado.
No está aquí; **ha resucitado.**
Miren el sitio donde lo habían puesto.
Ahora **vayan** a decirles a sus discípulos y a Pedro:
'Él irá delante de ustedes **a Galilea.**
Allá lo verán, como él les dijo'".

Identifica las frases donde hay algo sorpresivo; dale ese ritmo a lo que se anuncia, porque lo narrado no es algo común. Nota las marcas temporales que indican algo nuevo y contrastante.

Detente un poco en esta frase. Deja que la propia asamblea perciba esta reacción. Luego retoma a velocidad normal, pero con tono de incrédula admiración en el anuncio de la resurrección.

Concluye con lentitud, pero con tono sostenido y haciendo contacto visual con la asamblea.

DOMINGO DE PASCUA DE LA RESURRECCIÓN DEL SEÑOR

I LECTURA   Hechos 10:34a, 37–43

Lectura del libro de los Hechos de los Apóstoles

En aquellos días, Pedro tomó la palabra y dijo:
   "Ya saben ustedes lo sucedido en **toda** Judea,
   que tuvo principio **en Galilea**,
   después del Bautismo predicado por Juan:
   cómo Dios **ungió** con el **poder** del Espíritu Santo
      a **Jesús** de Nazaret y cómo **éste** pasó haciendo **el bien**,
   sanando **a todos** los oprimidos por el diablo,
   porque Dios estaba **con él**.

Nosotros somos **testigos**
      de cuanto él **hizo** en Judea y en Jerusalén.
Lo mataron **colgándolo** de la cruz,
   pero Dios **lo resucitó** al tercer día
   y **concedió** verlo,
   no a todo el pueblo,
   sino **únicamente** a los testigos **que él**,
   de antemano, había escogido:
   a nosotros, que hemos **comido y bebido** con él
      después de que **resucitó** de entre los muertos.

Él nos mandó **predicar** al pueblo
   y **dar testimonio** de que Dios
      lo ha constituido **juez** de vivos y muertos.
El testimonio de los profetas es **unánime**:
   que cuantos **creen en él** reciben, por su medio,
   el perdón de los pecados".

Haz contacto visual con la asamblea antes de comenzar el discurso de Pedro. alarga la última línea del párrafo.

Puedes pronunciar la primera frase mientras miras a la asamblea.

Asegúrate de hacer una pausa de dos tiempos entre las dos partecitas del párrafo. Pausa antes de pronunciar el formulismo litúrgico de clausura.

I LECTURA Jesús había anticipado que la Buena Noticia del Reino sería anunciada a todo el mundo. El problema estaba en el cómo y cuándo. En la lectura de hoy, san Lucas nos cuenta cómo el Espíritu Santo tomó la iniciativa para participarse, como lo había hecho con los discípulos judíos de Jesús el día de Pentecostés, sólo que sin pasar por ningún requerimiento judío y relanzar lo que Jesús anticipó.

San Lucas relaciona este reinicio con una visita que hizo Pedro a la casa de un centurión romano. Fue el Espíritu Santo, por medio de una visión, quien lo mandó a casa del pagano Cornelio. El propio oficial romano, por medio de un ángel, había recibido la indicación de que invitara a su casa a un tal Pedro.

Al llegar Pedro, vio cómo los miembros paganos de la casa de Cornelio recibieron el Espíritu Santo, con las mismas manifestaciones que habían experimentado él y sus compañeros en Pentecostés y esto sin la mediación de nada ni de nadie. No le quedó más a Pedro que proceder a dar el bautismo a los que formaban la casa de Cornelio. Así entendió Pedro que Dios no tenía preferencias en orden a la salvación, sino que también los paganos tenían la misma invitación que los judíos para formar parte del pueblo de Dios. Pedro les anuncia el Evangelio haciendo un resumen de la vida de Jesús: de su actividad, su muerte y resurrección, insistiendo en que ellos, los apóstoles habían sido testigos. Al final sacó las consecuencias ante los nuevos miembros del pueblo de Dios: Dios ha escogido a los apóstoles para que proclamen y testimonien que Jesús fue designado por Dios para ser juez universal de los vivos y de los muertos, para beneficio de todos. Así fue como el Espíritu Santo se valió

Para meditar

SALMO RESPONSORIAL   Salmo 118:1–2, 16ab–17, 22–23

R. Éste es el día en que actuó el Señor: sea nuestra alegría y nuestro gozo.

O bien: **R. Aleluya.**

Den gracias al Señor porque es bueno,
    porque es eterna su misericordia.
Diga la casa de Israel:
    eterna es su misericordia. **R.**

La diestra del Señor es poderosa,
    la diestra del Señor es excelsa,
No he de morir, viviré
    para contar las hazañas del Señor. **R.**

La piedra que desecharon los arquitectos
    es ahora la piedra angular.
Es el Señor quien lo hecho,
    ha sido un milagro patente. **R.**

II LECTURA   Colosenses 3:1–4

Lectura de la carta del apóstol san Pablo a los colosenses

Hermanos:
Puesto que ustedes **han resucitado** con Cristo,
    busquen los bienes **de arriba**,
    donde **está** Cristo, sentado **a la derecha** de Dios.
Pongan **todo** el corazón en los bienes **del cielo**,
    no en los de la tierra,
    porque **han muerto**
    y su vida **está escondida** con Cristo en Dios.
Cuando **se manifieste** Cristo, **vida** de ustedes,
    entonces **también** ustedes se manifestarán **gloriosos**,
    juntamente con él.

O bien:

Esta exhortación debe hacerse con afecto y firmeza. Dale calidez a tu porte y al tono de tu voz, apoyándola desde el diafragma.

Baja la velocidad de lectura conforme te acercas al final, pero cierra en tono elevado, como si quedara algo por decir.

---

de Pedro para que todo el género humano escuchara el mensaje de salvación.

En adelante el camino de la salvación estará abierto para todos. Queda, con todo, en cada hombre el aceptar o rechazar esta oferta de Dios.

II LECTURA Colosas era una ciudad de Frigia (en la actual Turquía), donde se fue formando una comunidad cristiana; sus miembros eran de procedencia pagana en su mayoría, y guardaban contactos con cristianos de comunidades domésticas en Laodicea y Hierápolis, ciudades vecinas. La de Colosas habría sido fundada por Epafras, uno de los colaboradores de Pablo (ver Colosenses 1:7), si bien la carta misma de la que hoy escuchamos es considerada déutero-paulina, es decir, escrita por algún discípulo del Apóstol de los Gentiles.

Escuchamos hoy una exhortación a llevar una vida acorde a la transformación ganada en el bautismo. En efecto, gracias al baño de la regeneración, el cristiano ha sepultados sus apetencias e ideales terrenales y ha resucitado con Cristo; por ende, no le cabe sino amoldarse a los criterios y modos de existir de Cristo: los de su gloria celeste.

No es una gloria ajena ni lejana al cristiano, sino que ya está incoada o sembrada en su misma existencia, aunque sólo será evidente en la manifestación futura del Señor.

La Iglesia se alegra con el nacimiento de sus hijos recién bautizados, los neófitos, y nos recuerda cuál es el objetivo último de nuestra regeneración bautismal: vivir unidos a Cristo de manera definitiva en su gloria.

II LECTURA La imagen de la levadura que Pablo utiliza en la lectura de hoy no es otra que el ritual doméstico de los judíos piadosos para la celebración

II LECTURA   1 Corintios 5:6–8

Lectura de la primera carta del apóstol san Pablo a los corintios

Hermanos:
  ¿No saben ustedes que **un poco** de levadura
    hace fermentar **toda** la masa?
Tiren la antigua levadura,
    para que sean ustedes una masa **nueva**,
    ya que son pan **sin levadura**,
    pues **Cristo**, nuestro cordero pascual, ha sido **inmolado**.

Celebremos, pues, la fiesta de la Pascua,
    no con la **antigua** levadura, que es de vicio **y maldad**,
    sino con el pan **sin** levadura,
    que es de **sinceridad y verdad**.

EVANGELIO   Juan 20:1–9

Lectura del santo Evangelio según san Juan

El **primer** día después del sábado, estando **todavía** oscuro,
    fue María Magdalena al sepulcro
    y vio **removida** la piedra que lo cerraba.
Echó **a correr**,
    llegó a la casa donde estaban **Simón Pedro** y el otro discípulo,
      a quien Jesús **amaba**, y les dijo:
    "**Se han llevado** del sepulcro al Señor
    y **no sabemos** dónde lo habrán puesto".

Salieron Pedro y el otro discípulo camino del sepulcro.
Los dos iban corriendo **juntos**,
    pero el otro discípulo corrió **más aprisa** que Pedro
    y llegó **primero** al sepulcro,
    e **inclinándose**,

A la interrogación, recorre con tu mirada a la asamblea, como buscando su consenso.

Imprime entusiasmo a esta invitación, y remata con tono elevado.

Es un relato muy vivo. Agiliza tu lectura enfatizando las ligazones entre una acción y otra. No alargues las pausas.

Transmite con tu velocidad de lectura el desconcierto de los protagonistas.

pascual, misma que se prolongaba en la Fiesta de los Ázimos. Ésta comenzaba al día siguiente de la Pascua y duraba siete días, durante los cuales se comían panes sin levadura, hecho con granos de la cebada recién cosechada. El rito pedía buscar y deshacerse de todo pan y harina del año viejo, para comenzar luego a usar los granos nuevos para molerlos, amasar la harina sin levadura y cocer panecillos simples.

El apóstol exhorta a extirpar lo que corrompe la salud cristiana para mostrar lo nuevo en el mundo. Esta novedad es Cristo resucitado, de cuya vida se participa me-

diante el bautismo. Pablo menciona dos características esenciales de la vida nueva, "incorrupción y verdad", a tono con la imagen de los ázimos.

Así pues, el cristiano ha de mantenerse alerta para evitar todo aquello que puede enturbiar la transparente novedad de Cristo, y cultivar la sinceridad y la inocencia originarias. Por eso la Iglesia nos llama hoy a extirpar de raíz toda intención y acción torcidas o aviesas que desdigan de lo que nos ha ganado Cristo con su sacrificio y resurrección.

EVANGELIO Comparado con los otros tres evangelistas, Juan dobla su narración sobre la resurrección de Jesús, como lo hizo para contar su pasión. Detrás de su relato de la resurrección está, como en Marcos, el misterio de la tumba vacía. Esta vaciedad es una realidad que hasta el día de hoy debemos interpretar. Para entender ese vacío, María de Magdala supuso un hurto; por eso su primer anuncio, es anunciar un vacío. Jesús no está en el sepulcro, se lo han de haber llevado. ¿Quién? ¿para qué? Ella no sabe, por lo que

miró los lienzos puestos en el suelo,
  pero **no entró**.

En eso llegó también **Simón Pedro**, que lo venía siguiendo,
  y **entró** en el sepulcro.
Contempló los lienzos puestos en el suelo
  y el sudario, que había estado **sobre** la cabeza de Jesús,
  puesto **no con los lienzos** en el suelo,
  sino **doblado** en sitio aparte.
Entonces entró también el **otro** discípulo,
  el que había llegado **primero** al sepulcro,
  y vio y **creyó**,
  porque hasta entonces **no habían entendido** las Escrituras,
  según las cuales Jesús **debía** resucitar de entre los muertos.

O bien: *Marcos 16:1–7*. **En la misa vespertina:** *Lucas 24:13–35*

Como si estuviera aislada la frase de "y vio y creyó", haz una ligera pausa tras pronunciarla; como si fuera punto y coma lo que sigue.

les proyecta, a Pedro y al discípulo amado, el anuncio del vacío, de la nada.

Pedro y el discípulo corren hacia el lugar del sepulcro a constatar. Ni siquiera le creen a María lo del vacío. Ellos lo tienen que ver. ¿Para qué? Tal vez ni ellos lo sabían. Ya el narrador hace la distinción entre estos dos discípulos del Señor. Uno, el primero, es la piedra (*Kefas*), el encargado de confirmar en la fe a los demás discípulos del Señor. El otro, es simplemente el discípulo predilecto del Señor. Este título, más allá de la querencia natural entre dos amigos, traía la connotación

de la clarividencia que había mostrado dentro del grupo de los más allegados a Jesús.

El discípulo, siendo más joven, llegó primero. El sepulcro, era un hueco vacío, pues dice el evangelista que ese discípulo se inclinó, vio los lienzos en el suelo, pero no entró. Es consciente que el que debe entrar primero es el que ahora es nombrado Simón Pedro. Éste entró y observó los lienzos en el suelo y el sudario en lugar aparte y salió como había entrado: el sepulcro estaba vacío y vacío quedó hasta que lo transformaron y no sabemos cuándo ni cómo.

El discípulo amado vio igual que María y Simón, pero su vista fue más allá, conducido por la fe, y creyó. Con esto siguió lo que el Maestro repetirá varias veces, la resurrección entra al dominio de la fe y la vista es incapaz de captar toda la inmensidad del misterio central del mensaje de Jesús. Hoy como ayer el sepulcro está vacío y estará para siempre. La tierra no puede encerrar la vida gloriosa del Resucitado, como esperamos que pase lo mismo con nosotros, cuando el Señor nos lleve con todo y cuerpo con él.

II DOMINGO DE PASCUA

Proclama esta instantánea pascual de la comunidad primera como compartiendo un atesorado retrato de tu propia famiia.

I LECTURA   Hechos 4:32–35

Lectura del libro de los Hechos de los Apóstoles

La **multitud** de los que habían creído tenía un **solo** corazón
  y una **sola** alma; todo lo poseían **en común**
  y **nadie** consideraba suyo nada de lo que tenía.

Con **grandes** muestras de poder,
  los apóstoles daban **testimonio** de la resurrección
    del Señor Jesús
  y **todos** gozaban de **gran** estimación entre el pueblo.
Ninguno pasaba necesidad,
  pues los que **poseían** terrenos o casas, los vendían,
  llevaban el dinero y lo ponían **a disposición** de los apóstoles,
  y luego se **distribuía** según lo que necesitaba **cada uno**.

Enfatiza las palabras en negrillas haciendo notar el espíritu de solidaridad eficaz que reinaba entre los creyentes.

Para meditar

SALMO RESPONSORIAL   Salmo 117:2–4, 16–18, 22–24

R. Den gracias al Señor porque es bueno, porque es eterna su misericordia.
O bien: **Aleluya.**

Diga la casa de Israel:
  eterna es su misericordia.
Diga la casa de Aarón:
  eterna es su misericordia.
Digan los fieles del Señor:
  eterna es su misericordia. **R.**

La diestra del Señor es poderosa,
  la diestra del Señor es excelsa.
No he de morir, viviré para contar las
    hazañas del Señor.
Me castigó, me castigó el Señor,
pero no me entregó a la muerte. **R.**

La piedra que desecharon los arquitectos
  es ahora la piedra angular.
Es el Señor quien lo ha hecho,
  ha sido un milagro patente.
Éste es el día en que actuó el Señor:
  sea nuestra alegría y nuestro gozo. **R.**

I LECTURA San Lucas ofrece una descripción sintética de la vida de la Iglesia en sus orígenes. Entre los elementos que enumera, está la actividad curativa de los apóstoles. Recalca Lucas algunos aspectos que dan la impresión de que pinta los orígenes de la Iglesia con trazos gruesos, sin fijarse en puntos de la vida cotidiana que nos interesaría conocer a los hombres de hoy.

En la lectura actual, que es el tercer sumario, escribe sobre la actividad curativa de Pedro. Se entiende el temor de los que se le acercan a los apóstoles y la fama que va tomando Pedro. Para la mentalidad antigua cubrir a alguien con su sombra, significaba penetrarlo con su poder, así como durante la travesía de los israelitas por el desierto, la nube con su sombra cabria la tienda del encuentro, llenándola de la gloria de Dios, de manera que Moisés no podía entrar en esos momentos (Ezequiel 40:35–36). La gente intentaba una curación que fuera a distancia. Se tenía ante los apóstoles un temor sacro, como si al acercarse a ellos, de alguna forma se acercaran a algo divino. Esto ayudó a que la gente aceptara poco a poco el mensaje de los apóstoles.

La Iglesia descrita por Lucas es un modelo para toda la Iglesia. Esta con las singularidades especiales de cada época, no debe abandonar el modelo. Estos inicios eclesiales son como un espejo para la iglesia de todos los tiempos. La Iglesia atrae al pueblo, pero debe vivir también a la sombra de la cruz. De aquí que la persecución esté presente desde el principio. Una advertencia para nosotros los cristianos que, si nos falta esta, tendríamos un indicio de que algo fundamental no marcha en nuestra comunidad o comunidades cristianas.

II LECTURA   1 Juan 5:1–6

Lectura de la primera carta del apóstol san Juan

Queridos hermanos:
    Todo el que **cree** que Jesús es el Mesías, **ha nacido** de Dios.
Todo el que **ama** a un padre,
    ama también a **los hijos** de éste.
Conocemos que amamos a los hijos de Dios,
    en que **amamos** a Dios y **cumplimos** sus mandamientos,
    pues el amor de Dios consiste en que **cumplamos**
        sus preceptos.
Y sus mandamientos **no son** pesados,
    porque **todo** el que ha nacido de Dios **vence** al mundo.
Y nuestra fe es la que nos **ha dado** la victoria sobre el mundo.
Porque, ¿**quién es** el que vence al mundo?
Sólo el **que cree** que Jesús es el **Hijo** de Dios.

Jesucristo es el que se **manifestó**
    por medio del **agua** y de **la sangre**;
    él vino,
    no sólo con agua,
    sino con agua y con sangre.
Y el Espíritu es el que **da testimonio**,
    porque el Espíritu es **la verdad**.

EVANGELIO   Juan 20:19–31

Lectura del santo Evangelio según san Juan

Al **anochecer** del día de la resurrección,
    estando **cerradas** las puertas de la casa
    donde se hallaban los discípulos, por **miedo** a los judíos,
    se presentó Jesús **en medio** de ellos y les dijo:
    "**La paz** esté con ustedes".

Dispón tu espíritu a compartir la sabiduría de un anciano que ha descubierto lo esencial de su fe y cómo practicarla. El tono es magisterial pero nunca pedante.

Modula con cierta modestia estos enunciados y haz contacto visual con la asamblea en la pregunta.

Eleva tu volumen de voz y aminora la velocidad para que la frase final se quede en el oído de la asamblea.

Haz resonar el saludo de Jesús con energía vital y entusiasmo, no con violencia.

II LECTURA San Juan reacciona poniendo los puntos sobre las íes, como se dice. Si el creer en Cristo, el Ungido de Dios, equivale al nacimiento a una vida nueva, esta identidad nueva debe plasmarse en lo material y evidente: la guarda de los mandamientos divinos. Estos mandatos no entorpecen a los místicos y espirituales, sino que son la luz que manifiesta la identidad profunda del creyente. Su cumplimiento aquilata la fe y el amor a Dios, pues lo que se pesa y se mide es el amor a sus hijos. El resto es demagogia.

San Juan pone ante los ojos de sus escuchas la imagen del Crucificado. Les da a entender que la muerte de Jesús fue real, como lo aseguran la sangre y el agua que salieron de su costado. En aquel mundo politeísta, se decía que los dioses no tenían sangre en sus cuerpos. San Juan hace ver que la carne del Hijo de Dios es genuina y tiene relevancia capital para nuestra salud.

La Iglesia nos anima a estar vigilantes para que la fe cristiana no se convierta en una ideología ni en un sistema teológico bien trabado. Lo sustancial es la coherencia de lo que se cree con lo que se hace; el amor al prójimo, la caridad fraterna, es la criba de la auténtica fe en Dios.

EVANGELIO Jesús en el cuarto evangelio no aparece, sino que llega de improviso y se coloca en medio de los suyos, tomando el puesto central de la comunidad. De esta forma se hace visible a todos. Así cumple las promesas hechas en su discurso de adiós en la última cena.

Estas venidas de Jesús son una anticipación de su venida al final de los tiempos. No en balde, esta venida es ocasión de una gran alegría para los discípulos y les otorga

Dicho esto, les **mostró** las manos y el costado.
Cuando los discípulos **vieron** al Señor, se **llenaron** de alegría.

De **nuevo** les dijo Jesús:
    "La paz **esté** con ustedes.
Como el Padre me ha **enviado,** así **también** los envío yo".
Después de decir esto, **sopló** sobre ellos y les dijo:
    "**Reciban** al Espíritu Santo.
A los que les **perdonen** los pecados, les quedarán **perdonados;**
    y a los que **no** se los perdonen, les quedarán **sin** perdonar".

Tomás, uno de los Doce, a quien llamaban **el Gemelo,**
    no estaba con ellos cuando vino Jesús,
    y los otros discípulos le decían: "Hemos **visto** al Señor".
Pero él les contestó:
    "Si **no veo** en sus manos la **señal** de los clavos
    y si no meto mi dedo en los agujeros de los clavos
    y no meto mi mano en su costado, **no creeré".**

Ocho días después,
    estaban reunidos los discípulos **a puerta cerrada**
    y Tomás estaba **con ellos.**
Jesús se presentó de nuevo en medio de ellos y les dijo:
    "La paz esté **con ustedes".**
Luego le dijo **a Tomás:** "**Aquí** están mis manos;
    acerca tu dedo. Trae **acá** tu mano, **métela** en mi costado
    y no **sigas** dudando, sino **cree".**
Tomás le respondió: "¡Señor mío y **Dios mío!"**
Jesús añadió: "Tú crees porque me **has visto;**
    dichosos los que creen **sin haber** visto".

Otras **muchas** señales milagrosas hizo Jesús
        en presencia de sus discípulos,
    pero **no están** escritas en este libro.
Se escribieron **éstas** para que ustedes **crean**
        que Jesús es el Mesías, el **Hijo de Dios,**
    y para que, creyendo,
        tengan vida en su nombre.

Alarga la pausa entre parágrafos y retoma la proclamación en cierto tono casual, como si hubiera habido un olvido involuntario que ahora se remedia.

Este diálogo es muy emotivo. Llévalo con ritmo pausado pero sin ralentizar demasiado. Luego de la bienaventuranza haz contacto visual con la asamblea.

Avanza línea a línea, sin carreras, pero con el ritmo que las comas facilitan.

---

la paz, los dos grandes dones prometidos por todos los profetas para la venida del Mesías. De hecho, la expresión "en aquel día" (Juan 20:19) es una fórmula que aparece en muchas partes de los libros proféticos para designar el Día de la venida del Señor. De aquí que en todos los sacramentos la Iglesia haya conservado y anuncie a los que los recibimos, la venida del Señor.

El Resucitado ya salió de este mundo, que se encuentra encerrado por las leyes de la limitación. Con su resurrección venció todas estas limitaciones humanas. Además, se acerca a su comunidad cuando se ha encerrado en sí misma o está llena de miedo ante la amenaza de una muerte que no es liberadora. Están los discípulos encerrados por miedo a los judíos.

Jesús los abre a la esperanza. Mostrándoles sus manos y su costado, es decir, los signos de su muerte que tuvo como motivo el amor, les da el sentido refundo del sacrificio pascual como suprema muestra de amor por ellos. En esos momentos los discípulos se abren a los dos dones prometidos para le época mesiánica: la alegría y la paz. Ante estos signos de amor, los discípulos se reconcilian con el escándalo de la cruz, superando el miedo y su aislamiento. Ahora están ya listos para ser enviados por Jesús. Por esto el Resucitado los envía, como el Padre lo había enviado a él. Saldrán de su seguridad egotista, para entregarse a la seguridad que otorga el Resucitado que se entregó por todos.

El Resucitado les confía el gran don del Espíritu Santo. Con este soplo divino, el vigor de la vida nueva, el hombre, hecho del polvo de la tierra, participará de la paz y fortaleza de Dios.

III DOMINGO DE PASCUA

Esta prédica describe lo central de la fe cristiana. Localiza las partes donde anuncia, denuncia o exhorta a la conversión, y modula en consecuencia.

Este es el clímax del desarrollo. Haz contacto visual con la asamblea.

I LECTURA   Hechos 3:13–15, 17–19

Lectura del libro de los Hechos de los Apóstoles

En aquellos días, **Pedro** tomó la palabra y dijo:
    "El Dios de Abraham, de Isaac y de Jacob,
    el Dios **de nuestros padres,**
    ha **glorificado** a su siervo Jesús,
    a quien ustedes **entregaron** a Pilato,
    y a quien **rechazaron** en su presencia,
    cuando él ya había decidido ponerlo **en libertad.**
Rechazaron al santo, al justo,
    y pidieron el indulto **de un asesino;**
    han dado muerte al autor **de la vida,**
    pero Dios lo **resucitó** de entre los muertos
    y de ello nosotros somos **testigos.**

Ahora bien, **hermanos,**
    yo sé que ustedes han obrado por **ignorancia,**
    de la **misma** manera que sus jefes;
    pero Dios **cumplió** así lo que había predicho por **boca**
        de los profetas:
    que su Mesías **tenía** que padecer.
Por lo tanto,
    arrepiéntanse y conviértanse
    para que se les **perdonen** sus pecados".

I LECTURA La liturgia de hoy nos concentra en la resurrección del Señor, pero no como un evento aislado, que no lo fue, sino como una reacción o respuesta de Dios ante la iniquidad humana que condenó a su Hijo enviado. En el trocito de Hechos escuchamos un fragmento del discurso de Pedro en el pórtico de Salomón, ante la gente reunida, intrigada porque Pedro curó a un paralítico en el nombre de Jesús, el Nazoreo, cuando subía con Juan al templo a orar. El milagro muestra el poder de Jesús muerto y resucitado, y da ocasión para anunciar la Buena Nueva.

Pedro hace patente que el Dios de las promesas es quien "glorificó a su siervo Jesús". En cierta manera insinúa una ruptura entre lo que decidió la descendencia de los patriarcas y lo que Dios hizo; los judíos rechazaron "al autor de la vida", "pero Dios lo resucitó de entre los muertos". La muestra de que esto es así es el paralítico. Pedro no afirma esto por iniciativa propia, pues él, y el grupo discipular, son meros testigos. Dios es el que ha obrado en Jesús, y, por él, sigue obrando en beneficio de los más desfavorecidos, dándoles vida nueva. Los que antes condenaron "al santo, al justo" tienen la oportunidad de arrepentirse y obtener el perdón de Dios.

La vida nueva que los bautizados reciben deriva de Cristo resucitado, es eterna e inagotable. Dios la otorga a todo el que invoca al Señor Jesús y se convierte. Nosotros hacemos esto en nuestras celebraciones sacramentales y en toda celebración litúrgica que nos nutre siempre con el testimonio de los apóstoles. Hoy en día, nosotros somos los testigos del Resucitado de entre los muertos.

Para meditar

SALMO RESPONSORIAL   Salmo 4:2, 7, 9

R. Haz brillar sobre nosotros el resplandor de tu rostro, Señor.
O bien: **Aleluya.**

Escúchame cuando te invoco,
    Dios defensor mío;
tú que en el aprieto me diste anchura,
    ten piedad de mí y escucha mi oración. **R.**

Hay muchos que dicen: "¿Quién nos hará
    ver la dicha?
si la luz de tu rostro ha huido de nostros."
En paz me acuesto y en seguida me duermo,
    porque tú solo, Señor, me haces
    vivir tranquilo. **R.**

II LECTURA   1 Juan 2:1–5

Lectura de la primera carta del apóstol san Juan

Hijitos míos:
Les escribo esto para que **no** pequen.
Pero, si alguien **peca**,
    tenemos como **intercesor** ante el Padre, a Jesucristo, **el justo**.
Porque él se **ofreció** como víctima
        de expiación por **nuestros** pecados,
    y **no sólo** por los nuestros, sino por los del mundo **entero**.

En esto tenemos una prueba de que **conocemos** a Dios:
    en que **cumplimos** sus mandamientos.
Quien dice:
    "**Yo** lo conozco", pero **no cumple** sus mandamientos,
    es un **mentiroso** y la verdad no está **en él**.
Pero en aquel que **cumple** su palabra,
    el amor de Dios ha llegado a **su plenitud,**
    y precisamente **en esto** conocemos que estamos unidos **a él**.

EVANGELIO   Lucas 24:35–48

Lectura del santo Evangelio según san Lucas

Cuando los dos discípulos **regresaron** de Emaús
    y llegaron al sitio donde estaban **reunidos** los apóstoles,

Infunde un tono sereno y que invite a la confianza en este párrafo. Frasea cuidadosamente para sostener el sentido de la lectura.

Nota la forma de argumentar y enfatiza las transiciones: "Quien dice…" "es un mentiroso…", "Pero en …el amor…".

Este fragmento reporta la última reunión de Jesús con los suyos; es una despedida pero llena de luz y alegría. Transmite esto mismo.

II LECTURA El autor de la carta, el Anciano, ha venido explayando argumentos a fin de que los escuchas diluciden con nitidez lo que significa caminar en la luz, es decir, apegarse a los mandamientos divinos, pero también andar en la oscuridad, de espaldas a la salud que está en la revelación de Jesucristo. Los creyentes son aquellos que han decidido caminar siempre en la luz, aunque habrá ocasiones en las que fallarán y les podrá confundirse, cayendo en eso que el autor designa como "pecar". Este es un riesgo que la comunidad está padeciendo y que el autor identifica como causado por unos maestros que no se apegan a lo aprendido desde el principio. El pecado es la negación de la decisión primera de la fe.

Las ideas novedosas en la comunidad llevan a los creyentes a faltar a la verdad de la encarnación del Hijo de Dios, en primer lugar; pero ese es un pecado debido a una comprensión errónea, sino que trae consecuencias porque socava lo que verifica la fe cristiana: el amor al prójimo. Negar la carne de Jesús deja sin sustento el amor fraterno. El pecado termina desmoronando la vida de la comunidad. La situación, sin embargo, no hay que entregarla a la desesperanza y pensar que el creyente no tiene manera de volver a la senda de la luz.

San Juan nos recuerda que la intercesión o mediación de Cristo ante Dios, ganada por su sacrificio, no cesa ni es anulada por el pecado; su expiación es tan poderosa y amplia como permanente, pues alcanza al mundo entero, es decir, a toda la humanidad, y es irrevocable. En esto se basa la confianza del que cree en Cristo Jesús y lo muestra amando al hermano, no odiándolo. Se odia al pecado, no al pecador.

les contaron lo que les había pasado por el **camino**
y cómo habían **reconocido** a Jesús al **partir** el pan.

Mientras hablaban de esas cosas,
se **presentó** Jesús en medio de ellos y les dijo:
"**La paz** esté con ustedes".
Ellos, **desconcertados** y llenos de temor, creían ver **un fantasma**.
Pero él les dijo: "**No teman**; soy **yo**.
¿**Por qué** se espantan? ¿Por qué surgen dudas en su **interior**?
Miren mis manos y mis pies. Soy yo **en persona**.
Tóquenme y convénzanse:
un fantasma **no tiene** ni carne ni huesos,
como ven que **tengo** yo".
Y les **mostró** las manos y los pies.
Pero como ellos no acababan de creer de **pura** alegría
y seguían **atónitos**, les dijo: "¿Tienen aquí algo **de comer**?"
Le ofrecieron un trozo de pescado asado;
él **lo tomó** y se puso a comer **delante** de ellos.

Después les dijo:
"Lo que **ha sucedido**
es **aquello** de que les hablaba yo,
cuando **aún** estaba con ustedes:
que **tenía** que cumplirse **todo** lo que estaba escrito **de mí**
en la ley de Moisés, en los profetas y en los salmos".

Entonces **les abrió** el entendimiento
para que **comprendieran** las Escrituras y les dijo:
"Está **escrito** que el Mesías **tenía** que padecer
y había de **resucitar** de entre los muertos al **tercer** día,
y que **en su nombre** se había de predicar a **todas** las naciones,
comenzando por Jerusalén,
la necesidad de **volverse** a Dios y el **perdón** de los pecados.
Ustedes son **testigos** de esto".

Impregna de fuerza y serenidad el saludo pascual. La voz de Jesús debe infundir seguridad y familiaridad.

Identifica las tres oraciones y sus frases en este párrafo final. Modula adecuadamente; eleva un poco el tono de voz en los dos puntos y en las comas, hilando las frases complementarias. La ultima línea debe mirarse como independiente.

EVANGELIO En la escena de la liturgia de este domingo, insiste Jesús, en primer lugar, en la realidad de su resurrección. Él está vivo; recurre a la vista, a que lo palpen, más aún, se pone a comer con sus discípulos. Les repite que no es un fantasma. Todo esto porque entiende el Señor la dificultad que tendrá entonces y ahora el cristiano para fincar su vida en la creencia fundamental de la resurrección del Señor. Si no fuera real la resurrección del Señor, menos sería la nuestra. Resucitaremos como el Señor y en el anuncio de ésta se fincará la comunidad cristiana.

Otro tema que toca esta lectura es la predicación de un Jesús encarnado en nuestro medio. El Jesús que hoy predicamos los cristianos no es un espíritu o una visión espiritual. Jesús realmente nos acompaña en nuestra misión, es nuestra fuerza. La resurrección para san Lucas se expresa en acciones. Por esto Lucas construyó su texto donde la presencia de Jesús resucitado es activa: provoca, testimonia, consuela y nos llena de valor para presentarlo activo y vivo en nuestra persona y en la comunidad. Y algo muy importante: la resurrección no se prueba, se da testimonio de ella. Donde hay personas que comen, lloran, ríen, allí está la presencia del Resucitado. Finalmente, nuestra vida debe ser una prueba de que la vida vence a la muerte, de que la gracia, el don, vence al egoísmo.

Hoy el papa Francisco nos invita a salir de nuestros templos a la vida. Es una forma concreta de anunciar la resurrección: mostrar aquí y ahora esa fuerza que genera una dimensión más fuerte y duradera, a que nos conduce hasta la vida eterna, porque de allá viene.

IV DOMINGO DE PASCUA

El testimonio de Pedro es una exposición valiente. Dale cierto aire como de desafío, pero no altanero a tu entonación.

Ve elevando tu tono de voz conforme te acercas al final. La confesión de fe va escalando hasta la última línea.

I LECTURA   Hechos 4:8–12

Lectura del libro de los Hechos de los Apóstoles

En aquellos días, Pedro, **lleno** del Espíritu Santo, dijo:
    "Jefes del pueblo y ancianos:
Puesto que **hoy** se nos interroga
    acerca del beneficio hecho a un hombre **enfermo**,
    para saber **cómo** fue curado,
    sépanlo ustedes y sépalo **todo** el pueblo de Israel:
    este hombre ha quedado **sano** en **el nombre** de Jesús de
        Nazaret,
    a quien ustedes **crucificaron**
    y a quien Dios **resucitó** de entre los muertos.
Este **mismo** Jesús
    *es la **piedra** que ustedes, los constructores, **han desechado***
    *y que **ahora** es la piedra angular.*
Ningún otro puede **salvarnos**,
    pues en la tierra no existe ninguna otra persona a quien Dios
        haya constituido como salvador nuestro".

I LECTURA | Pedro y Juan fueron llevados a comparecer ante el Sanedrín para explicar su acción. Pedro, impulsado por el Espíritu Santo, dio una explicación a los jefes de los sacerdotes que habían ido a escuchar una razón de lo hecho por Pedro.

Pedro les confiesa que esta curación es una acción de Jesús. Pedro no es más que un intermediario. Jesús, Mesías, ha sido enviado a la muerte por la asamblea de los que ahora están esculcando; pero Dios lo ha resucitado. En todos los discursos de los apóstoles, éstos siempre ofrecen estas dos explicaciones: la primera, Jesús fue asesinado por una conjura de los jefes judíos, sin especificar mucho más; la segunda, la resurrección de Jesús es el resultado de la acción salvífica y redentora de Dios. Pedro ha obrado por medio de la potencia que le otorgó Jesús.

Como judíos que eran todos los presentes, Pedro recurre a la Biblia, escogiendo aquellos pasos que puedan explicar la acción de Dios en su Mesías. Esta manera de obrar entre los maestros de la Ley era normal en aquellos tiempos. Pedro se vale del Salmo 117. Insiste en el verso que habla de la imagen de la piedra que fue desechada por los constructores y que de pronto se convirtió en la piedra angular, la más importante de la construcción, dado que es la que causa que el edificio se sostenga. La aplicación a Jesús es clara: rechazado por los jefes de su pueblo, ahora es la fuente de la salvación para los pobres, como lo han visto en la curación del paralítico. En el fondo está la acusación de que ellos obraron mal al crucificarlo.

II LECTURA | En el mundo helenístico romano del siglo primero, los

Para meditar

SALMO RESPONSORIAL   Salmo 117:1, 8–9, 21–23, 26, 28–29
R. La piedra que desecharon los arquitectos, es ahora la piedra angular.
O bien: **Aleluya.**

Den gracias al Señor porque es bueno,
   porque es eterna su misericordia.
Mejor es refugiarse en el Señor
   que fiarse de los hombres,
   mejor es refugiarse en el Señor,
   que fiarse de los jefes. **R.**

Te doy gracias, porque me escuchaste
   y fuiste mi salvación.
La piedra que desecharon los arquitectos,
   es ahora la piedra angular.
Es el Señor quien lo ha hecho,
ha sido un milagro patente. **R.**

Bendito el que viene en nombre del Señor,
   los bendecimos desde la casa del Señor.
Tú eres mi Dios, te doy gracias.
Dios mío, yo te ensalzo.
Den gracias al Señor porque es bueno,
   porque es eterna su misericordia. **R.**

II LECTURA   1 Juan 3:1–2

Lectura de la primera carta del apóstol san Juan

Queridos hijos:
Miren **cuánto amor** nos ha tenido el Padre,
   pues **no sólo** nos llamamos **hijos** de Dios, sino que **lo somos**.
Si el mundo no **nos reconoce**,
   es porque **tampoco** lo ha reconocido **a él**.

Hermanos míos, **ahora** somos hijos de Dios,
   pero **aún** no se ha manifestado cómo seremos **al fin**.
Y ya sabemos que, cuando él **se manifieste**,
   vamos a ser **semejantes** a él,
   porque lo veremos **tal cual es**.

El tono es amable, como el de un patriarca o matriarca que aconseja a sus hijos y nietos cómo comportarse.

Pasea tu mirada por la asamblea hacia las últimas líneas de tu lectura. Baja la velocidad en la última línea.

hombres eran o libres o esclavos, y esto venía determinado por su nacimiento, es decir, por pertenecer a tal o cual familia. Los libres eran minoría y gozaban de plenos derechos respecto a la tenencia de la tierra, a comerciar, a la obtención de puestos públicos, pero también respecto al honor y a hacer carrera política y militar. Estos derechos pasaron de padres a hijos por generaciones.

Los que creen en Cristo Jesús son hijos de Dios no sólo nominalmente, sino con pleno derecho. Esta afirmación de san Juan expresa el núcleo de la convicción cristiana de aquello que ocurre en el bautismo. Allí,

el Dios de amor ha llamado al creyente por su nombre; es decir, lo ha admitido en su casa; con esto, el bautizado en el nombre de Cristo Jesús, pertenece a la familia de Dios y tiene el nombre nuevo de hijo de Dios. En correspondencia, el nuevo hijo comienza a invocar a Dios con esa palabra que llena de nuevo sentido su existencia entera: "Padre". Esta maravillosa transformación, sin embargo, exige constatación cotidiana, aunque el mundo, los de fuera de la comunidad, no reconoce esta realidad, pues tampoco reconoce a Dios, el Padre de Cristo

Jesús. Esto no merma la verdad que la fe cristiana postula.

Mientras aguardamos la manifestación definitiva del Señor, hay que conducirnos como hijos de Dios, pues ésta es la forma de irnos asemejando a él y honrarlo por el don que a todos nos ha conferido en Cristo Jesús.

EVANGELIO Una de las figuras más recurrentes en el Oriente Medio, antes y ahora, es la del pastor. Aquí Jesús le añade un adjetivo que califica al sustantivo pastor como único, autentico. Tal vez el adjetivo tan poco empleado como

EVANGELIO   Juan 10:11–18

Lectura del santo Evangelio según san Juan

Haz notar la diferencia entre el Buen pastor y los líderes asalariados. Eleva la voz en cada "Yo soy…" de esta lectura .

En aquel tiempo, Jesús dijo **a los fariseos**:
  "Yo **soy** el buen pastor.
El buen pastor **da la vida** por sus ovejas.
En cambio, el asalariado,
    el que **no es** el pastor **ni el dueño** de las ovejas,
    cuando ve venir al lobo, **abandona** las ovejas y **huye**;
    el lobo se **arroja** sobre ellas y las **dispersa**,
    porque a un asalariado no le importan las ovejas.

Yo soy el **buen pastor**, porque conozco a mis ovejas
    y ellas me conocen a mí,
    así como el Padre **me conoce** a mí y yo conozco al Padre.
Yo **doy la vida** por mis ovejas.
Tengo además **otras** ovejas que **no son** de este redil
    y es necesario que las traiga **también** a ellas;
    escucharán mi voz y habrá **un solo** rebaño y **un solo** pastor.

Enfatiza las referencias de primera persona y termina haciendo contacto visual con la asamblea.

El Padre me ama porque **doy mi vida** para volverla a tomar.
Nadie me la quita; yo la doy porque **quiero**.
Tengo **poder** para darla
    y lo tengo también para **volverla** a tomar.
Éste es el mandato que **he recibido** de mi Padre".

"mero", sea el que traduzca mejor el adjetivo pronunciado por Jesús. Jesús es el mero pastor, es decir, ha habido muchos antes y en el tiempo del Señor que se decían pastores, como reyes, jefes, príncipes, sacerdotes, jueces, etc. Pero no reunían las cualidades del auténtico jefe. Ya en el Antiguo Testamento diversos profetas denunciaban a los reyes y autoridades como violentos, que abusaban de la grey en lugar de protegerla.

Jesús retoma la imagen del pastor, adjudicándosela como propia, como exclusiva. Todo porque Él sí está dispuesto a llevar a cabo esta función: viene a sanar y redimir a su pueblo. Ofrece su vida por sus ovejas, muriendo en la cruz por estas. No disfruta de las ovejas, sino muere por ellas.

Al retomar la afirmación, introduce otro tema, el del conocimiento. La relación que hay entre él y las ovejas es de un conocimiento recíproco y mutuo. Para que haya una buena relación se necesita, antes que nada, conocerse. En el discurso de adiós, Jesús reconoce que el único objetivo de la vida consiste en conocer a Dios y a su enviado Jesús.

Una cualidad fundamental para el conocimiento del pastor es la escucha de su voz. Según la tradición bíblica, la fe surge no de la ejecución de las buenas obras o de una vida piadosa, sino de la escucha de la voz de Dios. No en balde esa postura está anclada en la repetición que varias veces al día debe hacer todo judío con el "Escucha Israel". Además, el Señor nos habla también a través de la cultura, de los hombres, de la historia. Lo más importante: cada uno de nosotros se debe acostumbrar a oír la voz de Jesús, a distinguirla de antiguas y nuevas voces que nos rodean por todos lados.

V DOMINGO DE PASCUA

I LECTURA   Hechos 9:26–31

Lectura del libro de los Hechos de los Apóstoles

Cuando Pablo **regresó** a Jerusalén,
   trató de unirse a los discípulos,
   pero todos le tenían **miedo**,
   porque **no creían** que se hubiera convertido **en discípulo**.

Entonces, **Bernabé** lo presentó a **los apóstoles**
   y les refirió cómo Saulo **había visto** al Señor en el camino,
   cómo el Señor le había **hablado**
   y cómo él había **predicado**, en Damasco,
   con valentía, en el **nombre** de Jesús.
Desde entonces, vivió **con ellos** en Jerusalén,
   iba y venía, predicando **abiertamente** en el nombre del Señor,
   hablaba y **discutía** con los judíos de habla griega
   y éstos intentaban **matarlo**.
Al **enterarse** de esto, los hermanos condujeron a Pablo a Cesarea
   y lo despacharon **a Tarso**.

En aquellos días,
   las comunidades cristianas gozaban **de paz**
   en toda Judea, Galilea y Samaria,
   con lo cual se iban **consolidando**,
   progresaban en **la fidelidad** a Dios y se multiplicaban,
   animadas por el Espíritu Santo.

Dale a este relato ritmo ligero pero sin atropellar las palabras de la descripción. Subraya bien los cambios temporales.

Nota el cambio de situación y el dramatismo que se introduce. Acelera el ritmo y pausa antes de acometer el párrafo restante.

I LECTURA Pablo fue a ejercer su ministerio de anunciar la Buena Nueva sobre Jesús, pero no era muy bien visto por los creyentes cristianos, dado su comportamiento anterior persecutorio. Por eso, la mediación de Bernabé fue determinante, dada la fama y prestancia de este hombre generoso de estirpe levítica en el grupo de cristianos. Fue Pablo aceptado y así pudo ejercer un ministerio fecundo, sobre todo entre los cristianos de origen helenista como el propio Pablo. Estos cristianos tenían una visión ligeramente diferente acerca del movimiento de Jesús, tal vez un poco más nacionalista, opuesta a la exclusividad de la fe cristiana para los de sangre judía. Era pues natural que hubiera choques entre los helenistas cristianos y los judeocristianos; sus comprensiones son opuestas.

Los helenistas eran judíos de habla griega y de costumbres griegas hasta donde lo permitía la Ley de Moisés. En eso estaban en la misma condición de Pablo, hebreo de origen y nacido en Tarso. Esto es un aspecto que se debe tener en cuenta para entender la forma rápida con que Pablo entendió y así predicó el mensaje de Jesús en su dimensión universal. Con todo, parece que su entusiasmo y algunas afirmaciones no fueron del todo del agrado de estos helenistas que intentaron darle muerte, como hicieron con Esteban. Dándose cuenta algunos cristianos de ese estado de cosas, lo enviaron a escondidas a Cesarea marítima que era un puerto importante en el mediterráneo, desde donde con cierta facilidad se podía embarcar Pablo a su tierra, a Tarso.

II LECTURA Todos los individuos de una ciudad estaban adscritos a alguna casa o familia. A esa casa debían honrar con su fidelidad a la familia y promo-

163

Para meditar

SALMO RESPONSORIAL   Salmo 21:26b–27, 28, y 30, 31–32

R. El Señor es mi alabanza en la gran asamblea.
O bien: **Aleluya.**

Cumpliré mis votos delante de sus fieles.
Los desvalidos comerán hasta saciarse,
  alabarán al Señor los que lo buscan:
  viva su corazón por siempre. **R.**

Lo recordarán y volverán al Señor
  hasta de los confines del orbe;
  en su presencia se postrarán
  las familias de los pueblos.
Ante él se postrarán las cenizas de la tumba,
  ante él se inclinarán los que bajan
  al polvo. **R.**

Me hará vivir para él, mi descendencia
  le servirá;
  hablarán del Señor a la generación futura,
  contarán su justicia al pueblo que ha
  de nacer:
  todo lo que hizo el Señor. **R.**

II LECTURA   1 Juan 3:18–24

Lectura de la primera carta del apóstol san Juan

Hijos **míos**:
No amemos solamente **de palabra;**
  amemos **de verdad** y con las obras.
En esto **conoceremos** que somos **de la verdad**
  y delante de Dios **tranquilizaremos** nuestra conciencia
  de cualquier cosa que ella nos **reprochare,**
  porque Dios es **más grande** que nuestra conciencia
  y **todo** lo conoce. Si nuestra conciencia no nos **remuerde,**
  entonces, hermanos míos, nuestra confianza en Dios **es total.**

Puesto que **cumplimos** los mandamientos de Dios
  y **hacemos** lo que le agrada,
  ciertamente obtendremos de él **todo** lo que le pidamos.
Ahora bien, **éste es** su mandamiento:
  que creamos en la persona de Jesucristo, **su Hijo,**
  y nos **amemos** los unos a los otros,
  conforme al precepto que nos dio.

La exhortación es el testimonio de primera mano del Anciano. Imprime un ritmo pausado y un tono amable a tu lectura.

Acentúa las palabras en negrilla y mira a la asamblea al llegar al punto y seguido. Enlaza con las líneas de la página siguiente.

viendo el nombre e intereses de la misma. A cambio recibían medios para subsistir, trabajo y protección. Esta relación está fundada en la confianza o fe (*fides*) que, trasladada a los bautizados, tiene un régimen interior o de conciencia, donde el creyente se encuentra con Dios. Es allí donde cabe constatar si en realidad se pertenece a Dios o no. ¿Cómo discernirlo? Por lo que uno hace.

Los hijos de Dios han recibido un mandato doble de parte de suya: creer en su Hijo y amarse unos a otros. El creer es un acto interior de adhesión y fidelidad a lo que Jesús ha revelado. El autor no dice mucho

sobre lo que Jesús reveló, pero en otras ocasiones habla de creer en la carne del Cristo, muerto y resucitado. Esto no era fácil de digerir a los escuchas acostumbrados a que los dioses de su entorno pagano no podían morir. Esos dioses podían asumir cualquier apariencia que desearan, pero eran inmortales. Jesús, en cambio, padeció la muerte, y esto tiene consecuencias concretas para el que lo acepta: someterse al régimen del amor fraternal.

La constatación definitiva de pertenecer a Dios la tenemos en el amor fraterno, que es el cumplimiento de lo que Jesús ha

revelado al entregar su vida. La identidad del cristiano no se la da un credo ni una idea más penetrante de la realidad, sino su modo de tratar a los de su entorno como Cristo.

EVANGELIO Jesús toma una imagen agrícola, familiar a todos. Se identifica con la vid y llama a Dios agricultor. Las dos son imágenes muy usuales en la Biblia. Tal vez aquí hay una alusión a una situación difícil, de fragilidad, de prueba, que es usual en la vida del discípulo. Hay situaciones de desaliento y de verdadera fragilidad en que la fe del discípulo de Jesús

Quien cumple sus mandamientos
   permanece en Dios y Dios **en él**.
En **esto** conocemos,
   por el Espíritu que él **nos ha dado**,
   que él **permanece** en nosotros.

EVANGELIO   Juan 15:1–8

Lectura del santo Evangelio según san Juan

Es un fragmento de tono muy íntimo. Apóyate en los "yo" de Jesús y suaviza tu modulación; invita a la cercanía.

En aquel tiempo, Jesús dijo a sus discípulos:
   "Yo soy la **verdadera** vid y mi Padre es el **viñador.**
Al sarmiento que **no da fruto** en mí, él lo **arranca**,
   y al que da fruto lo **poda** para que **dé** más fruto.

Ustedes ya están **purificados** por las palabras que les **he dicho**.
Permanezcan **en mí** y yo en ustedes.
Como el sarmiento no puede dar fruto por **sí mismo**,
   si no permanece **en la vid**,
   así **tampoco** ustedes, si no permanecen **en mí**.
Yo soy la vid, ustedes los **sarmientos;**
   el que permanece **en mí** y yo **en él**, ése da fruto **abundante**,
   porque sin mí **nada** pueden hacer.
Al que **no** permanece en mí se le echa **fuera**,
   como al sarmiento, y **se seca;**
   luego lo recogen, lo **arrojan** al fuego y arde.

Esta es una invitación decidida. Ve elevando tu volumen de voz hacia los últimos renglones.

Si permanecen **en mí** y mis palabras permanecen **en ustedes**,
   pidan lo que quieran y se les **concederá**.
La **gloria** de mi Padre consiste en que den **mucho** fruto
   y se manifiesten **así** como discípulos **míos**".

se puede encontrar. Estas situaciones de debilidad, de fallas y de crisis pueden ser ocasión de un alejamiento de la fe, pero si se consideran bien las cosas, son ocasiones para que la fe se arraiga, se fortalezca más.

El cristiano, como todo hombre, es un ser frágil. La fe no le quita esta fragilidad, sino que le ofrece la oportunidad de sobreponerse, dándole fuerza para remover ese obstáculo. Por otro lado, nos recuerda de qué estamos hechos, para que la soberbia no nos abrase.

En este discurso de la vid, la unificación está representada en el proceso de la recep-

ción de la palabra de Dos. Los actos rituales externos no llevan más a la purificación; para adquirir la pureza, la unidad dinámica es la escucha de la Palabra; ésta nos purifica.

Para adherirse al Señor, hay que seguirlo. Así lo expresan los sinópticos. En la tradición juánica, seguir es una condición necesaria, pero no suficiente. Se necesita "permanecer en Jesús", explicitando esa unión indisoluble de la imagen de la vid y los sarmientos. Esa relación estrecha, es la que expresa Jesús: una unión estrecha, indisoluble, única. Es de la que habla a menudo Jesús con el "permanecer" en él.

Sólo unido con el Señor se llega al fruto. Esta imagen de fructificar es común en la tradición bíblica y debería ser también entre nosotros la medida de nuestros propósitos o decisiones. Es tiempo ya de dar frutos.

VI DOMINGO DE PASCUA

La lectura cuenta un cambio muy importante para la comunidad cristiana; se abre el acceso a la salud en Cristo a todos los no judíos. Imprime diferente ritmo a las partes de la lectura.

I LECTURA   Hechos 10:25–26, 34–35, 44–48

Lectura del libro de los Hechos de los Apóstoles

En aquel tiempo,
    entró **Pedro** en la casa del oficial **Cornelio**,
    y éste le salió al **encuentro**
    y se **postró** ante él en señal de adoración.
Pedro lo **levantó** y le dijo:
    "Ponte **de pie**, pues soy un hombre **como tú**".
Luego **añadió**:
    "Ahora caigo en la cuenta
      de que Dios **no hace** distinción de personas,
    sino que **acepta** al que lo teme y practica la justicia,
    sea de la nación que fuere".

Todavía estaba hablando Pedro, cuando el Espíritu Santo
    descendió sobre todos los que estaban escuchando el mensaje.
Al oírlos hablar en lenguas **desconocidas**
    y **proclamar** la grandeza de Dios,
    los creyentes judíos que habían venido con Pedro,
    se **sorprendieron** de que el don del Espíritu Santo
    se hubiera **derramado** también sobre **los paganos**.

Entonces Pedro sacó esta **conclusión**:
    "¿Quién puede **negar** el agua del bautismo
    a los que han **recibido** el Espíritu Santo
      lo mismo que nosotros?"
Y los mandó **bautizar** en el nombre de Jesucristo.
Luego le **rogaron** que se quedara con ellos algunos días.

La pregunta de Pedro es retórica; recuerda elevar la voz en la interrogación. Alarga la pausa sólo un poco, antes de las dos líneas finales.

I LECTURA La lectura se compone de trozos tomados del gran relato de la conversión de Cornelio. Este episodio tiene una gran importancia en la compresión lucana de cómo el Evangelio paulatinamente llegó a los paganos.

Jesús se había restringido a proclamar el reino a las ovejas perdidas de Israel, es decir, al pueblo judío. Sin embargo, varias veces él aludió a que la Buena Nueva era para todo el mundo. Ahora, con el episodio de Cornelio, arranca esa nueva realidad.

Cornelio no es un pagano sin más, puesto que ya se había acercado a la religión de Israel. Como otros paganos, frecuentaba la sinagoga, pero no se circuncidaba, tal vez por cuestiones sanitarias o incluso la prestancia social.

Frente a toda su casa, en sentido amplio, Cornelio recibe a Pedro, quien en un largo discurso explica cómo Dios, con la revelación de Jesús, muerto y resucitado, se ha convertido en Dios para todos los que viven de acuerdo con dos condiciones básicas: sienten una dimensión religiosa y son capaces de llevar una vida justa en los diversos campos de la vida humana.

Luego del discurso de Pedro, el Espíritu Santo descendió sobre los oyentes como había sucedido el día de Pentecostés. Esta acción divina es significativa, libre y no manipulable por los humanos. El signo no fue, como en Corinto, hablar en lenguas desconocidas, lo que fascinaba a algunos orantes (cf. 1 Corintios 12–14). Pedro interpretó bien la acción del Espíritu y bautizó a la familia de Cornelio, iniciando así la apertura del movimiento cristiano al mundo pagano. El hecho de que esto acaeciera a Pedro fue muy significativo, dado su lugar en el grupo de los Doce.

Para meditar

SALMO RESPONSORIAL   Salmo 97:1, 2–3ab, 3cd–4

R. El Señor revela a las naciones su salvación.
O bien: **Aleluya.**

Canten al Señor un cántico nuevo,
 porque ha hecho maravillas,
 su diestra le ha dado la victoria,
 su santo brazo. **R.**

El Señor da a conocer su victoria,
 revela a las naciones su justicia;
 se acordó de su misericordia y su fidelidad
 en favor de la casa de Israel. **R.**

Los confines de la tierra han contemplado
 la victoria de nuestro Dios.
Aclama al Señor, tierra entera;
 griten, vitoreen, toquen. **R.**

II LECTURA   1 Juan 4:7–10

Lectura de la primera carta del apóstol san Juan

Queridos hijos:
Amémonos los unos a los otros,
 porque el amor **viene** de Dios,
 y **todo** el que ama **ha nacido** de Dios y **conoce** a Dios.
El que no ama, **no conoce** a Dios, porque Dios **es amor**.
El amor que Dios nos tiene se **ha manifestado** en que envió al
  mundo a su Hijo **unigénito**,
 para que **vivamos** por él.

El amor consiste **en esto**:
 no en que nosotros **hayamos** amado a Dios,
 sino en que él nos amó **primero**
 y nos **envió** a su Hijo,
 como **víctima** de expiación por **nuestros** pecados.

Renueva tu actitud cordial y compasiva antes de la proclamación. Guarda un tono afable y moderado, como el de un padre que reconcilia a dos hijos distanciados.

Afirma con tono de maestro este parágrafo.

II LECTURA El amor es cardinal al ser humano; suele decirse que determina la manera de experimentar la vida y los modos de relacionarse el individuo. Los cristianos decimos que el amor es nuestra vocación primaria y definitiva; también por eso, las lecturas del tiempo pascual nos rejuvenecen esa experiencia. En la lectura de hoy, san Juan reintroduce el significado del amor en una comunidad confundida por las diversas ideas que separaban a los creyentes. A final de cuentas se trata de discernir quién es un legítimo hijo de Dios. Para esto, no bastan argumentos, sino datos constatables.

El amor se conoce experimentándolo; se recibe amor y se prodiga amor. El amor no es un acto de consumo y ni siquiera de conocimiento, sino de generación, porque es una fuerza vital que modela a la persona. De esto, el creyente tiene la experiencia en el bautismo. En él, el pecador ha sido hecho hijo de Dios al experimentar el amor de Dios, no su juicio ni su autoridad. En él, el pecador ha podido conocer a Dios por la extraordinaria entrega del Hijo, y saberse engendrado por y para el amor, porque Dios le participa su propia vitalidad paterna: el amor. Dios es amor. La obligación derivada de saberse amado es amar. Así, la genuina pertenencia a la casa de Dios se nota en el amor fraterno y sororal.

La Iglesia nos da la oportunidad de reconsiderar no tanto la naturaleza propia de Dios, sino la nuestra, la de ser hijos de Dios. "Nobleza obliga", dice el refrán, y no debemos perder de vista el carácter de nuestra vida: amar con el amor que Dios nos ha mostrado. A esta gloria y a este gozo nos llama en su Hijo amado.

EVANGELIO   Juan 15:9–17

Lectura del santo Evangelio según san Juan

En aquel tiempo, Jesús dijo a sus discípulos:
"Como el Padre me ama, **así** los amo yo.
Permanezcan en mi amor.
Si **cumplen** mis mandamientos, permanecen en mi amor;
   lo mismo que **yo** cumplo los mandamientos de mi Padre
   y **permanezco** en su amor.
Les he dicho esto para que mi alegría esté **en ustedes**
   y su alegría sea **plena**.

Éste es mi mandamiento:
   que se amen los **unos a los otros** como yo los he amado.
Nadie tiene amor más grande a sus amigos
   que el que **da la vida** por ellos.
Ustedes son mis amigos, si hacen **lo que yo** les mando.
Ya no los llamo **siervos**,
   porque el siervo **no sabe** lo que hace su amo;
   a ustedes los llamo **amigos**,
   porque les he dado **a conocer**
      todo lo que le he oído a mi Padre.

No son ustedes los que me han **elegido**,
   soy yo quien los ha **elegido**
   y los ha **destinado** para que vayan y **den fruto**
   y su fruto **permanezca**,
   de modo que el Padre les conceda cuanto le pidan
      en mi nombre.
Esto es lo que les mando: que se amen los unos **a los otros**".

Jesús exhorta a su grupo más cercano. Distingue bien las oraciones y sus frases mediante los signos de puntuación y apóyate en ellos para el ritmo y el tono adecuados.

Enfatiza la frase introductoria y alarga e fraseo hasta el punto. Pausa en cada oración para que se aprecie bien la idea que se transmite.

Conforme te acercas al final ve bajando el ritmo. Al pronunciar la última línea pasea la mirada sobre la asamblea, de un lado a otro.

EVANGELIO Después de hablar de la permanencia, empleando la figura de la vid bien arraigada en la tierra y cuidada por el agricultor, pasa a otro tema, consecuencia del anterior: el arraigo o "permanencia" del discípulo. Coloca Jesús en paralelo el amor que tiene el Padre a Jesús, con el amor de Jesús a sus discípulos. A sus discípulos les pide ahora permanecer en el amor. Ya sabemos y es tema de nuestro tiempo, el amor a primera vista. Esta clase de amor es a menudo el inicio de lo que puede llegar a ser un gran amor. Desgraciadamente, muchos de estos amores instantáneos no resisten al tiempo. Y, desgraciada o agraciadamente, el tiempo es la gran medida del amor.

El amor que nos pide Jesús tiene como condición el permanecer. Este permanecer lleva directamente a lo concreto, de lo contrario se esfuma como el hálito, el sonido breve de un suspiro. Jesús, realista como todo hombre del campo, pone una medida: observar sus mandamientos. En la mente de Juan, estos mandamientos no se identifican con los diez del monte Sinaí. Jesús se enfoca en dos sustancialmente: al amor a Dios y al amor al prójimo. Para Juan el término "mandamiento" no significa simplemente precepto, norma o ley. Lo entendemos por la frase que dice que Jesús "observa los mandamientos del Padre"; se trata del proyecto que dio el Padre a Jesús para que lo lleve a cabo. Vivir en el amor es garantía del arraigo en Dios y en Jesús. Además, el amor del que habla Jesús tiene otra cualidad: es fuente de alegría. No se confunde con la carcajada, sino con una vida llena de sentido, basada en una profunda alegría. De aquí saldrá el amor que se tendrán los discípulos del Señor.

ASCENSIÓN DEL SEÑOR

I LECTURA Hechos 1:1–11

Lectura del libro de los Hechos de los Apóstoles

En mi **primer** libro, querido **Teófilo**,
    escribí acerca de **todo** lo que Jesús **hizo** y **enseñó**,
    hasta el día en que **ascendió** al **cielo**,
    después de dar sus **instrucciones**,
    por medio del **Espíritu Santo**, a los **apóstoles** que había **elegido**.
A **ellos** se les **apareció** después de la **pasión**,
    les dio **numerosas pruebas** de que estaba **vivo**
    y durante **cuarenta días** se dejó ver por ellos y les **habló**
      del **Reino de Dios**.

Un día, estando con ellos a la mesa, **les mandó**:
    "**No se alejen** de Jerusalén.
Aguarden **aquí** a que se **cumpla** la **promesa** de mi **Padre**,
    de la que ya les he **hablado**:
    Juan **bautizó** con **agua**;
    dentro de pocos días **ustedes** serán **bautizados**
      con el **Espíritu Santo**".

Los ahí **reunidos** le **preguntaban**:
    "Señor, ¿**ahora** sí vas a **restablecer** la **soberanía** de Israel?"
Jesús les contestó:
"A **ustedes** no les toca **conocer** el **tiempo** y la **hora**
    que el **Padre** ha **determinado** con su **autoridad**;
    pero cuando el **Espíritu Santo** descienda sobre **ustedes**,
    los **llenará** de **fortaleza** y serán mis **testigos** en **Jerusalén**,
    en **toda** Judea, en Samaria

El comienzo de un libro guarda cierta formalidad. Nota las frases temporales y hazlas relevantes a los oídos de la asamblea.

Arranca un episodio; dale ese sentido marcando la pausa entre los párrafos. No avances rápidamente por las instrucciones de Jesús.

Este breve intercambio es vivaz y espontáneo. Levanta la vista del ambón antes de pronunciar la respuesta de Jesús.

I LECTURA El libro de los Hechos de los Apóstoles y el Evangelio de san Lucas forman una sola obra, al que refiere esta apretada síntesis con la que inicia este libro. El relato de la Ascensión de Jesús sirve de puente entre ambos. En éste, se van a narrar los inicios del movimiento de Jesús, contando cómo poco a poco se fue extendiendo al mundo pagano.

Hay cuarenta días entre la resurrección y la ascensión del Señor al cielo. Es un espacio de tiempo con el que simbólicamente el autor quiere insinuar un periodo de tiempo en que Jesús completó la formación de sus discípulos.

San Lucas cuenta nuevamente la ascensión del Señor, porque quiere presentar dos reacciones de los discípulos de Jesús ante su partida. La primera pregunta que hacen los discípulos a Jesús es sobre el tiempo en que se formará o se inaugurará el reino de Israel. Es curioso que Lucas no hablara en su evangelio de este reino. En todo caso, no habían entendido las gentes la clase de comunidad de que Jesús les hablaba. Ellos traían muy dentro de su mente el aspecto político de la acción mesiánica, en sus distintas acepciones.

El segundo punto es la nostalgia que muestran los discípulos al irse Jesús. Como si quisieran irse con Jesús, huyendo de la tierra, de su ambiente. Los hombres de blanco les llaman la atención sobre esta falsa nostalgia. Este mundo es el que hay que cambiar. Lo demás es soñar.

Estas dos tentaciones acompañarán a la comunidad discipular, Iglesia: desear una salvación terrena y soñar en una fuga del mundo nuestro, queriendo huir de una historia llena de frustraciones. Jesús propone

Es un cuadro muy plástico; atenúa la voz en la frase que sigue a la coma. Con voz más robusta pronuncia el discursito de los hombres celestes.

y **hasta** los **últimos rincones**
de la **tierra**".

Dicho **esto**, se fue **elevando** a la **vista** de ellos,
hasta que una **nube** lo **ocultó** a sus **ojos**.
Mientras miraban **fijamente** al cielo, **viéndolo alejarse**,
se les presentaron **dos hombres vestidos de blanco**,
que les **dijeron**:
"Galileos, ¿**qué hacen allí parados**, mirando al **cielo**?
Ese mismo **Jesús** que los ha **dejado** para **subir** al **cielo**,
volverá como lo han visto **alejarse**".

Para meditar

SALMO RESPONSORIAL   Salmo 46:2–3, 6–7, 8–9
R. Dios asciende entre aclamaciones, el Señor, al son de trompetas.

Pueblos todos batan palmas,
aclamen a Dios con gritos de júbilo;
porque el Señor es sublime y terrible,
emperador de toda la tierra. **R.**

Dios asciende entre aclamaciones,
el Señor, al son de trompetas;
toquen para Dios, toquen,
toquen para nuestro Rey, toquen. **R.**

Porque Dios es el rey del mundo;
toquen con maestría.
Dios reina sobre las naciones,
Dios se sienta en su trono sagrado. **R.**

como remedio: la recepción del Espíritu Santo y el dar testimonio hasta los confines del mundo.

II LECTURA Los párrafos de nuestra lectura vienen del inicio de la carta, y forman parte de la acción de gracias que arranca un par de versos atrás (Efesios 1:15). Lo escuchado es una parte muy a tono con lo que la Iglesia celebra, pues explícitamente menciona la entronización de Cristo. La entronización es un evento solemne, por el que un nuevo rey asume el gobierno de un pueblo o nación. Se trata de un acto jurí-

dico de importancia capital, y en este caso es el "resucitado de entre los muertos" el instituido Príncipe, Mesías o Lugarteniente de Dios con la misma potestad de Dios: supra-temporal, universal y definitiva, pero no conforme a la jurisprudencia romana, sino a las profecías mesiánicas de las Escrituras, como se ve en los Salmos 110:1 y 8:7.

En efecto, la autoridad absoluta del Mesías exaltado es universal e incluye a la Iglesia, aquí entendida como una entidad cósmica y punto climático de la consumación de la creación, es decir, el punto final, omega, al que se orienta y dirige el mundo

o eón presente. La Iglesia no es un ámbito ajeno al señorío de Cristo, sino precisamente el espacio en el que la soberanía del Resucitado es tan patente como *plenificante*, por decirlo así. De esa plenitud los creyentes ya han de participar, y de allí se entiende la tripleta de dones que se imploran al Padre de la gloria para los escuchas, los creyentes, también los de hoy.

El "espíritu de sabiduría y revelación para reconocerlo" nos requiere escucha constante pero atenta, para discernir la presencia de Dios. Comprender la llamada de Dios implica mantener la propia identidad

II LECTURA   Efesios 1:17–23

Lectura de la carta del apóstol san Pablo a los efesios

Hermanos:
Pido al **Dios** de nuestro Señor **Jesucristo**, el **Padre** de la gloria,
    que les **conceda** espíritu de **sabiduría**
    y de **reflexión** para **conocerlo**.

Le **pido** que les **ilumine** la **mente**
    para que **comprendan** cuál es la **esperanza**
        que les da su **llamamiento**,
    cuán **gloriosa** y **rica** es la **herencia**
        que **Dios** da a los que son **suyos**
    y cuál la **extraordinaria grandeza**
        de su **poder** para con **nosotros**,
    los que **confiamos** en él,
    por la **eficacia** de su **fuerza poderosa**.

Con **esta** fuerza **resucitó** a **Cristo** de entre los **muertos**
    y lo hizo sentar **a su derecha** en el cielo,
    por encima de **todos** los ángeles, **principados**,
    potestades, virtudes y **dominaciones**,
    y por encima de **cualquier** persona,
    no sólo del mundo **actual** sino **también** del **futuro**.

Todo lo puso bajo sus **pies**
    y a **él mismo** lo constituyó **cabeza suprema** de la **Iglesia**,
    que es su **cuerpo**,
    y la **plenitud** del que lo consuma **todo en todo**.

O bien: *Efesios 4:1–13 ó 4:1–7, 11–13*

Préstale tu voz a Pablo. Dale a tu lectura la vehemencia cariñosa que muestra en el texto, pero sin edulcorar ni engolar el tono.

Alarga las frases "por encima de…", y enfatiza cada componente.

Procura que este párrafo suene como redondeando toda la exaltación de Cristo.

bautismal y experimentar el vigor que confiere para sobreponerse a las adversidades y acechanzas a la misma fe.

La Iglesia nos pone ante los ojos el misterio que está desarrollándose y del cual participamos activamente; no somos espectadores, porque opera en nosotros la misma fuerza que resucitó a Cristo y lo instituyó soberano de todo; es la fuerza que transforma todas las cosas, para darles su plenitud sometiéndolas al Resucitado.

EVANGELIO El final del evangelio de san Marcos es una adición ca-nónica posterior, como un resumen, valiéndose de las narraciones de resurrección de Lucas y Juan.

Retoma el autor la aparición de Jesús a los Once para enviarlos a predicar su mensaje. El mensaje está destinado a todos los humanos. Es decisiva la aceptación de este anuncio, pues la salvación depende de su acogida. Un rechazo los llevará a la condenación. En concreto, del oyente se exigen dos cosas: la fe y su secuencia, el bautismo.

Resulta claro que la comunidad de los seguidores de Jesús es de misioneros. Repetirán lo mismo que vieron y oyeron de su Maestro. Habrá algo nuevo con relación a la actividad del Jesús terreno, la misión de ellos no estará restringida a Israel, pues su horizonte es el mundo. El Espíritu Santo con su fuerza los acompañará y hará que sea creíble su mensaje. Los milagros seguirán siendo el dedo indicativo de Dios, que acompañará la predicación de la Buena Noticia. Es decir, Dios los acompañará siempre.

La fe de los primeros testigos acompañará siempre a los que aceptan vivir y obrar conforme a lo que el Maestro indicó. Será la misma fe. Las modalidades de la vivencia

---

EVANGELIO   Marcos 16:15–20

Lectura del santo Evangelio según san Marcos

Las instrucciones de Jesús se distinguen dos secciones; márcalas con una pausa de tres tiempos en tu proclamación.

En aquel tiempo, se **apareció** Jesús a los Once y les dijo:
   "**Vayan** por todo el mundo
   y **prediquen** el Evangelio a **toda** creatura.
El que **crea** y se bautice, se **salvará**;
   el que se **resista** a creer, será **condenado**.
Éstos son los milagros que **acompañarán** a los que hayan creído:
   arrojarán demonios **en mi nombre**,
   hablarán lenguas nuevas,
   cogerán serpientes **en sus manos**,
   y si beben un veneno mortal, **no** les hará daño;
   impondrán las manos a los enfermos
   y éstos quedarán **sanos**".

Alarga la pausa y haz contacto visual con la asamblea antes de recitar el párrafo final.

El Señor Jesús, después de hablarles,
   subió al cielo
   y está sentado a **la derecha** de Dios.
Ellos fueron y proclamaron el Evangelio por **todas partes**,
   y el Señor **actuaba** con ellos
   y **confirmaba** su predicación con los milagros que hacían.

---

cristiana cambiarán, como cambian las civilizaciones y las modas, pero para el cristiano lo fundamental será siempre lo mismo: es la misma fe de esos primeros discípulos que, atónitos, se quedaron mirando al que se iba con su Padre. A ellos y a todos los que hemos hecho visible esta fe en el bautismo, nos queda el encargo de seguir predicando y haciendo visible la Buena Noticia, a pesar de las dificultades que se presenten.

En ciertas obras literarias hay la costumbre de poner al final un *postscriptum*. Con este final de Marcos quiere recodar el autor que lo añadió, lo fundamental, que Marcos quiso comunicar: la fe en Jesús no obstante las muchas dificultades de la existencia humana.

VII DOMINGO DE PASCUA

I LECTURA   Hechos 1:15–17, 20a, 20c–26

Lectura del libro de los Hechos de los Apóstoles

El discurso de Pedro hace un recuento de lo ocurrido con Judas; todo se acomoda en el horizonte profético. Haz notar las palabras de la Escritura.

En aquellos días,
    Pedro se puso de pie **en medio** de los hermanos,
      y dijo:
    "Hermanos: Tenía que cumplirse
    aquel pasaje de la Escritura en que el **Espíritu Santo**,
    por boca de David, hizo una **predicción** tocante a Judas,
    quien fue el que **guió** a los que apresaron a Jesús.
Él **era** de nuestro grupo
    y había sido llamado a desempeñar con nosotros
      este **ministerio**.
Ahora bien, en el libro de los Salmos **está escrito**:
    Que su morada quede **desierta**
    y que no haya quien habite **en ella**;
    que su cargo lo ocupe **otro**.
Hace falta, por tanto,
    que uno se asocie a nosotros
      como **testigo** de la resurrección de Jesús,
    uno que sea de los que **nos acompañaron**
      mientras **convivió** con nosotros el Señor Jesús,
    desde que Juan bautizaba hasta el día de **la ascensión**".

Al leer estas líneas mira a la asamblea, como buscando un voluntario.

Propusieron entonces **a dos**:
    a José Barsabá, por sobrenombre "**el Justo**",
    y a Matías, y se pusieron a **orar** de este modo:

Eleva un poco tu tono de voz y dale cierto tono de reposo a la oración para hacerla deliberada.

I LECTURA Ya hemos venido gustando los frutos de la Pascua de Cristo, pero los días que tenemos por delante nos disponen a madurarlos, mediante el evento que coronará la estación litúrgica, Pentecostés. Un elemento de la integridad pascual viene a ser la reconstitución del núcleo discipular, o sea, el grupo de los Doce, pues Judas, al entregar a Jesús, había desertado del mismo.

    El grupo discipular de los Doce es uno de los datos duros relacionados con el mismo Jesús; por una parte, guarda un sentido escatológico altamente simbólico (cf.

Lucas 22:30), y por otra, parece haber sido irrelevante para la formación y desarrollo histórico de las comunidades cristianas. En la lectura que escuchamos, Pedro toma la iniciativa de reconstituir a los Doce, lo que acompaña con un discurso apoyado en frases extraídas de dos salmos (69:26 y 109:8). De entre unos ciento veinte creyentes, símbolo de la reunión de todo el pueblo de Dios (cf. Hechos 1:6), dos son propuestos para ocupar ese vacío; tras orar y en un sorteo, sale electo Matías, del que nada más se cuenta en Hechos.

    La misión fundamental de los Doce es ser testigos del Resucitado ante todos los pueblos, para lo cual se requiere "la Fuerza de lo alto" (Hechos 1:8). Así, la evangelización es un movimiento expansivo e inclusivo. Cada día y en oración, leamos el evangelio para que el Espíritu nos haga conocer íntimamente a Jesús, nuestro Señor.

II LECTURA Podemos entender nuestra lectura como una exposición en tres momentos, conforme a los motivos dominantes en cada uno de los párrafos. El trasfondo es el de la credibilidad

"Tú, **Señor,** que conoces los corazones de todos,
    muestra a cuál de estos dos **has elegido**
    para desempeñar este ministerio y apostolado,
    del que Judas **desertó** para irse a su propio lugar".

Echaron suertes y le tocó **a Matías**
    y lo asociaron a los **once** apóstoles.

Para meditar

SALMO RESPONSORIAL   Salmo 102:1–2, 11–12, 19–20ab

R. El Señor puso en el cielo su trono.
***O bien:* Aleluya.**

Bendice, alma mía, al Señor,
    y todo mi ser a su santo nombre.
Bendice, alma mía, al Señor,
    y no olvides sus beneficios. **R.**

Como se levanta el cielo sobre la tierra,
    se levanta su bondad sobre sus fieles;
    como dista el oriente del ocaso,
    así aleja de nosotros nuestros delitos. **R.**

El Señor puso en el cielo su trono,
    su soberanía gobierna el universo.
Bendigan al Señor, ángeles suyos,
    poderosos ejecutores de sus órdenes. **R.**

II LECTURA   1 Juan 4:11–16

Lectura de la primera carta del apóstol san Juan

Queridos **hijos:**
Si Dios nos ha amado **tanto,**
    también **nosotros** debemos amarnos los unos **a los otros.**
A Dios nadie lo ha visto **nunca;**
    pero si nos amamos los unos a los otros,
    Dios **permanece** en nosotros
    y su amor en nosotros **es perfecto.**

En esto **conocemos** que permanecemos en él, y él en nosotros:
    en que nos **ha dado** su Espíritu.
Nosotros **hemos visto,** y de ello damos **testimonio,**
    que el Padre **envió** a su Hijo como **salvador** del mundo.

Haz contacto visual con la asamblea con la primera línea. Marca bien cada párrafo y enfatiza el don del Espíritu mostrando cierto asombro en la voz al llegar a esa línea.

---

del creyente y el sentido de su presencia en el mundo. Todo nace de la percepción del amor de Dios por nosotros. Dios es invisible al ojo humano, pero no sus obras ni su amor. Tampoco es un Dios ajeno a nosotros, pues su amor se queda en nosotros, y es un amor cabal, perfecto, que se visibiliza en el amor que le tenemos a los demás. Esta es la manera como Dios vuelve visible al mundo, en el amor cristiano. Esto es lo que hace visible al Dios invisible.

El creyente no ama por su simple potencia o voluntad, sino porque haber recibido el Espíritu. Esta recepción se ha realizado en el bautismo, pero sobre todo en la escucha de su palabra, el Evangelio. Es ese Espíritu el que nos hace sintonizar con esa palabra de revelación para descubrir el amor de Dios. La muestra más patente y asombrosa es el envío de su Hijo para redención del pecador. Ante ella, no cabe sino la confesión o profesión de la fe, que es un acto público que implica la comunión.

En el párrafo final es justamente la comunión con Dios lo que predomina en términos de permanencia o inmanencia divina. El conocer a Dios, amarlo y confesarlo son expresiones entrelazadas de la existencia cristiana que no es otra cosa sino "vivir en Dios". La constancia para esta realidad sólo la da el amor cristiano. Por eso en este tiempo pascual, la Iglesia nos da la oportunidad de retomar las raíces de nuestro caminar en el mundo: vivir arraigarnos en el amor y por el amor transformar el mundo.

EVANGELIO   La lectura evangélica es parte del gran discurso de la cena que empezó en el capítulo 13. En su parte última, el capítulo 17, termina el Señor orando por la unidad de los discípulos de todos los tiempos. La unidad que existe

Quien **confiesa** que Jesús es Hijo de Dios,
    permanece en Dios y Dios **en él**.

Nosotros hemos conocido el amor que Dios **nos tiene**
    y hemos **creído** en ese amor.
Dios **es amor**,
    y quien **permanece** en el amor
    permanece en Dios
    y **Dios en él**.

EVANGELIO   Juan 17:11b–19

Lectura del santo Evangelio según san Juan

En aquel tiempo, Jesús **levantó** los ojos al cielo y dijo:
    "Padre santo, cuida **en tu nombre** a los que me **has dado**,
    para que **sean uno**, como nosotros.
Cuando **estaba** con ellos,
    yo **cuidaba** en tu nombre a los que me diste;
    yo **velaba** por ellos y **ninguno** de ellos se perdió,
    excepto el que **tenía** que perderse,
    para que se **cumpliera** la Escritura.

Pero **ahora** voy a ti, y mientras estoy **aún** en el mundo,
    digo estas cosas para que mi gozo llegue a su plenitud e**n ellos**.
Yo les he entregado **tu palabra** y el mundo los odia,
    porque **no son** del mundo, como yo **tampoco** soy del mundo.
No te pido que los **saques** del mundo, sino que los **libres** del mal.
Ellos **no son** del mundo, como **tampoco** yo soy del mundo.

Santifícalos en la verdad.
Tu palabra **es la verdad**.
Así como tú me enviaste **al mundo**,
    así los envío yo también al mundo.
Yo me santifico **a mí mismo** por ellos,
    para que **también** ellos sean santificados **en la verdad**".

Alarga el "nosotros" y luego retén la lectura en la coma para balancear las tres frases que culminan el raciocinio.

La oración de Jesús es vehemente y avanza como en espiral. Identifica el elemento principal en cada oración y enfatízalo en tu lectura.

Nota cómo cada oración tiene su propio acento y respeta el balance de las frases.

En las líneas finales domina el efecto santificador de la verdad. Procura que la audiencia capte esta convicción de fe.

---

entre el Padre y el Hijo es el modelo y espejo en que los discípulos de todos los tiempos deben mirar su comunidad para saber si realmente son parte de la comunidad querida por Jesús.

Los grupos o comunidades entre el pueblo judío en tiempos de Jesús eran numerosas. Ahora sólo conocemos los nombres de algunas y ciertas normas a las que se sujetaban. Desde luego que todas ellas tenían o exhibían ciertos límites para pertenecer a ellas. Por ejemplo, los que formaron la comunidad de Qumrán se separaron de la comunidad judía y se fueron a vivir a un lado del mar Muerto, porque no estaban de acuerdo en ciertos cambios de ceremonias en el templo de Jerusalén.

Cuando Juan escribió su evangelio, ya había fisuras incluso entre las comunidades cristianas. En concreto, la comunidad fundada por Juan tenía el dolor de que varios de sus miembros se habían separado y no convivían más con el grueso de la comunidad juánica; el autor de la Primera carta de Juan se duele de esto cuando anota "eran de los nuestros". Pertenecían a la comunidad, pero se habían separado.

Así entendemos la insistencia del autor del Cuarto evangelio por la unidad de los seguidores de Jesús. Es un criterio de la pertenencia de una comunidad a Jesús, la unidad entre sus miembros. Actualmente, los cristianos no sin dolor consideramos la gran cantidad de iglesias, comunidades y asociaciones que se proclaman la verdadera comunidad fundada por Jesús y, sin embargo, están separadas entre sí. Debemos hacer lo posible por volver al prístino espíritu del Jesús resucitado que puso la unidad de los miembros de su comunidad, como una nota de la unión con él y con su Padre.

PENTECOSTÉS, MISA DE LA VIGILIA

I LECTURA   Génesis 11:1–9

Lectura del libro del Génesis

En **aquel** tiempo, **toda** la tierra tenía **una sola lengua**
      y unas **mismas** palabras.
Al **emigrar** los hombres desde el **oriente**,
      encontraron una **llanura** en la región de **Sinaar**
      y **ahí** se **establecieron**.

Entonces se dijeron **unos a otros**:
      "**Vamos** a fabricar **ladrillos** y a **cocerlos**".
Utilizaron, pues, **ladrillos** en vez de **piedra**,
      y **asfalto** en vez de **mezcla**.
Luego dijeron:
      "**Construyamos** una **ciudad**
      y una **torre** que llegue **hasta el cielo** para hacernos **famosos**,
      antes de **dispersarnos** por la **tierra**".

El Señor **bajó** a ver la **ciudad**
      y la **torre** que los **hombres** estaban **construyendo** y **se dijo**:
      "Son **un solo pueblo** y hablan **una sola lengua**.
Si ya empezaron **esta obra**,
      en adelante **ningún** proyecto les parecerá **imposible**.
Vayamos, pues, y **confundamos** su lengua,
      para que **no se entiendan** unos con otros".

La lectura exige cierta agilidad, pero sobre todo entusiasmo en los primeros dos párrafos.

Aminora el ritmo en las líneas iniciales y ve acelerando de oración en oración para que resalte la resolución divina de confundir las lenguas.

I LECTURA **Génesis**. La primera parte del Génesis termina abriendo el horizonte de la creación a todo el mundo. Ahora el autor explicará cómo el hombre se extendió por todo el mundo y cómo el lenguaje humano se diversificó.

"Todo el mundo hablaba la misma lengua y utilizaba las mismas palabras". El lenguaje es fundamental al ser humano. Hablar le sirve al ser humano para comunicarse con otro, por eso el autor bíblico sintió la necesidad de ofrecer una razón del por qué, no obstante contar con el lenguaje, veía a su alrededor muchas lenguas que impedían

comunicarse. Da el autor razón de esta incomprensible incomunicación.

Los hombres en sus inicios decidieron construir una torre que llegara hasta el firmamento, es decir, de nuevo apareció la tentación de querer ser más. Esto se concretará en una torre, que de sí sería de gran utilidad, pero ahora ellos la quieren convertir en un medio de soberbia. Esta gran obra manifestará la grandeza de esos seres humanos. En el fondo, regresa el mismo anhelo de ser más de lo que se es. El hombre trae pegado este deseo. Aquellos constructores repiten en cierta forma lo que llevaron

a cabo Adán y Eva: querer ser más. Esto se llama soberbia. Quisieron Adán y Eva ser como dioses, decidir sobre su vida sin ninguna dependencia. Ahora esa soberbia se pinta de otra forma, pero en el fondo es lo mismo: ser más que otras generaciones. La respuesta de Dios es inmediata: se asomó para ver cómo llevaban a cabo su obra los humanos. No llegarían jamás al cielo.

El castigo consistió en la incomunicación. Detrás está cómo el que quiere ser más o tener más que los demás, se quiere alzar sobre los demás y siempre encontrará el fracaso de ver su realidad: no podrá y la

Disminuye la velocidad y alarga el fraseo como considerando el resultado de las acciones divinas delante de la asamblea.

Entonces el **Señor** los **dispersó** por **toda** la tierra
　y dejaron de **construir** su **ciudad**;
　por eso, la ciudad se llamó **Babel**,
　porque ahí **confundió** el **Señor** la **lengua** de **todos** los **hombres**
　y desde ahí los **dispersó** por la **superficie** de la **tierra**.

Para meditar

SALMO RESPONSORIAL　Salmo 31:1–2, 5, 6, 7

R. (1a) Perdona, Señor, nuestros pecados.

Dichoso aquel que ha sido absuelto
　de su culpa y su pecado.
Dichoso aquel en el que Dios no encuentra
　ni delito ni engaño. **R.**

Ante el Señor reconocí mi culpa,
　no oculté mi pecado.

Te confesé, Señor, mi gran delito
　y tú me has perdonado. **R.**

Por eso, en el momento de la angustia,
　que todo fiel te invoque,
y no lo alcanzarán las grandes aguas,
　aunque éstas se desborden. **R.**

En la vigilia extendida se hacen las cuatro lecturas del Antiguo Testamento, en la abreviada sólo una de ellas.

O bien:

I LECTURA　Éxodo 19:3–8a, 16–20b

Lectura del libro del Éxodo

Es un texto hermoso y dramático. Aviva las partes discursivas modulando diversamente la voz.

En **aquellos** días,
　Moisés subió al monte **Sinaí** para **hablar** con **Dios**.
El **Señor** lo **llamó**
　　desde el **monte** y le **dijo**:
　"**Esto** dirás a la casa de Jacob,
　esto anunciarás a los **hijos de Israel**:

　'**Ustedes** han visto cómo **castigué** a los **egipcios**
　y **de qué manera** los he **levantado** a **ustedes** sobre
　　alas de **águila**
　y los he **traído** a mí.

incomunicación con los demás será una realidad. El Espíritu Santo hará todo lo contrario: ayudará al hombre a que se comunique con su prójimo, lo llevará a la comunión.

I LECTURA **Éxodo.** El pueblo elegido celebraba en la fiesta de Pentecostés el momento en que Dios le había otorgado en la montaña del Sinaí la "Ley", lo que conocemos como Pentateuco. Estos libros son algo fundamental que propiamente constituye a Israel como el pueblo elegido por Dios para llevar un estilo de vida especial, distinto al de los demás pueblos.

De algún modo, aquí está la razón de ser de Israel: ser pueblo de Dios.

Con el versículo 3 se inicia un discurso que cuenta una de las frases más importantes en la revelación del destino del pueblo elegido y, por su medio, del destino del mundo. Dios se hará cargo de ese puñado de gente por todo el peligroso camino del desierto; estará siempre pendiente de él, cuidándolo. Israel andará bajo la orientación de Dios.

La alianza propuesta y aceptada por el pueblo no es un tratado, sino un compromiso, una manera de vivir en común, una rela-

ción entre personas. En el fondo, una comunión. Es esta una alianza entre este pueblo y un Dios gracioso, que le mostró su bondad y que le promete comportarse con el pueblo, por el mismo camino. Por esto es libre. Un compromiso no forzado.

De aceptar Israel, se convertirá en el pueblo de Dios. Como dice el texto en una de las mejores definiciones del pueblo: "Serán mi propiedad personal entre todos los pueblos, porque toda la tierra me pertenece. Ustedes serán para mí un reino de sacerdotes y un pueblo santo" (vv. 5–6).

Marca la transición a la consecución o propósito de lo dicho. Enfatiza el "ustedes" y la fraseología que la asamblea podrá reconocer fácilmente.

Ahora bien, si **escucha**n mi **voz** y **guardan** mi **alianza**,
    serán mi **especial tesoro** entre **todos** los pueblos,
    aunque **toda** la tierra es **mía**.
Ustedes serán para mí un **reino de sacerdotes**
        y una **nación consagrada'**.
Éstas son las **palabras** que has de decir a los **hijos de Israel**".

Moisés convocó **entonces** a los **ancianos** del pueblo
    y les expuso **todo** lo que el **Señor** le había **mandado**.
Todo el pueblo, a una, **respondió**:
    "**Haremos** cuanto ha dicho el **Señor**".

Al rayar el **alba** del **tercer día**, hubo **truenos** y **relámpagos**;
    una **densa** nube **cubrió** el **monte**
    y se **escuchó** un **fragoroso** resonar de **trompetas**.
Esto hizo **temblar** al pueblo, que estaba en el **campamento**.
Moisés hizo **salir** al **pueblo** para ir al **encuentro** de **Dios**;
    pero la gente **se detuvo** al pie del **monte**.
Todo el monte Sinaí **humeaba**,
    porque el **Señor** había **descendido** sobre él en medio del **fuego**.
Salía **humo** como de un **horno**
    y **todo** el monte **retemblaba** con **violencia**.
El **sonido** de las **trompetas** se hacía **cada vez más fuerte**.
Moisés hablaba y **Dios** le respondía con **truenos**.
El Señor **bajó** a la **cumbre** del **monte**
    y le dijo a **Moisés** que **subiera**.

Advierte todos los signos dramáticos que rodean la epifanía divina. Transmite este fragor vocalizando deliberadamente las palabras en negrillas.

Para meditar

SALMO RESPONSORIAL   Daniel 3:52, 53, 54, 55, 56

R. (52b) Bendito seas, Señor, para siempre.

Bendito seas, Señor,
    Dios de nuestros padres.
Bendito sea tu nombre santo y glorioso. **R.**

Bendito seas en el templo santo y glorioso.
Bendito seas en el trono de tu reino. **R.**

Bendito eres tú, Señor,
    que penetras con tu mirada los abismos
    y te sientas en un trono rodeado
    de querubines.
Bendito seas, Señor, en la bóveda. **R.**

O bien:

Esta frase no la puede entender mal Israel, por esto el Señor añade: "porque toda la tierra me pertenece". La elección se hace con miras a todos los pueblos.

Este es el sentido de la fiesta de Pentecostés: celebrar la dimensión de gracia para todos los pueblos sin exclusión. El Espíritu Santo se derrama sobre todo pueblo y cultura. Este darse del Espíritu Santo a todos los pueblos es lo que nos corresponde ir reconociendo para trabajar en común por la verdad y la justicia.

I LECTURA **Ezequiel.** Considerado uno de los grandes profetas de Israel, Ezequiel vivió en el destierro, donde recibió la vocación profética. De algún modo el texto leído hoy recuerda el sentido de su vocación: anunciar a Israel su resurrección después de la invasión y destierro.

El profeta predica un mensaje muy similar al del profeta Jeremías, su contemporáneo, en los temas del juicio terrible del Señor sobre su pueblo y la posibilidad del perdón, manifestado en una nueva relación. La frase "Infundiré mi espíritu en ustedes y vivirán. Los restableceré en su tierra...", lo indica.

Esta última frase supone y alude a la antigua fórmula de la alianza. Dios muestra una disposición hacia Israel semejante a la que mostró en la conclusión de la antigua alianza. Esta fórmula se parece por su contenido a la perícopa del profeta Jeremías sobre la nueva alianza (Jeremías 31:31s.). El Señor revivirá a un nuevo pueblo que volverá a su tierra. Esta salvación está ligada, como en Jeremías, a la purificación que es el perdón de los pecados. Esto queda muy patente en esa especie de resurrección de

Para meditar

SALMO RESPONSORIAL   Salmo 18: 8, 9, 10, 11

R. (Jn 6, 68c) Tú tienes, Señor, palabras de vida eterna.

La ley del Señor es perfecta del todo
    y reconforta el alma;
    inmutables son las palabras del Señor
    y hacen sabio al sencillo. **R.**

En los mandamientos del Señor hay rectitud
    y alegría para el corazón;
    son luz los preceptos del Señor
    para alumbrar el camino. **R.**

La voluntad del Señor es santa
    y para siempre estable;
    los mandamientos del Señor
    son verdaderos
    y enteramente justos. **R.**

Más deseables que el oro
    y las piedras preciosas
    las normas del Señor,
    y más dulces que la miel
    de un panal que gotea. **R.**

O bien:

I LECTURA   Ezequiel 37:1–14

Lectura del libro del profeta Ezequiel

El profeta habla de su experiencia extática personal. Recrea mentalmente la descripción profética desde que preparas tu proclamación; te ayudará a comunicar mejor el mensaje.

En **aquellos** días, la mano del **Señor** se posó **sobre mí**,
    y su **espíritu** me **trasladó**
    y me **colocó** en medio de un campo **lleno de huesos**.
Me hizo **dar vuelta** en torno a **ellos**.
Había una **cantidad innumerable** de **huesos**
        sobre la **superficie** del **campo**
    y estaban **completamente secos**.

Entonces el **Señor** me **preguntó**:
    "**Hijo de hombre**, ¿**podrán** acaso **revivir estos huesos?**"
Yo respondí:
    "Señor, **tú** lo sabes".
Él me dijo:
    "**Habla** en mi nombre a **estos huesos** y **diles**:
    'Huesos secos, **escuchen** la **palabra del Señor**.
Esto dice el **Señor Dios** a **estos huesos**:
    He aquí que yo les **infundiré** el **espíritu** y **revivirán**.
Les **pondré** nervios, **haré** que les **brote carne**,
    la **cubriré** de piel, les **infundiré** el **espíritu** y **revivirán**.
Entonces reconocerán **ustedes** que **yo soy** el Señor'".

Dale potencia a estas palabras que el profeta reproduce. Imagina a Ezequiel hablando a los huesos.

los castigados. Ezequiel dice que Dios lleva a cabo la infusión del Espíritu divino. Recreado de esta manera, Israel podrá marchar de acuerdo a los mandatos divinos. Al final reconocerán que el Señor ha hecho todo. Para Ezequiel la "purificación" es más que un asunto puramente interior o espiritual, es un acontecimiento que irá más allá del cuadro político y los pueblos podrán reconocerlo. Por esto, dice al final: "Reconocerán que yo YHVH lo he dicho y lo cumpliré".

La Iglesia aplica en su liturgia este pasaje, ya que alude claramente a la efusión del Espíritu Santo en Pentecostés, cuando no sólo purifica a los discípulos de Jesús, sino también a los que se encontraban con ellos.

I LECTURA   **Joel**. Aunque es un profeta bastante desconocido, sabemos que Joel estaba muy familiarizado con el culto y, por lo mismo, probablemente trabajaría o estaba muy cerca del santuario. Los dos primeros capítulos describen la llegada inminente de una plaga de langosta que destruirá completamente los sembradíos. Los siguientes capítulos, en cambio, comunican una próxima liberación del pueblo.

Joel observando la amenaza inminente de la plaga de langosta, pasa a dibujar y expresar con imágenes, cercanas al lenguaje apocalípticos, el futuro cercano en que el pueblo de Judá, dormido, será salvado por Dios. El leguaje y los temas tratados, impregnados de una preocupación litúrgica, llevan a pensar la situación de inicios del siglo IV a. C., cuando el lenguaje apocalíptico empieza a tomar fuerza.

Para el profeta la plaga de langosta es algo más que un caso fortuito. El pueblo la debe tomar en serio. La esperanza en la ayuda del Señor, cuando los momentos son

Marca tu voz con la sorpresa conforme se describen los efectos de la palabra profética.

Yo **pronuncié** en nombre del Señor las **palabras**
  que **él** me había **ordenado**,
  y mientras hablaba, se oyó un **gran estrépito**,
  se produjo un **terremoto**
  y los **huesos** se **juntaron** unos con otros.
Y **vi** cómo les iban saliendo **nervios** y **carne**
  y cómo se **cubrían** de **piel**; pero **no** tenían **espíritu**.
Entonces me dijo el **Señor**:
  "**Hijo de hombre**, habla en mi **nombre** al **espíritu** y dile:
  '**Esto** dice el Señor:
  Ven, espíritu, desde los **cuatro vientos**
  y **sopla** sobre **estos muertos**,
  para que **vuelvan** a la **vida**'".

Yo **hablé** en nombre del **Señor**, como **él** me había **ordenado**.
Vino sobre ellos el espíritu,
  revivieron y **se pusieron de pie**.
Era una **multitud innumerable**.
El Señor me dijo:
  "**Hijo de hombre**:
  Estos huesos son **toda** la casa de **Israel**, que ha **dicho**:
  '**Nuestros huesos** están **secos**; pereció **nuestra esperanza**
  y estamos **destrozados**'.
Por eso, habla en **mi nombre** y diles:
  '**Esto** dice el **Señor**: Pueblo mío,
  yo mismo abriré sus **sepulcros**,
  los **haré salir** de ellos
  y los **conduciré** de nuevo a la tierra de **Israel**.
Cuando **abra** sus sepulcros y los **saque** de ellos,
  pueblo mío, ustedes dirán que **yo soy** el Señor.
Entonces les **infundiré** mi **espíritu**,
  los **estableceré** en su **tierra**
  y **sabrán** que **yo**, el Señor,
  lo **dije** y lo **cumplí**'".

Haz contacto visual con la asamblea cada vez que se hable de los fieles o del pueblo elegido.

más sombríos, debe abrirse paso. Dios está con el pueblo en los periodos de desgracia. Después del gran castigo del destierro el profeta y sus contemporáneos no podían esperar más que en un juicio sobre los enemigos.

Dios creó y entregó a los hombres su espíritu renovador. Este aliento del Señor que creó el universo y que Moisés deseó que se otorgara a todos, ahora se cumple. El Espíritu hará revivir a Israel y le devolverá la fuerza. Será como una nueva creación donde Dios le devuelve la vida. Dios hará maravillas, es decir, repetirá las que hizo

en el Éxodo. Esta intervención divina transformará todo el cosmos. Se beneficiarán de esta futura intervención salvífica de Dios, tanto el pueblo como las naciones. De aquí la aplicación a la fiesta de la venida del Espíritu Santo en la fiesta cristiana de Pentecostés.

II LECTURA San Pablo ha expuesto previamente que la humanidad se encaminó a la destrucción porque escogió no someterse a la voluntad divina, sino erigirse en su propia soberana; pecó por preferir a la creatura sobre el Creador

(ver Romanos 3–4). Esta decisión no sólo afectó al género humano, sino a la entera creación, violentada por el pecado y la muerte. Pero también lo ocurrido en Cristo Jesús implicó una transformación radical para todas las creaturas. Enseña san Pablo que la redención ofertada por Dios en Cristo significa la liberación de los sometidos al pecado y la muerte, porque la resurrección de Jesús ocurrió por la fuerza del Espíritu de santidad que Dios derramó sobre su Ungido. Esta irrupción del Espíritu significa la restauración del orden violentado

Para meditar

SALMO RESPONSORIAL   Salmo 106:2–3, 4–5, 6–7, 8–9

R. Demos gracias al Señor, porque su misericordia es eterna. Aleluya.

Que lo digan aquellos que el Señor
   rescató poder del enemigo,
   los que reunió de todos los países
donde estaban dispersos
   y cautivos. **R.**

Caminaban sin rumbo
   por el yermo sin agua,
   sin hallar el camino de ciudad habitada;
   hambrientos y sedientos su vida
   se agotaba. **R.**

Pero al Señor clamaron en su angustia,
   él los libró de su desgracia
   y los llevó por el camino recto
   a ciudad habitada. **R.**

Den gracias al Señor por su bondad,
   pues en favor del hombre
   hace portentos.
Sació a los que tenían sed
   y dejó a los hambrientos satisfechos. **R.**

O bien:

I LECTURA   Joel 3:1–5

Lectura del libro del profeta Joel

Para esta proclamación asegúrate de respetar las líneas de sentido y su puntuación.

Esto dice el **Señor Dios**:
   "**Derramaré** mi espíritu sobre **todos**;
   profetizarán sus **hijos** y sus **hijas**,
   sus **ancianos** soñarán **sueños**
   y sus **jóvenes** verán **visiones**.
También sobre mis **siervos** y mis **siervas**
   derramaré mi **espíritu** en aquellos días.

Los fenómenos cósmicos deben ser descritos con vigor y cierto tono amenazante.

Haré prodigios en el **cielo** y en la **tierra**:
   sangre, **fuego**, columnas de **humo**.
El **sol** se **oscurecerá**,
   la **luna** se pondrá **color** de **sangre**,
   antes de que **llegue** el **día grande** y **terrible** del Señor.

Nota el anuncio de salvación y refuerza esos pocos que se librarán de la catástrofe.

Cuando invoquen el nombre del Señor **se salvarán**,
   porque **en el monte Sión** y en Jerusalén **quedará un grupo**,
   como lo ha **prometido** el **Señor**
   a los **sobrevivientes** que ha **elegido**".

tanto para los que creen en Cristo como para la creación entera.

Pablo afirma, además, que los creyentes poseen ya la prenda de su redención, el Espíritu Santo, desde el momento de su bautismo. Es un don tan real como germinal, pues está desarrollándose hacia la plenitud. La redención o liberación de la creación progresa en la medida en que la vida de santidad va extendiéndose y echando raíces en los distintos espacios de la existencia. La fuerza del Espíritu recibido por el creyente no es menor que la activada en la resurrec-

ción del Señor. Ésta es el ancla de la esperanza cristiana.

La celebración de Pentecostés nos debe urgir a no dejar espacio ni a la corrupción, ni al pecado ni a la muerte. Somos un pueblo vitalizado por el Espíritu de santidad que se manifiesta en cada pensamiento, palabra, gesto y acción que realizamos. Menos con la vocinglería de la publicidad, y más con el vigor incontenible de la santidad de Dios, todo lo que hacemos, desde lo más íntimo hasta lo más público, deberá transpirar vida verdadera, la del Santo Espíritu de Dios.

EVANGELIO La fiesta de los Tabernáculos o de las Cabañas fue adquiriendo con el tiempo una gran importancia. Se podría decir que en tiempos del Señor era la fiesta más bullanguera, de tal forma que la gente procuraba visitar estos días Jerusalén. En gran parte esto se debía a que se había cosechado y había dinero para gastar. La fiesta que duraba una semana, pero era más socorrida el último día.

Como remate de la fiesta se celebraba un rito vistoso y llamativo. Iba la gente en procesión a la alberca de Siloé a tomar agua que luego se derramaba sobre el altar. En

Para meditar

SALMO RESPONSORIAL   Salmo 103:1–2a, 24, 35c, 27–28, 29bc–30

R. Envía tu Espíritu, Señor, y repuebla la faz de la tierra.

O bien: **Aleluya.**

Bendice, alma mía, al Señor:
   ¡Dios mío, qué grande eres!
   Te vistes de belleza y majestad,
   la luz te envuelve como un manto. **R.**

Cuántas son tus obras, Señor,
   y todas las hiciste con sabiduría;
   la tierra está llena de tus criaturas.
   ¡Bendice, alma mía, al Señor! **R.**

Todas ellas aguardan
   a que les eches comida a su tiempo:
   se la echas, y la atrapan;
   abres tus manos, y se sacian de
   bienes. **R.**

Les retiras el aliento, y expiran
   y vuelven a ser polvo;
   envías tu aliento, y los creas,
   y renuevas la faz de la tierra. **R.**

II LECTURA   Romanos 8:22–27

Lectura de la carta del apóstol san Pablo a los romanos

Hermanos:
Sabemos que la **creación entera** gime hasta el **presente**
   y **sufre dolores** de parto;
   y **no sólo** ella, sino **también nosotros**,
   los que poseemos las **primicias del Espíritu**,
   gemimos **interiormente**,
   anhelando que se realice **plenamente**
     nuestra condición de **hijos de Dios**,
   la **redención** de **nuestro cuerpo**.

Porque **ya** es **nuestra** la **salvación**,
   pero su **plenitud** es **todavía** objeto de **esperanza**.
Esperar lo que **ya** se posee **no** es tener **esperanza**,
   porque, ¿**cómo** se puede **esperar** lo que ya se **posee**?
En cambio,
   si **esperamos** algo que **todavía** no poseemos,
   tenemos que **esperarlo** con **paciencia**.

Al prepara este texto distingue muy bien sus partes para enfatizar debidamente sus elementos.

Advierte que la frase adversativa se amplifica hasta la interrogación.

esos momentos Jesús grita fuerte invitando a la gente a acudir a él a beber. Con esta llamada Jesús se está manifestando como agua viva. Se parte del supuesto que hay un sediento, uno que busca un sentido profundo a su vida. El creyente en Jesús, el que lo acepta como el enviado, recibe la promesa de que beberá del chorro de agua que mana de Jesús.

Este lenguaje tiene sus antecedentes en la literatura sapiencial. El agua para el oriental es una imagen de la dicha y de la salvación. Es cierto que el agua se llevaba al altar como una libación, pero la invitación de Jesús encaja con la situación. La venida del Mesías, además, estaba ligada en varios ambientes religiosos con una infusión del Espíritu, de lo cual habían hablado ciertos profetas. Una alusión a la roca de donde Moisés extrajo agua no es ajena al pensamiento de Jesús y sus oyentes.

Las palabras de Jesús seguirán teniendo resonancia siempre. El ser humano anda tras de todo aquello que llene su corazón, sus ansias de colmar sus deseos de dicha y placer. Lo busca por muchos caminos y en muchos lugares. Jesús es el único que llenará lo profundo de nuestros deseos de felicidad y dicha aquí en la tierra, mientras esperamos su plenitud en el encuentro definitivo con él.

La presencia del Espíritu debe transmitir vigor y confianza a los fieles. Avanza con decisión pero sin rapidez. Baja la velocidad con las líneas finales.

El **Espíritu** nos ayuda en **nuestra debilidad**,
  porque **nosotros** no sabemos **pedir** lo que nos **conviene**;
  pero el **Espíritu mismo** intercede por **nosotros**
    con **gemidos** que no pueden **expresarse** con **palabras**.
Y **Dios**,
  que conoce **profundamente** los **corazones**,
  sabe lo que el Espíritu **quiere decir**,
  porque el **Espíritu** ruega **conforme** a la voluntad de **Dios**,
  por los que le **pertenecen**.

EVANGELIO   Juan 7:37–39

Lectura del santo Evangelio según san Juan

El **último** día de la **fiesta**, que era el **más solemne**,
  exclamó Jesús en **voz alta**:
  "El que tenga **sed**, que **venga a mí**; y **beba**, aquel que **cree en mí**.
Como dice la **Escritura**:
  *Del **corazón** del que **cree** en mí **brotarán** ríos de **agua viva**"*.

Al decir **esto**, se refería al **Espíritu Santo**
  que habían de **recibir** los que **creyeran** en él,
  pues **aún** no había **venido** el Espíritu,
  porque **Jesús** no había sido **glorificado**.

Este texto magnífico solicita entusiasmo y decisión de quien lo proclama.

PENTECOSTÉS, MISA DEL DÍA

La descripción es deslumbrante. No restes sorpresa ni extrañeza a los fenómenos que se reseñan. Evita acelerar en los párrafos iniciales.

Ralentiza el diálogo y la lista de regiones.

I LECTURA   Hechos 2:1–11

Lectura del libro de los Hechos de los Apóstoles

El **día** de Pentecostés,
  todos los discípulos estaban reunidos en un **mismo** lugar.
De repente se oyó un **gran** ruido que venía del cielo,
  como cuando sopla un viento fuerte,
  que **resonó** por **toda** la casa donde se encontraban.
Entonces aparecieron **lenguas** de fuego,
  que se distribuyeron y **se posaron** sobre ellos;
  se llenaron **todos** del Espíritu Santo
  y empezaron a hablar en **otros** idiomas,
  según el Espíritu los **inducía** a expresarse.

En esos días había en Jerusalén judíos **devotos**,
  venidos de **todas** partes del mundo.
Al **oír** el ruido, acudieron **en masa** y quedaron **desconcertados**,
  porque **cada uno** los oía hablar en su **propio idioma**.

Atónitos y llenos de admiración, preguntaban:
  "¿No son galileos **todos estos** que están hablando?
  ¿**Cómo**, pues, los oímos hablar en nuestra **lengua nativa**?
Entre **nosotros** hay medos, partos y elamitas;
  otros vivimos en Mesopotamia, Judea, Capadocia,
  en el Ponto y en Asia, en Frigia y en Panfilia,
  en Egipto o en la zona de Libia que limita con Cirene.
Algunos somos **visitantes**, venidos de Roma, judíos y prosélitos;
  también hay cretenses y árabes.

I LECTURA La venida del Espíritu Santo concluye el periodo de preparación e inaugura el de la misión de la Iglesia. La salvación de Israel se abre a todo el mundo. La fiesta de Pentecostés o de las Tiendas, antes de la destrucción de Jerusalén se llamaba "Fiesta de la cosecha", y se celebraba siete semanas después de cosechar la primera gavilla de trigo. Después de la destrucción del templo el año 70 d. C., no pudiendo llevar el diezmo al templo, se empezó a abrir y amplificar a otro significado: la promulgación de la Ley.

Lucas narra el primer Pentecostés cristiano (2:1) como el cumplimiento de la promesa de Jesús antes de subir al cielo. Aquí, "todos" están presentes y "todos" están en oración. Este todos representa al mundo entero.

Se trata de un suceso fundante, único, que permanecerá siempre. Este don del Espíritu santo no es la "glosolalia", el hablar en lenguas estáticamente, sino un hablar inteligente, misionero. Esta primera obra del Espíritu Santo provoca la confusión y admiración. Cambia el autor de escena: se reúnen los habitantes de Jerusalén, judíos de

todas las partes del mundo. Son devotos, fieles a la Ley. No son peregrinos, sino residentes de la ciudad. A estos es dirigida la primera predicación apostólica que forma la primera comunidad cristiana: el universalismo del Evangelio se conjuga con la primacía dada a Israel. La enumeración de los pueblos va de los asentados al Oriente a los de Occidente. El autor añade a los romanos. Como en la dispersión en Babel, ahora se tiene un movimiento contrario. El Evangelio va a todos los pueblos sin que ésos pierdan su singularidad.

Y sin embargo,
    cada quien los oye hablar de las maravillas de Dios en **su
        propia** lengua".

SALMO RESPONSORIAL   Salmo 104:1ab y 24ac, 29bc–30

R. Envía tu Espíritu, Señor, y repuebla la faz de la tierra.

O bien: **R. Aleluya.**

Bendice, alma mía, al Señor:
    ¡Dios mío, qué grande eres!
Cuántas son tus obras, Señor,
    la tierra está llena de tus criaturas. **R.**

Les retiras el aliento, y expiran
    y vuelven a ser polvo;
envías tu aliento, y los creas,
    y repueblas la faz de la tierra. **R.**

II LECTURA   Gálatas 5:16–25

Lectura de la carta del apóstol san Pablo a los Gálatas

Hermanos:
Los exhorto a que vivan de acuerdo
    con **las exigencias del Espíritu;**
    así no se dejarán arrastrar por el **desorden egoísta** del hombre.
Este desorden **está en contra** del Espíritu de Dios,
    y el Espíritu **está en contra** de ese desorden.
Y esta oposición **es tan radical,**
    que **les impide a ustedes hacer** lo que querrían hacer.
Pero **si los guía el Espíritu,**
    ya no están ustedes bajo el dominio de la ley.

Son manifiestas las obras que **proceden del desorden** egoísta
    del hombre:
    la lujuria, la impureza, el libertinaje, la idolatría, la brujería,
    las enemistades, los pleitos, las rivalidades, la ira, las
    rencillas, las divisiones, las discordias, las envidias, las
    borracheras, las orgías
    y otras cosas semejantes.
Respecto a ellas **les advierto,** como ya lo hice antes,
    que quienes hacen estas cosas **no conseguirán el Reino de Dios.**

Imprime suspenso a la primera línea; luego pronuncia las dos finales recorriendo con la mirada a la audiencia.

Para meditar

La exhortación tiene un tono reprobatorio con notables contrapuntos. Procura que se note el contraste.

La lista de vicios no es acusatoria, sino que generaliza; pronúnciala a velocidad normal y sin énfasis particular.

II LECTURA Pablo establece con toda claridad la oposición que el creyente experimenta, pues debe decidir el principio que guíe su vida; se trata de dos principios incompatibles y contrarios. Uno es "el deseo de la carne" (*epithymía sarkós*) que lleva a una caterva de vicios, que, aunque satisfacen las apetencias naturales, son reprobables y calamitosos para la vocación cristiana. Este principio se expresa como egoísmo, esclavitud a las pasiones y a los deseos inmorales. El otro es el "espíritu" (*pneûma*) que produce una cascada de beneficios que garantizan la vida pacífica y ecuánime, exenta de vanidad, rivalidades y envidias.

Los bautizados en Cristo, aunque experimentan la misma lucha en su vida, poseen ya la fuerza para "crucificar" toda apetencia egoísta y vivir "amoldados" al Espíritu recibido en el bautismo, en vistas a la herencia del Reino. Debemos, pues, mirarnos constantemente en el espejo de la vida del Espíritu para ajustarnos a él y multiplicar sus frutos día con día, en nosotros primero, pero también en nuestros lugares eclesiales y sociales.

EVANGELIO La lectura evangélica está tomada de una parte central en el evangelio de san Juan: el capítulo 15. Alrededor de este capítulo giran los capítulos 13–14 y 16–17, dejándolo como centro que les da el sentido fundamental. Se podrá decir que estos cuatro capítulos explican y completan a este centro.

Los versículos 26 y 27 hablan del Espíritu Santo. Insisten en que será enviado por el Padre. Hay un paralelismo de profundo sentido en la cualidad que Jesús coloca en el Espíritu y en los discípulos: estar con el Padre y dar testimonio. Lo primero es fun-

En cambio, **los frutos del Espíritu Santo** son:
el amor, la alegría, la paz, la generosidad,
la benignidad, la bondad, la fidelidad,
la mansedumbre y el dominio de sí mismo.
Ninguna ley existe que vaya en contra de estas cosas.

Y **los que son de Jesucristo** ya han crucificado su egoísmo,
junto con sus pasiones y malos deseos.
Si tenemos la vida del Espíritu, **actuemos conforme a ese
mismo Espíritu.**

O bien: *1 Cor 12:3b–7, 12–13*

EVANGELIO   Juan 15:26–27; 16:12–15

Lectura del evangelio según san Juan

En aquel tiempo, Jesús dijo a sus discípulos:
"**Cuando venga el Paráclito**, que yo les enviaré a ustedes de
parte del Padre,
el **Espíritu de la verdad** que procede del Padre,
él dará testimonio de mí **y ustedes también** darán testimonio,
pues desde el principio **han estado conmigo.**

Aún tengo muchas cosas que decirles,
pero todavía **no las pueden comprender.**
Pero cuando venga el **Espíritu de la verdad,**
él los irá guiando hasta la **verdad plena,**
porque no hablará por su cuenta,
sino que **dirá lo que haya oído**
y les anunciará las cosas que van a suceder.
Él me glorificará,
porque primero **recibirá de mí** lo que les vaya comunicando.
Todo lo que tiene el Padre **es mío.**
Por eso he dicho que tomará de lo mío
y **se lo comunicará a ustedes".**

O bien: *Juan 20:19–23*

Contacta visualmente con la audiencia en esta parte. Ve bajando la velocidad conforme te acercas al final.

Las palabras de Jesús son de aliento y certeza. Otro tanto debes procurarle a la asamblea que escucha.

Enfatiza las frases relativas al Espíritu prometido. Si capta la asamblea esto, ganará en su relación con el Espíritu Santo.

damental y en otras partes de este discurso de la última Cena lo repetirá: El Espíritu Santo está en una profunda unión con el Padre y con Jesús. De aquí que hable Jesús indistintamente de que Él lo enviará y de que el Padre hace otro tanto. Con esto está revelando Juan la profunda relación que existe entre las tres divinas Personas. De aquí los Santos Padres formularán después durante varios concilios ecuménicos la doctrina y función del Dios Uno y Trino.

No estarán solos los discípulos en las terribles dificultades en las que se encontraron inmediatamente por ser fieles a su fe.

Primero se enfrentaron al desprecio, e incluso persecución, de sus mismos hermanos de raza: los judíos. Serán expulsados de la sinagoga los que confiesen que Jesús es el Mesías. Después, el grupo cristiano se verá asediado también por el poder religioso y político del Imperio romano.

La otra función que ejercerá el Paráclito es la de dar testimonio de Jesús. Este testimonio lo da mediante los seguidores de Jesús. Es un testimonio interno y externo, que va hasta en el nombre "cristiano".

Al celebrar hoy la fiesta de Pentecostés conviene repensar si hemos hecho caso

al Espíritu Santo. dando testimonio con nuestra vida de Jesús.

SANTÍSIMA TRINIDAD

I LECTURA   Deuteronomio 4:32–34, 39–40

Lectura del libro del Deuteronomio

Proclama esta lectura como una propuesta a la misma asamblea. Da el tono adecuado a las preguntas y evita apresurar el párrafo.

En **aquellos** días,
    habló **Moisés** al pueblo y le dijo:
    "**Pregunta** a los tiempos pasados,
    investiga desde el día en que Dios **creó** al hombre
        sobre la **tierra**.
¿Hubo **jamás**, desde un extremo al otro del cielo,
    una cosa tan grande **como ésta**?
¿Se oyó algo **semejante**?
¿Qué pueblo ha oído, **sin perecer**,
    que Dios le hable **desde el fuego**,
    como **tú** lo has oído?
¿**Hubo** algún dios que haya ido a buscarse **un pueblo**
    en medio de otro pueblo,
    a fuerza de pruebas, **de milagros** y de guerras,
    con mano **fuerte** y brazo **poderoso**?
¿Hubo **acaso** hechos tan grandes como los que,
    ante sus **propios ojos**,
    hizo por ustedes en Egipto el Señor su Dios?

Reconoce, pues,
    y graba hoy en tu corazón
        que el **Señor** es el Dios del cielo y de la tierra
        y que **no hay otro**.

Haz énfasis en el "hoy" y cierra abarcando con la mirada a la asamblea.

I LECTURA El libro del Deuteronomio ofrece una reflexión sobre el pasado de Israel, en concreto, sobre su paso por el desierto hacia la tierra prometida; alude el texto a "los tiempos pasados". Esta meditación sobre ellos se ubica al final de un lago proceso histórico.

Al entrar a la tierra prometida, Israel se enfrentó con pueblos más nuevos que él. Israel llevaba ya un periodo largo de vida, que empezó a partir "de que Dios creó al ser humano sobre la tierra… de un extremo al otro" (v. 32). Dios invita al pueblo a meditar lo que él mismo ha ejecutado con Israel en la historia. Dios lo convocó "desde el fuego", lo fue a buscar "a fuerza de pruebas, de milagros" y guerreó junto a él. Dios mismo inició esta historia de liberación, de salvación y de alianza.

Al meditar, el pueblo reconoce que "el Señor es el único Dios arriba, en el cielo, y abajo, en la tierra: no hay otro" (v. 39). O sea, Israel debe tener ante sí la historia de Dios con él y caer en la cuenta de que es el único Dios, y lo transmitirá a las generaciones futuras.

Efectivamente, Israel no podrá difundir todavía la doctrina de la Trinidad, pero sí afirmará con su palabra y conducta la unicidad de un Dios que, al correr de los tiempos, le irá revelando aspectos de su divinidad, hasta llegar a la plenitud, cuando Jesús le devele el fondo del misterio de Dios: un Dios y tres divinas personas.

Las palabras del Deuteronomio nos invitan a meditar la pedagogía que Dios ha empleado con nosotros, para educarnos y venir a nuestro encuentro. Miremos nuestra historia personal de salvación y agradezcamos la gracia de hacernos sus hijos y mantener viva esa conciencia en todo momento.

Cumple sus leyes y mandamientos,
   que **yo** te prescribo hoy,
   para que **seas feliz** tú y tu descendencia,
   y para que vivas **muchos años** en la tierra
   que el Señor, tu Dios,
   te da **para siempre**".

SALMO RESPONSORIAL   Salmo 32:4–5, 6 y 9, 18–19, 20 y 22

R. Dichoso el pueblo que el Señor se escogió como heredad.

La palabra del Señor es sincera,
   y todas sus acciones son leales;
   él ama la justicia y el derecho,
   y su misericordia llena la tierra. **R.**

La palabra del Señor hizo el cielo,
   el aliento de su boca, sus ejércitos,
   porque él lo dijo y existió;
   él lo mandó, y surgió. **R.**

Los ojos del Señor están puestos en sus fieles,
   en los que esperan en su misericordia,
   para librar sus vidas de la muerte
   y reanimarlos en tiempo de hambre. **R.**

Nosotros aguardamos al Señor:
   él es nuestro auxilio y escudo;
   que tu misericordia, Señor, venga
      sobre nosotros,
   como lo esperamos de ti. **R.**

II LECTURA   Romanos 8:14–17

Lectura de la carta del apóstol san Pablo a los romanos

Hermanos:
Los que se **dejan guiar** por el Espíritu de Dios,
   ésos son **hijos de Dios**.
No han recibido ustedes un espíritu **de esclavos**,
   que los haga **temer** de nuevo, sino un espíritu **de hijos**,
   en virtud del cual podemos llamar **Padre** a Dios.

El **mismo** Espíritu Santo, a una con nuestro **propio** espíritu,
   da testimonio de que somos **hijos** de Dios.
Y si somos hijos, somos también **herederos** de Dios
   y coherederos **con Cristo**,
   puesto que sufrimos **con él**
   para ser **glorificados** junto con él.

II LECTURA   El modelo de la relación entre el cristiano y Dios está asumido de lo que sucedía en una casa de la sociedad helenizada del tiempo de Pablo. Además de cobijar y organizar a los consanguíneos inmediatos, la casa era una unidad de producción económica y representación social bajo el liderazgo del padre. A la casa pertenecían los siervos o esclavos y los amigos, además de los hijos y la esposa del cabeza de casa. Aunque todos estaban bajo la autoridad incontestada del *paterfamilias*, a él tenían acceso los hijos y los esclavos, pero de manera muy diferen-

ciada. El padre era el guía en la educación de los hijos y el responsable de que los esclavos fueran productivos. Si bien habría *que matizar*, en general, los hijos e hijas tenían una cercanía familiar con su padre de la que los esclavos carecían; pero ambos estaban obligados a salvaguardar e incrementar el honor de la casa paterna, aunque bajo códigos de conducta diferente. A mayor honorabilidad, mayor exigencia.

Pablo sabe que hay hijos rebeldes, que no asimilan las directrices paternas. Los creyentes, por el contrario, por haberse sometido al bautismo, se dejan guiar por el

Espíritu. Atrás dejaron el estatus de servidumbre y ahora participan de la condición familiar (*gens*); son hijos y deben aprender a relacionarse adecuadamente con el Padre para participar de todos los beneficios |correspondientes a su nuevo estatus filial. A los hijos rebeldes se les excluía de la casa y se les desheredaba.

Nuestra tarea de vida es el aprendizaje de nuestra adopción divina, con Cristo resucitado como modelo. Ser consecuente con esto es la misión integral de la Iglesia, y de cada bautizado.

El encargo de Jesús resucitado es para todos sus discípulos. Dale al breve discurso cierta solemnidad, y procura que se note la coordinación de los gerundios, más que los imperativos.

EVANGELIO   Mateo 28:16–20

Lectura del santo Evangelio según san Mateo

En aquel tiempo,
    los **once** discípulos se fueron a Galilea
    y **subieron** al monte en el que Jesús los **había citado**.
Al ver a Jesús, **se postraron,** aunque algunos **titubeaban.**

Entonces, Jesús **se acercó** a ellos y les dijo:
    "Me ha sido dado **todo** poder en el cielo y en la tierra.
Vayan, pues,
    y **enseñen** a todas las naciones,
    bautizándolas en el nombre del Padre
    y del Hijo y del Espíritu Santo,
    y e**nseñándolas** a cumplir **todo** cuanto yo les he mandado;
    y **sepan** que yo estaré con ustedes **todos** los días,
    hasta el **fin** del mundo".

EVANGELIO Con este episodio termina el evangelio de Mateo. Jesús había ordenado a sus once discípulos que fueran a determinado monte cuyo nombre no especifica, para encontrarse con ellos. Las mujeres son las transmisoras del mensaje. No nombra Jesús el monte, señal de que los discípulos lo conocerían.

El monte es el lugar tradicional del encuentro y manifestación de Dios, como fue el Sinaí (cf. Éxodo 19–24). En un monte Jesús enseña, se revela y habla de sí (cf. Mateo 5–7), reza (14:23), cura a los enfermos (15:29–39) y manifiesta su gloria a tres discípulos (17:1–8). En el monte ahora será la revelación del Dios trinitario.

Los discípulos, al ver a Jesús, se postraron. Algunos todavía dudaban. La fe no se funda en la vista u oídos, sino en Dios.

El Resucitado se les acerca. Un movimiento epifánico que lo relaciona con la transfiguración. Jesús había dicho antes que "todo" le había sido dado por el Padre (Mateo 11:27), ahora precisa: este poder es omnímodo, se ejerce "en el cielo y en la tierra". O sea, sobre todo. Les da el objetivo de ser discípulos: hacer a otros, discípulos. ¿Cómo? Consagrándolos al misterio trinitario. El dis-

cipulado consiste en una acción doble: bautizar y enseñar a los paganos a invocar a Dios con su novedosa identidad: Padre, Hijo y Espíritu Santo. El Dios cristiano no es una persona solitaria, sino también familiar. Tiene un aspecto comunitario que liga.

Los cristianos por el bautismo son hijos de la Santísima Trinidad y de ella toman su alimento y fuerza. Penden de ella, también, por la presencia de Jesús: él estará siempre con los bautizados, porque es nuestro "Dios con nosotros".

SANTÍSIMO CUERPO Y SANGRE DE CRISTO (CORPUS CHRISTI)

I LECTURA   Éxodo 24:3–8

Lectura del libro del Éxodo

En aquellos días,
   Moisés **bajó** del monte Sinaí
   y refirió al pueblo **todo** lo que el Señor le **había dicho**
   y los **mandamientos** que le había dado.
Y el pueblo contestó **a una voz**:
   "Haremos **todo** lo que dice el Señor".

Moisés puso por escrito **todas** las palabras del Señor.
Se levantó **temprano**,
   construyó un altar al pie del monte
   y puso al lado del altar **doce** piedras conmemorativas,
   en **representación** de las doce tribus de Israel.

Después mandó a algunos jóvenes israelitas
   a ofrecer **holocaustos** e **inmolar** novillos,
   como sacrificios pacíficos **en honor** del Señor.
Tomó la mitad de la sangre, la puso en vasijas
   y **derramó** sobre el altar la otra mitad.

Entonces tomó el libro **de la alianza**
   y lo **leyó** al pueblo, y el pueblo respondió:
   "**Obedeceremos**.
Haremos **todo** lo que manda el Señor".

Recuerda hacer contacto visual con la asamblea luego de anunciar la lectura. Pronuncia la primera oración de un tirón, pero sin apresurarte. Inhala antes de atacar la tercera línea.

Frasea con cuidado la respuesta del pueblo. No separes mucho una línea de otra y pronuncia la fórmula litúrgica de conclusión mirando a la asamblea.

I LECTURA El autor sagrado emplea una de las formas literarias que eran comunes en aquellos tiempos: la fórmula de vasallaje. Dos partes se comprometían, aunque cada cual con compromisos distintos. Bajo esta forma literaria tenemos una alianza entre Dios y su pueblo. Al pueblo lo representan Moisés, Aarón, Nadab y Abihú con setenta ancianos, quienes suben al monte Sinaí, donde Dios viene al encuentro de los suyos.

En el monte solían ocurrir las apariciones divinas. Para Israel, el Sinaí era el lugar de la aparición más importante y solemne de Dios. Que Dios no tuviera imagen que lo representara era signo de su trascendencia.

Moisés bajará del monte para comunicar al pueblo lo que quería el Señor: una alianza. Desde luego que se suponen compromisos: Dios protegerá al pueblo, algo que éste ya había experimentado varias veces. El pueblo guardará los mandamientos. El pueblo está de acuerdo. Dios va a llevar a cabo esta alianza que será sellada con una ceremonia consistente en el sacrificio de un animal, aquí un becerro. El pueblo estará representado por doce estelas y Dios por un altar. Hecho el sacrificio, la sangre se rociará sobre las doce estelas y el altar, para significar que estarán unidos los dos socios con vínculo sagrado, cruento: "He aquí la sangre de la alianza que el Señor ha concluido con ustedes en base a todas estas palabras" (Éxodo 24:8b).

Entre Dios y el pueblo se crea una unión, una comunión de vida. El hecho de participar en el banquete ritual de la comunión con el Señor es una manera de manifestar la intimidad con Dios. A este signo de esta alianza siempre se referirá el pueblo en sus angustias y alegrías.

Luego Moisés **roció** al pueblo con la sangre, diciendo:
"Ésta es la sangre de **la alianza**
que el Señor ha hecho **con ustedes**,
conforme a las palabras que **han oído**".

Para meditar

SALMO RESPONSORIAL   Salmo 115:12–13, y 15, 16bc, 17–18

R. Alzaré la copa de la salvación, invocando tu nombre.
O bien: **Aleluya.**

¿Cómo pagaré al Señor
    todo el bien que me ha hecho?
Alzaré la copa de la salvación,
    invocando su nombre. **R.**

Mucho le cuesta al Señor la muerte
    de sus fieles.
Señor, yo soy tu siervo:
    siervo tuyo, hijo de tu esclava,
    rompiste mis cadenas. **R.**

Te ofreceré un sacrificio de alabanza,
    invocando tu nombre, Señor.
Cumpliré al Señor mis votos,
    en presencia de todo el pueblo. **R.**

II LECTURA   Hebreos 9:11–15

Lectura de la carta a los hebreos

Hermanos:
Cuando **Cristo** se presentó
    como **sumo** sacerdote que nos obtiene los bienes **definitivos**,
    penetró una **sola** vez y **para siempre** en el "lugar santísimo",
    a través de una tienda,
    que no estaba hecha por **mano de hombres**,
    ni **pertenecía** a esta creación.
No llevó **consigo** sangre de animales, sino su **propia** sangre,
    con la cual nos obtuvo una redención **eterna**.

Porque si la **sangre** de los machos cabríos
    y de los becerros y las cenizas de una ternera,
    cuando se **esparcían** sobre los impuros,
    eran **capaces** de conferir a los israelitas una pureza **legal**,
    meramente **exterior**,

La oración inicial es muy larga; delimita las frases y dales la entonación debida para que su sentido no se corte a los oídos de la asamblea.

La argumentación exige que las frases sean moduladas de modo que no se disipe su lógica. Haz un esfuerzo al entonarlas.

II LECTURA El autor de la Carta a los hebreos pone ante los ojos de los escuchas una comparación entre la manera de purificar los pecados conforme a la antigua alianza y la conseguida por Cristo, nuestro único y Sumo Sacerdote. La superioridad de la economía actual, obtenida por la sangre de Cristo Jesús, es perfecta, acabada y plena. Para demostrar esto echa por delante el motivo de la tienda, de la que el templo de Jerusalén era mera figura terrenal. Una década atrás, aquella ciudad había sido arrasada y el templo quemado y desmontado. Los judeocristia-

nos deben mirar no lo que quedó atrás, sino lo que tienen delante.

Todos saben que Dios le había mostrado a Moisés el modelo celeste para que fabricara la tienda del encuentro (Éxodo 25:8), de la que el templo era su réplica. A este templo entraba el sumo sacerdote jerosolimitano, cada año, para hacer la expiación por los pecados del pueblo y éste pudiera seguir viviendo ante Dios. La tienda verdadera era celeste, "hecha no por manos humanas" ni pertenecía a "este orden creado", y es en ella que el Sumo Sacerdote definitivo penetró, una vez resucitado de entre los

muertos. Este acto consigue que las realidades celestes y escondidas, de las que las terrenales son meros reflejos, sean ahora plenamente accesibles a todos los creyentes, gracias a lo realizado por Cristo.

El ritual del solemne Día de la Expiación (*Yom kippur*) se ejecutaba con sangre de un macho cabrío degollado sobre el altar del templo, y que se recogía en un cuenco para cubrir con ella la placa frontal o expiatorio del arca de la alianza; perdida aquella arca, la sangre era derramada sobre la roca desnuda que estaba en el corazón del santuario. Se entendía que la sangre cubría los

¡**cuánto más** la sangre de Cristo
purificará nuestra conciencia de **todo pecado**,
a fin de que **demos culto** al Dios vivo,
ya que a impulsos del **Espíritu Santo**,
se **ofreció** a sí mismo como sacrificio **inmaculado** a Dios,
y así podrá **purificar** nuestra conciencia
   de las obras que conducen **a la muerte**,
para **servir** al Dios vivo!

Por eso, Cristo es el **mediador** de una alianza nueva.
Con su muerte hizo que fueran **perdonados** los delitos
   cometidos durante la **antigua** alianza,
para que los **llamados** por Dios pudieran recibir
   la herencia **eterna** que él les había **prometido**.

Enfatiza la frase causal y ve saliendo de la lectura bajando la velocidad.

EVANGELIO   Marcos 14:12–16, 22–26

Lectura del santo Evangelio según san Marcos

El **primer** día de la fiesta de los panes **Ázimos**,
   cuando se sacrificaba el cordero **pascual**,
   le preguntaron a Jesús sus discípulos:
   "¿**Dónde** quieres que vayamos a prepararte la cena
      de Pascua?"
Él les dijo a dos de ellos:
   "**Vayan** a la ciudad.
Encontrarán a un hombre que lleva un cántaro de agua;
   síganlo y díganle al dueño de la casa en donde entre:
   'El Maestro manda preguntar:
   ¿**Dónde está** la habitación en que voy **a comer** la Pascua
      con mis discípulos?'

El relato es un tesoro de la tradición cristiana. Evita la monotonía y proyecta tu voz desde eldiafragma. Eleva tu voz en las partes discursivas.

---

pecados cometidos por el pueblo y le daba la posibilidad de vivir en la alianza con Dios. Por eso, también se rociaba con esa sangre al pueblo reunido en asamblea, y otro tanto se hacía con los sacrificios legítimos a lo largo del año; eran purificatorios y repetidos. El sacrificio de Jesús, sin embargo, es único; derramó su sangre una sola vez para entrar, movido por el Espíritu Santo, en el santuario celeste de una vez por todas. Por eso el perdón que nos obtuvo es definitivo y eterno, porque expió por los pecados pasados y futuros. Esta purificación nos obtiene el sacerdocio vivo, somos pueblo

sacerdotal, para realizar las obras que dan vida y honran al Dios de la vida.

La solemnidad de esta fecha nos revive la conciencia bautismal originaria, lo que somos y estamos llamados a realizar. Somos pueblo sacerdotal, purificado por la sangre de Cristo para vivir inmaculados delante de Dios. A esto obedece nuestra asamblea.

EVANGELIO La última cena que celebró Jesús con sus discípulos fue una cena pascual. En esto están de acuerdo todos los evangelistas y las circuns-

tancias mismas en que la llevó a cabo, lo dan a entender. Habían ido a Jerusalén en tiempo de pascua y hacia acá orientaba el plan del evangelio.

Marcos narra la preparación de la cena (14:12–16) y, dice que Jesús con sus discípulos, al terminar la cena, se fue al monte de los olivos, "después de a haber cantado el himno" (14:26). Se refiere al canto del Hallel (Salmo 115–118) con el que concluía la cena pascual.

La cena pascual forma el cuadro en el que Marcos narra la institución de la Eucaristía. Posee el ambiente un sentido de so-

Él les enseñará una sala en el **segundo** piso,
    arreglada con divanes.
Prepárennos **allí** la cena".
Los discípulos se fueron, llegaron a la ciudad,
    encontraron lo que Jesús **les había dicho**
    y prepararon la cena de Pascua.

Mientras cenaban, Jesús **tomó** un pan,
    pronunció la bendición,
    lo partió y se lo dio a sus discípulos, diciendo:
    "**Tomen**: esto es **mi cuerpo**".
Y tomando en sus manos **una copa** de vino,
    pronunció la **acción de gracias**, se la dio,
    todos bebieron y les dijo:
    "Ésta es mi sangre,
    sangre de la alianza,
    que se derrama **por todos**.
Yo les **aseguro**
    que no volveré **a beber** del fruto de la vid
    hasta el día
    en que beba el vino nuevo
    en **el Reino de Dios**".

Después de **cantar** el himno,
    salieron hacia el **monte** de los Olivos.

Es el culmen del fragmento de hoy. Visualiza las acciones que describe el texto y pronúncialas con veneración.

lemnidad y de que algo extraordinario va a llevar a cabo el Maestro. Introduce dentro del marco de la cena pascual el relato de la institución de la Eucaristía. La afirmación de "Este es mi cuerpo" da a entender a los comensales que esa presencia de Jesús en la nueva pascua debían entenderla de una manea dinámica. El pan significa y es el cuerpo del Señor. El gesto de fraccionar el pan está indicado una alusión a la unidad que se hace pluralidad. Identifica su cuerpo con el pan y su sangre con el vino. En hebreo "carne y sangre" designan a la persona entera, no a una parte. Emplea Jesús una

especie de merismo para designar un todo, una especie de figura polar. Todo él se entrega en ese ambiente de la cena que recuerda, cierto, la salida de Egipto cuando se celebró la libertad al comer el cordero. También traía a la mente del hebreo la alianza realizada entre el pueblo y Dios, como cuenta la lectura primera del Éxodo.

Además, el centro de la narración marcana está encuadrado por dos anuncios: el de la traición de Judas (14:17–21) y el del abandono de todos y la negación de Pedro (14:26–31). Una advertencia y exhortación

de Jesús a ser fieles y a entregarse completamente en la caridad.

X DOMINGO ORDINARIO

I LECTURA   Génesis 3:9–15

Lectura del libro del Génesis

Es un relato lleno de dramatismo, aunque velado. Entona debidamente las preguntas y dale aire como de preocupación a las respuestas de los interrogados.

Después de que el hombre y la mujer **comieron del fruto**
     del árbol prohibido,
  el Señor Dios llamó al hombre y le preguntó: **"¿Dónde estás?"**
Este le respondió: "Oí tus pasos en el jardín;
  y **tuve miedo**, porque estoy desnudo, y me escondí".
Entonces le dijo Dios: "¿Y **quién** te ha dicho
     que estabas desnudo?
¿Has comido acaso del árbol del que **te prohibí comer?**"

Respondió Adán: "La mujer que me diste **por compañera**
     me ofreció del fruto y **comí**".
El Señor Dios dijo a la mujer: "**¿Por qué** has hecho esto?"
Repuso la mujer: "La serpiente **me engañó** y comí".

Las palabras dirigidas a la serpiente hazlas sonar firmes más que duras.

Entonces dijo el Señor Dios a la serpiente:
"Porque **has hecho esto**,
  serás maldita **entre todos** los animales
  y **entre todas** las bestias salvajes.
Te arrastrarás sobre tu vientre y **comerás polvo**
  todos los días de tu vida.
Pondré **enemistad** entre ti y la mujer,
  entre **tu descendencia** y la suya;
  y su descendencia **te aplastará** la cabeza,
  mientras tú tratarás de morder **su talón**".

I LECTURA No cabe duda de que estamos ante una de las páginas más hermosas, simples y llenas de significado que el hombre no acaba de comprender del todo. Lo profundo generalmente se dice de una manera simple.

Adán y Eva habían probado el conocimiento del bien y del mal, es decir, ser autónomos, como dice el texto: "Conocedores del bien y del mal". Es decir, ellos en este sentido querían ser como Dios. Cruzaron, mejor, intentaron ir más allá del quicio de la humanidad y en este sentido quisieron ser como Dios. El precepto divino era muy simple: no comer del fruto de un árbol, pero detrás estaba la aceptación de los límites humanos y una relación amigable, de confianza con su Creador que les había creado y entregado todo, con una pequeña advertencia de su limitación. Esto por el bien de ellos. Pero el ser humano no quiere que nadie lo limite. Se encuentra, en el fondo, el dilema de la libertad. Ésta trae consigo el gran problema de la responsabilidad.

El Señor Dios busca al hombre: "¿Dónde estás?". Esta palabra alcanza a todo lector de la Biblia que se hace la misma pregunta, "¿Dónde me encuentro yo?". Dios ya sabía de la falta de Adán y Eva, simplemente buscaba un reconocimiento de lo que habían hecho, de su limitación. Esto suponía la exigencia de la responsabilidad. La libertad humana trae pegada la responsabilidad. Y esto les faltaba a Adán y Eva. No le respondieron a Dios. Se escondieron, no dieron la cara. Dios los siguió buscando. Fueron irresponsables. Al final, el Creador le da a Adán una oportunidad de ser responsable, pero Adán culpa a Eva; ella, a su vez, a la serpiente, es decir, a la encarnación del mal.

La creación bíblica es narrada de una manera simple para que todos la podamos

Para meditar

SALMO RESPONSORIAL   Salmo 130: 1–2, 3–4ab, 4c–6, 7–8

R. Del Señor viene la misericordia, la redención copiosa.

Desde lo hondo a ti grito,
  Señor; Señor, escucha mi voz;
  estén tus oídos atentos
    a la voz de mi súplica.

Si llevas cuenta de los delitos, Señor,
  ¿quién podrá resistir?
Pero de ti procede el perdón,
  y así infundes respeto.

Mi alma espera en el Señor,
  espera en su palabra;
  mi alma aguarda al Señor.
Más que el centinela la aurora,
  aguarde Israel al Señor.

Porque del Señor viene la misericordia,
  la redención copiosa;
  y él redimirá a Israel de todos sus delitos.

II LECTURA   2 Corintios 4:13—5:1

Lectura de la segunda carta del apóstol san Pablo a los corintios

Hermanos:
Como poseemos **el mismo espíritu** de fe que se expresa
    en aquel texto de la Escritura:
    Creo, por eso hablo, **también nosotros** creemos
      y por eso hablamos,
    sabiendo **que aquel que resucitó** a Jesús nos resucitará
      también a nosotros **con Jesús**
    y nos colocará a su lado **con ustedes.**
Y todo esto es para bien **de ustedes,**
    de manera que, al extenderse la gracia **a más y más** personas,
    se multiplique **la acción de gracias** para gloria de Dios.

Por esta razón **no nos acobardamos;**
    pues aunque nuestro cuerpo **se va desgastando,**
    nuestro espíritu **se renueva** de día en día.
Nuestros sufrimientos momentáneos y ligeros nos producen una
    riqueza eterna,
    una gloria que **los sobrepasa** con exceso.

Nosotros no ponemos la mira **en lo que se ve,**
    sino **en lo que no se ve,**
    porque lo que se ve **es transitorio** y lo que no se ve es eterno.

El texto es argumentativo, por lo que deberás entonar bien las frases conjuntivas y marcar las aposiciones.

Busca a la asamblea visualmente al pronunciar estas frases. Es importante que se identifiquen en la lectura.

entender mientras profundizamos sobre el sentido de la creación, de la libertad, del trabajo, de la responsabilidad, etc. ¿A qué nos llama hoy el Señor?

II LECTURA La lectura de hoy está tomada de una amplia sección en la que san Pablo defiende su ministerio apostólico de unos predicadores cristianos venidos a Corinto, que lo descalifican por considerarlo divergente, inauténtico y hasta interesado, como si su quehacer evangelizador fuera una empresa personal. El Apóstol de los Gentiles se defiende de ellos

y manda esta carta a la comunidad cristiana, para que juzgue la veracidad de su obra y de su identidad, porque a él lo conocen bien. Pablo hace ver que si se dedica a evangelizar no es porque el Evangelio le reporte dinero, honores, molicie y comodidades de todo género, sino porque responde a la misión recibida; de no ser así, ¿cómo explicar las tribulaciones, angustias, persecuciones, azotes y sufrimientos que en carne propia ha soportado? El Apóstol muestra el arraigo de su fe y lo sustenta con la propia Escritura.

Las palabras del salmo (116:10) aluden al hombre fiel al Señor que padece las calumnias levantadas por los malvados; ¿cuál será entonces su sostén? Su único sostén es mantenerse fiel a Dios. Otro tanto hace Pablo. La raíz de su fe es el Dios de la vida, el mismo que resucitó a Jesús de entre los muertos. Si Pablo anduviera buscando su propia gloria, los padecimientos de su camino lo harían desistir. También los corintios deben aprender esto y vivir agradeciendo a Dios, porque los actuales sufrimientos y estrecheces que se padecen por la causa de Cristo no son comparables a la gloria que el

Prepara la salida de la lectura. Aminora la velocidad.

Sabemos que, aunque se desmorone esta **morada terrena,**
   que nos sirve de **habitación,**
   Dios nos tiene preparada en el cielo una **morada eterna,**
   no construida por **manos humanas.**

EVANGELIO   Marcos 3:20–35

Lectura del santo Evangelio según san Marcos

Este episodio es vivaz y colorido. Busca modular adecuadamente los diálogos.

En aquel tiempo, **Jesús** entró en una casa **con sus discípulos**
   y acudió **tanta gente,** que no los dejaban **ni comer.**
Al enterarse **sus parientes,** fueron a buscarlo,
   pues decían que se había **vuelto loco.**

Los **escribas** que habían venido a Jerusalén, **decían acerca**
      de **Jesús:**
   "Este hombre está **poseído** por Satanás,
      príncipe de los demonios,
   y **por eso** los echa **fuera".**

Marca este momento ampliando la pausa entre los párrafos.

Jesús llamó entonces a los **escribas** y les dijo en **parábolas:**
   "¿Cómo puede Satanás **expulsar** a Satanás?
Porque si un reino está **dividido** en bandos opuestos,
   no puede **subsistir.**
Una **familia** dividida **tampoco** puede subsistir.
De la **misma** manera, si **Satanás** se rebela contra sí mismo
      y se **divide,**
   no podrá **subsistir,** pues ha llegado su **fin.**
Nadie puede entrar en la casa de un **hombre fuerte**
      y **llevarse** sus cosas,
   si **primero no** lo **ata.**
Sólo así podrá saquear la casa.

Este intercambio es vivaz y tiene sabor de pueblo. No lo disipes. Recuerda aminorar la velocidad conforme se acerca el final, pero no arrastres las frases.

Yo les **aseguro** que a los hombres se les perdonarán **todos**
      sus pecados
   y **todas sus blasfemias.**

Señor les tiene deparada. Esos padecimientos no deben servirles sino para renovar su fe en la vida verdadera.

La parte final hace hincapié en que la fe no logra su consumación definitiva en esta vida, sino en la eterna. El Apóstol se vale de la imagen de la tienda y del edificio para mostrar lo definitivo que nos espera. Nuestro cuerpo se va a desmoronar, porque se trata de un alojamiento transitorio (tienda), pero Dios nos tiene dispuesta una casa celestial, hecha "no por manos humanas". Esta visión gloriosa debe ayudarnos a darle la adecuada dimensión e importancia a las

realidades temporales, cualesquiera que ellas sean, no para menospreciarlas o descuidarlas, sino para orientarlas en la perspectiva que Dios nos ha dado a conocer al resucitar a Cristo nuestro Señor.

EVANGELIO El evangelista Marcos es el primero en componer una narración con las diferentes tradiciones de Jesús que circulaban entre los predicadores cristianos; la más consolidada de todas era la de la pasión del Señor, pero hubo otros conflictos, ciertamente. Jesús se topó con las autoridades religiosas de su

pueblo. Éstas no podían negar la fuerza milagrosa de Jesús, pues curaba a los enfermos a la luz del día y esto, desde luego, en todas partes es llamativo, máxime entre la gente sencilla que era la mayoría que se acercaba a Jesús.

Jesús se convirtió pronto para las autoridades religiosas en un grave problema, pues no podían negar lo que muchos veían y no una vez sino varias. Las autoridades religiosas de Galilea piden la ayuda de los entendidos en las cuestiones de interpretación de la Ley. Los peritos llegan a una conclusión negativa sobre Jesús. No pueden

Pero el que blasfeme **contra el Espíritu Santo**
     nunca tendrá **perdón**;
  será **reo** de un pecado **eterno**".
Jesús dijo esto, porque lo **acusaban** de estar **poseído** por un
     espíritu inmundo.

Llegaron entonces su **madre** y sus **parientes**;
  se quedaron **fuera** y lo **mandaron llamar**.
En torno a él estaba sentada una **multitud**, cuando le dijeron:
"Ahí **fuera** están tu **madre** y tus **hermanos**, que te **buscan**".

Él les respondió: "¿**Quién** es mi madre y quiénes son mis
     hermanos?"
Luego, mirando a los que estaban sentados a su **alrededor**, dijo:
"**Éstos** son mi **madre** y mis **hermanos**. Porque el que **cumple** la
     voluntad de Dios,
  ése es mi **hermano**, mi hermana y mi **madre**".

Una escena nueva se produce en dos párrafos. Haz contacto visual antes de iniciar el segundo como para alargar la tensión. Proclama con voz pausada la sentencia de Jesús.

negar los hechos, pero sí pueden dar una interpretación. Esas expulsiones del demonio sólo podían venir de Dios o de los poderes demoníacos. Como para ellos la primera posibilidad estaba excluida, dado que Jesús no guardaba estrictamente el sábado y se juntaba cono gente de mala reputación, no podía venir de Dios esa fuerza que tenía Jesús, sino de fuerzas demoníacas. Tal vez esto llegó pronto a los oídos de la familia de Jesús. Como sucede a menudo, la familia es por naturaleza conservadora y no admite fácilmente novedades, menos las que tocan a su piedad o costumbres. De aquí que la

familia de Jesús piense que se había vuelto loco. El texto dice "estaba fuera de sí". Siempre ha sucedido esto con los que abren caminos nuevos. Lo nuevo es llamativo, pero cuando pone el dilema de dejar lo antiguo, entonces viene la repulsa. Esto nos pone interrogaciones sobre nuestra postura ante los nuevos problemas que se le plantean a la Iglesia. Hay necesidad de crear nuevos caminos, porque los antiguos no llevan a ninguna parte. El Espíritu Santo va designando o dibujando las nuevas vías para comunicarnos con Dios.

Jesús hace ver lo absurdo de su interpretación y les hace ver que si el que echa al demonio es el mismo demonio ¿cómo van a poder ellos ser perdonados? Niegan la presencia y la obra del que los podría perdonar. En el fondo, se han encerrado en sí mismos, no admiten ninguna posibilidad de verdad que no sea la de ellos. La palabra de Dios les es completamente ajena.

16 DE JUNIO DE 2024

XI DOMINGO ORDINARIO

La primera frase es solemne, pero administra tu tono de modo que vaya subiendo en intensidad al avanzar en el párrafo.

I LECTURA   Ezequiel 17:22–24

Lectura del libro del profeta Ezequiel

Esto dice el Señor **Dios**:
 "Yo tomaré un **renuevo** de la copa de un **gran cedro**,
 de su **más alta rama** cortaré un **retoño**.
Lo **plantaré** en la cima de un **monte excelso** y **sublime**.
Lo **plantaré** en la **montaña más alta** de **Israel**.
Echará **ramas**, dará **fruto**
 y se convertirá en un **cedro magnífico**.
En él anidarán **toda** clase de pájaros
 y **descansarán** al abrigo de sus **ramas**.

Marca los "yo" de Dios. Distancia la línea final por su solmenidad, como enmarcando toda la promesa divina.

Así, **todos** los árboles del campo sabrán que yo, el **Señor**,
 humillo los árboles **altos**
 y **elevo** los árboles **pequeños**;
 que **seco** los árboles **lozanos**
 y **hago florecer** los árboles **secos**.
Yo, el **Señor**, lo he dicho y lo **haré**".

Para meditar

SALMO RESPONSORIAL   Salmo 91:2–3, 13–14, 15–16

R. Es bueno dar gracias al Señor.

Es bueno dar gracias al Señor
 y tañer para tu nombre, oh Altísimo,
 proclamar por la mañana tu misericordia
 y por la noche tu fidelidad. **R.**

El justo crecerá como la palmera,
 se alzará como cedro del Líbano:
 plantado en la casa del Señor,
 crecerá en los atrios de nuestro Dios. **R.**

En la vejez seguirá dando fruto
 y estará lozano y frondoso,
 para proclamar que el Señor es justo,
 que en mi Roca no existe la maldad. **R.**

I LECTURA El profeta Ezequiel era un sacerdote de Jerusalén, que estuvo entre los primeros deportados por el rey Nabucodonosor (597 a. C.). En Jerusalén el rey babilonio había depuesto al rey Jeconías, poniendo en su lugar al tío de éste, Sedecías. Este rey a su vez fue deportado en el año 586 a. C., lo que dio pie a interrogaciones profundas, sobre la promesa divina a David por medio del profeta Natán (2 Samuel 7:1–29), respecto a la continuidad de un rey davida.

Los desterrados habían tomado varias posturas acerca de la destrucción de Jeru-

salén y su destierro. Para unos todo había terminado. Para otros se trataba de un duro castigo y muy pocos tenían esperanza de que Dios les suscitara una palabra de perdón y regreso a la Tierra de sus ancestros. Después de algunos meses se supo que Dios había llamado a profetizar a uno de los desterrados, a Ezequiel. La gente lo visitaba y discutía con él. En la lectura de hoy, el profeta les propone un enigma a resolver.

Dios mismo tomará un gajo tierno que plantará en una montaña alta de Israel, que crecerá hasta dar sombra y vendrán a cobijarse toda clase de pueblos. Anuncia la re-

construcción de la nación, porque ese gajo tierno es un rey davida que continuará con su misión de unir y defender a su pueblo. Implica también el regreso de los deportados. Las promesas del Señor van más allá de lo que a primera vista significan. La planta se revela más relevante de lo que apuntaba al principio hasta verse completa en Jesús, el Mesías y salvador de todo el género humano como rezamos cada día en el Magnificat.

II LECTURA En ausencia de Pablo, fundador de la comunidad cris-

198

II LECTURA   2 Corintios 5:6–10

Lectura de la segunda carta del apóstol san Pablo a los corintios

Hermanos:
Siempre tenemos **confianza**,
  aunque **sabemos** que,
  mientras vivimos en el **cuerpo**,
  estamos **desterrados**,
  lejos del Señor.
Caminamos guiados por la **fe**, sin ver **todavía**.
Estamos, pues, **llenos** de confianza
  y **preferimos** salir de **este cuerpo** para vivir con el **Señor**.

Por eso procuramos agradarle,
  en el **destierro** o en la **patria**.
Porque **todos** tendremos que comparecer
    ante el tribunal de **Cristo**,
  para recibir el **premio** o el **castigo**
    por lo que hayamos hecho en **esta vida**.

Busca imprimir tono de confianza y cercanía a las palabras del apóstol; esto es lo que hay que comunicar a la asamblea.

---

tiana de Corinto, unos predicadores cristianos habían llegado y con sus enseñanzas dividieron la comunidad; negaban que Pablo fuera un genuino apóstol del Señor Jesús; decían que predicaba cosas contrarias a la revelación mosaica y que anunciaba el Evangelio por propio interés. Pablo se va a defender de tales acusaciones y les recuerda a los corintios cómo fue su estancia entre ellos y cuáles sus intereses, para que ellos disciernan lo falso de lo verdadero. En la lectura de hoy, él abona por dos lados la autenticidad de su quehacer apostólico.

Pablo se vale de la imagen del destierro para autentificar sus intenciones. El cristiano vive como un deportado, anhelando ese lugar de bienestar donde se siente completo y realizado, donde nada ni nadie le falta. El desterrado sostiene su anhelo con la fe en un futuro de plenitud. La fe es su motor del día a día. El cristiano, por el contrario, vive con la meta de unirse al Señor. Sabe bien que esa unión plena sólo culminará cuando termine este destierro en el que nos mantiene este cuerpo físico. Esta es la confianza que anima cada día y cada paso del creyente.

El segundo aspecto que arguye el Apóstol es con el juicio divino. Cristo es el juez ante el que todos compareceremos. Esto no es algo definitivo. El resultado de esa comparecencia no es incierto ni casualidad, sino lo realizado por medio del cuerpo. Esto lo evidencia la traducción con "lo hecho en esta vida". Es lo corpóreo lo que dictaminará nuestro beneficio o nuestro perjuicio definitivo. A ese tribunal apela Pablo para sopesar lo que le ha costado la predicación del Evangelio, y con esto nos da un ejemplo a imitar.

EVANGELIO   Marcos 4:26–34

Lectura del santo Evangelio según san Marcos

En aquel tiempo, **Jesús** dijo a la **multitud**:
"El **Reino de Dios** se parece a lo que sucede
    cuando un hombre siembra la **semilla** en la **tierra**:
que pasan las **noches** y los **días**,
y sin que él sepa **cómo**,
la semilla **germina** y **crece**;
y la **tierra**, por sí sola,
va produciendo el **fruto**:
primero los **tallos**, luego las **espigas**
y después los **granos** en las **espigas**.
Y cuando ya están **maduros** los granos,
    el hombre **echa mano** de la **hoz**,
    pues ha llegado el **tiempo** de la **cosecha**".

Les dijo **también**:
"¿Con qué **comparemos** el Reino de Dios?
¿Con qué **parábola** lo podremos representar?
Es como una **semilla de mostaza** que,
    cuando se siembra,
        es la **más pequeña**;
    pero una vez **sembrada**,
        crece y se **convierte** en el **mayor**
            de los **arbustos**
    y echa ramas **tan grandes**,
        que los **pájaros** pueden anidar
            a su **sombra**".

Y con **otras muchas parábolas** semejantes
    les estuvo exponiendo su **mensaje**,
    de acuerdo con lo que ellos podían **entender**.
Y no les hablaba **sino en parábolas**;
    pero a sus **discípulos** les **explicaba todo** en **privado**.

En cada parábola hay algo sorprendente que tu acento o inflexión de voz debe ayudar a identificar.

Al llegar a la pregunta retórica haz contacto visual con la asamblea, para recobrar su atención.

EVANGELIO Las parábolas son ejemplos simples que hacen pensar; tienen un gancho que intriga al escucha para que pueda captar su sentido. Hoy escuchamos dos de esas parábolas, que enseñan verdades sobre el Reino de Dios, la de la semilla automática y la de la semilla de mostaza.

La primera habla de lo que todo campesino sabe, pero no domina ni puede determinar: el crecimiento y desarrollo de la semilla que él ha esparcido. Entre lo que esparce y lo que recoge luego con su mano se da una transformación extraordinaria, pero él sólo siembra y cosecha. Del proceso de la semilla se ocupa la tierra, "por sí sola". Algo similar ocurre con el Reino de Dios que crece misteriosamente hasta transformar a las personas de manera tal que dan frutos extraordinarios. El Reino es productivo, pero no en términos de peso, altura o números mercantilistas, sino de experiencia de Dios transformadora.

La semillita de mostaza encierra un gran potencial, pero sólo cuando ha sido sembrada es capaz de desarrollarlo. Esta parábola nos obliga a mirar la realidad con ojos diferentes: volvernos universales y visualizar el cambio con lo que es necesario hacer para que se dé, con realismo absoluto; los manzanos no dan uvas.

Siembra y cosecha son como marcas de la vida cristiana que se desarrolla, incluso, sin que nos demos cuenta. Vivimos transformándonos, individual, familiar y comunitariamente. Pidamos al Señor su gracia vigorosa para que nos transforme en personas católicas, profundamente hospitalarias.

XII DOMINGO ORDINARIO

Es un texto poético que exige ser declamado con cierta autoridad, porque es Dios quien habla.

I LECTURA   Job 38:1, 8–11

Lectura del libro de Job

El **Señor** habló a **Job** desde la **tormenta** y le **dijo**:
 "Yo le puse **límites** al **mar**,
 cuando salía **impetuoso** del seno **materno**;
 yo hice de la **niebla** sus **mantillas**
 y de las **nubes** sus **pañales**;
 yo le impuse **límites** con **puertas** y **cerrojos** y le **dije**:
 'Hasta **aquí** llegarás, no más allá.
 Aquí se **romperá** la **arrogancia** de tus **olas**' ".

Para meditar

SALMO RESPONSORIAL   Salmo 106:23–24, 25–26, 28–29, 30–31
R. Den gracias al Señor porque es bueno, porque es eterna su misericordia.
O bien: **Aleluya.**

Los que entraron en naves por el mar, / comerciando por las aguas inmensas. / Contemplaron las obras de Dios, / sus maravillas en el océano. **R.**

Él habló y levantó un viento tormentoso, / que alzaba las olas a lo alto: / subían al cielo, bajaban al abismo, / el estómago revuelto por el mareo. **R.**

Pero gritaron al Señor en su angustia, / y los arrancó de la tribulación. / Apaciguó la tormenta en suave brisa, / y enmudecieron las olas del mar. **R.**

Se alegraron de aquella bonanza, / y él los condujo al ansiado puerto. / Den gracias al Señor por su misericordia, / por las maravillas que hace con los hombres. **R.**

I LECTURA Los hebreos de la Biblia fueron un pueblo de la montaña, de pastores y agricultores, principalmente, aunque poco a poco se fueron adoptando otros oficios para hacerse vivir. Nunca fueron marineros; las costas palestinas del Mediterráneo estuvieron siempre en poder de sus vecinos; pero incluso para los "pueblos del mar", el mar es imponente, insondable e indomable, y amenaza constantemente la vida humana. No obstante, su inmensa potencia, el mar es una simple creatura, no un poder divino, como bien sabe el hombre bíblico. Esto es lo que eluci-

da el libro de Job que escuchamos en la lectura dominical.

El autor del libro se plantea la cuestión del sufrimiento humano, incluido el propio. A dilucidar el asunto han acudido tres amigos sabios de Job, que ya han pronunciado sus discursos y a los que Job ha respondido; en esta parte del libro se oyen un par de discursos del propio Yahvé, que habla desde la tormenta, ponderando su obra creadora. Luego vendrá una breve respuesta del maltrecho Job, previo al "final feliz" del libro.

Las imágenes poéticas del discurso divino dejan claro que incluso un mar impe-

tuoso y embravecido, indomable para el humano, es como un bebé frente a Dios. Dios está cerca del que sufre, aunque éste no vea cómo. Dios nunca abandona a su creatura, ni en los abismos del mar; él está allí y lo toma en sus brazos. Con esta confianza debemos vivir cada día.

II LECTURA La partecita de la carta que escuchamos tiene como trasfondo el distanciamiento que los corintios habían provocado dando oídos a unos predicadores cristianos que desacreditaron a Pablo y sus credenciales apostólicas.

Es una lectura fundamental para la fe cristiana. Subraya las expresiones de totalidad en el primer párrafo y las de "nosotros" en el segundo.

II LECTURA   2 Corintios 5:14–17

Lectura de la segunda carta del apóstol san Pablo a los corintios

Hermanos:
El **amor** de **Cristo** nos **apremia**,
    al **pensar** que si **uno** murió por **todos**,
    todos murieron.
Cristo *murió* por **todos**
        para que los que viven **ya no** vivan para **sí mismos**,
    sino para **aquél** que **murió** y **resucitó** por **ellos**.

Por eso **nosotros** ya no **juzgamos** a **nadie** con criterios **humanos**.
Si alguna vez hemos juzgado a **Cristo** con tales **criterios**,
    ahora ya no lo **hacemos**.
El que vive **según** Cristo es una criatura **nueva**;
    para él **todo lo viejo** ha **pasado**.
Ya **todo** es **nuevo**.

Para meditar

SALMO RESPONSORIAL   Salmo 107 (106):23–24, 25–26, 28–29, 30–31
R. (1b) Den gracias al Señor, porque es eterna su misericordia.
O bien: **R. Aleluya.**

Los que entraron en naves por el mar,
    comerciando por las aguas inmensas.
    Contemplaron las obras de Dios, sus
    maravillas en el océano. **R.**

El habló y levantó un viento tormentoso,
que alzaba las olas a lo alto: subían al cielo,
    bajaban al abismo, el estómago revuelto
    por el mareo. **R.**

Pero gritaron al Señor en su angustia, y los
    arrancó de la tribulación. Apaciguó la
    tormenta en suave brisa,
    y enmudecieron las olas del mar. **R.**

Se alegraron de aquella bonanza, y él los
    condujo al ansiado puerto. Den gracias
    al Señor por su misericordia, por las
    maravillas que hace con
    los hombres. **R.**

Corrían los meses entre el verano del 54 y la primavera del 55, probablemente, cuando esta correspondencia tuvo lugar. El Apóstol busca el acercamiento con sus queridos cristianos y la reconciliación cabal. Para conseguir esto, no hay mejor punto de partida y fundamento que la fe que sustenta toda relación entre creyentes.

Pablo pone la muerte de Cristo ante los ojos de los creyentes. Les hace ver que no fue una muerte casual, ni inútil; por el contrario, fue una muerte decidida por el amor que se da totalmente, sin reserva alguna. Este amor absoluto es el móvil de aquella muerte

vicaria. Lo dice así: "Cristo murió por todos". Cada escucha debe saberse tocado por esa muerte amorosa. Quiere decir que murió "en lugar de todos", por eso dice que "todos murieron", incluido el lector. Pero también implica que Cristo murió "en favor de todos", para que todos puedan vivir. Si los escuchas aceptan esta verdad, ¿con qué cara pueden escatimar algo a la reconciliación fraterna y apostólica? ¿Cabe espacio para el ego o el orgullo personal? El amor de Cristo urge correspondencia en el mismo tono.

Los corintios deben entender que, si viven gracias a Cristo, no pueden perpetuar

sus viejos modos de pensar y de juzgar que los destinaban a la muerte. Esos criterios están fincados en el orgullo y logros personales que se notan en dominar a otros, en la propia fuerza y en la búsqueda de agradar a los demás para cosechar su aprobación en forma de honores y consideraciones. Estos modos que significan una vida de éxito a los ojos del mundo son incompatibles con la genuina condición cristiana. Los seguidores de Cristo deben buscar lo nuevo, es decir, lo que agrada al Dios vivo y no a los humanos corruptos. La reconciliación de los creyentes no puede verse condicionada por lo

La descripción pasa de la normalidad a la catástrofe inminente y finaliza con una normalidad alterada. Busca que eso se vaya percibiendo por los tonos de tu voz.

EVANGELIO   Marcos 4:35–41

Lectura del santo Evangelio según san Marcos

Un día, al atardecer, **Jesús** dijo a sus **discípulos**:
   "**Vamos** a la otra **orilla** del lago".
Entonces los **discípulos despidieron** a la **gente**
   y condujeron a **Jesús** en la misma **barca** en que **estaba**.
Iban además **otras** barcas.

De **pronto** se desató un **fuerte** viento
   y las olas se estrellaban **contra** la barca
   y la iban **llenando**
      de **agua**.
Jesús d**ormía en la popa**,
   reclinado sobre un cojín.
Lo despertaron y le dijeron:
   "Maestro, ¿no te importa **que nos hundamos?**"
Él se despertó,
   reprendió al viento y dijo al mar:
   "**¡Cállate, enmudece!**"
Entonces el viento cesó
   y sobrevino **una gran calma**.
Jesús les dijo:
   "¿Por qué tenían tanto miedo?
   ¿Aún no tienen fe?"
Todos se quedaron espantados y se decían unos a otros:
   "**¿Quién es éste**,
   a quien hasta el viento y el mar obedecen?"

viejo, porque Dios les ha dado la vida nueva de su Hijo.

EVANGELIO San Marcos nos partícipa la experiencia del miedo vivido por los discípulos. Jesús y los discípulos estaban en una orilla del lago de Galilea y debían pasar a la otra. No sabemos en qué parte ocurrió este acontecimiento. Dado que ese lago está rodeado de cerros y está sujeto a borrascas o tormentas repentinas.

Jesús después de enseñar desde la barca, les pidió a los discípulos embarcarse para llegar a la otra orilla. Cansado el Maes-

tro, se puso a dormir en el cabezal, aunque llovía y empezaba el agua a meterse en la barca.

La escena es dramática, poque ellos saben que Jesús vio el peligro, pero se puso a dormir. Los discípulos lo despiertan con reproches. Jesús ejecuta dos acciones. Con la primera somete a los indómitos elementos causantes del peligro. Jesús los trata como su amo y dueño. Esta manera de obrar de Jesús es importante punto pedagógico. Con su segunda acción Jesús sondea la fe de los discípulos, les dice: ¿Por qué son tan cobardes e incrédulos? Ellos ahora

tienen miedo por lo que han visto en Jesús. Él obra un poder que sólo un enviado divino podría manifestar, como Moisés o Elías.

La gente se hacía la misma pregunta en repetidas ocasiones: "¿Quién es éste?". En Jesús hay algo muy importante. Es la pregunta obligada de quien se acerca a él. La respuesta sólo la da la fe. Esta pregunta crea un nexo fuerte entre el misterio del reino y la misteriosa identidad de Jesús.

XIII DOMINGO ORDINARIO

Las frases son breves y el tono sentencioso. Apóyate en la puntuación, para no precipitarte en la lectura.

I LECTURA   Sabiduría 1:13–15; 2:23–24

Lectura del libro de la Sabiduría

Dios no hizo la **muerte**,
 ni se recrea en la **destrucción** de los **vivientes**.
Todo lo creó para que **subsistiera**.
Las **criaturas** del mundo son **saludables**;
 no hay en ellas veneno **mortal**.

Dios **creó** al hombre para que **nunca** muriera,
 porque lo hizo a **imagen** y **semejanza** de **sí mismo**;
 mas por **envidia** del diablo
  entró la **muerte** en el **mundo**
 y la **experimentan** quienes le **pertenecen**.

Para meditar

SALMO RESPONSORIAL   Salmo 29:2, 4, 5–6, 11, 12a, 13b

R. Te ensalzaré, Señor, porque me has librado.

Te ensalzaré, Señor, porque me has librado
 y no has dejado que mis enemigos se rían
  de mí.
Señor, sacaste mi vida del abismo,
 me hiciste revivir cuando bajaba
  a la fosa. **R.**

Tañan para el Señor, fieles suyos,
 den gracias a su nombre santo;
 su cólera dura un instante,
 su bondad, de por vida;
 al atardecer nos visita el llanto,
 por la mañana, el júbilo. **R.**

Escucha, Señor, y ten piedad de mí;
 Señor, socórreme.
Cambiaste mi luto en danzas,
 Señor, Dios mío, te daré gracias
  por siempre. **R.**

I LECTURA El libro de la Sabiduría fue el último libro canónico recibido por la Iglesia. Lo tenemos en griego en Palestina como a mediados del siglo primero a. C. La cultura griega había invadido también el campo intelectual y, en concreto, sapiencial en el que los orientales pretendían tener una tradición más sólida.

Se abre el libro con una invitación solemne de la Sabiduría: "Amen la justicia, ustedes los que gobiernan al mundo" (v. 1). Este primer capítulo introduce el tema de la justicia, tema de toda la Sabiduría. Se trata de la justicia que ejerce Dios sobre los hom-

bres como corrección y salvación. Así manifiesta Dios su verdad y misericordia. La salvación inicia en la tierra con el ejercicio de la justicia. Con una serie de observaciones sobre el comportamiento humano, recuerda que Dios sabe todo y está pendiente de todos los hombres y la creación entera.

Dios no busca la ruina y mal de los humanos. No hizo la muerte ni es cómplice en las desgracias de los hombres. Con todo, "la justicia es inmortal". Dios ha creado las cosas para que los hombres las empleen bien y pedirá respuesta a los humanos.

La Sabiduría es diferente a la sabiduría que enseñaban los griegos. La Sabiduría de la que habla el autor sagrado tiene a Dios como su fuente y posee un fuerte tinte moral. Además, cuenta el hombre sabio con la omnipresencia divina que observa la manera de ser y actuar de cada persona. Buscar la Sabiduría es, en el fondo, buscar a Dios, vivir según sus reglas, para participar de la inmortalidad (1:15). La Sabiduría le lleva al hombre a confiar en la bondad y misericordia divinas. Además, el sabio en Israel conoce que Dios creó al hombre inmortal y le dio esa esperanza de ir acomo-

Haz contacto visual con la asamblea luego del anuncio litúrgico de la lectura y antes de iniciarla.

II LECTURA   2 Corintios 8:7, 9, 13–15

Lectura de la segunda carta del apóstol san Pablo a los corintios

Hermanos:
Ya que ustedes se **distinguen** en **todo**:
    en **fe**, en **palabra**, en **sabiduría**, en **diligencia** para todo
      y en **amor** hacia **nosotros**,
    distínganse **también** ahora por su **generosidad**.

Bien saben lo generoso que ha sido nuestro Señor **Jesucristo**,
    que siendo **rico**,
    se hizo **pobre** por **ustedes**,
    para que **ustedes** se hicieran **ricos** con su **pobreza**.

No se trata de que los demás vivan **tranquilos**,
    mientras ustedes están **sufriendo**.
Se trata, **más bien**, de aplicar durante nuestra vida
      una medida **justa**;
    porque entonces la **abundancia** de ustedes remediará
      las **carencias** de **ellos**,
    y ellos, por su parte,
    los **socorrerán** a **ustedes**
      en sus necesidades.
En esa forma habrá un **justo** medio, como dice la **Escritura**:
    Al que recogía **mucho**, *nada le* **sobraba**;
    al que recogía **poco**, *nada le* **faltaba**.

---

dando su vida a esta vida inmortal, con el horizonte puesto en su futuro y no en la muerte "que padecen los que pertenecen al diablo" (1: 24).

II LECTURA Uno de los asuntos que Pablo llevaba en su corazón apostólico era el de reunir dinero entre las comunidades cristianas de origen gentil y fundadas por él, en favor de "los santos de Jerusalén". Los cristianos asentados en aquella ciudad sufrían penurias y discriminación. En efecto, los judíos que se habían decantado por su fe en Jesús, el Cristo, se

habían visto perseguidos por las autoridades religiosas judías, que además, muy probablemente, los discriminaron de la asistencia social que ellas administraban; no hay que olvidar que esto seguramente les causó marginación o aislamiento social, de parte de los fieles apegados al templo y su sistema de salvación. Si a esto sumamos que la propia administración de los escasos bienes cristianos había sido poco eficiente y cortoplacista, ya podemos imaginar las consecuencias. Por otro lado, Jerusalén no era un centro de producción como los que se encontraban a lo largo de las transitadas

vías comerciales entre Oriente y Occidente, sino de consumo. Ante aquella situación, el liderazgo apostólico de Jerusalén le había pedido a Pablo que "no se olvidara de los pobres" (ver Gálatas 2:10; 1 Corintios 16; Romanos 15; cf. Hechos 3–5), y el Apóstol había estado promoviendo una colecta que mostrara la unidad de paganos y cristianos bajo la misma fe y en una sola comunidad.

Pablo apela a la generosidad de los cristianos de Corinto invitándolos a que miren el ejemplo de Cristo Jesús que "por ustedes se empobreció siendo rico". De ese empobrecimiento "ustedes se han enrique-

EVANGELIO   Marcos 5:21–43

Lectura del santo Evangelio según san Marcos

La lectura puede parecer larga a la audiencia. Observa sus partes y modula conforme a la descripción. Procura darle fluidez al discurso directo.

En aquel tiempo,
   cuando **Jesús** regresó en la barca al **otro** lado del **lago**,
   se quedó en la orilla y ahí se le reunió **mucha** gente.
Entonces se acercó uno de los **jefes** de la sinagoga, llamado **Jairo**.
Al ver a **Jesús**, se echó a sus pies y le suplicaba con **insistencia**:
   "Mi hija está **agonizando**.
Ven a imponerle las manos para que se **cure** y **viva**".
Jesús se fue con él y **mucha** gente lo **seguía** y lo **apretujaba**.

Acelera un poco tu velocidad de lectura en toda esta parte, hasta que la pregunta de Jesús detiene la marcha.

Entre la gente había una **mujer** que padecía flujo de **sangre**
   desde hacía doce años.
Había sufrido **mucho** a manos de los **médicos**
   y había **gastado** en eso toda su **fortuna**,
   pero en vez de **mejorar**, había **empeorado**.
Oyó hablar de Jesús, vino y se le **acercó** por detrás entre la gente
   y le tocó el manto,
   pensando que, con sólo tocarle el vestido, se **curaría**.
Inmediatamente se le secó la fuente de su **hemorragia**
   y sintió en su cuerpo que estaba **curada**.

Con un tono de voz ligeramente elevado formulas las preguntas de Jesús.

Jesús notó al **instante** que una **fuerza curativa** había salido de él,
   se volvió hacia la gente y les **preguntó**:
   "**¿Quién** ha tocado mi manto?"
Sus discípulos le **contestaron**:
   "Estás viendo cómo te **empuja** la gente y **todavía** preguntas:
   '**¿Quién** me ha tocado?'".
Pero él **seguía** mirando alrededor,
   para descubrir **quién** había sido.
Entonces se acercó la mujer, **asustada** y **temblorosa**,
   al **comprender** lo que había pasado;
   se postró a sus **pies** y le **confesó** la verdad.

cido". La riqueza que los cristianos han adquirido no es pues de oro y plata, sino de la vida que han obtenido con la muerte y resurrección del Señor. Este pensamiento subyace en lo que sigue, pues Pablo apunta que no se trata de quitarle el pan a uno para dárselo a otro, sino de que todos tengan cierta igualdad (*isotes*) para vivir; ni excesos ni penurias.

Como a los corintios, la palabra de Dios nos pide compartir nuestros bienes con quienes padecen escasez y necesidad. No se trata de desprenderse hasta de lo necesario para ayudar al que lo necesita, no se hace un hoyo para tapar otro; más bien, nos pide ser generosos en busca de una igualdad que satisfaga las necesidades de los más angustiados por no tener manera de solventar lo básico. "Da el que quiere, no el que tiene", suele decir una señora entrada en años. Acerquemos nuestros bienes a los que más necesitados están, como lo ha hecho el Señor con nosotros al darnos su vida.

EVANGELIO Marcos aprovecha una figura literaria que se puede llamar sándwich, consistente en que dentro de una narración, el autor desarrolla otra.

Así en el relato de la hija de Jairo, el autor introduce el de la mujer hemorroísa.

Al regresar Jesús del territorio de los gerasenos, le salió al encuentro un jefe de sinagoga, llamado Jairo, que le hizo una sentida petición de que fuera a su casa a imponer las manos a su hija que se estaba muriendo. Jesús estaba rodeado de mucha gente que lo seguía. Veían en él a un hombre fuera de serie, tal vez un profeta. Lo cierto es que la muchedumbre se agolpaba alrededor de él. En esto entra en escena una mujer, que tenía una enfermedad rara, no se sabe hasta hoy qué tipo de enferme-

Procura darle cierta premura al inicio del párrafo, pero ralentiza cuando el foco vuelve a Jesús.

Jesús la tranquilizó, **diciendo**:
   "Hija, tu fe te ha **curado**.
Vete en **paz** y queda **sana**
      de tu **enfermedad**".

Todavía estaba hablando **Jesús**, cuando unos **criados** llegaron
      de casa del jefe de la sinagoga para decirle a **éste**:
   "Ya se **murió** tu hija.
   ¿Para qué sigues molestando
      al **Maestro**?"
Jesús alcanzó a oír lo que **hablaban** y le dijo al **jefe**
      de la sinagoga:
   "**No temas,** basta que tengas **fe**".
No permitió que lo **acompañaran** más que **Pedro**, **Santiago**
      y **Juan**, el hermano de Santiago.

Avanza sin énfasis mayores, a velocidad normal hasta el párrafo siguiente.

Al llegar a la **casa** del **jefe** de la sinagoga,
      vio Jesús el **alboroto**
         de la gente
      y oyó los **llantos** y los **alaridos** que daban.
Entró y les dijo:
   "¿Qué significa **tanto** llanto y alboroto?
   La niña no está **muerta**, está **dormida**".
Y se **reían** de él.

Imprime velocidad a las acciones pero no a las palabras. Eleva el tono en las palabras arameas y su significado.

Entonces Jesús **echó** fuera a la gente,
      y con los **padres** de la **niña** y sus **acompañantes**,
      entró a donde estaba la **niña**.
La tomó de la **mano** y le dijo:
   "**¡Talitá, kum!**",
      que significa: "**¡Óyeme**, niña, **levántate!**"
La **niña**, que tenía doce años, se levantó **inmediatamente**
      y se puso a **caminar**.
Todos se quedaron **asombrados**.
Jesús les ordenó **severamente** que no lo dijeran a **nadie**
      y les **mandó** que le dieran de comer a la **niña**.

Forma breve: *Marcos 5:21–24, 35b–43*

dad. Esto le impedía asistir a reuniones y tocar o ser tocada por la gente. Total, Jesús era el último recurso. Su fe la llevó a que intentara tocar al menos el vestido de Jesús, pensando que esto le daría la curación, como, en efecto, sucedió. Jesús nota esta curación y pregunta que quién lo tocó. La mujer se dio cuenta de su curación y se arrojó a los pies de Jesús. Jesús le asegura que su fe ha obrado esto.

En esto entra la siguiente escena. Llegaron de la casa de Jairo a decirle que su hija había muerto, que ya no molestara al Maestro. Jesús asegura a Jairo: "No temas, tan solo cree". La gente en la casa ya efectuaba los ritos fúnebres, que en gran parte consistía en llantos. Jesús entra al cuarto donde estaba la niña de doce años, la tomó de la mano, diciendo: "Talithá Kum" (Muchacha, levántate). La muchacha se alzó. Este verbo alzar indica pasar de la postura de muerta a viva. Es el mismo verbo empleado para la resurrección de Jesús. La resurrección de la hija de Jairo tiene un valor preparatorio, diríamos que anticipa la del Maestro. La fe en Jesús no conoce el miedo de la muerte, es poderosa, sana y conduce a la vida plena.

XIV DOMINGO ORDINARIO

Es un discurso en primera persona, pero el "yo" dominante es el de Dios. El tono es acusatorio y debe sonar como de advertencia para el profeta.

I LECTURA   Ezequiel 2:2–5

Lectura del libro del profeta Ezequiel

En aquellos días,
   el espíritu entró en mí,
   hizo que me pusiera **en pie** y oí una voz que me decía:

   "**Hijo de hombre**,
   yo te **envío** a los israelitas,
   a un pueblo **rebelde**,
   que se ha sublevado **contra mí**.
Ellos y sus padres me han traicionado **hasta el día de hoy**.
También sus hijos son **testarudos** y obstinados.
A ellos te envío para que les comuniques **mis palabras**.
Y ellos, **te escuchen o no**,
   porque son una raza **rebelde**,
   sabrán que **hay un profeta** en medio de ellos".

Para meditar

SALMO RESPONSORIAL   Salmo 122:1–2a, 2bcd, 3–4

R. Nuestros ojos están en el Señor Dios nuestro, esperando su misericordia.

A ti levanto mis ojos,
   a ti que habitas en el cielo.
Como están los ojos de los esclavos
   fijos en las manos de sus señores. **R.**

Como están los ojos de la esclava
   fijos en las manos de su señora,
   así están nuestros ojos
     en el Señor Dios nuestro,
     esperando su misericordia. **R.**

Misericordia, Señor, misericordia,
   que estamos saciados de desprecios;
   nuestra alma está saciada
   del sarcasmo de los satisfechos,
   del desprecio de los orgullosos. **R.**

I LECTURA Cada uno de los profetas nos relató su vocación de manera diferente. Es normal, cada hombre es distinto y, además, las circunstancias y finalidades que les fueron encomendadas eran diferentes. Ezequiel a diferencia de otros profetas, en la experiencia de su vocación continúa callado, pero comienza a obrar. No nombra a quién le dirige la palabra. Sólo al final. Hasta el final es una voz de uno que hablaba (1:28). Era la voz del Señor. También una diferencia está en que Ezequiel viene llamado con un nombre nuevo: hijo del hombre, es decir, un simple hombre ligado a la tierra; por lo mismo, débil y mortal. Mientras la voz habla, Ezequiel permanece postrado, pecho a tierra, como muerto. Entonces recibe el espíritu de profecía. Escribe Ezequiel que sintió que un espíritu entró en él.

El Señor le da un encargo: hablar al pueblo de deportados. Será el primer profeta llamado fuera de la tierra de Israel, con una misión muy precisa: hablarle a este pueblo de los designios de Dios. Por ocho veces le repite que su misión está dirigida a los exiliados. Además, le hace ver que son gente rebelde, que se han revelado contra él siempre; los exiliados son concretos y designados como "Casa rebelde", equivalente a "Casa de Israel". A través del profeta les envía Dios la salvación, recordando las exigencias de su origen y objetivo como pueblo de Dios. Ahora, por medio del profeta, reconocerán la voz de Dios (2:1-2), pero le advierte que su quehacer le traerá consecuencias. O sea, por un lado, no te debes desanimar, te escuchen o no. Mantente firme y sereno. El problema y responsabilidad será de cada israelita, no del profeta. Desgraciadamente pocos escucharán y muchos no harán caso a su mensaje.

II LECTURA   2 Corintios 12:7–10

Lectura de la segunda carta del apóstol san Pablo a los corintios

Hermanos:
Para que yo **no me llene** de soberbia
    por la sublimidad de las revelaciones **que he tenido**,
    llevo una espina **clavada** en mi carne,
    un enviado de **Satanás**,
    que me **abofetea** para humillarme.
Tres veces le he pedido al Señor que me **libre** de esto,
    pero él me ha respondido:
    "**Te basta** mi gracia,
    porque mi poder se manifiesta **en la debilidad**".

Así pues, de **buena gana**
    prefiero gloriarme **de mis debilidades**,
    para que se manifieste en mí **el poder** de Cristo.
Por eso **me alegro** de las debilidades,
    los insultos, las necesidades, las persecuciones
    y las dificultades **que sufro por Cristo,**
    porque cuando soy más débil, **soy más fuerte**.

Pablo defiende su tarea evangelizadora. Plantea su testimonio con firme serenidad y seguridad.

EVANGELIO   Marcos 6:1–6

Lectura del santo Evangelio según san Marcos

En aquel tiempo,
    Jesús fue **a su tierra** en compañía de sus discípulos.
Cuando llegó el sábado, se puso a **enseñar** en la sinagoga,
    y la multitud que lo escuchaba
        se preguntaba **con asombro**:
    "**¿Dónde** aprendió este hombre tantas cosas?

El episodio es muy conocido. Realza el tono de las preguntas de los paisanos y desgránalas como si nunca fueran a terminar.

II LECTURA Escuchamos uno de los fragmentos más íntimos y personales, si es que cabe la distinción, de los escritos de san Pablo. En el contexto literario de esta carta, el Apóstol se defiende de las acusaciones que otros predicadores cristianos formulan, cuando lo acusan de predicar el Evangelio por interés o lucro personal, y que él ni siquiera apóstol puede llamarse legítimamente porque no es originario de la tierra palestina y ni convivió con el Señor Jesús. Pablo va a defenderse con un *discurso necio*: arguye sus debilidades y torpezas para que los escuchas pue-

dan justipreciar quién es y lo que hace. Ellos conocen bien las glorias de los "superapóstoles" y lo que predican, así como la forma melosa de engatusar a los oyentes. Dicho esto, y más allá de la controversia o apología apostólica, en las palabras de Pablo que hoy escuchamos trasluce cómo él experimenta el misterio pascual del Señor.

Pablo ha recibido revelaciones extraordinarias, pero también confiesa que, para no verse superior a nadie, "le ha sido dado un punzón en la carne". Lo que esto sea es un enigma para los lectores; lo más probable es que se trate de algo corporal que

hace padecer al Apóstol y lo lleva a reconocer sus limitaciones y falencias. Él lucha contra ese "ángel de Santanas" que lo sobaja al punto que le ha pedido al Señor que lo libre de tal humillación. Pero la respuesta del Señor ha sido contundente: "Te basta mi gracia, pues en lo enfermo culmina el poder". El poder o la fuerza del Señor alcanza su perfección en lo débil y abajado. Esto es lo que el abajamiento y muerte de Jesús ha mostrado, gracias a la resurrección. Al resucitar al Mesías, Dios ha dejado patente cuál es la vía para acreditar a sus legítimos enviados.

¿**De dónde le viene** esa sabiduría
  y **ese poder** para hacer milagros?
¿Qué no es éste **el carpintero**,
  el **hijo** de María, **el hermano** de Santiago, José, Judas y Simón?
¿No viven **aquí**, entre nosotros, sus hermanas?"
Y estaban **desconcertados**.

Pero Jesús les dijo:
  "**Todos** honran a un profeta,
  menos **los de su tierra,**
  sus parientes y los de su casa".
Y no pudo hacer allí **ningún milagro**,
  sólo curó a **algunos enfermos** imponiéndoles las manos.
Y estaba extrañado de **la incredulidad** de aquella gente.
Luego se fue a **enseñar** en los pueblos vecinos.

Nota el tono deceptivo que tienen estas líneas. Haz contacto visual con la asamblea antes de pronunciar la última línea.

EVANGELIO Jesús fue a su lugar de crianza, aunque para la mayoría era de su nacimiento. Aquí había crecido desde niño hasta hacerse adulto. Por lo tanto, para los nazaretanos era un timbre de gloria que el famoso Maestro que hacía milagros y curaciones, fuese a visitarlos. Desde luego el sábado estaría la pequeña sinagoga del pueblo a reventar.

Jesús fue a la sinagoga a enseñar, dice Marcos. Probablemente le ofrecerían hacer la primera lectura y, después, una explicación de lo leído.

La reacción de los oyentes a la explicación o enseñanza de Jesús, dice el evangelista fue que "muchos de los que lo oían preguntaban sorprendidos". La sorpresa se expresa en cinco preguntas, donde no lo llaman por su nombre, sino con un despectivo "Éste". La primera pregunta insinúa la duda sobre que sea maestro. El origen de su enseñanza: ¿del cielo, de los hombres o de Satanás? La segunda se refiere a su sabiduría y con el verbo "dada" por Dios. La tercera se refiere a los prodigios realizados por su propio poder. Se pone en duda su origen y cualidad. La cuarta y quinta pregunta se

refieren al origen de Jesús: es el carpintero que todos conocen. Citan a su madre, al hermano y hermanas que viven allí.

En respuesta, Jesús cita un proverbio: "¡Sólo en su pueblo, entre sus parientes y familia es deshonrado un profeta!" (v. 4). Jesús es rechazado por su pueblo y los suyos. Jesús tiene la misma respuesta de rechazo que el pueblo en general dio a los profetas. El Reino no está destinado a un círculo familiar, sino a todo el mundo. El Reino es universal.

XV DOMINGO ORDINARIO

I LECTURA   Amós 7:12–15

Lectura del libro del profeta Amós

En aquel tiempo,
   Amasías, sacerdote de Betel, le dijo al profeta Amós:
   "**Vete de aquí**, visionario,
   y **huye** al país de Judá;
   gánate allá el pan, profetizando;
   pero no vuelvas **a profetizar** en Betel,
   porque es **santuario** del rey y **templo** del reino".

Respondió Amós:
   "Yo **no soy** profeta ni hijo de profeta,
   sino **pastor** y cultivador de higos.
El Señor **me sacó** de junto al rebaño y me dijo:
   '**Ve y profetiza** a mi pueblo, Israel'".

Para meditar

SALMO RESPONSORIAL   Salmo 84:9ab–10, 11–12, 13–14
R. Muéstranos, Señor, tu misericordia y danos tu salvación.

Voy a escuchar lo que dice el Señor:
   "Dios anuncia la paz
   a su pueblo y a sus amigos".
La salvación está ya cerca de sus fieles
   y la gloria habitará en nuestra tierra. **R.**

La misericordia y la fidelidad se encuentran,
   la justicia y la paz se besan;
   la fidelidad brota de la tierra
   y la justicia mira desde el cielo. **R.**

El Señor nos dará la lluvia,
   y nuestra tierra dará su fruto.
La justicia marchará ante él,
   la salvación seguirá sus pasos. **R.**

Aunque breve este episodio es rijoso. Contrasta el primer párrafo, duro y cortante, con el segundo, más sereno y convincente.

I LECTURA El profeta Amós, fue un profeta de Técua, Judá, que fue enviado por el Señor a profetizar contra el Reino del Norte. La primera lectura de hoy nos presenta un episodio muy importante y significativo de lo que es hablar en nombre de Dios.

Se enteró el sacerdote encargado del santuario real del Reino del norte, de que Amós andaba anunciando un castigo divino, que el rey perdería la vida y la gente del reino sería deportada, y fue a amenazar al profeta: que en lugar de profetizar contra el rey del país y en el mismo santuario real de Betel, se fuera a ganar la vida a su región, al Reino de Judá.

Amós lleva el mensaje divino contra los poderes más fuertes: el poder real y el poder religioso. El sacerdote no acepta que sea Amos un profeta; cree que lo hace por conveniencia. Pero el profeta responde que profetiza por encargo divino; que nada tiene que ver con dinero. Que él mismo tiene medios para ganarse la vida, pero que si está allí profetizando es porque Dios se le ordenó.

Aquí tenemos el núcleo de lo que es el profeta: un mensajero y nada más. No puede añadir nada al mensaje u orden recibido de Dios, que es el mandante. Como se ve en el caso de Amós, ser profeta es riesgoso, pero ejercerlo es una grande gracia de Dios. Hoy continúa la presencia de la profecía, pero toma otros modales y formas. Será un individuo o grupo que con su palabra u otro medio transmite, en un momento determinado, lo que emana de Dios, que está sobre todo en el evangelio.

II LECTURA Comenzamos a leer la Carta a los efesios, un escrito de la segunda o tercera generación cristiana.

II LECTURA   Efesios 1:3–14

Lectura de la carta del apóstol san Pablo a los efesios

Bendito sea Dios, **Padre** de nuestro Señor Jesucristo,
que nos **ha bendecido** en él
con **toda clase** de bienes espirituales y **celestiales**.
Él **nos eligió** en Cristo, **antes** de crear el mundo,
para que fuéramos santos
e **irreprochables** a sus ojos, por el amor,
y **determinó**, porque **así** lo quiso,
que, por medio de **Jesucristo**, fuéramos **sus hijos**,
para que alabemos **y glorifiquemos** la gracia
con que nos **ha favorecido** por medio de su **Hijo** amado.

Pues **por Cristo**,
por su sangre,
hemos recibido la redención,
el **perdón** de los pecados.
Él ha prodigado sobre nosotros **el tesoro** de su gracia,
con **toda** sabiduría e inteligencia,
dándonos a conocer **el misterio** de su voluntad.
Éste es **el plan** que había proyectado realizar **por Cristo**,
cuando llegara **la plenitud** de los tiempos:
hacer que **todas** las cosas, las del cielo y **las de la tierra**,
tuvieran a Cristo por cabeza.

Con Cristo somos **herederos** también nosotros.
Para esto estábamos destinados,
por **decisión** del que lo hace todo según **su voluntad**:
para que fuéramos **una alabanza continua** de su gloria,
nosotros, los que ya antes **esperábamos** en Cristo.

Esta bendición solemne es un canto. Observa las partes del mismo e imprime un ritmo como de cadencia a sus líneas.

No amaines la intensidad ni en el tono de tu voz. Mira a la asamblea al pronunciar la segunda línea, e imprime cierta exaltación a lo que sigue, pero sin estridencia.

Sus líneas dejan entrever una comunidad cristiana muy organizada, con apóstoles, profetas, evangelistas, pastores y maestros, y en el que la idea de Iglesia asume un relieve salvífico inusual en las cartas indisputadas de Pablo. Luego del encabezado, la carta abre con la magnífica bendición en forma de himno, que escuchamos. Los cristianos estaban en un mundo religioso que se creía sometido a los oscuros caprichos de los dioses y a los poderes cósmicos. De allí la importancia de conocer el origen, desarrollo y meta de la salvación, así como el lugar y momento en el que los creyentes se encuentran.

En la amplia bendición se notan cuatro momentos relevantes del plan de salud divino. Lo primero a conocer es que Dios ha elegido a cada uno desde antes de la misma creación del mundo, para ser hijos en el Hijo. Así, la vida del cristiano transcurre bajo el sello de amor paterno. Su vocación eterna es a la santidad y a la incorrupción. El segundo momento es el de la revelación de Jesús al derramar su sangre redentora; su muerte ha puesto el sello de la reconciliación a la historia humana, no sólo a los creyentes, por eso el cosmos entero está orientado ya hacia Cristo. El tercer momento del designio salvífico es la herencia de la gloria que corresponde a los hijos cuya vida alaba en todo momento al Padre. Este proceso de salud ha iniciado con la acogida del Evangelio, que es obra del Espíritu y garantiza su cumplimiento definitivo.

Formamos parte de este plan de salud y nos compete vivir "en Cristo" alabando a Dios.

Hila bien las frases que mencionan al Espíritu Santo, porque son clave en la comprensión del fragmento.

En él, también ustedes,
 después de **escuchar** la palabra de la verdad,
 el **Evangelio** de su salvación, y después **de creer**,
 han sido **marcados** con el Espíritu Santo prometido.
Este Espíritu es **la garantía** de nuestra herencia,
 mientras llega **la liberación** del pueblo adquirido por Dios,
 para **alabanza** de su gloria.
Forma breve: *Efesios 1:3–10*

EVANGELIO   Marcos 6:7–13

Lectura del santo Evangelio según san Marcos

En aquel tiempo,
 llamó Jesús **a los Doce**,
 los **envió** de dos en dos
 y les **dio poder** sobre los espíritus inmundos.
Les mandó que no llevaran **nada** para el camino:
 ni pan, ni mochila, **ni dinero en el cinto,**
 sino **únicamente** un bastón, sandalias y **una sola** túnica.

Y les dijo:
 "Cuando entren en una casa,
 quédense en ella hasta que se vayan de ese lugar.
Si en alguna parte no los reciben **ni los escuchan**,
 al abandonar ese lugar,
 sacúdanse el polvo de los pies,
 como una **advertencia** para ellos".

Los discípulos se fueron a predicar el **arrepentimiento**.
Expulsaban **a los demonios**,
 ungían con aceite a los enfermos y **los curaban**.

Las intrucciones de Jesús son puntuales y simples. Márcalas así, como si en lugar de coma hubiera puntos entre una y otra.

Amplifica este párrafo ralentizando las acciones evangelizadoras.

EVANGELIO El evangelio de hoy contiene dos instrucciones de Jesús a sus doce discípulos que manda a predicar la conversión. Son dos las instrucciones: lo que deben llevar consigo (vv. 8–9) y su comportamiento en el caso de rechazo (vv. 10–11).

Primero, el Maestro los envió de dos en dos. Así era la experiencia de los primeros discípulos, como también se ve en el caso de Pablo. Van de a dos no por la práctica jurídica; dos es el número de la relación humana, desde la creación hasta la redención. La dualidad indica diferencia y alteridad, pero también reciprocidad. El que invita a otro a llevar una relación de fe, debe mostrar su experiencia en la relación con el otro.

La primera instrucción es de no llevar consigo nada para el viaje, sólo bastón, sandalias y una sola túnica. El resto lo tendrán en la generosidad del otro u otros que encuentren. La misión cristiana es itinerante. No llevar nada, era muestra clara de que la misión de Jesús era pacífica.

La segunda instrucción recalca el aspecto completamente libre de la aceptación del mensaje. Siempre el discípulo del Señor debe contar con el rechazo. Sacudirse los pies es un gesto simbólico que invita a las personas a la conversión y reflexión de su postura, exhortándolos al arrepentimiento.

Cuenta después Marcos, que los discípulos echaban los demonios y curaban, indicando que esto era ocasional. Lo principal era el anuncio de la llamada a la conversión. Con esas palabras invitaba Jesús a la conversión (Marcos 1:14–15), que será siempre la misión esencial de la Iglesia.

XVI DOMINGO ORDINARIO

La primera oración es sentenciosa. Alarga la pausa antes de acometer el párrafo siguiente.

I LECTURA   Jeremías 23:1–6

Lectura del libro del profeta Jeremías

"¡**Ay** de los pastores que **dispersan**
   y **dejan perecer** a las ovejas de mi rebaño!", dice el Señor.

Por eso **habló así** el Señor, Dios de Israel,
   contra los pastores que apacientan **a mi pueblo:**
   "Ustedes han rechazado **y dispersado** a mis ovejas
   y **no** las han cuidado.
Yo me encargaré de **castigar** la maldad de las acciones de ustedes.
Yo mismo reuniré al resto de mis ovejas,
   de **todos** los países a donde las había expulsado
   y las **volveré a traer** a sus pastos,
   para que ahí **crezcan** y se multipliquen.
Les pondré pastores que las apacienten.
Ya **no temerán** ni se espantarán y **ninguna** se perderá.

Miren:
   Viene un tiempo, dice el Señor,
   en que **haré surgir** un renuevo en el tronco de David:
   será un rey **justo y prudente**
   y hará que en la tierra **se observen** la ley y la justicia.
En sus días será **puesto a salvo** Judá,
Israel habitará **confiadamente**
   y a él lo llamarán con este nombre:
   'El Señor es **nuestra** justicia'".

Haz contacto visual con la asamblea y baja el tono de voz al decir las cualidades del rey prometido.

I LECTURA Nuestra primera lectura viene de una parte dedicada por el profeta Jeremías a varios reyes y fue añadida al libro después del año 597 a. C., cuando ocurrió la destrucción de Jerusalén y el destierro. En esta parte Dios amenaza con castigos a los reyes por su mal comportamiento. Indirectamente los está acusando de ser la causa del terrible mal del destierro. Al final, promete un Mesías por venir, que tendrá una conducta opuesta. De eso trata nuestro texto.

El Señor enviará pastores que realmente sabrán apacentar. Abiertamente habla de un futuro rey davídico. Lo llama "Germen", como un inicio ya que empieza a crecer. Pronto se volverá este nombre en alusión al Mesías esperado. Ejercerá dos cualidades que habían faltado en casi todos los reyes de Israel y Judá, "derecho y justicia". Estas dos cualidades nunca acabarán por concretarse plenamente en ninguno de los distintos reyes del pueblo escogido. Por eso la esperanza de que intervenga Dios y traiga un jefe con estas cualidades.

En el Nuevo Testamento muchos pasajes responden a esta esperanza tantas veces alimentada por los profetas: la parábola de la oveja perdida, la del buen pastor y expresiones como las de la lectura evangélica de hoy: "Se compareció de ella (la muchedumbre) porque andaban como ovejas sin pastor".

La situación política, económica y social y, varias veces también eclesial, hacen notar graves carencias de liderazgo que hasta vuelven casi normales en nuestros días. El pueblo sigue anhelando pastores auténticos en casi todos los campos, que realmente conduzcan, que lleven al pueblo por caminos seguros y benéficos. Está siendo práctica común buscarse uno

Para meditar

SALMO RESPONSORIAL   Salmo 22:1–3a, 3b–4, 5, 6

R. El Señor es mi pastor, nada me falta.

El Señor es mi pastor, nada me falta:
    en verdes praderas me hace recostar;
    me conduce hacia fuentes tranquilas
    y repara mis fuerzas. **R.**

Me guía por sendero justo,
    por el honor de su nombre.
Aunque camine por cañadas oscuras,
    nada temo, porque tú vas conmigo:
    tu vara y tu cayado me sosiegan. **R.**

Preparas una mesa ante mí,
    enfrente de mis enemigos;
    me unges la cabeza con perfume,
    y mi copa rebosa. **R.**

Tu bondad y tu misericordia me acompañan
    todos los días de mi vida,
    y habitaré en la casa del Señor
    por años sin término. **R.**

II LECTURA   Efesios 2:13–18

Lectura de la carta del apóstol san Pablo a los efesios

Hermanos:
Ahora, unidos a Cristo Jesús,
    ustedes, que antes estaban **lejos,** están cerca,
    en virtud de **la sangre** de Cristo.

Porque **él** es nuestra paz;
    él hizo de los judíos y de los no judíos **un solo pueblo**;
    él **destruyó**, en su propio cuerpo,
    la barrera que los separaba: el odio;
    él **abolió** la ley, que consistía en mandatos y **reglamentos**,
    para crear en **sí mismo**,
    de los dos pueblos, **un solo hombre nuevo**,
    estableciendo **la paz**,
    y para reconciliar **a ambos,** hechos **un solo** cuerpo,
    con Dios, por medio de la cruz,
    dando muerte **en sí mismo** al odio.

Muestra la unidad de los dos párrafos; no alargues la pausa entre ellos y subraya la palabra "Cristo" las dos veces que aparece.

un puesto, no mirar al otro o a los otros a los que se debe servir.

II LECTURA La parte principal de la Carta a los efesios muestra cómo todos los creyentes, tanto los de origen judío como los de procedencia pagana, forman un único cuerpo en Cristo Jesús. Los de origen gentil, estaban "lejos" de la salud, pues no tenían entrada en la revelación del Dios verdadero. Los de procedencia judía eran los herederos de las promesas de salvación y sus beneficiarios, gracias a la revelación mosaica y sus estipulaciones. El autor

de esta carta enseña que esa situación ha cambiado radicalmente, gracias a lo realizado en Cristo, específicamente, gracias a su muerte sacrificial. Lo dice de manera contundente: "Él es nuestra paz".

La paz era uno de los renglones que más acentuaba la propaganda imperial romana. El mundo se convulsionaba por las continuas guerras entre los pueblos, pero también por las guerras civiles. Todos los habitantes anhelaban la paz. Así, la espada de las legiones romanas había conseguido pacificar, en gran medida, aquel mundo, aunque los conflictos fronterizos eran itera-

tivos. La vitoreada paz romana era la "paz de los sepulcros", como ahora se dice.

La paz conseguida por Cristo tiene el precio de su sangre; es la sangre de los vencidos lo que verdaderamente tiene capacidad de unificar a los enemistados, reconciliarlos y crear lo nuevo. La cruz de Cristo destruye al odio, porque desmonta aquello que finca el orgullo humano, el mérito propio. En el corazón del cristiano no hay lugar para el odio, ni la discriminación ni la exclusión. Miremos al Crucificado y dejémonos guiar por el Espíritu que da vida verdadera.

Vino para anunciar **la buena nueva** de la paz,
    tanto **a ustedes**, los que estaban **lejos**,
    como a los que estaban **cerca**.

Así, unos y otros podemos **acercarnos** al Padre,
    por la acción de **un mismo** Espíritu.

Al llegar al "así" busca con la mirada a la asamblea y baja la velocidad de tu lectura.

EVANGELIO   Marcos 6:30–34

Lectura del santo Evangelio según san Marcos

En aquel tiempo,
    los apóstoles **volvieron** a reunirse con Jesús
    y le contaron **todo** lo que habían hecho **y enseñado**.
Entonces él les dijo:
    "**Vengan** conmigo a un lugar solitario,
    para que **descansen** un poco",
    porque eran **tantos** los que iban y venían,
    que no les dejaban tiempo **ni para comer**.

Jesús y sus apóstoles se dirigieron en una barca
    hacia un lugar **apartado y tranquilo**.
La gente los vio irse y **los reconoció**;
    entonces **de todos** los poblados fueron **corriendo** por tierra a
        aquel sitio y se les **adelantaron**.

Cuando Jesús desembarcó,
    vio una **numerosa** multitud que lo estaba **esperando**
    y se **compadeció de** ellos,
    porque andaban como ovejas **sin pastor**,
    y se puso a enseñarles **muchas cosas**.

Después del anuncio litúrgico de la lectura no hagas contacto visual con la asamblea sino hasta que comience el discurso de Jesús.

Baja la velocidad tras la primera coma del párrafo final. Vincula con tu entonación las oraciones ligadas con "y".

EVANGELIO Jesús quiere retirarse de la muchedumbre que lo sigue por todas partes. Sus discípulos necesitan descansar, para lo cual se va con ellos a un lugar apartado. Pero hasta allá lo sigue la gente. Hay una relación estrecha de Jesús con la gente. Jesús justifica esta actitud, pues la gente anda dispersa sin pastor. No han encontrado una guía que conduzca al rebaño. La gente ha identificado en Jesús a este pastor.

La forma con que se relaciona Jesús con la gente es con la palabra; les ofrece alimento para su relación con Dios. Es una palabra cargada de la misericordia y ternura de Dios.

Los apóstoles están con él también para descansar. El descanso es parte importante de la vida discipular; su pleno sentido lo irán descubriendo después, cuando hayan captado la amplitud de la misión de Jesús y su propia tarea.

La Buena Noticia debe ser transmitida a todas las generaciones. El medio es la misión apostólica. Ellos, los Doce, son los primeros escogidos para esa misión que perdurará a lo largo de los tiempos. También nosotros estamos obligados a repetir los pasos de la enseñanza apostólica y, sobre todo, a llevar hasta Jesús a nuestros contemporáneos, para darles seguridad y alegría y para que no caminen en la vida como ovejas sin pastor.

Da la impresión de que la Iglesia anda por estos tiempos buscando nuevos caminos. Pensemos en las exhortaciones del Papa a ponernos en camino juntos. Caminemos escuchando y siguiendo a Jesús.

XVII DOMINGO ORDINARIO

Este relato popular y venerable no requiere sino naturalidad en su proclamación. No dramatices las acciones sino hasta el parágrafo final.

I LECTURA   2 Reyes 4:42–44

Lectura del segundo libro de los Reyes

En **aquellos** días, llegó de Baal-Salisá
   un hombre que traía para el siervo de Dios,
   Eliseo, como primicias,
   veinte panes de cebada y **grano tierno** en espiga.

Entonces Eliseo dijo a su criado:
   "**Dáselos** a la gente para que coman".
Pero él le respondió:
   "¿Cómo voy **a repartir** estos panes entre cien hombres?"

Eliseo insistió:
   "Dáselos a la gente **para que coman,**
   porque **esto** dice el Señor:
   'Comerán todos y **sobrará**'".

El criado repartió los panes a la gente;
   todos comieron y todavía **sobró**,
   como había **dicho** el Señor.

Eleva un poco el tono de voz en la línea intermedia, y sosténla hasta la final.

Para meditar

SALMO RESPONSORIAL   Salmo 144:10–11, 15–16, 17–18
R. Abres tú la mano, Señor, y nos sacias.

Que todas tus criaturas te den gracias,
   Señor,
   que te bendigan tus fieles;
   que proclamen la gloria de tu reinado,
   que hablen de tus hazañas. **R.**

Los ojos de todos te están aguardando,
   tú les das la comida a su tiempo;
   abres tú la mano,
   y sacias de favores a todo viviente. **R.**

El Señor es justo en todos sus caminos,
   es bondadoso en todas sus acciones;
   cerca está el Señor de los que lo invocan,
   de los que lo invocan sinceramente. **R.**

I LECTURA Eliseo fue el sucesor de Elías en tiempos calamitosos, cuando los arameos se querían apoderar paulatinamente de Israel. Elías fue un profeta de carácter distinto al de Eliseo. No parece que le gustara a Eliseo moverse en los palacios reales, sino que, campesino como era, se ocupaba de asuntos sencillos entre la gente común, como el que narra la primera lectura.

Un campesino piadoso se acerca a Eliseo para ofrecerle las primicias de su cosecha: veinte panes de cebada y grano nuevo. El objetivo de que se dieran estas primicias como agradecimiento por la cosecha, servía para el mantenimiento de los sacerdotes (Levítico 2:14; 23:17, 20), aunque Eliseo no era sacerdote. Eliseo manda a su ayudante que distribuya esos panes a la gente, se entiende pobre, para que coma. Un gesto generoso y caritativo del profeta. Pero, dado que la gente era numerosa, el ayudante le objeta que esos panes no alcanzarán. El profeta pronuncia entonces un oráculo: "Así dice el Señor: comerán y sobrará". Fue lo que sucedió. La palabra de Dios produce lo dicho.

El milagro sirve para ilustrar una creencia y realidad: la palabra de Dios retoma lo que empezó al principio en la creación del mundo: "Dijo Dios…y así fue". La palabra se adelanta a los hechos, pues éstos no son más que una concreción de la fuerza poderosa de Dios. Empezó la palabra divina creando el mundo como signo y realidad de lo que vendría después. Esta palabra va a aparecer al final de la historia del pueblo de Dios manifestándose como una persona que se revela como Palabra: "Al inicio existía la Palabra…" (Juan 1:1). Bajo esa perspectiva habrá que ver este gesto de Eliseo, anunciando ya al pan que dará vida al mundo.

II LECTURA   Efesios 4:1–6

Lectura de la carta del apóstol san Pablo a los efesios

El exhorto paulino está lleno de suavidad y moderación. Busca inyectar eso mismo en tu tono de voz al proclamar.

Hermanos:
Yo, Pablo, **prisionero** por la causa del Señor,
   los exhorto a que lleven **una vida digna**
   del llamamiento que **han recibido**.
Sean **siempre** humildes y amables;
   sean **comprensivos** y sopórtense **mutuamente** con amor;
   esfuércense **en mantenerse unidos** en el espíritu
      con el **vínculo** de la paz.

Observa lo que más se repite para enfatizar la unidad cristiana y dale relevancia al pronunciar esas palabras.

Porque no hay más que **un solo** cuerpo y **un solo** Espíritu,
   como también **una sola** es la esperanza
      del llamamiento que ustedes **han recibido**.
Un solo Señor, **una sola fe**, **un solo** bautismo,
   un solo Dios y Padre **de todos,** que reina **sobre todos**,
   actúa a través de todos **y vive** en todos.

EVANGELIO   Juan 6:1–15

Lectura del santo Evangelio según san Juan

Jesús es el foco del relato, pero alarga las frases que refieren a la gente en este párrafo.

En aquel tiempo,
   Jesús se fue **a la otra orilla** del mar de Galilea
      o lago de Tiberíades.
Lo seguía **mucha** gente,
   porque **habían visto** las señales milagrosas
      que hacía **curando** a los enfermos.
Jesús subió al monte y **se sentó** allí con sus discípulos.

Estaba cerca **la Pascua,** festividad de los judíos.
Viendo Jesús que **mucha** gente lo seguía, le dijo a Felipe:
   "¿**Cómo** compraremos pan **para que coman** éstos?"

II LECTURA La segunda lectura viene de la parte exhortativa de la carta. En las cartas paulinas suele haber una parte expositiva, doctrinal o de enseñanza sobre las verdades sustantivas de la fe cristiana que luego se traduce a formas de comportamiento; lo que se cree se tiene que verter en actitudes de vida, pues de lo contrario se queda en mera ideología. Al escritor le preocupa la unidad de los cristianos, como escuchamos.

El que implora no lo hace desde una posición de autoridad sino en su condición de "cautivo de Cristo", lo que significa que está criminalizado debido a la predicación del Evangelio. El prisionero subraya las actitudes cristianas que los hace dignos al caminar: humildad y amabilidad, generosidad y sostén mutuo (solidaridad), solicitud por la unidad bajo la "cautividad" de la paz. Estas son las condiciones de la libertad cristiana, sin duda alguna, pues manifiestan la identidad de un cristiano genuino. Una espiritualidad así genera unidad, pues procede del Señor y del único Dios.

Nuestra Iglesia también necesita renovar el vínculo de la unidad, tanto a nivel supranacional como en nuestras comunidades parroquiales y asociaciones de fe. La unidad no es algo que deba imponerse, porque no es algo externo, ni es uniformidad; la unidad se genera desde las actitudes de vida que el Espíritu de Dios va suscitando en el corazón del cristiano y éste se apresta a cultivar. Es un dinamismo incesante pero irresistible cuando está imbuido de paz. Trabajemos por la unidad de todos los cristianos, y oremos pidiendo al Señor este don magnífico.

EVANGELIO El largo discurso de Juan sobre el pan que da la Vida es uno de los más largos y hermosos, que

Dale contundencia a las palabras de Felipe, pero suaviza el tono a la oferta de Andrés.

Le hizo esta pregunta para ponerlo **a prueba**,
  pues él bien sabía **lo que iba a hacer**.
Felipe le respondió:
  "Ni doscientos denarios **bastarían** para que a cada uno
    le tocara **un pedazo** de pan".
Otro de sus discípulos, **Andrés**,
  el **hermano** de **Simón Pedro**, le dijo:
  "**Aquí** hay un muchacho que trae **cinco** panes de cebada
    y **dos** pescados.
Pero, ¿qué es eso **para tanta gente?**"
Jesús le respondió:
  "Díganle a la gente **que se siente**".
En aquel lugar había **mucha** hierba.
Todos, pues, se sentaron ahí;
  y tan sólo los hombres eran unos **cinco mil**.

Baja la velocidad en estas acciones de Jesús, como si las declamaras.

Enseguida **tomó** Jesús los panes,
  y después de **dar gracias** a Dios,
  se los fue **repartiendo** a los que se habían sentado a comer.
Igualmente les fue dando de los pescados **todo lo que quisieron**.
Después de que todos **se saciaron**, dijo a sus discípulos:
  "Recojan los pedazos **sobrantes**,
  para que no **se desperdicien**".
Los recogieron
  y con los pedazos
    que sobraron de los cinco panes llenaron doce canastos.

Marca tu tono de voz con cierta admiración por lo que se describe.

Entonces la gente, **al ver el signo**
  que Jesús había hecho, decía:
  "**Éste es**, en verdad, el profeta que **había de venir** al mundo".
Pero Jesús, sabiendo que iban a llevárselo para **proclamarlo rey**,
  se **retiró** de nuevo a la montaña, **él solo**.

se extiende como agua que corre por los muchos meandros de las promesas de vida de la Escritura. El discurso tiene de fondo lo que pasó en una de las colinitas junto al Lago de Tiberíades.

Jesús vio que una gran multitud iba hacia él y se da cuenta de que tienen que comer. Pero estaban debajo dos preguntas: ¿Dónde? Y ¿de dónde? Tiene nuestra narración tres partes: preparación de la comida prodigiosa (6:1–13), reacción de la muchedumbre (6:11–15) y travesía al otro lado en barca (6:16–19).

La gente sigue a Jesús, no por su propia persona, sino porque cura a los enfermos. Los signos sirven para ir por Jesús y pasar de una fe imperfecta a una perfecta, como en el caso de Nicodemo. Evoca el autor la Pascua, para darle el sentido a la comida que va a ofrecer Jesús. Jesús va a dar, no despide a la gente. La hospitalidad es sagrada para un semita y Jesús, aprovechándose de esta virtud, alimenta y, más que Eliseo, va a dar de comer a una multitud con una minucia: cinco panes de cebada y cinco pescados.

La gente no entiende el significado del milagro. La reacción es burda e interesada: tomaron a Jesús por un líder de tantos que ha habido en la historia y se han quedado en esto, en líderes que han buscado dando para recibir y no como el que ofrece la hospitalidad hebrea, que es una forma de evocar a la caridad cristiana. Por esto, este milagro lo usará admirablemente Jesús como un signo de la auténtica Eucaristía. Las comunidades cristianas así lo van a entender, dejándose llevar por el significado que el mismo Jesús explicará en la sinagoga de Cafarnaum.

XVIII DOMINGO ORDINARIO

Es un bello relato que le exige al proclamador modular su voz, de desesperanza en el discurso de la comunidad israelita y de firme certidumbre en el de Dios.

I LECTURA   Éxodo 16:2–4, 12–15

Lectura del libro del Éxodo

En aquellos días,
   toda la comunidad de los hijos de Israel
      murmuró **contra Moisés** y Aarón en el desierto, **diciendo**:
"Ojalá **hubiéramos** muerto
a manos del Señor **en Egipto**,
cuando nos **sentábamos** junto a las ollas de **carne**
y **comíamos** pan hasta **saciarnos**.
Ustedes nos han **traído** a este desierto
      para **matar de hambre** a toda esta multitud".

Entonces **dijo** el **Señor** a Moisés:
   "Voy a hacer que llueva **pan del cielo**.
Que el pueblo salga a **recoger cada día** lo que necesita,
   pues quiero **probar si guarda** mi ley o no.
He oído las murmuraciones de los hijos de Israel.
Diles de parte mía:
   'Por **la tarde** comerán carne
   y por **la mañana** se hartarán de pan,
      para que **sepan que yo** soy el Señor, su **Dios**' ".

Aquella **misma** tarde,
   una **bandada de codornices** cubrió el campamento.
A la mañana **siguiente**
   había en torno a él una **capa de rocío** que,
   al **evaporarse**, dejó el suelo cubierto
   con una especie de **polvo blanco** semejante a la escarcha.

I LECTURA   La libertad en todos los campos de la actividad humana no se consigue en un solo acto humano, sino que debe estar precedido y continuado por varios actos. Los hebreos consiguieron la libertad de los egipcios, es cierto, después del paso del mar de las Cañas, pero esto estuvo precedido por todo el periodo de las plagas y, sobre todo, seguido por la terrible travesía por el desierto durante un periodo largo, que el autor del libro del Éxodo lo calcula en cuarenta años.

Un ejemplo de lo anterior lo transmite el paso leído en la primera lectura. El pueblo criticó a Dios, olvidándose del acto de la salida milagrosa de Egipto. El descontento del pueblo es por el hambre. Y el hambre no es fácil de apaciguar con palabras. El Señor les proporcionó una sustancia granulosa que bajaba del cielo y se posaba en la tierra. Los israelitas la recogían y con estos granulitos hacían panecillos que cocían y con lo cual comían. Como era algo desconocido, se preguntaron los israelitas sobre su especie. La pregunta en hebreo "Man hú", ¿Qué es esto?, de donde derivó la palabra *maná*, se quedó entre la gente, como algo tradicional para designar este objeto. Más allá de una explicación natural de estos granillitos que se desgajaban de un pequeño árbol de esta región (*tamarix mannifera*), quedó como un nombre tradicional para designar el acto maravilloso con que Dios alimentó al pueblo en el desierto. De esa forma el pueblo por mucho tiempo venció al hambre y pudo mantenerse con vida.

Después se olvidaron sus componentes naturales y se atribuyó a esta comida un origen maravilloso y a su efecto, también. Lo principal fue que la libertad conseguida en el mar de las Cañas, se conservó contra el hambre por medio de este don. El pueblo

Haz notar la extrañeza en la pregunta de los israelitas haciendo contacto visual con la asamblea.

Al ver eso, los **israelitas se dijeron** unos a otros:
  "**¿Qué** es esto?", pues **no sabían** lo que era.
Moisés les dijo:
  "**Éste es** el pan que el Señor **les da** por alimento".

Para meditar

SALMO RESPONSORIAL Salmo 77:3 y 4bc, 23–24, 25, y 54

R. El Señor les dio un trigo celeste.

Lo que oímos y aprendimos,
  lo que nuestros padres nos contaron,
  lo contaremos a la futura generación:
  las alabanzas del Señor, su poder,
  las maravillas que realizó. **R.**

Dio orden a las altas nubes,
  abrió las compuertas del cielo:
  hizo llover sobre ellos maná,
  les dio un trigo celeste. **R.**

El hombre comió pan de ángeles,
  el Señor les mandó provisiones hasta
  la hartura.
Los hizo entrar por las santas fronteras
  hasta el monte que su diestra había
  adquirido. **R.**

II LECTURA Efesios 4:17, 20–24

Lectura de la carta del apóstol san Pablo a los efesios

Hermanos:
Declaro y doy **testimonio** en el Señor,
  de que **no deben** ustedes **vivir** como lo paganos,
  que **proceden** conforme a lo vano de sus **criterios**.
Esto no es lo que ustedes **han aprendido** de Cristo;
  han oído hablar de él y en él **han sido** adoctrinados,
  conforme a la verdad de Jesús.
Él les **ha enseñado** a abandonar su **antiguo** modo de vivir,
  ese **viejo yo, corrompido** por deseos de placer.

Dejen que el Espíritu **renueve** su mente
  y **revístanse** del nuevo yo,
  creado a **imagen** de Dios,
  en la justicia y en la **santidad** de la verdad.

Pronuncia la primera línea con la declarada solemnidad de un testimonio.

Es más un ruego que una orden esto que consigna el párrafo.

reconoció que en su origen estaba Dios, que por medio de este alimento conservó la vida del pueblo y así su libertad.

II LECTURA Durante los recientes domingos hemos venido escuchando la parte exhortativa de la Carta a los efesios. Éfeso era la capital de Asia, y además de ser el centro administrativo, era una ciudad donde se encontraban habitantes de todas las naciones orientales del Imperio Romano, con sus ritos y creencias. Aunque había una amplia tolerancia en materia religiosa entre los diversos pueblos y culturas

del imperio, para los judíos, aquellas gentes eran idólatras, pues no se atenían a los mandamientos de la Ley ni adoraban al único Dios. Los cristianos, por su parte, eran una minoría insignificante que abrazaba los principios de vida judíos, aunque no todas las estipulaciones mosaicas. Algunos cristianos que habían crecido entre paganos, no acababan de caer en la cuenta de la gran diferencia de hacerse cristianos y perpetuaban sus modos vida paganos. A estos gentil-cristianos que confiesan a Cristo, pero se comportan como paganos se dirige el exhorto de hoy.

El punto principal es que los gentiles se rigen con una "mente vana" (verso 17); aunque esto se explaya en los versos 18–19, no lo tomó la lectura. El criterio de vida cristiana es lo aprendido de Cristo. Esto se decanta en tres gestos bautismales de profunda resonancia: *despojarse* de los corrompidos apetitos fraudulentos, *renovarse* la mente con el espíritu, *revestirse* de la justicia y la santidad del Dios creador. Esto es que expresaban los gestos rituales bautismales, y lo que deben plasmar los modos cristianos de vivir. Los escuchas han pasado por este aprendizaje, de abandonar todo vicio y co-

EVANGELIO   Juan 6:24–35

Lectura del santo Evangelio según san Juan

En aquel tiempo,
cuando **la gente** vio que en aquella parte del lago
no estaban **Jesús** ni sus **discípulos**,
se embarcaron y **fueron a Cafarnaúm** para buscar a Jesús.

Al **encontrarlo** en la otra orilla del lago, le **preguntaron**:
"Maestro, ¿**cuándo** llegaste acá?".
Jesús le **contestó**:
"Yo les **aseguro** que ustedes no me andan **buscando**
por **haber visto** señales milagrosas,
sino por **haber comido** de aquellos panes hasta **saciarse**.
No **trabajen** por ese alimento que se **acaba**,
sino por **el alimento** que dura
para la **vida eterna** y que **les dará** el Hijo del hombre;
porque a éste, el Padre Dios **lo ha marcado** con su sello".

Ellos le **dijeron**:
"¿Qué **necesitamos** para llevar a cabo las **obras de Dios**?".
Respondió Jesús:
"La obra de Dios **consiste**
en que **crean en aquel** a quien él ha enviado".
Entonces la gente le preguntó a Jesús:
"¿**Qué** señal vas a **realizar** tú,
para que la **veamos** y podamos **creerte**?
¿**Cuáles** son tus obras?
Nuestros padres comieron **del maná** en el desierto,
como está escrito: *Les **dio a comer** pan del cielo*".

En el margen: Observa que los verbos principales vienen en la última línea del párrafo. Procura que el diálogo sea ágil pero que no pierda claridad.

La respuesta de Jesús ha de quedar señaladamente clara. Aíslala un tanto haciendo pausas levísimas antes y después de ella.

rrupción, para apropiarse de los valores de la novedad del Evangelio, o sea, de Cristo Jesús. No hay, pues, otro modelo a seguir o a imitar, sino Cristo. Él es el criterio definitivo de vida cristiana, que la Iglesia nos recuerda no perder de vista en este tramo de nuestra existencia.

EVANGELIO La lectura del trozo evangélico de san Juan continúa lo leído el domingo pasado. Jesús ha dado de comer en abundancia a la multitud que lo seguía en busca de prodigios. Esto es lo que ha retenido la gente, no el milagro como dedo indicativo de quien estaba detrás del milagro. Ellos no captan más que el hecho de haberse saciado. Y detrás del pan, hay alguien muy superior al simple dar de comer.

Buscar a Jesús es una expresión muy juánica. Aparecerá en todo el evangelio. Me buscan, pero no me buscan a mí, sino a la comida, es decir: me buscan como a un ser humano que les da de comer. Los receptores del alimento no se abren a lo que significaba el milagro de la multiplicación del pan. Jesús se eleva a lo que significa el hecho. Este milagro revela que hay algo más

alto en el que hizo esta multiplicación de panes. No es un profeta como Eliseo o tantos otros. Es alguien más. Nicodemo había entendido un poco más, pero esta gente está pensando sólo en algo material, en comer y basta.

Jesús les va llevando a que entiendan que el problema de la multiplicación del pan no es el pan, sino el donante. Lo hecho por Jesús es una llamada de atención a que la muchedumbre se pregunte por él. ¿Quién es Jesús verdaderamente? Ellos simplemente quieren a lo mucho a un Moisés nuevo que les alimente del pan cotidiano, no de alguien

Estas palabras son culminativas en el discurso y preparan la petición de la gente en el párrafo siguiente.

Termina en tono alto, como si quedara algo por decir todavía en el discurso de Jesús.

Jesús les **respondió**:
Yo **les aseguro**:
No fue Moisés quien les dio pan del cielo;
es **mi Padre** quien les da el **verdadero** pan del cielo.
Porque el **pan de Dios** es aquel que baja del cielo
y da la vida al **mundo**".

Entonces **le dijeron**:
"Señor, **danos** siempre de **ese pan**".
Jesús les **contestó**:
"**Yo soy** el pan de la vida.
El que viene a mí no **tendrá hambre**
y el que cree en mí nunca **tendrá sed**".

que les ponga la pregunta vital más profunda sobre lo que en la vida busca todo ser humano: su relación con Dios. A esto viene el comer infinitamente y jamás quedar saciados. Jesús, como antes dijo a la Samaritana, ofrece un alimento que los conducirá a la vida eterna, que los llenará plenamente y que solamente él podrá dar. Les invita a abrirse al que está detrás del milagro del maná. Abiertamente les dice que este maná era signo meramente, pero que el pan verdadero, o sea, el que llena al hombre todas sus ambiciones y deseos, es él.

XIX DOMINGO ORDINARIO

I LECTURA   1 Reyes 19:4–8

Lectura del primer libro de los Reyes

Este relato es fácil de seguir y está cargado de drama. Resalta lo que hace Elías para que se note su desgano.

En aquellos tiempos,
   caminó Elías por el desierto **un día entero**
   y finalmente se **sentó** bajo un árbol de retama,
   sintió deseos **de morir** y dijo:
   "Basta **ya,** Señor. **Quítame** la vida,
   pues yo no valgo más que mis padres".
Después **se recostó** y se quedó **dormido.**

Pero un **ángel** del Señor llegó a despertarlo y le dijo:
   "**Levántate** y come".
Elías **abrió** los ojos
   y vio a su cabecera **un pan cocido** en las brasas
   y un jarro de agua.
Después de comer y beber,
   se volvió a recostar y se durmió.

Las palabras del ángel hazlas sonar con más entusiasmo que la vez anterior.

Por **segunda** vez, el ángel del Señor **lo despertó**
   y le dijo:
   "**Levántate** y come,
   porque aún te queda **un largo camino**".
Se **levantó** Elías. Comió y bebió.
Y con la **fuerza** de aquel alimento,
   caminó **cuarenta días** y cuarenta noches hasta el Horeb,
       el monte de Dios.

I LECTURA Este episodio de la vida de Elías es decisivo y para el lector es inescindible para comprender la verdadera misión del profeta.

   Elías era un profeta del norte, del reino de Israel. El reino del norte se había coagulado en la política internacional de entonces, con los fenicios, dueños del comercio marítimo. De aquí que el reino de Isael progresase y obtuviera acierta opulencia. El profeta Elías para salvar la genuina fe de Israel, tuvo que oponerse a los profetas de Baal y Astarté, dioses fenicios que de alguna manera estaban amparados por la política profenicia del rey de Isael Ajab. La esposa de este rey, Jezabel, principal apoyo de esta religión fenicia, amenazó de muerte a Elías. Elías huyó al desierto, yendo a dar al mone Horeb, el monte de Dios.

   Elías desesperado se dirige a Dios, pidiéndole la muerte, porque no ha conseguido nada. Le dice que no ha adquirido más que sus antepasados. Con lo cual alude a toda la historia narrada del Génesis a 2 Reyes. Un mensajero divino lo alimenta y le da fuerzas para llegar al monte donde se tuvo la primitiva revelación de Dios a su pueblo. Será alimentado durante ese trayecto con la comida divina que le alcanzará para recorrer todo ese enorme camino desértico hacia el monte de la revelación primitiva, al Horeb. La duración de su viaje es una clara referencia exodal. De aquí el Señor lo renviará a que continúe su obra profética, a la que lo haba destinado. Dios no cambia, simplemente descubre el objetivo más preciso al que había enviado a Elías.

II LECTURA La frase con la que abre nuestra lectura sirve para puentear entre las amonestaciones a desterrar la mentira, la ira, el robo (5:25–29)

Para meditar

SALMO RESPONSORIAL   Salmo 33:2–3, 4–5, 6–7, 8–9
R. Gusten y vean qué bueno es el Señor.

Bendigo al Señor en todo momento,
  su alabanza está siempre en mi boca;
  mi alma se gloría en el Señor:
  que los humildes lo escuchen
    y se alegren. **R.**

Proclamen conmigo la grandeza del Señor,
  ensalcemos juntos su nombre.
Yo consulté al Señor y me respondió,
  me libró de todas mis ansias. **R.**

Contémplenlo y quedarán radiantes,
  sus rostros no se avergonzarán.
Si el afligido invoca al Señor, él lo escucha
  y lo salva de sus angustias. **R.**

El ángel del Señor acampa
  en torno a sus fieles, y los protege.
Gusten y vean qué bueno es el Señor,
  dichoso el que se acoge a él. **R.**

II LECTURA   Efesios 4:30—5:2

Lectura de la carta del apóstol san Pablo a los efesios

Hermanos:
No le causen **tristeza** al Espíritu Santo,
  con el que Dios **los ha marcado**
    para el día de **la liberación** final.

Destierren de ustedes la aspereza, la ira, la indignación,
  los insultos, la maledicencia y **toda clase** de maldad.
Sean buenos y comprensivos,
  y **perdónense** los unos a los otros,
  como Dios **los perdonó**,
  por medio de Cristo.

Imiten, pues, a Dios como hijos **queridos**.
Vivan amando **como Cristo**,
  que nos amó y **se entregó** por nosotros,
  como ofrenda y víctima de fragancia **agradable** a Dios.

Las palabras apostólicas buscan ser acogidas de buena manera. Pronuncia con tono amable la lista del párrafo siguiente.

Renueva el tono de tu voz en esta parte, como solicitando un favor, no dando mandatos.

---

y los exhortos que escuchamos hoy. Con conductas reprobables, los creyentes afligen al Espíritu Santo que recibieron al ser bautizados (5:30). El autor enfatiza los exhortos en un crescendo que culmina en transformarse imitando al propio Cristo.

Los acentos del exhorto se ponen la forma de relacionarse los cristianos entre sí. Es la ayuda mutua, la conmiseración y la condescendencia lo que debe primar entre ellos. No se trata sólo de llevarse bien, sino de hacer lo que Dios hizo: "condescendió, en Cristo, con ustedes". Si Dios obra así con nosotros, ¿tenemos cara para no ser ama-

bles con los que convivimos? Más todavía: puesto que en el bautismo fuimos hechos hijos, hay que obrar en consecuencia como el Hijo, Cristo que amó hasta volverse oblación agradable a Dios.

Esta llamada a transformar nuestro modo de ser y de actuar con el amor de Cristo nos llega muy oportunamente para reanimarnos en el seguimiento del Señor. Busquemos siempre esparcir la fragancia del amor de Dios para agradar en todo momento al Espíritu Santo.

EVANGELIO Cuando el hombre se cierra a escuchar o a aceptar algo, invoca toda clase de argumentos hasta los más estrafalarios. Si Jesús estaba hablando de cosas espirituales, en concreto, de interpretación de páginas bíblicas, era claro el terreno en que se estaba colocando y donde quería ser entendido. Pero así es el ser humano, cuando no quiere aceptar determinada verdad o acontecimiento, recurre al sarcasmo. Es lo que hacen los escuchas de Jesús.

Hay tres objeciones (Juan 6:41–42, 52, 60) que van normando el desarrollo de la

Es un relato muy importante para la comunidad discipular. Concéntrate en pronunciar las preguntas con incredulidad y cierta impaciencia.

Avanza con entusiasmo, pero sin ligereza, por estas líneas. Dale fluide a tu lectura y ralentiza en la frase de las Escrituras.

Refuerza las palabras de Jesús haciendo contacto visual con la asamblea en los repetidos "yo soy" de Jesús.

EVANGELIO   Juan 6:41–51

Lectura del santo Evangelio según san Juan

En aquel tiempo,
los judíos **murmuraban** contra Jesús, porque había dicho:
"Yo soy **el pan vivo** que ha bajado del cielo",
y decían:
"¿No es éste, Jesús, **el hijo de José**?
¿Acaso no conocemos **a su padre y a su madre**?
¿Cómo nos dice ahora que **ha bajado** del cielo?"

Jesús les respondió:
"**No murmuren**.
Nadie puede venir a mí, si no lo atrae el Padre,
que me ha enviado;
y a ése **yo lo resucitaré** el último día.
Está **escrito** en los profetas:
Todos serán discípulos de Dios.
Todo aquél que **escucha** al Padre y **aprende de él**,
se acerca **a mí**.
No es que alguien **haya visto** al Padre,
fuera de aquel que **procede** de Dios.
Ése sí ha visto al Padre.

Yo **les aseguro**:
el que cree en mí, tiene **vida eterna.**
Yo soy **el pan de la vida**.
Sus padres **comieron el maná** en el desierto
y sin embargo, **murieron**.
Éste es el pan que **ha bajado** del cielo para que,
quien lo coma, **no muera**.
Yo soy el pan vivo que **ha bajado** del cielo;
el que coma de este pan **vivirá para siempre**.
Y el **pan** que yo les voy a dar **es mi carne**
para que el mundo **tenga vida**".

plática entre Jesús y sus oyentes. Objetan su descendencia carnal: conocen a sus padres terrenos. Para los judíos, Jesús es un simple mortal. Conocen al hijo de José, al hijo de María, pero no conocen todavía al Hijo de Dios. Aquí están expresando el escándalo que les produce el humilde origen terreno de Jesús. A esto opone Jesús una revelación: él viene del cielo y, por lo mismo, nadie puede aceptarlo, si Dios no lo lleva a él. Luego pasa a la decodificación de la metáfora signo del pan, pronunciando un nuevo anuncio, ofreciendo una explicación: se necesita la fe. Dios atrae interiormente

al hombre. Aquí Jesús interpreta esta atracción del Padre aludiendo a Isaías 54:13. Además de la atracción del Padre, se requiere la atracción del Hijo, levantado de la tierra. Jesús sin negar su condición humana, declara claramente haber descendido del cielo y, consecuentemente, su origen divino. Lo reformula diciendo que ha bajado del cielo, porque "está cerca de Dios y ha visto al Padre". Los demás hombres no lo han visto. La iniciativa salvífica de Dios se muestra al pronunciar él su palabra, que se nos invita a acoger. Aceptar a Jesús y sus exigencias

sólo es posible si el Padre permite al creyente su acceso a él.

Jesús es el pan que da la vida. Es el verdadero Maná. El maná del desierto no daba la vida eterna, pues los que lo comieron murieron; el alimento de Jesús lleva a la vida imperecedera.

ASUNCIÓN DE LA BIENAVENTURADA VIRGEN MARÍA, MISA DE LA VIGILIA

I LECTURA   1 Crónicas 15:3–4, 15–16; 16:1–2

Lectura del primer libro de las Crónicas

La narración reviste la solemnidad de una fiesta. Todo es descriptivo, no hay diálogos. Adopta un tono entusiasta y festivo para tu proclamación.

En aquellos días,
    David **congregó** en Jerusalén a **todos** los israelitas,
    para **trasladar** el arca de la alianza
        al lugar que le **había preparado**.
Reunió también a los hijos de Aarón y a los levitas.
Éstos **cargaron** en hombros los travesaños
    sobre los cuales estaba **colocada** el arca de la **alianza**,
    tal como lo **había mandado** Moisés, por orden del Señor.

David **ordenó** a los jefes de los levitas
    que entre los de su tribu nombraran **cantores**
    para que entonaran cantos festivos,
    acompañados de arpas, cítaras y platillos.

El clímax es la instalación del arca. Comienza a aminorar la velocidad de tu lectura hasta la bendición de David.

Introdujeron, pues, **el arca de la alianza**
    y **la instalaron** en el centro de la tienda
        que David le había **preparado**.
Ofrecieron a Dios holocaustos y **sacrificios** de comunión,
    y cuando David **terminó** de ofrecerlos,
    bendijo al pueblo **en nombre** del Señor.

Entre los pueblos orientales era usanza retomar un texto o relato antiquísimo porque lo consideraban de gran importancia para los contemporáneos. La reescritura que nos ofrece la liturgia el día de hoy, diríamos, es una reflexión sobre la importancia que tenía el arca de la alianza entre los fieles judíos del siglo segundo a. C.

El arca de la alianza contenía una relectura de los libros sagrados del Pentateuco. Encima del arca, estaba una plancha de oro donde se derramaba la sangre del cordero el día de la expiación. El autor, para recalcar esta santidad del arca, retoma el suceso narrado en 2 Samuel 6 y cuenta que la llevada del arca al templo de Jerusalén fue de acuerdo a todas las normas mandadas por el Señor. Los levitas fueron los que cargaron con el arca y los levitas cantores fueron los que entonaron himnos en honor de su presencia. Todo fue conforme a lo escrito. Así el arca otorgaba la santidad al templo de Jerusalén.

La Iglesia relee esta escena, interpretándola alegóricamente respecto a la Virgen María que, como aquella arca de la alianza, ahora es llevada al cielo en cuerpo y alma, para encontrarse con su divino Hijo del que recibe ya la santidad plena. La Iglesia festeja este día de la Asunción de la Virgen a los cielos, la gracia otorgada por Dios, por haber dado a luz a su Hijo unigénito. Al mismo tiempo, la liturgia nos invita a que, además de alegrarnos porque nuestra madre María subió al cielo en cuerpo y alma, nos ha mostrado el camino y la esperanza de que nosotros también iremos después de nuestra muerte a donde está ella.

II LECTURA En la víspera de la Asunción, pero parte integral de la so-

227

Para meditar

SALMO RESPONSORIAL   Salmo 131:6–7, 9–10, 13–14

R. Levántate, Señor, ven a tu mansión; ven con el arca de tu poder.

Oímos que estaba en Efrata,
   la encontramos en el Soto de Jaar:
   entremos en su morada,
   postrémonos ante el estrado
      de sus pies. **R.**

Que tus sacerdotes se vistan de gala,
   que tus fieles vitoreen.
   Por amor a tu siervo David,
   no niegues audiencia a tu Ungido. **R.**

Porque el Señor ha elegido a Sión,
   ha deseado vivir en ella:
   "Ésta es mi mansión por siempre;
   aquí viviré porque lo deseo". **R.**

II LECTURA   1 Corintios 15:54b–57

Lectura de la primera carta del apóstol san Pablo a los corintios

Hermanos:
Cuando nuestro ser corruptible y mortal
   se revista de incorruptibilidad e inmortalidad,
   entonces **se cumplirá** la palabra de la Escritura:
   *La muerte ha sido **aniquilada** por la victoria.*
*¿**Dónde está**, muerte, tu victoria?*
*¿**Dónde está**, muerte, tu aguijón?*
El aguijón de la muerte **es el pecado**
   y la fuerza del pecado **es la ley**.
Gracias a Dios,
   que nos ha dado **la victoria** por nuestro Señor **Jesucristo**.

Adopta un tono de voz cauteloso, como inquisitivo y que vaya adoptando mayor robustez al llegar a las preguntas.

Alarga las palabras en negrillas, como si fueran el punto final de la exposición. Luego reanuda con la línea más poderosa de todo el fragmento.

lemnidad, la Iglesia nos invita a considerar el papel singular que la Virgen María guarda en nuestra historia de salvación. Su asunción a los cielos celebra que ella fue llevada en cuerpo y alma junto a Dios. A diferencia de Jesús, ella no compartía la naturaleza divina, sino únicamente la humana; ella fue una persona humana con un privilegio singular: "fue preservada de la mancha del pecado original", en vistas a la concepción del Hijo de Dios. Su asunción al cielo es consecuencia de esta verdad de fe, pues la corrupción de la carne es secuela del pecado, como recién escuchamos.

En la lectura de Corintios, san Pablo enseña la verdad sustancial de la fe cristiana: que Cristo venció a la muerte; ésta es otra manera de decir que Cristo resucitó. Se trata de una resurrección corporal. El poder de Dios, su Espíritu Santo, impidió la corrupción del cuerpo de Cristo y le insufló vida nueva. De esa victoria sobre la muerte los creyentes participan ya sacramentalmente, pero lo harán de manera plena y definitiva en la "resurrección de la carne" final. En María Virgen, esa participación se ha adelantado porque ella no conoció pecado, ni corrupción alguna, ni debió aguardar la re-

dención definitiva de su cuerpo. Dios ha obrado ya en la carne de María, lo que depara para sus fieles.

La fe de la Iglesia nos pide también valorar nuestra condición mortal y perecedera, aunque tocada por el pecado, para disponerla a la gloria de Dios. No sólo nuestra alma, sino también nuestro cuerpo está destinado a la gloria. Por eso debemos alegrarnos y agradecer el misterio de salvación que hoy celebramos.

EVANGELIO   Lucas 11:27–28

Lectura del santo Evangelio según san Lucas

En aquel tiempo,
mientras Jesús hablaba **a la multitud**,
una mujer del pueblo, **gritando**, le dijo:
   "¡**Dichosa** la mujer que te llevó en su **seno**
y cuyos pechos te **amamantaron!**"
Pero Jesús le **respondió**:
   "Dichosos **todavía más** los que escuchan la **palabra de Dios**
y la ponen **en práctica**".

La brevedad del relato exige recitarlo con maestría. Contrasta el entusiamo del grito femenino con la firmeza y moderación de Jesús.

EVANGELIO Para la celebración de esta fecha, la liturgia de la Iglesia nos invita a meditar en un cuadro del evangelio de san Lucas, en el que se alaba a la madre del mesías. Jesús va con su grupo de discípulos y discípulas camino a Jerusalén, y en la ruta se leen diversos episodios que sirven para ilustrar enseñanzas básicas que tocan a la vida de sus seguidores. Entre los episodios anteriores Jesús enseña sobre la oración y la autoridad que tiene para expulsar demonios. Enseguida, Lucas amplía sobre lo que sucede con los espíritus expulsados, que, lejos de rendirse, se confabulan para volver al individuo de donde fueron expulsados. Aquí se incrustan los dos versos que componen el cuadro de nuestra lectura, a los que sigue la enseñanza sobre los signos judiciales de Jonás y de la sabiduría de Salomón, que invitan a dar crédito a lo que uno escucha para salvarse.

De entre la gente que rodea a Jesús, una mujer grita una bienaventuranza a la fecundidad de la madre de quien expulsa demonios y hace visible el reinado de Dios entre los pobres y necesitados. "Madre sólo hay una", dice el dicho popular, y la mamá del mesías habría de tener una participación privilegiada en el régimen mesiánico. Para Jesús, sin embargo, se participa del reinado mesiánico por la escucha y práctica de la palabra de Dios, no por parentesco u otras influencias.

La Virgen María es la primera oyente de la Palabra y por eso es modelo nuestro. Revisemos los modos como la palabra de Dios llega a cada uno de nosotros y cómo genera vida.

ASUNCIÓN DE LA BIENAVENTURADA VIRGEN MARÍA, MISA DEL DÍA

I LECTURA Apocalipsis 11:19a; 12:1–6a, 10ab

Lectura del libro del Apocalipsis del apóstol san Juan

La descripción de la escena exige que midas los tiempos para cada elemento. Sírvete de la puntuación y no precipites la lectura.

Se **abrió** el templo de Dios en el cielo
    y **dentro de él** se vio el arca **de la alianza**.
Apareció entonces en el cielo una figura **prodigiosa:**
    una mujer **envuelta** por el sol,
    con la luna **bajo sus pies**
    y con una **corona** de doce estrellas en **la cabeza**.
Estaba encinta y a punto de **dar a luz**
    y **gemía** con los dolores del parto.

Como si fuera algo inesperado avanza en la descripción de esta figura. Luego ve elevando tu voz cuando vuelva a mencionar a la mujer y hasta el final del párrafo.

Pero **apareció** también en el cielo **otra figura:**
    un **enorme** dragón, color de fuego,
    con **siete** cabezas y **diez** cuernos,
    y una corona **en cada una** de sus siete cabezas.
Con su cola **barrió** la tercera parte de las estrellas del cielo
    y las **arrojó** sobre la tierra.
Después se detuvo **delante de la mujer** que iba a dar a luz,
    para **devorar** a su hijo, en cuanto éste **naciera**.
La mujer dio a luz **un hijo varón**,
    destinado a **gobernar** todas las naciones con cetro **de hierro**;
    y su hijo **fue llevado** hasta Dios y hasta su trono.
Y la mujer huyó **al desierto,**
    a un lugar **preparado** por Dios.

Procura que resalte el anuncio de la victoria divina, haciendo contacto visual con la asamblea mientras lo pronuncias.

Entonces **oí** en el cielo una **voz poderosa**, que decía:
    "Ha sonado la hora **de la victoria** de nuestro Dios,
    de su dominio y **de su reinado,**
    y del poder **de su Mesías**".

I LECTURA La lectura litúrgica para esta fecha nos lleva a meditar en la alianza de Dios con su pueblo, gracias a las imágenes celestes que se nos ponen delante: el arca de la alianza y la mujer encinta acechada por el dragón, que inician una serie de señales que el lector debe descifrar. El libro profético del Apocalipsis se escribió para dar fortaleza a los cristianos que estaban siendo acosados y perseguidos por las autoridades e incluso por los conciudadanos que no compartían su fe. Era fundamental que comprendieran que no estaban abandonados por Dios, sino que estaban en medio de una batalla decisiva entre las potencias maléficas y el ejército de Dios, comandado por Miguel. El triunfo del Dios de la alianza no está en duda, pero para participar de él es necesario resistir los embates malévolos.

La mujer encinta es figura de la esperanza de un pueblo que tiene su confianza en el Dios de la alianza, aunque vive acosado y a punto de desfallecer. El autor del libro pide que miren al cielo: el arca de la alianza no está perdida, ni Dios se ha olvidado de sus promesas de salvación. Por terrible que sea el enemigo, nada hay que temer porque ya el dominio del Mesías alborea y es irreversible. Ha llegado la hora del esfuerzo supremo.

En esa figura preñada, la Iglesia ha mirado a la madre del Mesías, María Virgen, a la que Dios protegió de manera singular, y a la que el poderoso dragón no puede hacerle daño alguno; por este motivo, la honramos como Inmaculada, Llena de gracia y Asunta al cielo. Ella nos fortalece en la lucha contra el pecado en todas sus formas y nos entrega a Cristo, el único garante de la victoria final.

Para meditar

SALMO RESPONSORIAL Salmo 44:10bc, 11, 12ab, 16
R. De pie, a tu derecha está la reina, enjoyada con oro de Ofir.

Hijas de reyes salen a tu encuentro.
de pie a tu derecha está la reina,
enjoyada con oro de Ofir.
Escucha, hija, mira: inclina el oído,
olvida tu pueblo y la casa paterna. **R.**

Prendado está el rey de tu belleza:
póstrate ante él, que él es tu señor.
Las traen entre alegría y algazara,
van entrando en el palacio real. **R.**

II LECTURA   1 Corintios 15:20–27

Facilita la comprensión del texto haciendo las inflexiones debidas en las palabras y frases conjuntivas.

Lectura de la primera carta del apóstol san Pablo a los corintios

Hermanos:
Cristo **resucitó**, y resucitó como la **primicia** de todos los muertos.
Porque si **por un hombre** vino la muerte,
también por un hombre
vendrá **la resurrección de los muertos**.

En efecto, así como en Adán **todos mueren**,
así en Cristo todos **volverán a la vida**;
pero cada uno **en su orden: primero Cristo**, como primicia;
después, a la hora de **su advenimiento**, los que **son de Cristo**.

Modera la velocidad de lectura en esta parte, pero bájala en los textos entre las comas.

Enseguida será la **consumación**,
cuando Cristo entregue el Reino **a su Padre**,
después de haber **aniquilado** todos los poderes **del mal**.
Porque él tiene **que reinar** hasta que el Padre ponga
bajo sus pies a **todos** sus enemigos.
El **último** de los enemigos en ser aniquilado, será **la muerte**,
porque **todo** lo ha sometido Dios **bajo los pies** de Cristo.

EVANGELIO   Lucas 1:39–56

Lectura del santo Evangelio según san Lucas

En aquellos días,
María se encaminó **presurosa**
a un pueblo de las montañas de Judea,

II LECTURA Entre los cristianos de Corinto había algunos que no creían en la resurrección de los muertos; pensarían que la resurrección era meramente espiritual o simbólica, sin vínculo con el cuerpo.

San Pablo funda con un paralelismo su argumento. Toma lo sucedido con la humanidad de Adán para colocarlo frente a lo acontecido en la humanidad de Cristo. Si uno, el padre de la humanidad, fue causa de muerte para todos, el otro, la primicia de entre los muertos, es causa de vida para el género humano. Esto es definitivo, aunque

la muerte misma deberá ser sometida al señorío de Cristo, con el resto de sus enemigos. La resurrección es un evento futuro que afecta a todo ser humano. En esta parte, Pablo avanza incluso la secuencia del evento final.

La asunción de María Virgen a los cielos nos recrea la esperanza de la vida verdadera, íntegra, de alma y cuerpo. Nuestro cuerpo está destinado a participar de la gloria de Dios y ya desde ahora debe mostrar esa vocación final. La enfermedad y el dolor, junto con otras limitantes corporales que experimentamos, deben acicatear nuestro

deseo de la gloria del Reino. Igualmente, evitemos todo aquello que coloque lo corporal como fin último o supremo de la persona, porque nuestra humanidad ha de servir a los valores del reino de Cristo. La celebración de hoy dirige nuestra mirada a donde estaremos con alma y cuerpo, donde nuestra humanidad se verá coronada por la gloria del mismo Dios.

EVANGELIO María, nos dice san Lucas, se encamina a saludar a su pariente Isabel y a comunicarle su vocación a la maternidad. Quiere anunciarle la buena

Después de dirigir breve y discretamente tu mirada a la asamblea al terminar de leer la segunda línea, eleva suavemente el volumen de tu voz al leer con entusiasmo y gozo las palabras de Isabel.

y **entrando** en la casa de Zacarías, saludó **a Isabel**.
En cuanto ésta **oyó** el saludo de María,
    la creatura **saltó** en su seno.

Entonces Isabel **quedó llena** del Espíritu Santo,
    y levantando la voz, **exclamó:**
    "**¡Bendita** tú entre las mujeres y bendito **el fruto** de tu vientre!
¿Quién **soy yo** para que la madre **de mi Señor** venga a verme?
Apenas llegó tu saludo **a mis oídos,**
    el niño saltó **de gozo** en mi seno.
Dichosa tú, que has creído,
    porque **se cumplirá** cuanto te **fue anunciado** de parte del Señor".

Dale una entonación festiva a tu voz al leer el cántico de María, de tal manera que expreses a la vez su gozo y la humildad. Haz una pausa entre cada párrafo del cántico.

Entonces dijo **María:**
    "Mi alma **glorifica** al Señor
    y *mi espíritu se **llena de júbilo** en Dios, mi salvador,*
    porque ***puso** sus ojos en la humildad **de su esclava**.*

Desde ahora me llamarán **dichosa** todas las generaciones,
    porque ha hecho en mí **grandes cosas** el que **todo** lo puede.
Santo es su nombre
    *y su misericordia llega **de generación en generación***
    a los que lo temen.

Ha hecho sentir **el poder** de su brazo:
    dispersó a los de corazón **altanero,**
    ***destronó** a los potentados*
    *y **exaltó** a los humildes.*
*A los hambrientos **los colmó** de bienes*
    *y a los ricos **los despidió** sin nada.*

Acordándose de su misericordia,
    *vino **en ayuda** de Israel, su siervo,*
    como lo había prometido **a nuestros padres,**
    a Abraham y a su descendencia **para siempre**".

María permaneció **con Isabel** unos tres meses
    y luego **regresó** a su casa.

Haz una pausa más prolongada antes de leer este párrafo conclusivo.

noticia. Era un viaje largo, de unos cuatro días. Esa visita provocó el primer encuentro entre Jesús y Juan Bautista. Va a ver María el signo que el arcángel Gabriel le había ofrecido del proyecto de Dios.

La liturgia de hoy nos ofrece la respuesta que da María al saludo de Isabel, en la forma de un canto profético, el Magníficat. Es un típico himno de "los pobres del Señor", los pobres son esos afligidos que ponen su esperanza en el Señor. El himno al Señor lo había compuesto Ana como acción de gracias por haberle otorgado en su esterilidad un hijo, el profeta Samuel.

El himno está construido en base a siete verbos que describen la acción de Dios para los pobres. María, al retomar este himno de Ana, se alinea con esa clase de pobres que todo lo esperan del Señor. Reconoce su propia experiencia que quiere hacer pública para todos y esto lleva a exaltar la fidelidad de Dios a sus promesas y expone, al mismo tiempo, cómo actúa el Señor con los pobres y humildes.

María se dirige a Dios saludándolo como Salvador. Ella es la sierva del Señor y en adelante la llamarán "bienaventurada" todas las generaciones. Ella no ofrece una definición de Dios, simplemente describe las obras salvíficas, empezando con su historia personal. El gran misterio de la encarnación del Señor cuenta con un solo testigo y lo celebra.

En el encuentro entre estas dos mujeres hay un hecho nuevo: Isabel recibe el don del Espíritu Santo que le otorga comprender y proclamar lo que hay en su vientre. Una mujer simple, María, lleva ya en su vientre al que cumplirá todas las promesas de Dios a su pueblo.

XX DOMINGO ORDINARIO

I LECTURA   Proverbios 9:1–6

Lectura del libro de los Proverbios

La sabiduría se **ha edificado** una casa,
  ha preparado un banquete,
  ha mezclado el vino
  y puesto la **mesa**.
Ha **enviado** a sus criados para que,
  desde los puntos que dominan la ciudad, **anuncien** esto:
  "Si alguno es sencillo, que **venga** acá".

Y a los faltos de juicio **les dice:**
  "Vengan a comer **de mi pan**
  y a beber del vino **que he preparado.**
Dejen su ignorancia **y vivirán;**
  avancen por el camino de la **prudencia**".

La lectura es una invitación a vivir sabiamente. Pronuncia las frases entrecomilladas con especial énfasis.

Los últimos dos renglones contienen la invitación fundamental. Deja que se escuchen, proclamados con claridad.

I LECTURA | El libro de los Proverbios pertenece a la literatura sapiencial y reúne variadas colecciones de sentencias, de tiempos y procedencias diversas. La primera colección, que abarca los primeros nueve capítulos (1:8—9:18), se presenta como la instrucción de un padre a su hijo para adquirir sensatez y prudencia y huir de los peligros que lo amenazan.

Es importante leer todo el capítulo 9 para comprender cabalmente el mensaje de nuestro texto. Se trata de tres pequeños apartados de los cuales dos están íntimamente unidos: 9:1–6, que habla del banquete que ofrece la sabiduría, y 9:13–18, que nos presenta el banquete opuesto: el de la necedad. Las consecuencias de uno y otro banquete no podrían ser más opuestas: la sabiduría conduce a la vida, mientras la necedad lleva a la muerte. Por eso estas dos secciones deberían leerse siempre juntas.

La dama Sabiduría convoca a todos, manda pregoneros, es una oferta de vida recta y consciente que lleva a la felicidad, en contra de la oferta de 9:13–18, en la que la dama Necedad ofrece lo chueco, el resultado fácil, que termina llevando a la perdición.

Los convocados al banquete de la sabiduría son los faltos de juicio, los ignorantes. Aprender a vivir es una tarea que nadie puede ahorrarse y que implica aprender de la experiencia y esforzarse por superar la ignorancia. Este pasaje nos recuerda el verso del poeta mexicano: "porque veo al final de mi rudo camino, que yo fui el arquitecto de mi propio destino". Escojamos la sensatez para tener una vida digna y feliz.

II LECTURA | En los capítulos del 4 al 6 la carta a los Efesios reúne una serie de exhortaciones dirigidas a cre-

Para meditar

SALMO RESPONSORIAL   Salmo 33:2–3, 10–11, 12–13, 14–15

R. Gusten y vean qué bueno es el Señor.

Bendigo al Señor en todo momento,
   su alabanza está siempre en mi boca;
   mi alma se gloría en el Señor:
   que los humildes lo escuchen y se alegren.

Todos sus santos, teman al Señor,
   porque nada les falta a los que lo temen;
   los ricos empobrecen y pasan hambre,
   los que buscan al Señor no carecen
      de nada.

Vengan, hijos, escúchenme:
   les instruiré en el temor del Señor;
   ¿hay alguien que ame la vida
   y desee días de prosperidad?

Guarda tu lengua del mal,
   tus labios, de la falsedad;
   apártate del mal, obra el bien,
   busca la paz y corre tras ella.

II LECTURA   Efesios 5:15–20

Lectura de la carta del apóstol san Pablo a los efesios

Hermanos:
Tengan cuidado de portarse no como insensatos,
   sino como **prudentes,** aprovechando el momento **presente,**
   porque los tiempos **son malos.**

No sean **irreflexivos,** antes bien,
   traten de entender **cuál es** la voluntad de Dios.
No se embriaguen, porque el vino lleva **al libertinaje.**
Llénense, más bien, del Espíritu Santo;
   expresen sus sentimientos con salmos,
   himnos y **cánticos espirituales,**
   cantando **con todo el corazón** las alabanzas al Señor.
Den **continuamente** gracias a Dios Padre por **todas las cosas,**
   en el nombre de nuestro Señor **Jesucristo.**

Es una exhortación del Apóstol, no un regaño. Lee con amabilidad y con tono de consejo.

Leemos la contraparte del párrafo anterior, ahora con sentido positivo. Refleja en tu lectura la emoción y el entusiasmo de la acción de gracias.

---

yentes que han recibido ya el bautismo, para que vivan a profundidad su relación con Cristo y sean coherentes con el bautismo que han recibido.

La sección 4:17—5:20 atiende a la vida personal del cristiano, para que se convierta en luz para los demás, en ejemplo a seguir. La primera unidad (4:17—5:2) se basa en la metáfora del paso del hombre viejo al hombre nuevo, mientras que la segunda unidad (5:3–20) se inspira en el paso de las tinieblas a la luz. Es un llamado a la sensatez y a la cordura. El punto de partida es la convicción de que se viven "tiempos malos", una afir-

mación que debería moderar nuestra tendencia a pensar que todo tiempo pasado fue mejor y una invitación a discernir con cuidado cuáles son las amenazas de nuestro tiempo, pues cada época tiene las suyas.

La advertencia del Apóstol hace hincapié en la falta de reflexión y en la superficialidad. Por eso se manifiesta en contra de la embriaguez, no porque beber sea malo en sí mismo (hay un uso moderado del vino recomendado en 1 Tim 5:23), sino porque la bebida distraía a las personas del cumplimiento de sus propias obligaciones. Por eso, el pasaje que leemos nos recomienda otra

embriaguez, la del Espíritu Santo, la que nos hace lúcidos y no distraídos.

El pasaje termina subrayando el carácter festivo del culto cristiano. La acción de gracias en nombre de Cristo tiene la virtud de convertir toda nuestra vida en una alabanza al Padre. La existencia misma se convierte así en agradecida oración.

EVANGELIO Juan 6:22–71 contiene el discurso con el que se ilumina la multiplicación de los panes, que ha sido narrada en 6:1–15. Es conocido como el discurso del pan de vida. La multitud ha se-

EVANGELIO   Juan 6:51–58

Lectura del santo Evangelio según san Juan

Se trata de la sección eucarística del discurso del Pan de Vida. Lee con aplomo, respetando los signos de puntuación.

En aquel tiempo, Jesús dijo **a los judíos:**
  "Yo soy **el pan vivo** que ha bajado del cielo;
  el que coma de este pan **vivirá** para siempre.
Y el pan que yo les voy a dar **es mi carne,**
  para que el mundo tenga vida".

Entonces **los judíos** se pusieron a discutir entre sí:
  "**¿Cómo** puede éste **darnos a comer** su carne?"

Hay en las palabras de Jesús una promesa de vida eterna. Enfatízala en tu proclamación.

Jesús les dijo: "Yo **les aseguro:**
Si no comen la carne del Hijo del hombre y **no beben** su sangre,
  no podrán **tener vida** en ustedes.
El que come mi carne y **bebe** mi sangre,
  tiene **vida eterna** y yo lo resucitaré **el último día.**

Mi carne es **verdadera** comida y mi sangre es **verdadera** bebida.
El que come **mi carne** y bebe **mi sangre,**
  permanece en mí y yo en él.
Como **el Padre,** que me ha enviado,
  posee la vida y yo vivo **por él,**
  así **también** el que me come vivirá **por mí.**

Baja la velocidad de la lectura para terminar en la proclamación gozosa de la última frase.

Éste es el pan que **ha bajado** del cielo;
  no es como el maná que comieron sus padres, pues murieron.
El que come de este pan **vivirá** para siempre".

---

guido a Jesús hasta Cafarnaúm. La multiplicación de los panes los ha entusiasmado. Ahora, Jesús va a dar un paso más en la revelación del misterio de su propia persona.

El discurso, pronunciado en medio de un diálogo entre Jesús y quienes lo han seguido hasta Cafarnaúm, tiene dos secciones medulares: 6:31–40, que presenta a Jesús como el pan de vida y 6:41–59, que se refiere a la Eucaristía como alimento sacramental. Hasta antes de nuestro texto, el pan del cielo podría haber sido interpretado sólo como algo simbólico. Aquí, la expresión "carne y sangre" no puede explicarse sino

en sentido sacramental. Comer la carne y beber la sangre del hijo del hombre es unirse con aquel que realiza la unión entre el cielo y la tierra, que es de origen divino (bajado del cielo), y tener por medio de él, ya desde ahora, la vida eterna.

En el pasaje se pasa del verbo comer, al verbo masticar. Es probable que este cambio tenga como objetivo acentuar el sentido de la comida sacramental. Por eso, al final del pasaje, Jesús lo cierra con una nueva alusión al desierto y al maná con el que Dios habría socorrido el hambre del pueblo salido de la esclavitud, reiterando así

que era sólo una figura transitoria de aquel otro pan, el cuerpo y la sangre de Cristo, que es ahora ofrecido a la comunidad cristiana en la Eucaristía.

XXI DOMINGO ORDINARIO

La alianza que Dios ofrece implica una respuesta firme. La reunión de Siquem fue oportunidad para que Israel se entregara sin reserva al servicio del Señor. Proclama la lectura poniendo énfasis en las frases entre comillas.

I LECTURA   Josué 24:1–2a, 15–17, 18b

Lectura del libro de Josué

En aquellos días,
   Josué convocó en Siquem
   a **todas** las tribus de Israel y reunió a los ancianos,
   a los jueces, a los jefes y a los escribas.
Cuando **todos** estuvieron en **presencia** del Señor,
   Josué le dijo al pueblo:
   "Si no les agrada **servir** al Señor,
   digan aquí y ahora a **quién quieren servir**:
   ¿a **los dioses** a los que sirvieron sus antepasados
   al otro lado del río Éufrates,
   o a los dioses **de los amorreos,** en cuyo país ustedes habitan?
En cuanto a mí toca, mi familia y yo **serviremos** al Señor".

El **pueblo** respondió:
   "Lejos de nosotros **abandonar** al Señor para **servir**
    a otros dioses,
   porque el Señor **es nuestro Dios**;
él fue quien **nos sacó** de la esclavitud de Egipto,
   el que hizo ante nosotros **grandes prodigios,**
   nos **protegió** por todo el camino que recorrimos
   y en los pueblos **por donde pasamos.**
Así pues,
   también nosotros **serviremos** al Señor,
   porque **él** es nuestro Dios".

I LECTURA   Situados al final del libro de Josué, a manera de broche de oro, están los capítulos 23 y 24. En el capítulo 23 encontramos el testamento del anciano Josué, un discurso que no se cansa de llamar al pueblo a cumplir la Ley recibida por Moisés de parte de Dios. El capítulo 24, en cambio, del que está tomado nuestro pasaje, hace un recorrido por toda la historia de Israel, desde la elección de Abrahán hasta la toma de posesión de la tierra prometida. El objetivo de este repaso histórico es invitar al pueblo a renovar, ahora en

Siquén, aquella alianza que Dios había hecho con el pueblo en el monte Sinaí.

El acontecimiento que narra esta lectura es de tal importancia, que muchos estudiosos encuentran aquí el nacimiento de Israel como pueblo, porque refleja el consenso final de parte de algunas tribus que se resistían a la aceptación de la alianza. El resultado final es el refrendo del pacto entre Israel y su Dios. Josué aparece así, como un nuevo Moisés.

Como puede notarse en una lectura atenta, juega un importante el verbo "servir", repetido al menos seis veces en nues-

tro pasaje y catorce veces en el resto del capítulo. Se trata de una manera de expresar la fidelidad del pueblo a la fe monoteísta, el cimiento de un pueblo que, con su culto, rendirá un homenaje al Dios que hizo alianza con ellos y, a través de la obediencia a los mandamientos, mostrará una nueva manera de vivir: la ética de la alianza.

En la noche de la Vigilia Pascual, una especie de Siquem del Nuevo Testamento, los cristianos, reunidos en torno a la presencia del Resucitado, renovamos nuestra fe y nuestro compromiso de vida. Jesús, cuyo nombre tiene la misma raíz que el nombre

Para meditar

SALMO RESPONSORIAL   Salmo 33:2–3, 16–17, 18–19, 20–21, 22–23

R. Gusten y vean qué bueno es el Señor.

Bendigo al Señor en todo momento,
　su alabanza está siempre en mi boca;
　mi alma se gloría en el Señor:
　que los humildes lo escuchen
　　y se alegren. **R.**

Los ojos del Señor miran a los justos,
　sus oídos escuchan sus gritos;
　pero el Señor se enfrenta
　con los malhechores,
　para borrar de la tierra su memoria. **R.**

Cuando uno grita, el Señor lo escucha
　y lo libra de sus angustias;
　el Señor está cerca de los atribulados,
　salva a los abatidos. **R.**

Aunque el justo sufra muchos males,
　de todos lo libra el Señor;
　él cuida de todos sus huesos,
　y ni uno solo se quebrará. **R.**

La maldad da muerte al malvado,
　y los que odian al justo serán castigados.
El Señor redime a sus siervos,
　no será castigado quien se acoge a él. **R.**

II LECTURA   Efesios 5:21–32

Lectura de la carta del apóstol san Pablo a los efesios

Hermanos:
Respétense unos a otros,
　por reverencia a Cristo:
　que las mujeres **respeten** a sus maridos,
　como si se tratara **del Señor**,
　porque el marido **es cabeza** de la mujer,
　como Cristo es cabeza y **salvador** de la Iglesia,
　que es **su cuerpo**.
Por tanto,
　así como la Iglesia **es dócil** a Cristo,
　así **también** las mujeres sean dóciles a sus maridos **en todo**.

Maridos,
　amen a sus esposas como Cristo amó a su Iglesia
　y **se entregó** por ella para santificarla,
　purificándola con el agua y la palabra,
　pues él quería presentársela a sí mismo toda **resplandeciente**,
　sin mancha ni arruga ni cosa semejante,
　sino **santa e inmaculada**.

La exhortación de Pablo extiende las obligaciones del matrimonio también a los varones. Lee con claridad las frases y apóyate en las negrillas.

Esta es la sección innovadora de la lectura. El anuncio de Cristo encuentra eco en la vida matrimonial. Lee pausadamente.

Josué, ha realizado una nueva alianza con la entrega servicial de su vida, que culminó con su pasión, muerte y resurrección. Contemplando el testimonio de su vida entregada, también nosotros somos invitados a vivir la nuestra de la misma manera. En esta Eucaristía, signo sacramental de su presencia viva, le decimos: También nosotros serviremos al Señor.

II LECTURA En la sección 4:1—6:20, el autor saca las conclusiones prácticas de la doctrina que ha expuesto en los capítulos anteriores. A partir de 5:22

pasa, de las recomendaciones generales a vivir en armonía dentro de la comunidad, a concentrarse en la familia patriarcal del siglo I, compuesta por padres, hijos y esclavos. Por eso, después del pasaje sobre los esposos, vienen secciones sobre las relaciones entre padres e hijos (6:1–4) y entre esclavos y amos (6:5–9). Este mismo esquema se encuentra también en la carta a los Colosenses 3:18—4:1, pues refleja los códigos que gobernaban las relaciones sociales en esa época.

Ya el Antiguo Testamento se había atrevido a hablar de Dios como el esposo y

de Israel, su pueblo, como la esposa (Isaías 62:5). La carta a los Efesios hace depender la relación entre los esposos cristianos, de la relación que existe entre Cristo y la iglesia. Esta analogía es la buena noticia del pasaje, a pesar de la perplejidad que sus expresiones pueden causar en los lectores, sobre todo las lectoras, de hoy.

Uno de los ejes de la carta es la revelación del misterio de salvación. Para expresarlo, el autor ha escogido la imagen del cuerpo: Cristo y los creyentes forman un solo cuerpo del que Cristo es la cabeza. Aplica ahora esa imagen a la unión conyu-

La obligación del amor del marido hacia las esposas es una novedad paulina. Dale tono enfático en tu lectura.

Así los maridos **deben amar** a sus esposas,
    como **cuerpos suyos** que son.
El que ama a su esposa se ama **a sí mismo,**
    pues nadie **jamás** ha odiado a su propio cuerpo,
    sino que **le da** alimento y calor,
    como **Cristo** hace con
        la Iglesia,
    porque somos **miembros** de su cuerpo.
Por eso **abandonará** *el hombre a su padre y a su madre,*
    se unirá a su mujer y serán los dos una **sola cosa.**
Éste es un **gran** misterio,
    y yo lo refiero a Cristo y a la Iglesia.

Forma breve: *Efesios 5:2a, 25–32*

EVANGELIO   Juan 6:55, 60–69

Lectura del santo Evangelio según san Juan

La reacción de los que escuchan el discurso es de incredulidad. Esto indica lo inusual de la expresión. Lee con hondura y claridad.

En aquel tiempo, **Jesús** dijo a los judíos:
    "Mi carne es **verdadera** comida
    y mi sangre es **verdadera** bebida".
Al oír sus palabras,
    muchos discípulos de Jesús dijeron:
    "Este modo de hablar **es intolerable**,
    ¿**quién** puede admitir eso?"

Dándose cuenta Jesús de que sus discípulos **murmuraban,**
        les dijo:
    "¿**Esto** los escandaliza?

Sin afectaciones, resaltar el tono de reproche de Jesús en esta sección del discurso.

¿Qué sería si vieran al Hijo del hombre **subir** a donde
        estaba antes?
El Espíritu es **quien da la vida;**
    la carne **para nada** aprovecha.

---

gal. Cristo se ha entregado por la iglesia, la alimenta y la hace crecer. El matrimonio entre cristianos está llamado a reflejar ese misterio.

La lectura no trata de sacralizar un modelo de convivencia que hoy ha sido ampliamente superado por la mentalidad moderna, sino mostrar cómo, en medio de los distintos modos de entender y vivir la familia, el símil entre el matrimonio cristiano y la relación entre Cristo y su iglesia, libera a la unión conyugal de cualquier modelo cultural concreto, al que desmonta y supera. Por eso, a pesar de usar palabras tan poco apreciadas hoy

como "sometimiento", Pablo no deja de exigir a los maridos una conversión inaudita para su época: amar y no mandar, donarse y no poseer, cuidar y no anular.

EVANGELIO Una vez terminado el discurso del Pan de Vida, san Juan nos muestra la reacción de los escuchas. Ya en 6:52 los adversarios de Jesús habían expresado su perplejidad. Ahora, una vez terminado el discurso, son los discípulos los que muestran su desconcierto. Imitando la reacción del pueblo de Israel en el desierto, los discípulos murmuran y se

quejan. La gente, que había reconocido a Jesús como profeta en la multiplicación de los panes (6:14), termina rechazando al mensaje y al mensajero (6:66).

El rechazo contra Jesús no es algo inesperado en el cuarto evangelio. Ya desde el prólogo, bajo la figura de la luz y las tinieblas, se había expresado la posibilidad de la aceptación y del rechazo. Esta crisis presenta la incapacidad de muchos de pasar del terreno humano (saciar el hambre) al plano espiritual (alimentarse del evangelio). Son los Doce, con Pedro a la cabeza, quienes tendrán la respuesta que Jesús espera de

Las palabras que les he dicho son **espíritu y vida**,
    y a pesar de esto, algunos de ustedes **no creen**".
(En efecto,
    Jesús sabía **desde el principio** quiénes no creían
    y quién lo habría de **traicionar**).
Después **añadió**:
    "Por eso les he dicho que **nadie** puede venir a mí,
    si el Padre no se **lo concede**".

Desde **entonces**,
    muchos de sus discípulos se echaron para **atrás**
    y ya **no querían** andar con él.
Entonces Jesús les dijo **a los Doce**:
    "¿También ustedes quieren **dejarme**?"
Simón Pedro le respondió:
    "Señor, ¿**a quién** iremos?
    Tú tienes palabras de vida eterna;
    y nosotros **creemos**
    y sabemos que **tú eres** el Santo de Dios".

La proclamación de Pedro concluye el pasaje y consuela el corazón de Jesús. Léela con aplomo.

sus discípulos: Tú tienes palabras de vida eterna. Esta proclamación coloca a los Doce en una escala de comprensión del misterio de Jesús, superior a la de quienes lo han rechazado. No obstante, es una proclamación que deberá sostenerse, porque está amenazada por la debilidad humana y la falta de fe. No es casual que el evangelio sitúe esta proclamación entre dos alusiones a la traición de Judas, uno de los Doce (6:64, 70–71).

El discurso eucarístico del capítulo 6 ha sido una lección sobre la fe en Aquél cuyo cuerpo ha sido entregado para la vida de la humanidad. También nosotros queremos alcanzar a Jesús en la fe y reconocerlo como quien tiene palabras de vida eterna. Por eso, nada más lejos de la intención de Jesús que convertir la Eucaristía en una especie de rito mágico. La comida sacramental es, sí, un medio para entrar en comunión personal con el Hijo de Dios, pero es también el compromiso de vivir este misterio en el amor fraterno. Participar de la Eucaristía, banquete mesiánico, nos obliga a seguir a Jesús. Por eso le decimos, junto con Pedro: "Señor, ¿a quién iremos?"

XXII DOMINGO ORDINARIO

I LECTURA   Deuteronomio 4:1–2, 6–8

Lectura del libro del Deuteronomio

En aquellos días,
  habló Moisés al pueblo, diciendo:
  "Ahora, Israel,
  escucha los mandatos y preceptos que te enseño,
  para que los pongas **en práctica**
  y puedas así **vivir** y entrar a tomar posesión de la tierra
    que el Señor, **Dios de tus padres,** te va a dar.

No añadirán **nada** ni quitarán **nada** a lo que les mando:
Cumplan los mandamientos del Señor **que yo** les enseño,
  como me **ordena** el Señor, mi Dios.
Guárdenlos y cúmplanlos
  porque ellos son **la sabiduría** y la prudencia de ustedes
    a los **ojos** de los pueblos.
Cuando tengan noticias de **todos estos** preceptos,
    los pueblos se dirán:
    '**En verdad** esta gran nación es un pueblo **sabio y prudente**'.

Porque, ¿**cuál** otra nación hay tan grande
  que tenga dioses **tan cercanos** como lo **está** nuestro Dios,
  siempre que lo invocamos?
¿**Cuál es** la gran nación cuyos mandatos y preceptos
  sean **tan justos** como **toda** esta ley que **ahora** les doy?"

Los mandamientos son la prenda de la alianza establecida entre Dios e Israel. Resuene en tu proclamación la voz de la Escritura que nos invita a escucharlos y cumplirlos.

Nadie más sabio que el cumple los mandamientos de Dios. Subraya en tu lectura esta expresión.

Las preguntas con que termina la lectura deben escucharse con fuerza y claridad. Pronuncia y entona correctamente.

I LECTURA Último libro del Pentateuco, el Deuteronomio se presenta como el cierre de la gran epopeya que comenzó con la salida de Israel de la casa de la esclavitud y sus cuarenta años de migración hacia la tierra prometida. En la llanura de Moab, antes de entrar en tierra de Canaán, Moisés dirige algunos discursos al pueblo y deja como legado el código de leyes que normará su vida una vez que hayan tomado posesión de la tierra prometida. El capítulo 3 había terminado con la advertencia de que Moisés no cruzaría el Jordán y quedaría a las puertas de la tierra

a la que había conducido al pueblo. Es Josué el que entraría al frente del pueblo y supervisaría la repartición de las tierras.

Nuestro pasaje inicia una larga exhortación que terminará presentando el decálogo, ley fundamental de Israel. Se trata de convencer al pueblo que no hay mejor camino para alcanzar la felicidad plena que el de cumplir los mandamientos de Dios. Es como si Moisés se convirtiera en la conciencia del pueblo, fácil para extraviarse en prácticas idolátricas. Las leyes a las que alude el pasaje tienen a Dios por autor, de manera que se convertirán en el distintivo

del pueblo y la razón de su diferencia de las otras naciones. Se trata de que Israel conserve una conciencia viva de su identidad de pueblo amado y elegido por Dios. Es el amor a Dios y su desglose en prácticas de respeto y justicia con los demás, lo que permitirá a Israel (y, más tarde, a la comunidad cristiana) dar testimonio de una manera nueva de vivir.

II LECTURA Durante cinco domingos estaremos leyendo algunos pasajes de la carta de Santiago. Esta carta, de profundas raíces judías, enfrenta uno de

Para meditar

SALMO RESPONSORIAL   Salmo 14:2–3a, 3bc–4ab, 5

R. Señor, ¿quién puede hospedarse en tu tienda?

El que procede honradamente
    y practica la justicia,
    el que tiene intenciones leales
    y no calumnia con su lengua. **R.**

El que no hace mal a su prójimo
    ni difama al vecino,
    el que considera despreciable al impío
    y honra a los que temen al Señor. **R.**

El que no presta dinero a usura
    ni acepta soborno contra el inocente.
El que así obra nunca fallará. **R.**

II LECTURA   Santiago 1:17–18, 21b–22, 27

Lectura de la carta del apóstol Santiago

Se trata de un anuncio gozoso de nuestro origen en Dios. Lee el texto con respeto y entonación.

Hermanos:
Todo beneficio y **todo don perfecto** viene de lo alto,
    del **creador** de la luz, en quien no hay **ni cambios ni sombras**.
Por su propia voluntad **nos engendró** por medio del Evangelio
    para que **fuéramos**, en cierto modo, primicias de sus creaturas.

Son tres las frases del párrafo final. Cada una debe ser pronunciada con propiedad. La tercera frase es una definición: dirige tu mirada a la audiencia cuando la leas.

Acepten **dócilmente** la palabra que ha sido **sembrada** en ustedes
    y es **capaz** de salvarlos.
Pongan en práctica esa palabra y **no se limiten** a escucharla,
    engañándose **a ustedes mismos**.
La religión pura e intachable **a los ojos** de Dios Padre,
    consiste en **visitar** a los huérfanos y a las viudas
        en sus tribulaciones,
    y **en guardarse** de este mundo corrompido.

EVANGELIO   Marcos 7:1–8, 14–15, 21–23

Lectura del santo Evangelio según san Marcos

En aquel tiempo,
    se acercaron a Jesús los fariseos y algunos escribas
        venidos de Jerusalén.

---

los temas de mayor discusión en los primeros siglos: la relación entre la fe y las obras. San Pablo, en sus cartas, se ha referido frecuentemente a este tema. La carta de Santiago parece ser un intento de evitar que la doctrina paulina sea mal interpretada: es cierto que somos salvados por la fe y no por el cumplimiento de la Ley de Moisés, como señala Pablo, pero también es cierto que no hay gracia auténtica sin una vida nueva, es decir, sin obras que manifiesten la fe que profesamos.

Nuestro pasaje toma algunos versículos de dos unidades distintas: 1:12–18, que anuncia que Dios no tienta a nadie ni hace mal las cosas. Es el ser humano quien, en mal uso de su libertad, cae en la trampa de sus propias pasiones que pueden perderlo. Para no extraviarse en el camino contará siempre con la Palabra viva de Dios. La segunda parte de la lectura, en cambio, se arranca de la unidad 1:19–27 en la que el autor invita a la coherencia entre la Palabra divina que se escucha y la respuesta del creyente, que ha de vivir una religión que no consiste en rezos o ritos, sino en la cercanía amorosa y servicial a las personas y grupos más desfavorecidos. A eso se refiere esa audaz definición de religión con la que cierra nuestra lectura: viudas y huérfanos son, en lenguaje bíblico, la personificación de los descartables, los que no tienen quien vea por ellos.

EVANGELIO La unidad 7:1–23 tiene como tema algunas de las tradiciones de la piedad judía que son criticadas por Jesús. El Maestro no desprecia las tradiciones judías. Es solamente que, anunciador de un Dios de libertad, se opone a un concepto de pureza que termina excluyendo y discriminando a los grupos que la

La pregunta centra el núcleo de la discusión entre Jesús y los fariseos. Eleva un poco el tono de voz al proclamarla.

Viendo que algunos de los discípulos de Jesús
    comían **con las manos impuras**,
    es decir, **sin** habérselas lavado,
    los fariseos y los escribas le preguntaron:
    "**¿Por qué** tus discípulos comen con manos **impuras**
    y **no siguen** la tradición de nuestros mayores?"
(Los fariseos y los judíos, **en general**,
    no comen **sin lavarse antes** las manos hasta el codo,
    siguiendo la tradición **de sus mayores**;
    al volver del mercado,
    no comen **sin hacer primero**
        las abluciones,
    y observan **muchas otras cosas** por tradición,
    como **purificar** los vasos, las jarras y las ollas).

Con la cita del profeta Jesús refuerza su argumentación. Léela con aplomo pero sin exageraciones.

Jesús les contestó:
    "**¡Qué bien** profetizó Isaías sobre ustedes,
    hipócritas, cuando escribió:
*Este pueblo me honra **con los labios**,
    pero su corazón **está lejos** de mí.
Es **inútil** el culto que me rinden, porque enseñan **doctrinas**
        que no son sino preceptos **humanos**!*
Ustedes dejan a un lado **el mandamiento** de Dios,
    para **aferrarse** a las tradiciones de los hombres".

Después, Jesús llamó a la gente y **les dijo**:
    "**Escúchenme** todos y **entiéndanme**.
Nada que entre **de fuera** puede **manchar** al hombre;
    lo que **sí** lo mancha es lo que **sale de dentro**;
    porque **del corazón** del hombre salen las intenciones **malas**,
    las fornicaciones, **los robos**, los homicidios, los adulterios,
    las codicias, **las injusticias**, los fraudes,
    el desenfreno, **las envidias**, la difamación,
        el orgullo y la frivolidad.
Todas estas maldades salen **de dentro** y manchan al hombre".

sociedad rechaza: pobres, enfermos, pecadores, mujeres y extranjeros. Las leyes que deben cumplirse, en orden al Reino que Jesús anuncia, son aquellas que liberan de las esclavitudes y se ponen al servicio de la vida plena de las personas.

Ante la crítica de sus adversarios, Jesús condena un culto sin justicia en la línea de muchos profetas (Isaías 29:13; 58:1–12; Jeremías 7:1–28; Amós 5:18–25). Jesús trata de desmantelar la posición de quienes, pretextando la Palabra de Dios, quieren controlar a la gente con costumbres que producen exclusión (ver 7:9–13, omitido de la lectura

litúrgica). Por eso, la conclusión de la lectura es que Dios creó todas las cosas puras y es el corazón humano el que dota de bondad o maldad a las acciones. Lo que hace a una persona pura a los ojos de Dios es la práctica del amor y la solidaridad. De ahí también es de donde brotan las impurezas descritas en las 13 acciones enumeradas por el pasaje.

Es, por tanto, el corazón humano y no las costumbres externas lo que constituye la fuente de moralidad para el cristiano. Una pureza que se alimenta de injusticias no es auténtica. Jesús nos ofrece así un criterio

para la correcta interpretación de todas las leyes religiosas.

XXIII DOMINGO ORDINARIO

I LECTURA   Isaías 35:4–7a

Lectura del libro del profeta Isaías

Esto dice el Señor:
   "**Digan** a los de corazón apocado:
   '**¡Ánimo! No teman**.
He aquí que su Dios,
   vengador y **justiciero**,
   viene ya para salvarlos'.

Se **iluminarán** entonces los ojos de los ciegos
   y los oídos de los sordos **se abrirán**.
Saltará como un venado el cojo
   y la lengua del mudo **cantará**.

Brotarán aguas en el desierto
   y **correrán** torrentes en la estepa.
El páramo se convertirá **en estanque**
   y la tierra seca, **en manantial**".

El anuncio es gozoso y debe provocar esperanza. Lee con entusiasmo la frase entrecomillada.

I LECTURA Los capítulos 34 y 35 de Isaías traen un mensaje vigoroso: se trata del anuncio de castigo para los edomitas, un pueblo que se aprovechó de Israel cuando éste fue invadido por Babilonia, a quien le anuncia un trágico final (capítulo 34), y el anuncio sereno y gozoso de un futuro lleno de bendiciones para Jerusalén, símbolo del pueblo de la alianza (capítulo 35). Ambos capítulos forman una dupla de juicio y restauración.

Del capítulo 35 está tomado nuestro pasaje. Se trata de un augurio de bendición referido a la Jerusalén que retorna después del exilio. Es un canto de regocijo por la restauración, que implica una prosperidad integral, material y espiritual, que hace que el profeta exulte de gozo. La restauración abarca todos los ámbitos de la vida: desde la naturaleza (vv. 1–2), hasta los seres humanos, particularmente aquellos que se ven aquejados por impedimentos físicos que estorban para la comunión con los demás: ciegos, sordos y paralíticos (vv. 3–6). Al gozo por la prosperidad se une también el progreso espiritual, pues el pueblo que retorna deberá caminar por la senda del Señor (v. 8).

El proyecto de Dios, anunciado por este pasaje, tiene resonancias cósmicas. Agua en el desierto, defensa ante los animales feroces, recuperación de habilidades físicas, todo nos habla de un mundo transformado por la presencia y la acción de Dios. Los cristianos hemos ya experimentado, en la pascua de Jesús, el inicio de este mundo nuevo. Restaurarlo todo en Cristo es nuestra misión y nuestro gozo.

II LECTURA Nuestra lectura está tomada de la unidad 2:1–13 que hemos de leer completa para una mayor

Para meditar

SALMO RESPONSORIAL   Salmo 145:7, 8–9a, 9bc–10

R. Alaba, alma mía, al Señor.
O bien: Aleluya.

El Dios de Jacob mantiene su fidelidad
    perpetuamente,
  que hace justicia a los oprimidos,
  que da pan a los hambrientos.
El Señor liberta a los cautivos. **R.**

El Señor abre los ojos al ciego,
  el Señor endereza a los que ya se doblan,
  el Señor ama a los justos,
  el Señor guarda a los peregrinos. **R.**

El Señor sustenta al huérfano y a la viuda
  y trastorna el camino de los malvados.
  El Señor reina eternamente,
  tu Dios, Sión, de edad en edad. **R.**

II LECTURA   Santiago 2:1–5

Lectura de la carta del apóstol Santiago

Hermanos:
Puesto que ustedes **tienen fe** en nuestro Señor Jesucristo
    glorificado,
  no tengan favoritismos.
Supongamos que entran al **mismo tiempo** en su reunión
  un hombre con un anillo de oro, **lujosamente** vestido,
  y un pobre **andrajoso,**
  y que **fijan ustedes** la mirada
  en el que lleva el traje **elegante** y
  le dicen:
  "Tú, **siéntate aquí**, cómodamente".
En cambio, le dicen al pobre:
  "Tú, **párate allá**
    o siéntate aquí **en el suelo,** a mis pies".
¿No es esto tener **favoritismos** y juzgar con criterios **torcidos?**

Queridos hermanos,
  ¿**acaso** no ha elegido Dios **a los pobres** de este mundo
    para hacerlos **ricos** en la fe
  y **herederos** del Reino que prometió **a los que lo aman?**

El bautismo nos ha hecho hermanos y ninguna discriminación ha de ser aceptada entre nosotros. El ejemplo planteado por el autor debe ser leído con tono parabólico y exhortativo.

La elección de los pobres por parte de Dios debe llevarnos al auxilio mutuo. Proclama con fuerza esta opción de Dios.

comprensión del mensaje. La escena es elocuente: se ha colado entre los miembros de la comunidad cristiana la idolatría de la riqueza, que produce la desigualdad y la discriminación de los más pobres. El ingreso de personas ricas al seno de las comunidades causó que algunos dirigentes dieran mejor trato a las personas más acomodadas y mayor honor a quien ostenta poder. Aún en nuestros días; es frecuente que el poder y el dinero confieran un aura de respetabilidad que negamos a los pobres.

El comportamiento ante los pobres aparece aquí como criterio definitivo para la

fe. La enseñanza es clara: la discriminación a los pobres es incompatible con la fe cristiana. El pasaje de 2:1–13 presenta varias razones en contra de la discriminación social. En primer lugar, se va contra la voluntad misma de Dios manifestada en la revelación de Antiguo Testamento: quien desprecia a los pobres obra contrariamente a la manera como Dios ha obrado siempre (2:5–6a). Dos razones más se ofrecen en la sección omitida en la lectura litúrgica: por un lado, la discriminación a los pobres muestra falta de sentido común, pues son precisamente los ricos los que oprimen y

arrastran a los tribunales a las personas (2:6b–7). Por último, la acepción de personas no sólo es contraria a la permanente actitud de Dios, sino que es contraria también a la Ley que él nos ha dado, lo que nos hace transgresores de la alianza (2:8–13).

EVANGELIO Estamos ante un milagro realizado en la región de Decápolis, un territorio pagano. Jesús quiere llevar su mensaje de salvación a todos los pueblos. En este sentido, nuestro pasaje hace pareja con el antecedente (Marcos 7:24–30), realizado en esa misma región, en

EVANGELIO   Marcos 7:31–37

Lectura del santo Evangelio según san Marcos

En aquel tiempo,
   salió Jesús de la región de Tiro y vino de nuevo, por Sidón,
   al mar de Galilea,
   atravesando la región de Decápolis.
Le llevaron entonces a un hombre **sordo y tartamudo**,
   y le suplicaban que **le impusiera** las manos.
Él **lo apartó** a un lado de la gente,
   le **metió** los dedos en los oídos
       y **le tocó** la lengua con saliva.
Después, mirando al cielo, **suspiró** y le dijo:
   "**¡Effetá!**"
   (que quiere decir "¡Ábrete!").
Al momento se le **abrieron** los oídos,
   se **le soltó** la traba de la lengua
   y empezó a hablar
       sin dificultad.

Él les mandó que no lo dijeran a **nadie**;
   pero cuanto **más** se lo mandaba,
   ellos con **más insistencia** lo proclamaban;
   y todos estaban **asombrados** y decían:
   "**¡Qué bien** lo hace todo!
Hace **oír** a los sordos y **hablar** a los mudos".

El relato es vívido en sí mismo. Procura leer con claridad pero sin afectaciones, evitando tonos dramáticos.

Haz una pausa después de la traducción del arameo. Lo que sigue es el resultado de la acción del Maestro.

El pasaje tiene un final coral, con una aclamación del pueblo. Debe ser leída con el mismo entusiasmo que la acción de Jesús despertó en los testigos del milagro.

---

el que Jesús, después de algunas reticencias, queda admirado de la fe de una mujer siriofenicia y cura a su hija.

Se trata ahora de un hombre sordo y tartamudo. La versión griega del Antiguo Testamento usa el mismo adjetivo "tartamudo" en Isaías 35:4–6, pasaje que hemos escuchado proclamado en la primera lectura. Marcos quiere enseñarnos que es en la persona de Jesús donde se realiza la presencia de Dios, prometida en el texto profético.

Nos extraña un poco algunos gestos de Jesús, como poner su saliva en la lengua del enfermo. No hay nada de magia en ello: la saliva era considerada en esos tiempos como un factor curativo, con propiedades terapéuticas. Jesús repetirá este gesto en la curación de un ciego (Marcos 8:23). La dificultad de la curación queda patente además en el suspiro y en el imperativo arameo "ábrete", con el que devuelve la salud al enfermo.

Como Dios al principio de la creación, Jesús es alabado por la muchedumbre como aquél que hace todo bien (Génesis 1:31). La cerrazón del mundo pagano hacia el evangelio va cediendo paulatinamente con estas acciones del Nazareno. El encuentro personal con Jesús tiene la fuerza, también hoy, para salvarnos de nuestra sordera y capacitarnos para proclamar la obra de Dios.

XXIV DOMINGO ORDINARIO

La vocación del siervo de Yahvé es insólita porque implica el sufrimiento. Lee respetando la puntuación y sin dramatismo innecesario.

La presencia cercana de Dios consuela al profeta en medio de las dificultades. Lee con seguridad.

Haz una pausa antes de los dos últimos renglones y léelos con tono de conclusión.

I LECTURA   Isaías 50:5–9a

Lectura del libro del profeta Isaías

En aquel entonces, dijo **Isaías**:
 "El Señor **Dios** me ha hecho oír sus **palabras**
  y yo no he opuesto **resistencia**,
  ni me he **echado** para **atrás**.
 Ofrecí la **espalda** a los que me **golpeaban**,
  la **mejilla** a los que me **tiraban** de la barba.
 No **aparté** mi rostro de los **insultos** y **salivazos**.

 Pero el Señor me **ayuda**,
  por eso no quedaré **confundido**,
  por eso endurecí mi **rostro** como **roca**
  y sé que no quedaré **avergonzado**.
 Cercano está de mí el que me hace **justicia**,
  ¿quién luchará **contra** mí?
 ¿Quién es mi **adversario**? ¿Quién me **acusa**?
 Que se me **enfrente**.
 El Señor es mi **ayuda**,
  ¿quién se **atreverá** a **condenarme**?"

I LECTURA Los cánticos del Siervo de Yahvé son cuatro extraordinarios poemas contenidos en la segunda parte del libro de Isaías. Fueron pasajes que resultaron iluminadores para la primera generación cristiana, que vio en ellos un anuncio de los sufrimientos del Mesías.

Escuchamos hoy el tercer cántico, que pone el acento en la escucha de la Palabra del Señor. El siervo es un discípulo cuya misión es consolar. Para ello, es imprescindible que aprenda primero. Su aprendizaje implica abrir los oídos a la palabra de Dios y estar dispuesto a enseñarla y transmitirla como instrumento de aliento para las personas que sufren.

Esta tarea, sin embargo, traerá al siervo un enfrentamiento con sus enemigos. Será sometido a un juicio. La descripción de los sufrimientos por los que el siervo tendrá que pasar son estremecedores: bofetadas, vergonzosos jalones de barba, insultos y escupitajos en la cara. Pero hay una extraña serenidad en el siervo, a pesar de las ofensas: el Señor mismo es quien lo defenderá. Es Dios mismo quien ha de salir en su defensa.

Dicha seguridad capacita al siervo en el ejercicio de la no violencia. De forma parecida al profeta Jeremías (Jeremías 11:18), el siervo asume el sufrimiento sin concebir deseos de venganza en el corazón, la hostilidad y las agresiones serán soportadas en silencio y sin desquites. Los versículos 10–11, omitidos en la lectura litúrgica, terminan presentando la experiencia del siervo como una enseñanza para todos; hay que confiar en Dios, que el enemigo caerá víctima de su propia violencia.

Para meditar

SALMO RESPONSORIAL   Salmo 114:1–2, 3–4, 5–6, 8–9

R. Caminaré en presencia del Señor, en el país de la vida.
O bien: **Aleluya.**

Amo al Señor,
    porque escucha mi voz suplicante;
    porque inclina su oído hacia mí,
    el día que lo invoco. **R.**

Me envolvían redes de muerte,
    me alcanzaron los lazos del abismo,
    caí en tristeza y angustia.
Invoqué el nombre del Señor:
    "Señor, salva mi vida". **R.**

El Señor es benigno y justo,
    nuestro Dios es compasivo;
    el Señor guarda a los sencillos:
    estando yo sin fuerzas me salvó. **R.**

Arrancó mi alma de la muerte,
    mis ojos de las lágrimas,
    mis pies de la caída.
Caminaré en presencia del Señor,
    en el país de la vida. **R.**

II LECTURA   Santiago 2:14–18

Lectura de la carta del apóstol Santiago

Hermanos míos:
¿De qué le **sirve** a uno decir que tiene **fe**,
    si no lo **demuestra** con **obras**?
¿Acaso podrá salvarlo esa **fe**?

Supongamos que algún hermano o hermana **carece** de ropa
    y del alimento **necesario** para el día,
    y que uno de **ustedes** le dice:
    "Que te vaya bien; **abrígate** y **come**",
    pero no le da lo **necesario** para el **cuerpo**,
    ¿de qué le **sirve** que le digan eso?
Así pasa con la fe;
    si no se traduce en **obras**,
    está completamente **muerta**.

Quizá alguien podría decir:
    "Tú tienes **fe** y yo tengo **obras**.
A ver cómo, **sin obras**, me demuestras tu **fe**;
    yo, **en cambio**,
    con mis **obras** te demostraré mi **fe**".

El primer párrafo es introductorio y plantea el núcleo de la exhortación. Lee claramente y con entonación.

El ejemplo está tomado de la vida comunitaria y muestra la inconsistencia de los discursos que no se verifican en la ayuda mutua. Sube un poco el tono en los tres últimos renglones del párrafo.

La frase final concluye el pasaje. Es importante respetar la puntuación.

II LECTURA El tema de la fe y de las obras es el eje alrededor del cual gira toda la Carta de Santiago. Comienza Santiago con una provocación: ¿Qué provecho saca uno cuando dice que tiene fe, pero no la demuestra con su manera de actuar? El autor no quiere afirmar que la fe sea innecesaria para salvarse, pero quiere señalar que esta fe no puede ser solamente teórica, sino que tiene que manifestarse necesariamente en actos. Son las obras de amor y de servicio las que servirán como criterio para verificar si la fe es auténtica o no, de la misma manera que Jesucristo lo anunció en Mateo 7:21

Para reafirmar la necesidad de una buena relación entre la fe y las obras, propone un ejemplo: un hermano o hermana andan medio desnudos, faltos del sustento cotidiano, y la única ayuda que recibe es un "pueden irse en paz", sin dar al necesitado lo que le hace falta. Es posible que el autor se refiera al saludo tradicional de despedida de los judíos, saludo asumido después por los cristianos en su liturgia y lo pronunciaban los diáconos al final de la celebración para despedir a la comunidad. Esta fórmula pervive hasta hoy en el rito de despedida de la Misa. Se encierra aquí una velada crítica al culto desencarnado y al divorcio entre la fe y las obras. Un culto sin atención a los necesitados de la comunidad es un culto muerto.

A quienes nos proclamamos cristianos, pero olvidamos la justicia y la misericordia, la lectura nos recuerda que fe y obras caminan juntas, pues solamente la compasión verifica la fe que se profesa.

EVANGELIO El pasaje de la confesión de Pedro en Cesarea, cierra la primera parte del evangelio de Marcos. Se

EVANGELIO   Marcos 8:27–35
Lectura del santo Evangelio según san Marcos

La narración tiene su propio ritmo. La lectura ha de ser pausada. Las dos preguntas deben ser subrayadas.

En aquel tiempo,
   Jesús y sus discípulos se **dirigieron** a los poblados
      de **Cesarea de Filipo**.
Por el camino les hizo esta **pregunta**:
   "**¿Quién** dice la gente que soy **yo**?"
Ellos le **contestaron**:
   "**Algunos** dicen que eres Juan el **Bautista**;
   otros, que **Elías**;
   y otros, que alguno de los **profetas**".

La proclamación de Pedro es fundamental. Da relevancia a su respuesta.

Entonces él les preguntó:
   "Y **ustedes**, ¿**quién** dicen que soy **yo**?"
Pedro le respondió:
   "**Tú** eres el **Mesías**".
Y él les ordenó que **no** se lo dijeran a **nadie**.

La explicación de Jesús quiere aclarar qué tipo de Mesías es. Tiene tono exhortatorio.

Luego se puso a explicarles que era **necesario**
      que el **Hijo**
         del hombre padeciera **mucho**,
      que fuera **rechazado** por los **ancianos**,
      los **sumos sacerdotes** y los **escribas**,
      que fuera entregado a la **muerte** y **resucitara** al tercer día.

El reproche a Pedro lo invita a volver a ponerse detrás de Jesús. Debe ser leído con firmeza.

Todo esto lo dijo con **entera** claridad.
Entonces **Pedro** se lo llevó **aparte** y trataba de **disuadirlo**.
Jesús se volvió, y mirando a sus discípulos, **reprendió** a **Pedro**
      con estas palabras:
   "**¡Apártate** de mí, **Satanás**!
Porque tú no **juzgas** según **Dios**, sino según los **hombres**".

La llamada al seguimiento concluye la escena. Haz contacto visual con la audiencia cuando la leas.

Después llamó a la **multitud** y a sus discípulos, y les **dijo**:
   "El que quiera venir conmigo, que **renuncie** a sí mismo,
   que cargue con su **cruz** y que me **siga**.
Pues el que quiera **salvar** su vida, la **perderá**;
   pero el que **pierda** su vida por mí y por el **Evangelio**,
    la **salvará**".

trata de una especie de evaluación que Jesús realiza para calibrar si su anuncio del Reino de su Padre, y la revelación de su identidad, ha tenido resultado y hasta dónde. Las referencias apuntan a que Jesús va siendo reconocido como un profeta. Ante la pregunta "quién dicen que soy yo" dirigida después a los discípulos, la respuesta de Pedro afirma la mesianidad de Jesús.

A partir de este momento, el propósito de Jesús pasará, de la revelación de su identidad de Mesías, a la revelación del sentido de su misión: qué clase de Mesías es, uno que afrontará incluso el sufrimiento y la

muerte por fidelidad a su Padre. Nuestro pasaje contiene también la primera de las tres ocasiones en que Jesús anunciará su pasión. Esto provocará desconcierto en los discípulos, que deberán cambiar su perspectiva de un Mesías triunfante y de un discipulado de honores y gloria.

Pedro encarna la dificultad que enfrentarán los discípulos ante esta nueva revelación de Jesús y regaña a su Maestro. Pero el confrontado resulta Pedro, que es llamado a regresar a su puesto de discípulo: ponte detrás de mí (en lugar de la menos exacta traducción: apártate de mí). La invitación de

Jesús a sus discípulos es a compartir las exigencias que comporta anunciar con la vida el Reino de Dios y estar dispuesto a dar la vida por la causa del Reino. De no hacerlo, nos convertimos en adversarios, que es lo que quiere decir Satanás.

XXV DOMINGO ORDINARIO

I LECTURA   Sabiduría 2:12, 17–20

Lectura del libro de la Sabiduría

La primera frase es clave para la comprensión de toda la lectura. Inicia cuando todos estén ya sentados y atentos.

Los **malvados** dijeron entre sí:
"Tendamos una **trampa** al justo,
porque nos **molesta** y se **opone** a lo que hacemos;
nos echa en cara nuestras **violaciones** a la **ley**,
nos reprende las **faltas**
        contra los **principios** en que fuimos **educados**.

La intención de humillar y matar brota del enojo de los malvados ante la vida del justo. No pierdas el hilo y respeta la puntuación.

Veamos si es **cierto** lo que dice,
        vamos a ver qué le pasa en su **muerte**.
Si el **justo** es **hijo** de Dios,
        él lo **ayudará** y lo **librará** de las manos de sus **enemigos**.
Sometámoslo a la **humillación** y a la **tortura**,
        para conocer su **temple** y su **valor**.
Condenémoslo a una **muerte ignominiosa**,
        porque dice que hay quien **mire** por él".

Para meditar

SALMO RESPONSORIAL   Salmo 53:3–4, 5, 6, 8

R. El Señor sostiene mi vida.

Oh Dios, sálvame por tu nombre,
        sal por mí con tu poder.
Oh Dios, escucha mi súplica,
        atiende mis palabras. **R.**

Porque unos insolentes se alzan contra mí,
        y hombres violentos me persiguen
                a muerte,
        sin tener presente a Dios. **R.**

Pero Dios es mi auxilio,
        el Señor sostiene mi vida.
Te ofreceré un sacrificio voluntario
        dando gracias a tu nombre que
                es bueno. **R.**

I LECTURA El libro de la Sabiduría antecede por muy poco tiempo a la era cristiana. Escrito hacia la mitad del siglo I a. C., este libro defiende la legitimidad de la religión y la moral judías, ante una multiplicidad de creencias que pululaban en tiempos en que la cultura griega era el modo predominante de vivir. En el primer capítulo, el autor ha dejado claro que la voluntad de Dios es la vida feliz de los seres humanos. La bondad del mundo creado refleja la bondad de su Creador y quienes son verdaderamente sabios, tratan de vivir de acuerdo con este plan divino.

Ahora, en 2:1–24, el autor presenta algunas de las ideas que se contraponen al ideal de sabiduría. La reflexión de los malvados se describe en 2:1–20. Se trata de quienes siguen el pensamiento del filósofo Epicuro y niegan la vida después de la muerte: el ser humano es fruto del azar y su recuerdo se esfuma después de la muerte. Así, sin horizonte trascendente, rápidamente se deslizan a conductas que hacen daño a los demás: disfrutan de la vida sin interesarse de la suerte de los demás, oprimen a los pobres para satisfacer sus lujos, desprecian a los ancianos y a los débiles y tratan de eliminar a

las personas que obran bien, porque son un reproche vivo a su mala conducta.

Este modo de pensar será confrontado en 2:21–24, cuando el autor presente la inmortalidad como la recompensa a quienes viven con justicia y trabajan por un mundo más humano. Esta esperanza es la fuerza de los justos.

II LECTURA El pasaje dirige estas duras palabras en contra de algunos miembros de la comunidad que viven en medio de conflictos y competencias. En 1:27 el autor ha definido la verdadera reli-

II LECTURA   Santiago 3:16—4:3

Lectura de la carta del apóstol Santiago

La diferencia entre las obras buenas y las obras de sabiduría debe notarse en la proclamación.

Hermanos míos:
Donde hay envidias **y rivalidades**,
   ahí hay **desorden** y **toda clase** de obras malas.
Pero los que tienen la sabiduría que **viene de Dios**
      son puros, ante todo.
Además, son **amantes** de la paz, comprensivos, **dóciles**,
   están **llenos** de misericordia y buenos frutos,
      son imparciales y **sinceros**.
Los pacíficos **siembran** la paz y cosechan frutos **de justicia**.

Los conflictos provienen de las pasiones interiores. Dale entonación clara a las dos preguntas.

¿De dónde vienen las luchas y los conflictos **entre ustedes**?
¿No es, **acaso**, de las malas pasiones,
   que **siempre** están en guerra **dentro** de ustedes?
Ustedes **codician** lo que no pueden tener
   y acaban **asesinando**.
Ambicionan algo que **no pueden** alcanzar,
   y entonces **combaten** y hacen la guerra.
Y si no lo alcanzan,
   es porque **no se lo piden** a Dios.
O si se lo piden y **no lo reciben**,
   es porque **piden mal**,
      para **derrocharlo** en placeres.

Los reproches finales no son regaños, sino reflexiones y advertencias del apóstol. Evita el tono de enojo y reclamo.

gión como la práctica de la caridad y la solidaridad con las personas vulnerables (viudas y huérfanos) y la capacidad de mantenerse incontaminado del mundo. Esta tarea no puede llevarse adelante sin problemas. La tentación de la comunidad es la de volver atrás y adaptarse, comprometerse con las estructuras antievangélicas que dominan en el mundo. Se trata de una guerra que tiene lugar, no sólo en el corazón de cada cristiano y cristiana, sino en el ámbito más amplio de la comunidad, donde se multiplican los conflictos y el afán de competencia.

Dos eran los fundamentos que hicieron de Israel un pueblo santo: el primero es el amor de Dios que lo convirtió, entre todas las naciones, en pueblo de su propiedad. El segundo, es el hecho de que Israel queda obligado a vivir en el orden social que Dios le ha regalado y que lo sitúa en fuerte contraste con el ordenamiento social de todos los pueblos restantes (Levítico 20:26). Lo mismo ocurre ahora en el nuevo pueblo los bautizados. Jesús ha convocado a sus discípulos a conformar el verdadero, escatológico Israel, en el que ha de vivirse el orden social del reino de Dios. Por eso nos llama

en el evangelio a renunciar a todo tipo de dominación. Esto implica que la comunidad cristiana entre en contraste con las sociedades que se basan en la violencia y en el poder de dominación.

EVANGELIO En la lectura continua que hacemos del evangelio de san Marcos, leemos hoy el segundo anuncio de la pasión, seguido por una conversación de Jesús con sus discípulos. El texto insiste en que Jesús no quería que se supiera de su paso por Galilea, lo que significa que la enseñanza que dará no es para la multitud.

EVANGELIO Marcos 9:30–37

Lectura del santo Evangelio según san Marcos

En la primera parte de la lectura se halla el anuncio de la pasión. Lee de corrido, pero sin apresurarte.

En aquel tiempo,
   Jesús **y sus discípulos** atravesaban Galilea,
   pero él no quería que **nadie** lo supiera,
   porque iba **enseñando** a sus discípulos.
Les decía:
   "El Hijo del hombre **va a ser entregado**
   en manos de los hombres;
   le darán muerte,
   y **tres días** después de muerto, **resucitará**".
Pero ellos **no entendían** aquellas palabras
   y tenían **miedo** de pedir explicaciones.

Haz un corte en la lectura y retoma esta sección que es privada, íntima entre Jesús y sus discípulos.

Llegaron a **Cafarnaúm**,
   y una vez en casa, les preguntó:
   "¿De qué **discutían** por el camino?"
Pero ellos se quedaron **callados**,
   porque en el camino habían discutido
      sobre **quién** de ellos era el **más importante**.
Entonces Jesús se sentó, llamó a **los Doce** y les dijo:
   "Si alguno quiere ser **el primero**,
   que sea el último **de todos** y **el servidor** de todos".

Subraya la acción de Jesús en tu proclamación. Jesús sigue ofreciend su mensaje a través de lo que hace.

Después, tomando a **un niño**,
   lo puso en medio de ellos, **lo abrazó** y les dijo:
   "El que reciba **en mi nombre** a uno de estos niños,
   a mí me recibe.
Y el que me reciba **a mí**,
   no me recibe a mí,
   sino a aquel que **me ha enviado**".

Nuestro pasaje pone en evidencia la falta de comprensión de los discípulos, pues el Maestro acaba de anunciarles que tendrá que sufrir y ellos caminan discutiendo acerca de quién entre ellos era el más grande. En la visión triunfalista que tienen de la misión del Mesías, no entienden que Jesús tenga que enfrentar sufrimientos y muerte.

Jesús, llegado a la casa en Cafarnaúm, interviene en la discusión de los discípulos y encuentra silencio. Que ellos no puedan articular palabra indica el grado de dificultad que tienen para comprender las enseñanzas radicales de su Maestro. El adagio con que Jesús responde es clarísimo: entre los cristianos el ejercicio del poder deberá ser un servicio a los demás y no ansia de dominio o de prestigio humano.

Jesús completa su enseñanza realizando un gesto simbólico: abraza a un niño, escenificando la inversión de valores que conlleva su seguimiento. En la sociedad judía del siglo I, la infancia no tenía estatuto de reconocimiento y vivía en una dependencia sólo comparable a la de un esclavo. Los discípulos quedan así invitados a acoger a las personas que la sociedad juzga como insignificantes o sin valor, acogiendo así al mismo Jesús.

XXVI DOMINGO ORDINARIO

El pasaje es de por sí atractivo y entretenido. Basta que sigas el relato con la entonación correcta para que sea comprendido por la asamblea.

La ausencia de Eldad y Medad dan origen a la queja ante Moisés. Apóyate en las negrillas.

En la sección final, hay que dar relevancia a la petición de Josué. La respuesta de Moisés es la culminación de la lectura, debe resonar con claridad y firmeza.

I LECTURA   Números 11:25–29

Lectura del libro de los Números

En aquellos días,
    el Señor **descendió** de la nube y **habló** con Moisés.
Tomó del **espíritu** que **reposaba** sobre Moisés
    y se lo dio a los **setenta** ancianos.
Cuando el espíritu **se posó** sobre ellos,
    se pusieron a **profetizar**.

Se habían **quedado** en el campamento dos hombres:
    uno llamado **Eldad** y otro, **Medad**.
También sobre ellos se **posó** el espíritu,
    pues aunque no habían ido a la reunión,
    eran de los **elegidos**
    y ambos comenzaron a **profetizar** en el **campamento**.

Un **muchacho** corrió a **contarle** a Moisés
    que Eldad y Medad estaban **profetizando** en el **campamento**.
Entonces **Josué**, hijo de Nun,
    que desde **muy joven** era **ayudante** de Moisés, le dijo:
    "Señor mío, **prohíbeselo**".
Pero **Moisés** le **respondió**:
    "¿Crees que voy a ponerme **celoso**?
Ojalá que todo el **pueblo** de Dios fuera **profeta**
    y **descendiera** sobre todos ellos el **espíritu del Señor**".

I LECTURA | El libro de los Números, el menos popular del pentateuco, nos narra los avatares de la travesía de Israel por el desierto antes de que entre a tomar posesión de la tierra prometida. Moisés es, pues, su personaje principal. Ya desde 11:1–15, Moisés se queja ante Dios del peso que significa cuidar del pueblo. Dios le propone un programa de división del trabajo y lo invita a elegir 70 colaboradores: no acepta su dimisión, sino que lo provee de la ayuda que necesita. La creación de este consejo está contada dos veces más en el Pentateuco (Éxodo 18:13–26 y Deuteronomio 1:9–27). Lo singular de nuestro relato es que Dios añade un elemento ausente en los otros pasajes: el Espíritu de Dios convierte a estos ancianos colaboradores en profetas.

La vuelta de tuerca del relato se encuentra en la ausencia de dos de los varones nombrados como colaboradores de Moisés en el momento del derramamiento del Espíritu. Pero el Espíritu desciende también sobre ellos y comienzan a profetizar. Josué, ayudante de Moisés, se enoja y pide a Moisés prohibir a dichos hombres profetizar. Pero Dios y Moisés tienen otros planes: quisieran que la sabiduría de conducirse según la voluntad de Dios se extendiera, en vez de restringirse. La acción del Espíritu no está atada al poder institucional. Como nos recuerda Jeremías 31:34, todos pueden poner los dones recibidos al servicio de la comunidad. ¿Cómo no recordar la palabra del Cuarto evangelio, "el Espíritu sopla donde quiere y nadie sabe de dónde viene y a dónde va"?

II LECTURA | Este pasaje de la carta de Santiago propone a consideración de los ricos su futuro escatológico,

Para meditar

SALMO RESPONSORIAL   Salmo 18:8, 10, 12–13, 14

R. Los mandatos del Señor alegran el corazón.

La ley del Señor es perfecta
  y es descanso del alma;
  el precepto del Señor es fiel
  e instruye al ignorante. **R.**

La voluntad del Señor es pura
  y eternamente estable;
  los mandamientos del Señor son
  verdaderos y enteramente justos. **R.**

Aunque tu siervo vigila
  para guardarlos con cuidado,
  ¿quién conoce sus faltas?
Absuélveme de lo que se me oculta. **R.**

Preserva a tu siervo de la arrogancia,
  para que no me domine:
  así quedaré libre e inocente
  del gran pecado. **R.**

II LECTURA   Santiago 5:1–6

Lectura de la carta del apóstol Santiago

Lloren y **laméntense**,
  ustedes, **los ricos**,
  por las desgracias que **les esperan**.
Sus riquezas se han **corrompido**;
  la polilla se **ha comido** sus vestidos;
  enmohecidos están su oro y su plata,
  y ese moho será una prueba **contra ustedes**
  y **consumirá** sus carnes, como el fuego.
Con esto ustedes han atesorado **un castigo** para los últimos días.

El salario que **ustedes** han **defraudado**
  a los trabajadores que segaron sus campos
  está **clamando** contra ustedes;
  sus gritos **han llegado** hasta el oído del Señor de los ejércitos.
Han vivido ustedes en este mundo entregados **al lujo y al placer**,
  engordando como reses para el **día** de la matanza.
Han condenado a los **inocentes** y los han matado,
  porque **no podían** defenderse.

Se trata de una lamentación que intenta mover los corazones. Proclama la lectura con tono profético.

Las acciones de los ricos que son mencionadas son terribles. Mantén el tono duro y amenazador, pero sin que suene a condena sin remedio.

---

pero lo hace con el lenguaje duro y directo de los profetas, planteando los infortunios que esperan a los ricos como si ya hubieran ocurrido. La posición de los ricos aparece como doblemente negativa: en primer lugar, su riqueza es perecedera, caduca, no durará, así que su desmedido afán resulta vano. En segundo lugar, los ricos, sin darse cuenta, acumulan material para su condena dado que su riqueza tiene un origen injusto, pues ha sido arrebatada a los pobres, dañando el derecho de los trabajadores. El Dios que oye el clamor de los oprimidos es el Señor de los Ejércitos, el jefe de las armadas celestes,

que no es un Dios inoperante o imparcial, sino el campeón y comandante de la causa de los pobres.

Hay dos aspectos de la injusticia de los ricos: la causalidad (son ricos precisamente porque existen pobres) y la contemporaneidad (son ricos al mismo tiempo que otros son pobres). Recordamos aquí la frase de Pablo VI: "Nadie tiene derecho a lo superfluo, mientras alguien carezca de lo indispensable". La comparación de los ricos con los "bueyes de la matanza" trata de despertar la inconciencia de los ricos y sacudir sus corazones endurecidos. Una palabra final

(5:6) recuerda otro tema socorrido en el Antiguo Testamento: los juicios injustos contra los pobres, particularmente repugnantes, porque, ante la venalidad de los jueces, los pobres justos están indefensos.

EVANGELIO Partiendo de la discusión de los discípulos sobre quién es el más grande, Jesús inicia una instrucción en la que aborda diversos temas. Los discípulos no alcanzan a comprender la radicalidad del mensaje de Jesús: el poder en la nueva comunidad de discípulos ha de ser servicio a la vida, no afán de dominio.

EVANGELIO   Marcos 9:38–43, 45, 47–48

Lectura del santo Evangelio según san Marcos

Son cuatro párrafos distintos los que componen la lectura. Cada uno debe leerse con tono propio, para ser distinguido.

En aquel tiempo,
Juan le dijo a Jesús:
"Hemos visto a uno que **expulsaba** a los demonios
en tu nombre,
y como **no es** de los nuestros, se lo **prohibimos**".
Pero Jesús le respondió:
"**No** se lo prohiban,
porque no hay **ninguno** que haga milagros **en mi nombre**,
que luego sea capaz de hablar mal **de mí**.
Todo aquél que no está **contra** nosotros, está a **nuestro** favor.

La promesa debe llenar de esperanza el corazón del oyente. Lee con tono de reconocimiento.

Todo aquél que **les dé a beber** un vaso de agua
por el hecho de que **son de Cristo**,
les aseguro que **no se quedará** sin recompensa.

Los dos párrafos finales están ligados y son parte de una unidad. No extiendas demasiado la pausa entre ellos.

Al que sea **ocasión de pecado**
para esta gente sencilla que cree en mí,
más le valdría que **le pusieran al cuello** una de esas **enormes**
piedras de molino y lo **arrojaran** al mar.

La última sección cierra el mensaje con imágenes poderosas. Lee con aplomo pero sin exageraciones.

Si tu mano te es **ocasión** de pecado, **córtatela**;
pues más te vale **entrar manco** en la vida eterna,
que ir con tus dos manos al lugar de castigo,
al fuego **que no se apaga**.
Y si tu pie te es **ocasión** de pecado, **córtatelo**;
pues más te vale entrar **cojo** en la vida eterna,
que con tus dos pies **ser arrojado** al lugar de castigo.
Y si tu ojo te es ocasión de pecado, **sácatelo**;
pues **más te vale** entrar tuerto en el Reino de Dios,
que ser **arrojado** con tus dos ojos al lugar de castigo,
*donde el gusano **no muere** y el fuego **no se apaga**"*.

Por eso pone en el centro de interés ("en medio de ellos") a los indefensos, simbolizados en un niño pequeño. Quien lo acoge, acoge al Padre y al Hijo.

Inmediatamente, Jesús reprende a los discípulos por el celo que sienten contra una persona que expulsaba demonios en nombre de Jesús. Son, sí, el grupo más cercano a Jesús, pero no son de ninguna manera los dueños del anuncio del Reino. Tendrán que reconocer que la universalidad del mensaje de Jesús implica vías variadas para llegar a los corazones. Jesús los invita a contemplar agradecidos la irrupción del

Reino aun cuando no esté ligada a las acciones del círculo cercano a Jesús.

Finalmente, Jesús presenta algunas imágenes escandalosas para mostrar la radicalidad que exige el evangelio: una piedra de molino atada al cuello, para hablar de la incitación al pecado; mutilación de manos y de pies, para referirse a cuán profunda ha de ser la conversión del corazón para arrancar de raíz los sentimientos que nos alejan del proyecto del Reino. Se trata de que los discípulos comprendan que no es posible seguir al Maestro sin tomar opciones claras por el proyecto de vida que Él nos trae y que la co-

munidad cristiana ha de ser responsable en velar por la fe de los sencillos y fortalecerla.

XXVII DOMINGO ORDINARIO

I LECTURA   Génesis 2:18–24

Lectura del libro del Génesis

En aquel día, dijo el Señor Dios:
  "**No** es bueno que el hombre **esté solo.**
Voy a hacerle a alguien **como él**, para que **lo ayude**".
Entonces el Señor Dios **formó** de la tierra
    todas las bestias del campo
  y **todos** los pájaros del cielo
  y los llevó ante Adán para que **les pusiera nombre**
  y así **todo ser viviente** tuviera el nombre puesto **por Adán**.

Así, pues, Adán **les puso nombre**
  a todos los animales domésticos,
  a los **pájaros** del cielo y a **las bestias** del campo;
  pero **no hubo** ningún ser **semejante** a Adán para ayudarlo.

Entonces el Señor Dios
  hizo caer al hombre en un **profundo sueño**,
  y mientras dormía, le sacó **una costilla**
  y **cerró la carne** sobre el lugar vacío.
Y de la costilla que **le había sacado** al hombre,
  Dios formó **una mujer**.
Se la llevó al hombre y éste **exclamó**:

  "**Ésta sí** es **hueso** de mis huesos
  y **carne** de mi carne.
Ésta será llamada **mujer**,
  porque ha sido formada **del hombre**".

El segundo relato de la creación es entretenido. Basta que leas con ritmo para que sea comprendido el mensaje.

Resalta la negrilla: Adán pone nombre a los animales, pero no podrá ponerle nombre a la mujer.

El Creador viene descrito como un artesano y escultor. Es un texto poético: proclámalo con claridad.

La frase final es relevante: Adán reconoce a la mujer como de su misma dignidad. Por eso le da su propio nombre.

I LECTURA Hay en el libro del Génesis dos relatos de la creación. Ahora sabemos que el relato que contiene las tradiciones más antiguas es el segundo (Génesis 2:4b–25), que tiene un tono espontáneo y vívido. Pero no nos llamemos a engaño: tras el estilo pintoresco hay una profunda labor de observación. Los relatos de género mitológico construyen parábolas que tratan de dar respuesta a las grandes interrogantes humanas: quiénes somos, de dónde venimos, para qué estamos aquí, cómo debemos relacionarnos entre nosotros

La frase "No es bueno que el hombre esté solo" hace referencia a una característica constitutiva del ser humano: su carácter comunitario. Es bueno en estos tiempos, de tan arraigado individualismo, recordar que no somos autosuficientes, sino seres en relación, que dependemos unos de otros y sólo en comunicación alcanzamos la vida plena. Esta comunión incluye a los animales, a quienes Adán pone nombre, como signo de la profunda relación que lo une con ellos.
  Para remediar la soledad del primer varón, Dios crea a la mujer. La expresión que usa el hebreo puede traducirse como

"ayuda adecuada" e indica el reconocimiento de la interdependencia de los dos seres creados. No tiene la intención de establecer ningún orden jerárquico entre los dos ni convierte a ninguno en siervo del otro. Por eso tiene importancia que el artesano divino haya usado un hueso de Adán, porque eso subraya que ambos emergen del mismo material y tienen una misma naturaleza que comparten. La costilla es figura de esa intimidad a la que están llamados el hombre y la mujer y que se expresa en la frase pronunciada por Adán: "Esta sí que es hueso de mis huesos y carne de mi carne".

Por eso el hombre **abandonará** a su padre y a su madre,
y se **unirá** a su mujer y serán los dos **una sola cosa**.

Para meditar

SALMO RESPONSORIAL Salmo 127:1–2, 3, 4–5, 6

R. Que Dios nos bendiga todos los días de nuestra vida.

Dichoso el que teme al Señor
   y sigue sus caminos.
Comerás del fruto de tu trabajo,
   serás dichoso, te irá bien. **R.**

Tu mujer, como parra fecunda,
   en medio de tu casa;
tus hijos, como renuevos de olivo,
   alrededor de tu mesa. **R.**

Ésta es la bendición del hombre
   que teme al Señor.
Que el Señor te bendiga desde Sión,
que veas la prosperidad de Jerusalén
todos los días de tu vida.

Que veas a los hijos de tus hijos.
¡Paz a Israel! **R.**

II LECTURA   Hebreos 2:9–11

Lectura de la carta a los hebreos

Hermanos:
Es verdad que ahora **todavía** no vemos el universo entero
   sometido al hombre;
   pero sí **vemos ya** al que *por un momento*
   Dios hizo **inferior** *a los ángeles,*
   a **Jesús**, que por haber sufrido **la muerte**,
   está *coronado de* **gloria y honor**.
Así, por la gracia de Dios,
   la muerte que **él sufrió** redunda **en bien de todos**.

En efecto, el creador y Señor de **todas** las cosas
   quiere que todos sus hijos **tengan parte** en su gloria.
 Por eso **convenía** que Dios consumara **en la perfección**,
   mediante el sufrimiento, a **Jesucristo**,
   autor y **guía** de nuestra salvación.

El santificador y los santificados
   tienen **la misma** condición humana.
Por eso no se avergüenza de llamar **hermanos** a los hombres.

La lectura es parte de una demostración más amplia, por eso no resulta fácil. Lee cada uno de los tres párrafos con seguridad.

La superioridad de Jesús sobre los ángeles se complementa con este anuncio de sus sufrimientos. Ve ralentando la lectura con tono conclusivo hasta culminar con la última frase.

Gracias a la perspectiva de género hemos llegado a ser conscientes de lo erróneas que son las interpretaciones que hacen derivar de estos textos razones para sostener y mantener la desigualdad entre hombres y mujeres, olvidando que, gracias al don del Espíritu Santo, entre nosotros ya no hay varón ni mujer, sino todos somos uno (Gálatas 3:28).

II LECTURA Iniciamos este domingo la lectura de los pasajes más significativos de la Carta a los hebreos, sermón cuyo propósito es mostrar que Jesucristo es el único verdadero Sumo Sacerdote. Esta demostración no es sencilla: Jesús no pertenecía a la tribu sacerdotal ni hay ningún otro texto del Nuevo Testamento que se refiera a él con este título. Por eso el autor parte de lo que ser sacerdote significaba en la cultura judía del siglo I: un hombre que tiene la responsabilidad social de las relaciones con Dios, un mediador entre Dios y los seres humanos. El sacerdote realiza esta mediación sustrayéndose, a partir de una serie de separaciones rituales, del resto de la humanidad. Como si a través de dichas separaciones subiera un escalón que lo acerca a Dios. El problema es que sigue siendo ser humano y, por tanto, no puede tener acceso directo a Dios. Entonces toma un animal y lo sacrifica en el templo. Si el sacrificio es agradable a Dios, entonces se derramará sobre el pueblo una lluvia de bendiciones.

Pues bien, el autor demostrará a lo largo de su exposición, que solamente Jesucristo es capaz de desempeñar cabalmente el papel de sumo sacerdote, pues por su encarnación participa plenamente de la naturaleza humana y por su pasión y resurrección ofreció el único sacrificio que le resultó

EVANGELIO   Marcos 10:2–16

Lectura del santo Evangelio según san Marcos

La trampa puesta a Jesús tiene que ver con la ley del repudio. Lee pausadamente y respeta los signos de puntuación.

En aquel tiempo, se acercaron a Jesús unos **fariseos**
   y le preguntaron, para ponerlo **a prueba**:
     "¿Le es lícito a un hombre **divorciarse** de su esposa?"

Él les **respondió**:
     "**¿Qué** les prescribió Moisés?"
Ellos contestaron:
     "Moisés **nos permitió** el divorcio
     mediante la entrega de **un acta** de divorcio a la esposa".
Jesús les dijo:
     "Moisés prescribió **esto**,
     debido a la **dureza** del corazón de ustedes.

Jesús sale al rescate del sentido más profundo de los relatos dela creación en el Génesis. Lee con autoridad, pero sin que suene a regaño.

Pero desde **el principio,** al crearlos,
     Dios los hizo **hombre y mujer**.
*Por eso **dejará** el hombre a su padre y a su madre*
     *y **se unirá** a su esposa y serán los dos una sola cosa.*
De modo que ya no son dos, sino una sola cosa.
Por eso, lo que Dios **unió,** que **no lo separe** el hombre".

Ya en casa,
     los discípulos
     le **volvieron** a preguntar sobre el asunto.
Jesús les dijo:
     "Si uno se divorcia **de su esposa** y se casa **con otra**,
     comete adulterio **contra la primera**.
Y si ella se divorcia **de su marido** y se casa con otro,
     comete **adulterio**".

La escena final cambia el tema. Deja un espacio antes de continuar con el párrafo siguiente.

Después de esto,
     la gente le llevó a Jesús unos niños para que **los tocara**,
     pero los discípulos trataban **de impedirlo**.

---

agradable a Dios y entró al verdadero templo, que es el cielo, donde Dios habita. Desde ahí derrama el Espíritu Santo, que nos perdona nuestros pecados. Por eso podemos llamarlo con propiedad nuestro sumo sacerdote.

Por eso nuestra lectura insiste en la superioridad de Jesús sobre los ángeles y, al mismo tiempo, señala su solidaridad con todos los seres humanos. Cristo está en una posición mejor que los ángeles, pues es Hijo de Dios y hermano de los seres humanos. Los ángeles tienen su papel en el plan divino, pero es subalterno. Sólo Cristo glorifica-

do es el único mediador entre Dios y la humanidad. Gracias a su sacrificio hemos entrado en plena comunión con Dios.

EVANGELIO Los temas que aborda hoy el evangelio forman parte de las relaciones intrafamiliares: la relación entre los esposos (10:1 -12) y la relación con los niños (10:13 -16). Las familias de la época eran de corte patriarcal, con el varón como autoridad única. Practicadas estas relaciones desde la perspectiva que ahora podría considerarse machista, no se ajustan al mensaje del Reino del que el Mesías es portador.

La preocupación de los adversarios de Jesús se centra en una norma establecida en la Ley de Moisés que regula el repudio. No hay que confundir el repudio con el divorcio de nuestros días. El repudio era una práctica judía que estaba reservada exclusivamente al varón (Deuteronomio 24:1), que podía despedir a su esposa por alguna cuestión grave, como el adulterio, según una interpretación estricta, o casi por cualquier cosa que desagradara al marido, según otra interpretación más laxa. A diferencia de la costumbre romana, que permitía que el proceso de divorcio se iniciara por

Hay un reproche en las palabras de Jesús. Hay que leerlo sin exageración. Subraya con tono tierno la última frase del pasaje.

Al ver aquello,
    Jesús se **disgustó** y les dijo:
    "**Dejen** que los niños **se acerquen a mí**
    y no se lo impidan,
    porque el **Reino de Dios** es de los que **son como ellos**.
Les **aseguro** que el que no reciba el Reino de Dios **como un niño**,
    no entrará en él".

Después **tomó en brazos** a los niños
    y **los bendijo** imponiéndoles las **manos**.

Forma breve: *Marcos 10:2–12*

cualquiera de los cónyuges, el repudio judío era exclusivamente masculino.

Como en otras dos ocasiones en que Jesús opina sobre la vida sexual (sobre los eunucos en Mateo 19:11–12 y sobre el adulterio en Juan 8:1–11), la posición de Jesús se inclina a favor de la parte más atropellada de la relación. Hay algunos principios que Jesús reclama: la igualdad del hombre y de la mujer, que Jesús recuerda al citar Génesis 1:27 y 2:24 y la fidelidad al pacto de amor que se ha establecido al casarse. El matrimonio, en la perspectiva del Reino, es un proyecto de amor que deja fuera cualquier relación de dominio. Es fuente de vida y de amor, no de servilismo; es oportunidad de comunión plena y ayuda mutua, no de sumisión.

El segundo cuadro, Jesús abrazando a unos niños, muestra cómo un grupo despreciado y sin derechos religiosos y sociales, se convierten en signo de acogida al Mesías y su Reino. Como los niños, hemos de dejarnos abrazar por Jesús. Sólo entonces los misioneros sabremos que nuestro trabajo es acercar a las personas a Jesús, no convertirnos en obstáculos.

XXVIII DOMINGO ORDINARIO

I LECTURA Sabiduría 7:7–11

Lectura del libro de la Sabiduría

El hombre prudente agradece el regalo de la sabiduría. Lee con tono de agradecimiento auténtico.

Supliqué y se me concedió la **prudencia**;
  invoqué y **vino sobre mí** el espíritu de sabiduría.
La **preferí** a los cetros y a **los tronos,**
  y en comparación con ella **tuve en nada** la riqueza.
No se puede **comparar** con la piedra más preciosa,
  porque **todo** el oro, junto a ella, es un **poco** de arena
  y la plata es **como lodo** en su presencia.

En esta frase está la relación con el evangelio: preferir la sabiduría a los bienes de este mundo. Lee con aplomo y seguridad.

La tuve en más que la **salud** y la **belleza**;
  la preferí **a la luz**,
  porque su resplandor **nunca** se apaga.
Todos los bienes me vinieron **con ella**;
  sus manos me trajeron riquezas **incontables**.

Para meditar

SALMO RESPONSORIAL Salmo 89:12–13, 14–15, 16–17
R. Sácianos, Señor, de tu misericordia, y toda nuestra vida será alegría y júbilo.

Enséñanos a calcular nuestros años,
  para que adquiramos un corazón sensato.
Vuélvete, Señor, ¿hasta cuándo?
Ten compasión de tus siervos. **R.**

Por la mañana sácianos de tu misericordia,
  y toda nuestra vida será alegría y júbilo;
  danos alegría, por los días en que
    nos afligiste,
  por los años en que sufrimos desdichas. **R.**

Que tus siervos vean tu acción
  y sus hijos tu gloria.
Baje a nosotros la bondad del Señor
  y haga prósperas las obras de
    nuestras manos. **R.**

I LECTURA Los capítulos del 7 al 9 del libro de la Sabiduría se presentan como un discurso pronunciado por el rey Salomón, que quiere compartir la sabiduría que ha alcanzado y cómo llegó a obtenerla. Distinta de la acumulación de conocimientos, la sabiduría en la Biblia es al arte del buen vivir. No se trata de saber muchas cosas, sino de alcanzar la felicidad. Es sabio, no quien sobresale por su erudición, sino quien sabe tomar las decisiones correctas y camina por la vida con sensatez.

Los versículos previos a la lectura (7:1–6) parten de una realidad insoslayable: el sabio no es alguien excepcional, sino que es mortal y débil como todos los seres humanos. Nadie nace sabio, sino que la sabiduría es un don de Dios y fruto del aprendizaje humano. Por eso la oración aparece como fuente de sabiduría, que es considerada como el regalo más grande que Dios pueda conceder al ser humano. Por eso, en 7:22–23, la sabiduría será descrita con veintiún atributos, resultado de multiplicar siete por tres, como subrayando la perfección total.

El aprecio de la sabiduría no debe hacernos olvidar el arduo trabajo que implica vivir de acuerdo con ella. El ser humano tiene la capacidad de observar la vida, asumir sus altibajos, aprender de todas sus experiencias. A partir de ahí, puede deducir normas y/o caminos para vivir una vida feliz. Quien aúna a eso el reconocimiento de su propia finitud y la grandeza de Dios, es el verdadero sabio y adquiere el compromiso de compartir esa sabiduría que ha adquirido sin envidias (7:13–14).

II LECTURA La sección exhortativa que abarca 3:7—4:11 termina con este pequeño himno que leemos como segunda lectura. El autor no ha dejado de

Hay cuatro frases distintas en la lectura, cada una termina con un punto y aparte. Lee cada una de ellas con propiedad y correcta entonación.

II LECTURA   Hebreos 4:12–13

Lectura de la carta a los hebreos

Hermanos:
La **palabra** de Dios es viva, **eficaz**
    y más **penetrante** que una espada de **dos** filos.
Llega hasta lo **más íntimo** del alma,
    hasta **la médula** de los huesos
    y **descubre** los pensamientos e intenciones del corazón
Toda creatura **es transparente** para ella.
Todo queda **al desnudo** y al descubierto
    ante los **ojos** de aquél a quien debemos **rendir** cuentas.

El encuentro de Jesús con este hombre rico es muy vivaz. Corre hacia Jesús porque quiere encontrarse con él. Que se note en tu lectura el deseo del hombre de hacerse discípulo.

EVANGELIO   Marcos 10:17–30

Lectura del santo Evangelio según san Marcos

En aquel tiempo, cuando salía Jesús **al camino**,
    se le acercó **corriendo** un hombre,
    se **arrodilló** ante él y le preguntó:
    "**Maestro** bueno, ¿qué debo **hacer** para **alcanzar** la vida eterna?"
Jesús le contestó:
    "¿**Por qué** me llamas bueno? Nadie es bueno sino **sólo Dios**.
Ya sabes los mandamientos:
No matarás, no cometerás **adulterio**,
    no **robarás**, no levantarás **falso** testimonio,
    no cometerás fraudes,
    honrarás *a tu padre y a tu madre*".

Entonces **él** le contestó:
    "Maestro, **todo eso** lo he cumplido desde **muy** joven".
Jesús lo miró **con amor** y le dijo:
    "Sólo **una cosa** te falta: Ve y vende **lo que tienes**,
    da el dinero **a los pobres** y así tendrás un tesoro **en los cielos**.

No hay ostentación en la respuesta del hombre. Es franco y directo. Por eso Jesús lo mira con simpatía.

exhortar a los cristianos a la fidelidad a Dios, lanzando la mirada hacia el descanso junto a Dios, al que estamos todos llamados. Recordando al pueblo judío, que caminó 40 años por el desierto antes de llegar al descanso de la tierra prometida, así nosotros estamos ahora invitados a entrar en el descanso del cielo, para vivir con Dios gracias a la mediación de Jesucristo, nuestro Sumo Sacerdote.

Pero no deja de advertirnos el autor que hubo rebeldes: así como hubo personas que no alcanzaron a entrar en la tierra prometida, así nosotros tenemos que perseve-

rar y permanecer alertas si es que queremos alcanzar la gloria. Se trata, pues, de un desafío en este nuevo "hoy" que Dios nos ofrece. Los tres versículos de nuestra lectura muestran a la Palabra de Dios como el juez de nuestras acciones, ante la cual tenemos que rendir cuentas. Con esa Palabra no se juega, nos recuerda la lectura, porque es viva y eficaz como una espada (Isaías 49:2) y juzga, discierne, sentencia. Pero, si acogemos la Palabra con fe y obediencia, alcanzaremos el descanso eterno, porque la voluntad de Dios es nuestra salvación y no nuestra condenación.

La tradición del cuarto evangelio se goza en referirse a Jesús como "la Palabra hecha carne". Ya sabemos, entonces, lo que significa acoger la Palabra: es asumir el mensaje y proyecto de Jesús y permanecer firmes en su seguimiento.

EVANGELIO   Camino a Jerusalén Jesús se encuentra con un hombre rico que quiere seguirlo. Jesús aprovecha este encuentro para ofrecer a sus discípulos una enseñanza sobre la recta relación con los bienes materiales. Aquel hombre es bueno: quiere hablar con Jesús

Resalta el contraste entre la invitación de Jesús y la decepcionante respuesta de aquel hombre.

La palabra de Jesús está preñada de dolido asombro. Mira a la asamblea cuando inicies el párrafo.

También en la respuesta de Pedro debe resonar la franqueza sin ostentación.

La promesa de Jesús concluye el relato. La entrega al Maestro tiene recompensa. Lee pausadamente este último párrafo.

Después, **ven** y sígueme".
Pero al oír **estas palabras**,
   el hombre se **entristeció** y se fue **apesadumbrado**,
   porque tenía **muchos** bienes.

Jesús, mirando **a su alrededor**, dijo entonces a sus discípulos:
   "**¡Qué difícil** les va a ser a los ricos **entrar**
      en el Reino de Dios!"
Los discípulos quedaron **sorprendidos** ante estas palabras;
   pero Jesús **insistió**:
   "Hijitos, ¡**qué difícil** es para los que confían **en las riquezas**,
   entrar en el Reino de Dios!
Más fácil le es a un camello **pasar** por el ojo de una aguja,
   que a un rico **entrar** en el Reino de Dios".

Ellos se asombraron **todavía más** y comentaban entre sí:
   "Entonces, ¿**quién** puede salvarse?"
Jesús, mirándolos **fijamente**, les dijo:
   "Es **imposible** para los hombres,
   mas no **para Dios**.
Para Dios **todo** es posible".

Entonces **Pedro** le dijo a Jesús:
   "Señor, ya ves que nosotros **lo hemos dejado todo**
      para seguirte".

Jesús le **respondió**:
   "Yo les **aseguro**:
Nadie que **haya dejado** casa,
   o hermanos o hermanas,
   o padre o madre,
   o hijos o tierras,
   por mí y por **el Evangelio**,
   dejará de recibir, **en esta vida**, el ciento por uno en casas,
   hermanos, hermanas, madres, hijos y tierras,
   junto con **persecuciones**,
   y en el otro mundo, la **vida eterna**".

Forma breve: *Marcos 10:17–27*

porque busca con sinceridad a Dios. No hay ningún propósito de tenderle una trampa al Maestro. Jesús responde a su pregunta mencionando los mandamientos de la segunda parte del decálogo, relativa al prójimo. Después, lo mira con amor y lo invita a dar el paso final: liberarse de los bienes materiales en favor de los pobres y necesitados y seguirlo.

En la escena anterior Jesús abrazaba a unos niños. En este caso, el hombre rico no se deja abrazar por Jesús y se aleja entristecido por su apego a los bienes materiales. Acumular se convierte aquí en lo contrario de compartir. La riqueza es un obstáculo para la salvación porque nos impide ser signo del Reino, donde habrá paz y justicia.

Pero también anuncia Jesús que compartir la vida con él y con los pobres tiene su recompensa: aquí en este mundo y en el venidero. Fijémonos, sin embargo, en la lista de lo que los discípulos dejan por el Reino. Nos llevamos una sorpresa cuando vemos que la lista de los bienes ya multiplicados omite al padre. Tendremos, sí, madre y hermanos, hijos y campos, pero ya no existirá el padre del mundo patriarcal, aquella figura opresora y dominadora. Una sociedad nueva, espejo del Reino, requiere la desaparición de toda dominación y toda jerarquización injusta.

XXIX DOMINGO ORDINARIO

I LECTURA   Isaías 53:10–11

Lectura del libro del profeta Isaías

El Señor quiso **triturar** a su siervo con el sufrimiento.
Cuando **entregue** su vida como expiación,
   verá a sus descendientes, **prolongará** sus años
   y por **medio de él** prosperarán los designios del Señor.
Por las fatigas de su alma, **verá** la luz y se **saciará;**
   con sus sufrimientos **justificará** mi siervo a muchos,
   cargando con los crímenes de ellos.

Los cantos del Siervo de Yahvé fueron leídos por la primera generación cristiana como referidos a Jesús. Aquí en este fragmento se habla de los dolores del siervo. La frase final encierra una promesa.

Para meditar

SALMO RESPONSORIAL   Salmo 32:4–5, 18–19, 20 y 22

R. Que tu misericordia, Señor, venga sobre nosotros, como lo esperamos de ti.

La palabra del Señor es sincera
   y todas sus acciones son leales;
   él ama la justicia y el derecho,
   y su misericordia llena la tierra. **R.**

Los ojos del Señor están puestos en sus fieles,
   en los que esperan en su misericordia,
   para librar sus vidas de la muerte
   y reanimarlos en tiempo de hambre. **R.**

Nosotros aguardamos al Señor:
   él es nuestro auxilio y nuestro escudo.
Que tu misericordia, Señor, venga sobre
   nosotros,
   como lo esperamos de ti. **R.**

I LECTURA Del cuarto cántico del Siervo de Yahvé (Isaías 52:13—53:12) se extrae nuestra lectura. Se trata del último de cuatro poemas que se centran en una figura profética, no sabemos si real o ficticia, si individual o colectiva, que experimenta el sufrimiento a pesar de ser inocente y que, finalmente, es rescatado por Dios, que le da la victoria. En un marco teológico en el que los sufrimientos solían interpretarse como un castigo de Dios, es motivo de asombro que esta figura poética cumple con sus padecimientos, una tarea redentora, es decir, en expiación por los pecados de muchos. Se abre una nueva dimensión en la comprensión del sufrimiento humano.

La pasión y la misma muerte del Siervo son el medio por el cual Dios realiza un plan misterioso de salvación. El versículo que continúa el texto litúrgico lo afirma (53:12): Dios mismo toma la palabra para aclarar que no son los pecados del Siervo la causa de su padecimiento, sino los crímenes de aquellos por quienes entrega su vida.

Se trata de un misterio de solidaridad: el Siervo inocente da la vida para rescatar a los culpables. Esta paradoja, un inocente que entrega su vida por los culpables, ha hecho que los cristianos hagamos una lectura cristiana de estos cánticos, mirando en ellos la entrega pascual de Jesús. Ya el libro de los Hechos (8:30–35) muestra que las comunidades de la primera generación cristiana aplicaban este texto a Jesús, como se ve también en el evangelio que hoy acompaña esta lectura.

II LECTURA Para que un sacerdote pueda desempeñar a cabalidad su función mediadora, es necesario, por un lado, que esté acreditado ante Dios,

---

II LECTURA   Hebreos 4:14–16

Lectura de la carta a los hebreos

Hermanos:
Puesto que Jesús,
   el **Hijo** de Dios, es nuestro **sumo sacerdote**,
   que ha entrado en el cielo,
   mantengamos **firme** la profesión de nuestra fe.
En efecto,
   no tenemos un sumo sacerdote
     que no sea capaz de **compadecerse** de nuestros sufrimientos,
   puesto que **él mismo** ha pasado
     por las **mismas pruebas** que nosotros, **excepto** el pecado.

Acerquémonos, por tanto,
   con **plena** confianza al trono de la gracia,
   para recibir **misericordia**, hallar la gracia
   y obtener ayuda en el momento **oportuno**.

EVANGELIO   Marcos 10:35–45

Lectura del santo Evangelio según san Marcos

En aquel tiempo,
   se **acercaron** a Jesús Santiago y Juan,
   los hijos de Zebedeo, y le dijeron:
   "**Maestro**,
   queremos que **nos concedas** lo que vamos a pedirte".
Él les dijo:
   "¿**Qué es** lo que desean?"
Le respondieron:
   "Concede que nos sentemos uno **a tu derecha**
   y otro **a tu izquierda**, cuando estés en tu gloria".

La doble característica del sacerdocio es cumplida por Jesús: acreditado por Dios y solidario con los seres humanos. Lee cuidando los signos de puntuación.

Proclama este llamado de la lectura con tierna firmeza. Dirige tu mirada a la asamblea al llamarla a acercarse al trono de la misericordia.

Al diálogo de Jesús con los dos hermanos sigue una exhortación a todos los discípulos. Haz que se distingan los dos momentos pausando la lectura entre ellos.

---

lo que el autor de la carta a los Hebreos ha demostrado en 3:1–6, pero no es menos importante el otro aspecto, su solidaridad con los seres humanos, que es lo que nuestra lectura nos comunica hoy.

En efecto, Dios ha glorificado a Jesús y, por su resurrección, lo ha hecho entrar al auténtico santuario, que no es el templo de Jerusalén, sino el cielo donde Dios habita, constituyéndolo sumo y eterno sacerdote. Pero esta acción glorificadora de Dios no hace que Jesús quede fuera del alcance de los seres humanos. Por el contrario, el autor invita a sus escuchas a acercarse confiada-mente a Jesús, de cuyo trono se derrama la gracia. Así pues, si antes Jesús había aparecido como digno de crédito delante de Dios, ahora la exposición resaltará el segundo aspecto: Jesús es un sacerdote misericordioso, porque siendo uno de nosotros ha probado la debilidad y el sufrimiento y eso lo hace ser compasivo y misericordioso.

La compasión es uno de los atributos de Dios (Éxodo 34:6; Salmo 103:4) y los profetas lo explicitan de manera muy hermosa (Jeremías 31:20). Jesús, que ha experimentado nuestra condición y conoce de tentaciones y pruebas, conoce nuestra debilidad y se compadece de ella. ¡No podíamos tener un sacerdote mejor! Podemos acudir a la misericordia de este sumo sacerdote para encontrar auxilio en nuestras fragilidades, pues él es nuestro intercesor ante el Padre.

EVANGELIO Jesús acaba de anunciar por tercera vez su pasión (10:32–34). Por eso resulta impactante que Santiago y Juan, a contracorriente, pidan a Jesús los primeros lugares. Jesús instruirá a la comunidad discipular acerca de la recta relación con el poder. No queda clara la intención de los dos apóstoles, si buscan la

La respuesta de Jesús debe oírse más como un reto dirigido a los discípulos que como un regaño desdeñoso.

Jesús les replicó:

"**No saben** lo que piden.

¿**Podrán** pasar la prueba que yo voy a pasar

y **recibir** el bautismo con que seré bautizado?"

Le respondieron:

"**Sí podemos**".

Y Jesús les dijo:

"Ciertamente **pasarán** la prueba que yo voy a pasar

y **recibirán** el bautismo con que yo seré bautizado;

pero eso de sentarse a mi derecha o a mi izquierda

no me toca a mí concederlo;

eso es para quienes está **reservado**".

Haz contacto visual con la asamblea al comenzar la instrucción dirigida a todos los discípulos.

Cuando los otros diez apóstoles oyeron **esto**,

se **indignaron** contra Santiago y Juan.

Jesús reunió entonces **a los Doce** y les dijo:

"Ya saben que los jefes de las naciones

las gobiernan **como si fueran** sus dueños

y los poderosos **las oprimen**.

Pero no debe ser así **entre ustedes**.

Al **contrario**:

El párrafo final contiene el mensaje de servicio. Lee con aplomo para que resuene el mensaje en la asamblea.

el que quiera ser **grande** entre ustedes, que sea su **servidor**,

y el que quiera ser **el primero**, que sea el esclavo **de todos**,

así como el **Hijo** del hombre,

que **no ha** venido a que lo sirvan, sino **a servir**

y a **dar su vida** por la redención de **todos**".

Forma breve: *Marcos 10:42–45*

gloria celeste o el poder terrenal, pero la respuesta de Jesús no deja duda: la búsqueda del interés personal se opone a la entrega que la opción por el Reino exige de los discípulos. El seguimiento de Jesús implica un camino de entrega, como el Maestro acaba justamente de anunciar.

Jesús usa dos figuras en su respuesta a los Zebedeos: la copa que deberán beber y el bautismo en el que deberán ser sumergidos. Ambos símbolos aluden a textos del Antiguo Testamento (Salmo 75:9; 69:2–3, 15–16) y aluden al sufrimiento. La envidiosa indignación del resto de los apóstoles da a

Jesús la oportunidad de mostrar que el camino de la inmolación que seguirá el Mesías deberá ser norma para sus seguidores y deberá aplicarse también al uso del poder: como su Maestro, los seguidores de Jesús deberán renunciar al ansia de dominio y convertir el ejercicio de la autoridad en un servicio a la vida de sus hermanos.

Jesús insiste en que el comportamiento de sus seguidores se aleje del abuso con el que los poderosos del mundo ejercen su poder sobre sus súbditos. Entre los cristianos no hay lugar para jerarquizaciones abusivas. El servicio ha de ser la característica

del ejercicio de la autoridad en los dirigentes de las comunidades cristianas.

XXX DOMINGO ORDINARIO

I LECTURA   Jeremías 31:7–9

Lectura del libro del profeta Jeremías

Esto dice el Señor:
    "**Griten** de alegría por Jacob,
    regocíjense por el mejor de los pueblos;
    proclamen, alaben **y digan**:
    'El Señor **ha salvado** a su pueblo,
    al grupo de los **sobrevivientes** de Israel'.

He aquí que yo los **hago volver** del país del norte
    y los congrego desde los **confines** de la tierra.
Entre ellos vienen el **ciego y el cojo**,
    la mujer **encinta** y la que acaba de dar a luz.

Retorna una gran **multitud**;
    vienen llorando, pero yo **los consolaré** y los guiaré;
    los llevaré a **torrentes** de agua
    por un camino llano en el que **no** tropezarán.
Porque yo soy para Israel **un padre**
    y Efraín es mi **primogénito**".

El oráculo anuncia una buena noticia. Lee con regocijo y contagia a la asamblea con tu tono.

El regreso del pueblo a su tierra es un nuevo éxodo. Que resuene la solicitud del Señor por las personas más débiles.

Cierra la proclamación con tono lleno de confianza. Somos hijos amados de Dios.

I LECTURA La hazaña del éxodo se mantuvo siempre presente en la memoria colectiva de Israel. Junto con la salida de la casa de la esclavitud, Egipto, el pueblo también recordaba su peregrinaje por el desierto en busca de la tierra prometida. Por eso, cada vez que sufre algún revés histórico, el recuerdo del desierto es fuente de consolación. Es en el desierto que Israel pudo experimentar en carne propia el amor de Dios: defendido del sol abrasador por una columna de nube y de las fieras salvajes por una columna nocturna de fuego; alimentado con el maná y salvado de la sed gracias al agua que brotó de la roca… el desierto es el lugar del noviazgo, donde Dios habló al corazón de su amada.

La lectura está arrancada de un amplio oráculo. El retorno de los exiliados se presenta como un nuevo camino abierto en el desierto (31:1–6). Aquél que rescató a Israel de la esclavitud reunirá ahora a todos los dispersos. Entre ellos, Jeremías menciona a ciegos, lisiados y mujeres preñadas, es decir, personas en especial situación de vulnerabilidad social. El contraste entre la dispersión, acompañada de llantos y gemidos, y la vuelta a casa, en medio de consuelos y sin tropiezos, no puede ser más grande. Esta es la obra de Dios: a partir de un resto que retorna hace renacer un pueblo que viva en la libertad y la solidaridad, un pueblo verdaderamente fraterno. Y la raíz de dicha fraternidad es la experiencia de Dios como padre, confesada en la expresión con la que cierra el fragmento litúrgico que hoy se proclama.

II LECTURA El autor de la Carta a los Hebreos tiene como objetivo demostrar que Jesucristo es nuestro "sumo y eterno sacerdote", dado que es el único que une en su propia persona a los

Para meditar

SALMO RESPONSORIAL   Salmo 125:1–2ab, 2cd–3, 4–5, 6

R. El Señor ha estado grande con nosotros, y estamos alegres.

Cuando el Señor cambió la suerte de Sión,
   nos parecía soñar: la boca se nos llenaba
   de risas,
   la lengua de cantares. **R.**

Hasta los gentiles decían:
   "El Señor ha estado grande con ellos".
El Señor ha estado grande con nosotros,
   y estamos alegres. **R.**

Que el Señor cambie nuestra suerte,
   como los torrentes del Negueb.
Los que sembraban con lágrimas,
   cosechan entre cantares. **R.**

Al ir, iban llorando,
   llevando la semilla;
   al volver, vuelven cantando,
   trayendo sus gavillas. **R.**

II LECTURA   Hebreos 5:1–6

Lectura de la carta a los hebreos

Hermanos:
Todo sumo sacerdote es un hombre **escogido** entre los hombres
   y está **constituido** para intervenir **en favor** de ellos ante Dios,
   para **ofrecer** dones y sacrificios **por los pecados.**
Él **puede** comprender a los ignorantes y extraviados,
   ya que **él mismo** está envuelto en **debilidades.**
Por eso, así como **debe** ofrecer sacrificios
   por los pecados **del pueblo,**
   debe ofrecerlos **también** por los **suyos propios.**

Nadie puede **apropiarse** ese honor,
   sino sólo **aquel** que es llamado **por Dios,**
   como lo fue Aarón.
De **igual** manera,
   Cristo no se confirió **a sí mismo**
   la dignidad de sumo sacerdote;
   se la **otorgó** quien le había dicho:
Tú eres mi Hijo, yo te **he engendrado** hoy.
O como dice otro pasaje de la Escritura:
Tú eres **sacerdote eterno**, *como Melquisedec.*

El autor avanza en su demostración. Jesús es el único sumo y eterno sacerdote porque cumple a cabalidad con la función de mediación. Lee respetando los signos.

Jesús no ha robado la dignidad sacerdotal: Dios se la otorgó. Lee las citas del Antiguo Testamento con tono comprobatorio.

---

dos extremos que necesitan entrar en relación: Dios y el ser humano. Los capítulos del 7 al 10 le servirán para entrar en detalle de cómo Jesús realiza este servicio de mediación, superando de una vez y para siempre, al sacerdocio del Antiguo Testamento.

En el fragmento que hoy escuchamos, el autor de la carta deberá explicar cómo es que Jesús, no siendo de la tribu sacerdotal, ha recibido la dignidad de Sumo Sacerdote, dado que en Israel no podían aspirar al sacerdocio sino solamente aquellos que cumplieran con todos los requisitos rituales, entre ellos el de haber sido elegido por Dios

para tal misión. Jesús no pertenece, en efecto, a la tribu levítica, pero el autor demostrará que llamarlo sacerdote no es una atribución falsa.

Para ello recurre a dos salmos que lee en perspectiva cristológica. El Salmo 2:7 constata la elección que Dios ha hecho de Jesús al resucitarlo ("yo te he engendrado hoy"), y completa la idea con el salmo 110:4, en el que se menciona a Melquisedec, un sacerdote que aparece en Génesis 14 y a quien Abrahán reconoce como auténtico sacerdote. Más adelante (capítulo 7), el autor explicará mejor esta vinculación de

Jesús con Melquisedec. Por de pronto, sabemos ahora que Dios ha encontrado una manera singular de conferirle a Jesús la gracia del sacerdocio y ha quedado abolido todo sacerdocio previo.

EVANGELIO La curación del ciego Bartimeo hace contraste con la lectura del domingo pasado. Los discípulos se mostraban preocupados por los puestos de poder (10:36–45) y Jesús se ve obligado a señalar que solamente el servicio redime al poder de sus trampas. Los discípulos conversaban con Jesús, mientras

EVANGELIO   Marcos 10:46–52

Lectura del santo Evangelio según san Marcos

En aquel tiempo,
    al salir Jesús **de Jericó** en compañía de sus discípulos
    y de **mucha gente**,
    un ciego, llamado **Bartimeo**,
    se hallaba sentado al borde del camino pidiendo **limosna**.
Al oír que el que pasaba era **Jesús Nazareno**,
    comenzó a gritar:
    "¡**Jesús**, hijo de David, **ten compasión** de mí!"
Muchos lo reprendían para que **se callara**,
    pero él **seguía** gritando todavía **más fuerte**:
    "¡Hijo de David, **ten compasión** de mí!".

Jesús se detuvo entonces y dijo:
    "**Llámenlo**".
Y llamaron al ciego, diciéndole:
    "¡**Ánimo**! Levántate, porque **él te llama**".
El ciego **tiró** su manto;
    de un salto **se puso en pie**
    y se acercó a Jesús.
Entonces le dijo Jesús:
    "¿**Qué quieres** que haga por ti?"
El ciego le contestó:
    "Maestro, **que pueda ver**".
Jesús le dijo:
    "**Vete**; tu fe **te ha salvado**".
Al momento **recobró la vista**
    y comenzó a **seguirlo**
        por el **camino**.

En encuentro de Bartimeo con Jesús es un encuentro salvífico. Luz y tinieblas son también simbólicas. Destaca la petición del ciego elevando un poco la voz, pero sin gritar.

Lee el diálogo de Jesús y Bartimeo dando énfasis a las frases de la conversación. La petición del ciego debe hacerse nuestra. Que tu tono no pierda la vivacidad.

que ahora tratan de callar a este mendigo ciego. Pero la figura del ciego Bartimeo crece hasta convertirse en el modelo de auténtico discípulo.

La ceguera es figura de la falta de comprensión. Cuando nos falta la luz interior no sabemos qué es lo que Dios quiere de nosotros. Pero este ciego quiere ver. Y ver, es condición para poder seguir a Jesús, para ser su discípulo. No hay ningún gesto que Jesús deba realizar: basta la fe sencilla de este hombre. Por eso, inmediatamente después de recobrar la vista, comienza a seguir a Jesús por el camino.

Bartimeo se constituye así en modelo, porque hace lo que Pedro no consigue (8:32–33), ni tampoco Juan y Santiago (Marcos 10:37), porque andan buscando sus propios intereses en vez de aprender a tomar su cruz y seguir a su Maestro. Son los discípulos los ciegos, porque no alcanzan a comprender al Mesías. Este hombre, en cambio, sentado a la vera del camino, recibe de Jesús la luz que necesita.

También los discípulos pueden dejarse iluminar por su Maestro si se dejan curar por él, como hizo Bartimeo. El ciego curado por Jesús da testimonio en primera persona

de auténtico discipulado: pide fe a Jesús y, una vez iluminado por él, se dispone a seguirlo.

TODOS LOS SANTOS

La visión es impresionante: Dios es el dueño de la historia y la va guiando con su palabra poderosa. Hay que estar atentos a las frases largas, para leerlas correctamente.

La imagen de la multitud de los salvados es poderosa. Subraya la procedencia universal de los redimidos aprovechando las negrillas y lee la frase que cierra el párrafo con tono de alabanza.

I LECTURA   Apocalipsis 7:2–4, 9–14

Lectura del libro del Apocalipsis del apóstol san Juan

Yo, Juan, vi a un **ángel** que **venía** del oriente.
Traía consigo el **sello** del **Dios vivo** y gritaba con voz **poderosa**
　　a los **cuatro ángeles** encargados de hacer daño
　　a la tierra y al mar.
Les dijo: "**¡No hagan daño** a la tierra, ni al **mar**, ni a los **árboles**,
　　hasta que terminemos de **marcar** con el **sello**
　　la frente de los **servidores** de nuestro **Dios**!"
Y pude oír el **número** de los que habían sido **marcados**:
　　eran ciento **cuarenta** y **cuatro mil**,
　　procedentes de **todas** las **tribus** de Israel.

Vi luego una **muchedumbre** tan grande,
　　que **nadie** podía contarla.
Eran individuos de **todas** las **naciones** y **razas**,
　　de **todos los pueblos y lenguas**.
Todos estaban **de pie**, delante del **trono** y del **Cordero**;
　　iban **vestidos** con una túnica **blanca**;
　　llevaban **palmas** en las **manos** y **exclamaban**
　　　con voz poderosa:
"La **salvación** viene de nuestro **Dios**,
　　que está **sentado** en el **trono**, y del **Cordero**".

I LECTURA El libro del Apocalipsis es literatura de resistencia. Su intención es animar a la comunidad cristiana perseguida que enfrenta, hacia finales del siglo I, un doble reto: la ruptura del cristianismo con el mundo judío que no ha aceptado al Mesías y el enfrentamiento con la fuerza totalitaria del imperio romano. Los capítulos 4–11 darán respuesta al primer reto y los capítulos 12–20 al segundo.

La comunidad cristiana tiene conciencia de ser el nuevo pueblo de Dios, pero no porque Dios haya rechazado a Israel, sino porque Israel tuvo, desde el principio, una vocación universalista: era el botón de muestra de lo que Dios quería hacer con toda la humanidad. Aunque experimente ahora el rechazo del judaísmo oficial, la iglesia sabe que su origen parte de aquel resto fiel de Israel que aceptó al Mesías.

La visión de los siete sellos (6–8) anuncia el castigo de Israel. Pero una parte del pueblo ha permanecido fiel a la alianza y este "resto" se convertirá en el germen del nuevo Israel. Por eso, entre el sexto y el séptimo sello, aparecen los 144000 que representan a aquellos miembros de Israel que han permanecido fieles y que, representa-dos en este número simbólico (12 x 12 x 1000), son sellados por el ángel que viene del oriente, es decir, del lugar de la resurrección. Llevarán en la frente la marca de Dios y del Cordero.

A estos judíos que han creído se suma un número incontable de personas. La iglesia se enriquece con esta muchedumbre inmensa que viene de todas las procedencias y lleva vestiduras blancas y palmas en las manos. La pregunta de uno de los ancianos termina por revelar el simbolismo: se trata de los mártires, que han compartido ya el sacrificio de Jesús y son ejemplo de

Y todos los **ángeles** que estaban alrededor del **trono**,
   de los **ancianos** y de los **cuatro** seres **vivientes**,
   cayeron rostro en tierra delante del trono
   y **adoraron** a Dios, diciendo:
"**Amén**. La alabanza, la gloria, la sabiduría,
   la acción de gracias, el **honor**, el poder y la **fuerza**,
   se le **deben** para **siempre** a nuestro **Dios**".

Entonces uno de los ancianos me preguntó:
   "**¿Quiénes** son y de **dónde** han venido
   los que llevan la **túnica blanca**?"
Yo le respondí:
   "Señor mío, **tú** eres quien lo **sabe**".
Entonces él me **dijo**:
   "Son los que han **pasado** por la gran **persecución**
   y han **lavado y blanqueado** su **túnica**
   con la sangre del **Cordero**".

Para meditar

SALMO RESPONSORIAL   Salmo 23:1–2, 3–4a, 5–6

R. Este es el grupo que busca tu rostro, Señor.

Del Señor es la tierra y cuanto la llena,
   el orbe y todos sus habitantes:
   Él la fundó sobre los mares,
   él la afianzó sobre los ríos. **R.**

¿Quién puede subir al monte del Señor?
¿Quién puede estar en el recinto sacro?
El hombre de manos inocentes y puro
   de corazón,
   que no confía en los ídolos. **R.**

Ése recibirá la bendición del Señor,
   le hará justicia el Dios de salvación.
Éste es el grupo que busca al Señor,
   que viene a tu presencia,
     Dios de Jacob. **R.**

---

fidelidad ante las pruebas. La comunidad cristiana, tanto la de finales del siglo I como la de hoy, puede encontrar inspiración en ellos. La fiesta de Todos los Santos celebra a sus testigos fieles y, junto con el autor sagrado, prorrumpe en un himno litúrgico de alabanza a Dios (7:10, 11–12).

II LECTURA La sección 2:28—3:10 se centra en el anuncio de que Dios es un padre justo y misericordioso y que esta realidad nos hace hermanos y hermanas entre nosotros. No hay, por ello, mayor signo de nuestra filiación divina que el comportamiento fraterno. Jesús aparece aquí como "el Justo" (2:29) porque ha cumplido la misión que se le ha encomendado, llegando a la entrega de su propia vida. Esta misma experiencia le será exigida a quienes, por el bautismo, "han nacido de Dios" (3:9).

El punto de partida del autor es situar la entrega de Jesús como parte del designio salvador del Padre. Es la entrega de Jesús y su triunfo sobre la muerte lo que capacita a quienes somos sus discípulos para ser hijos en el Hijo, es decir, participar por adopción de la filiación divina. Pero el cristiano debe saber que esa identificación con su Maestro le atraerá rechazos y persecuciones.

San Juan atiende a los efectos del bautismo en nuestra vida ("nos llamamos y somos hijos de Dios"), pero dirige su mirada hacia el porvenir, cuando nuestra naturaleza de hijos quede realizada de manera plena. Jesús es, en la teología de la carta, la medida final de la maduración del discípulo. Estamos llamados a ser como Él. Pero la esperanza en la contemplación final del misterio no deberá impedirnos tener los pies bien puestos en la tierra. El futuro escatológico ha de alimentar nuestra esperanza,

La manera de dirigirse a los escuchas marca el tono del pasaje: dale tono sereno y fraternal.

Detrás de la revelación del futuro del creyente, hay una calidez y cariño que permea todo el pasaje. No descuides acentuar correctamente el "cómo" de la frase inicial.

La introducción sitúa el escenario desde donde se proclamará el discurso. Lee con claridad y con tono narrativo.

El tono cambia porque es un anuncio profético. Proclama las bienaventuranzas con voz firme y de buena noticia para los escuchas de la asamblea

---

II LECTURA   1 Juan 3:1–3

Lectura de la primera carta del apóstol san Juan

Queridos hijos:
Miren cuánto **amor** nos ha tenido el **Padre**,
 pues no sólo nos **llamamos** hijos de **Dios**, sino que lo **somos**.
Si el **mundo** no nos reconoce,
 es porque **tampoco** lo ha **reconocido** a él.

Hermanos **míos**,
 ahora **somos hijos** de Dios,
 pero aún **no** se ha **manifestado** cómo seremos al fin.
Y ya sabemos que, cuando él se **manifieste**,
 vamos a ser **semejantes** a él,
 porque lo **veremos** tal cual es.

Todo el que tenga **puesta** en Dios esta **esperanza**,
 se **purifica** a sí **mismo** para ser tan puro como **él**.

EVANGELIO   Mateo 5:1–12a

Lectura del santo Evangelio según san Mateo

En aquel tiempo,
 cuando Jesús vio a la **muchedumbre**,
 subió al monte y se sentó.
Entonces se le acercaron sus **discípulos**.
Enseguida comenzó a **enseñarles**, hablándoles así:

"**Dichosos** los pobres de **espíritu**,
 porque de ellos es el **Reino** de los **cielos**.
Dichosos los que **lloran**,
 porque serán **consolados**.

---

pero también condiciona nuestro actuar para asemejarlo al de Cristo. Camino a la plenitud, vamos poco a poco conformando nuestras vidas a aquello para lo cual hemos sido llamados: ser hijos de Dios y hermanos de los demás.

La Fiesta de Todos los Santos celebra la fraternidad entre todos los bautizados: aquellos que ya contemplan el rostro del Padre y quienes quedamos todavía en este mundo. A este intercambio de dones, que trasciende el tiempo y el espacio, lo llamamos la comunión de los santos. En nuestro proceso personal y comunitario de identifi-

cación con Jesús, el ejemplo y la intercesión de los santos es fundamental.

EVANGELIO Los capítulos del 5 al 7 de san Mateo con conocidos como el Sermón Inaugural o también llamado Sermón de la Montaña, porque es pronunciado por el Maestro desde la cumbre de una montaña (5:1). Este discurso tiene como puerta de entrada esta serie de declaraciones de felicidad que conocemos como bienaventuranzas. Cuatro en el evangelio de Lucas (Lucas 6:20–23) son extendidas a nueve en Mateo. Pero quizá la diferencia

mayor entre estas dos fuentes evangélicas sea que Lucas presenta sus declaraciones de felicidad relacionadas con situaciones de carencia social que son revertidas (pobres, hambrientos, sufrientes y perseguidos), mientras que Mateo convierte el discurso de las bienaventuranzas en un programa de vida y las refiere al actuar cristiano.

Las bienaventuranzas de Mateo se concentran en algunas actitudes fundamentales para quienes quieren ser discípulos auténticos: libertad de espíritu ante los bienes materiales, no violencia, deseo ardiente de que la voluntad de Dios se cumpla en el

Dichosos los **sufridos**,
   porque **heredarán** la tierra.
Dichosos los que tienen **hambre** y **sed** de **justicia**,
   porque serán **saciados**.
Dichosos los **misericordiosos**,
   porque **obtendrán misericordia**.
Dichosos los **limpios** de **corazón**,
   porque **verán** a Dios.
Dichosos los que **trabajan** por la **paz**,
   porque se les **llamará** hijos de **Dios**.
Dichosos los **perseguidos** por causa de la **justicia**,
   porque de ellos es el **Reino** de los **cielos**.
Dichosos serán ustedes, cuando los **injurien**,
   los **persigan** y **digan** cosas falsas de ustedes **por** causa **mía**.
Alégrense y salten de contento,
   porque su **premio** será **grande** en los **cielos**".

En la última frase dirige la mirada a la asamblea. Deja que la frase final quede resonando en los corazones.

mundo y limpieza y sencillez de corazón. Aluden también a rasgos esenciales del actuar de los discípulos: la misericordia ante el prójimo y la construcción de la paz. Las bienaventuranzas tienen que ver, entonces, tanto con el corazón como con las manos, con el ser y el quehacer, con las convicciones que alimentan la espiritualidad discipular, pero también con el testimonio que el cristiano ha de dar ante el mundo.

Cumplir con este programa de vida es aceptar que el evangelio no es una declaración teórica de verdades, sino que tiene consecuencias decisivas en la vida cotidiana de los creyentes. Son exigencias de vida que se desprenden del ejemplo mismo de Jesús, que se denominó a sí mismo como "manso y humilde de corazón" (Mateo 11:29). La práctica religiosa que se apoya en estas promesas de felicidad está marcada por la esperanza. Todos los santos y santas, a quienes celebramos hoy, han recorrido este camino y gozan ahora de esa felicidad prometida. Son para nosotros ejemplo de coherencia.

TODOS LOS FIELES DIFUNTOS

La fiesta de los Fieles Difuntos es una fiesta de esperanza. Lee pausadamente y con respeto a la puntuación.

Lo que es castigo a los ojos humanos es bondad a los ojos de Dios. Dale profundidad a tu lectura subrayando la frase final del párrafo.

Dale tono de anuncio profético a este párrafo y haz contacto visual con la asamblea en la última línea.

Concluye con serenidad y frasea correctamente.

I LECTURA   Sabiduría 3:1–9

Lectura del libro de la Sabiduría

Las almas de los justos están en las **manos** de Dios
    y no los alcanzará **ningún tormento.**
Los insensatos **pensaban** que los justos habían muerto,
    que su salida de este mundo era una **desgracia**
    y su salida de entre nosotros, una completa **destrucción.**
Pero los justos están en **paz.**

La gente **pensaba** que sus sufrimientos eran un **castigo,**
    pero ellos esperaban **confiadamente** la inmortalidad.
Después de **breves** sufrimientos
    recibirán una **abundante** recompensa,
    pues Dios los puso a **prueba**
    y los halló **dignos** de sí.
Los probó como **oro** en el crisol
    y los aceptó como un holocausto **agradable.**

En el día del juicio **brillarán** los justos
    como **chispas** que se propagan en un cañaveral.
Juzgarán a las naciones y **dominarán** a los pueblos,
    y el Señor **reinará** eternamente sobre ellos.

Los que confían en el Señor comprenderán la verdad
    y los que son **fieles** a su amor permanecerán a su lado,
    porque **Dios ama** a sus elegidos y cuida de ellos.

O bien cualquiera de las lecturas para las Misas de difuntos.

I LECTURA Ante el advenimiento de la cultura griega, con su amor por el cuerpo y el goce de los sentidos, el autor del libro de la Sabiduría quiere dejar establecida la pertinencia del cumplimiento de la Ley de Moisés como fórmula para una felicidad verdadera. En los dos primeros capítulos, el sabio ha pasado repaso a la vida de los impíos, que ni creen en Dios ni tienen esperanza alguna en la vida después de la muerte. La negación de la trascendencia tiene consecuencias en su vida: su obsesión por el placer egoísta los ciega a las necesidades del prójimo y en su horizonte no hay lugar para el diálogo, sino sólo para el uso de la fuerza, lo que desemboca en la persecución de los justos. El autor se enfrenta a una paradoja: algunos justos sufren, mientras algunos impíos disfrutan de la vida impunemente.

El sabio responde a esta paradoja del sufrimiento de los justos ante los malvados que triunfan. La práctica de la justicia tiene como premio la vida inmortal, porque la muerte de los justos es sólo apariencia: han pasado por una purificación y Dios saldrá en su defensa en el día del juicio (Daniel 12:3) mientras los malvados recibirán el castigo por sus malas obras (Isaías 5:24).

Nuestro texto lanza su luz sobre dos realidades: el anuncio de una vida después de la muerte en la que los justos recibirán la bienaventuranza y una propuesta de solución al problema de la retribución que mira el sufrimiento de los justos, no como un castigo divino, sino como una oportunidad para la maduración humana y espiritual.

II LECTURA Los capítulos del 5 al 8 de la carta a los Romanos aborda la situación en la que debe vivir ahora quien ha sido justificado por Cristo, y apunta a su destino final. Quien, por el bautismo, ha

Para meditar

SALMO RESPONSORIAL   Salmo 22:1–3a, 3b–4, 5, 6

R. El Señor es mi pastor, nada me falta.

El Señor es mi pastor, nada me falta:
    en verdes praderas me hace recostar,
    me conduce hacia fuentes tranquilas
    y repara mis fuerzas. **R.**

Me guía por el sendero justo,
    por el honor de su nombre.
Aunque camine por cañadas oscuras,
    nada temo, porque tu vas conmigo.
    tu vara y tu cayado me sosiegan. **R.**

Preparas una mesa ante mí,
    enfrente de mis enemigos;
    me unges la cabeza con perfume,
    y mi copa rebosa. **R.**

Tu bondad y tu misericordia
    me acompañan todos los días de mi vida,
    y habitaré en la casa
    del Señor
por años sin término. **R.**

O bien cualquiera de los salmos para las Misas de difuntos.

II LECTURA   Romanos 6:3–9

Lectura de la carta del apóstol san Pablo a los romanos

Hermanos:
Todos los que hemos sido
        incorporados a **Cristo Jesús**
    por medio del **bautismo**,
    hemos sido **incorporados** a su **muerte.**
En efecto,
    por el **bautismo** fuimos **sepultados** con él en su **muerte.**
    para que, así como **Cristo resucitó** de entre los **muertos**
    por la **gloria del Padre**,
    así también nosotros llevemos una **vida nueva.**

Porque, si hemos estado **íntimamente unidos** a él
    por una **muerte semejante** a la **suya**,
    también lo estaremos en su **resurrección.**
Sabemos que **nuestro viejo yo** fue **crucificado** con **Cristo**,
    para que el **cuerpo del pecado** quedara **destruido**,
    a fin de que **ya no sirvamos** al **pecado**,
    pues el que ha **muerto** queda **libre** del **pecado.**

El bautismo realiza grandes cosas en el creyente. Que la riqueza sacramental quede de manifiesto en tu lectura. Lee con convicción.

El párrafo es denso. Lee pausadamente y respetando la puntuación. Dale tono esperanzador.

---

aceptado la vida nueva que brota de la adhesión al Mesías ha de conformar su conducta a la gracia que ha recibido. Lo que antes ha explicado el apóstol con lenguaje jurídico, basándose en la historia de Abrahán, ahora se convierte en un lenguaje ético. Las obras del discípulo no son, sin embargo, la fuente de la esperanza cristiana: todo se debe al amor de Dios que nos ha reconciliado en la entrega de su Hijo amado. Ya no se trata del cumplimiento de la Ley de Moisés, sino de la adhesión a la persona y al mensaje de Jesucristo.

Esta es la transformación radical operada por la pascua de Cristo: antes estábamos en el régimen del pecado y nadie podía, por sí mismo, estar en buenas relaciones con Dios. Ahora, gracias a la generosa entrega de Jesús, el discípulo es llamado a participar de la gloria divina. Eso significa "estar en paz con Dios" (Romanos 5:1). Esta paz, entendida como la plenitud de bienes que el ser humano necesita, la recibimos nosotros gracias a la resurrección de Jesús.

Pero, además, estamos preñados de esperanza. Por la pascua de Jesús aspiramos a un futuro de gloria (Romanos 8:18). La conmemoración de los Fieles Difuntos nos recuerda aquella bienaventuranza que anhelamos, fundada en el amor del Padre, la entrega del Hijo y la constante acción del Espíritu Santo en nuestras vidas.

EVANGELIO Del discurso del Pan de Vida (Juan 6:22–59), el texto litúrgico extrae estos tres versículos. Jesús intuye que la multitud lo busca porque ha visto la multiplicación de los panes y espera sacar beneficios. Primero señala que el maná fue dado por Dios y no por Moisés para que el pueblo peregrino en el desierto

El párrafo conclusivo es un anuncio gozoso de la resurrección. Contagia a la asamblea de entusiasmo ante su futuro de gloria.

Por lo tanto,
　si hemos **muerto en Cristo**,
　estamos **seguros** de que **también viviremos** con él;
　pues **sabemos** que **Cristo** una vez **resucitado**
　　de entre los **muertos**,
　ya **nunca morirá**.
La **muerte ya no tiene dominio** sobre él.

O bien, cualquiera de las lecturas para las Misas de difuntos.

EVANGELIO　Juan 6:37–40

Lectura del santo Evangelio según san Juan

La misión de Jesús está abierta a toda persona que se acerca a Él con fe. Aprovecha las negrillas.

En **aquel** tiempo,
　Jesús dijo a la **multitud**:
"**Todo aquel** que me da el **Padre** viene hacia **mí**;
　y al que **viene** a mí **yo** no lo echaré **fuera**,
　porque he **bajado** del **cielo**,
　no para hacer **mi voluntad**,
　sino la **voluntad** del que **me envió**.

Hay una promesa consoladora en este párrafo final. Es un anuncio de victoria que debe ser leído enfáticamente.

Y la **voluntad** del que **me envió**
　es que **yo no pierda nada** de lo que **él** me ha **dado**,
　sino que lo **resucite** en el **último día**.
La **voluntad** de mi Padre **consiste** en que **todo** el que vea al **Hijo**
　y **crea en él**,
　tenga **vida eterna** y yo lo **resucitaré** en el **último día**".

O bien, cualquiera de las lecturas para las Misas de difuntos.

se alimentara y no desmayara en su camino hacia la libertad. Ahora nos anuncia que el Pan de Vida es su palabra, palabra del Padre, entregada para dar vida plena al mundo.

Con el tema de la murmuración del pueblo de Israel en el desierto (6:41–43) como fondo, el cuarto evangelio invita a identificar el nuevo maná con la persona misma, mensaje y testimonio, del Mesías y nos invita a creer en Él. Pero no nos engañemos: si Jesús dice que quien cree en Él tiene vida eterna, no se refiere a una fe teó-

rica, sin raigambre existencial, sino a la respuesta plena, la entrega de toda la vida, para colaborar con el cumplimiento de la voluntad del Padre, que es la vida plena de todos (Juan 10:10).

Es el Padre quien nos atrae a Jesús. Detrás de la salvación que Cristo nos ofrece hay un misterio de gratuidad que se prolonga hasta la vida eterna. La voluntad del Padre es que no se pierda nadie, sino que, en Jesús, gracias a su entrega en la cruz, recibamos el regalo de la vida eterna. En la fiesta de los Fieles Difuntos le pedimos al

Señor que cumpla con su promesa y conceda a nuestros hermanos que han partido antes que nosotros, la resurrección final.

XXXI DOMINGO ORDINARIO

I LECTURA   Deuteronomio 6:2–6

Lectura del libro del Deuteronomio

Vas a leer una tradición antiquísima y venerada por el pueblo judío. Es la expresión orante de la alianza. Lee con unción y subraya el párrafo final.

En aquellos días, habló Moisés al pueblo y le dijo:
"**Teme** al Señor, tu **Dios**,
   y **guarda** todos sus preceptos y **mandatos**
      que yo te **transmito** hoy, a ti,
   a tus **hijos** y a los **hijos** de tus hijos.
Cúmplelos y ponlos en **práctica**, para que seas **feliz**
      y te **multipliques**.
Así serás **feliz**, como ha dicho el **Señor**, el **Dios** de tus **padres**,
   y te **multiplicarás** en una **tierra** que mana **leche** y **miel**.

Escucha, Israel: El **Señor**, nuestro Dios, es el **único** Señor;
   amarás al Señor, tu **Dios**, con todo tu **corazón**,
   con toda tu **alma**, con todas tus **fuerzas**.
Graba en tu **corazón** los **mandamientos**
   que hoy te he **transmitido**".

Para meditar

SALMO RESPONSORIAL   Salmo 18 (17):2–3a, 3bc–4, 47 y 51ab
R. Yo te amo, Señor, tú eres mi fuerza.

Yo te amo, Señor; tú eres mi fortaleza;
   Señor, mi roca, mi alcázar,
      mi libertador. **R.**

Dios mío, peña mía, refugio mío, escudo mío,
   mi fuerza salvadora, mi baluarte.
Invoco al Señor de mi alabanza
   y quedo libre de mis enemigos. **R.**

Viva el Señor, bendita sea mi Roca,
   sea ensalzado mi Dios y Salvador.
Tú diste gran victoria a tu rey,
   tuviste misericordia de tu Ungido. **R.**

I LECTURA El Deuteronomio, último libro del Pentateuco, se presenta como un gran testamento. Moisés, después de haber concluido la marcha por el desierto, quiere meter en la mente y el corazón del pueblo, la fidelidad al Dios de la alianza. Bajo la figura literaria de cuatro discursos, se oye el llamado a escuchar y obedecer la voz de Dios manifestada en los preceptos contenidos en listas que abarcan todos los aspectos de la vida del pueblo. Israel aparece como un solo pueblo, que tiene un solo Dios, vive gobernado por una sola Ley y tiene un solo santuario en la tierra que Dios le regaló.

La ley de Dios es garantía para el pueblo: si la cumple, tendrá larga vida. Pero no es asunto de una obediencia impuesta ciegamente, sino fruto de una experiencia de amor. Obedecemos a Dios porque lo amamos y sabemos que quiere lo mejor para nosotros. Amar a Dios implica escuchar su palabra y obedecerla, para que un nuevo modo de vivir garantice la justicia y la fraternidad en el pueblo y la alianza con Dios se prolongue en las nuevas generaciones.

Hoy escuchamos el *Shemá Israel* que es una oración que, completada con Deuteronomio 11:13–21 y Números 15:37–41, es recitada por los hijos de Israel al amanecer y al anochecer y todo buen judío desearía morir con ella en los labios. Contiene lo esencial de la alianza: el amor sin reservas al único Dios y el compromiso de llevar una vida de respeto y obediencia al Señor. Este mandamiento del amor a Dios será completado por Jesús con el precepto de amor al prójimo (Mateo 22:34–40)

II LECTURA   Hebreos 7:23–28

Lectura de la carta a los hebreos

Hermanos:
Durante la **antigua** alianza hubo muchos **sacerdotes**,
  porque la **muerte** les impedía **permanecer** en su oficio.
En cambio, **Jesús** tiene un sacerdocio **eterno**,
  porque él permanece para **siempre**.
De ahí que sea capaz de salvar, para siempre,
  a los que **por su medio** se acercan a Dios,
  ya que vive **eternamente** para interceder por **nosotros**.

Ciertamente que un sumo sacerdote como éste
    era el que nos **convenía**:
  santo, inocente, inmaculado,
  separado de los pecadores
  y **elevado** por encima de los cielos;
  que no necesita, como los demás sacerdotes,
  ofrecer **diariamente** víctimas,
  primero por sus pecados
    y **después** por los del pueblo,
  porque esto lo hizo de una vez **para siempre**,
  ofreciéndose a **sí mismo**.
Porque los sacerdotes constituidos por la **ley** eran **hombres**
    llenos de **fragilidades**;
  pero el **sacerdote** constituido por las palabras del juramento
    posterior a la ley,
  es el Hijo **eternamente** perfecto.

Hay una comparación entre los antiguos sacerdotes y el nuevo sacerdocio de Jesucristo. Subraya aquellas frases que muestran la superioridad de Cristo.

La descripción del sacerdocio de Cristo es hermosa. Lee cada uno de los adjetivos con claridad.

El párrafo conclusivo es una apretada síntesis del pasaje entero. Léelo con solemnidad.

II LECTURA El autor de la Carta a los hebreos continúa con su demostración: quiere dejar claro que Jesucristo cumple con todos los requisitos para ser Sumo Sacerdote. Con paciencia ha ido desmontando la validez del sacerdocio levítico y, con ayuda del salmo 110 y de la figura de Melquisedec, ha proclamado que Jesús es verdadero sacerdote debido a su resurrección.

Desarrolla ahora una característica del nuevo sacerdocio de Jesús: es eterno, porque nunca más será interrumpido por la muerte. Los sacerdotes antiguos eran hombres mortales y pecadores. El nuevo sacerdote, Jesús, es en cambio un sacerdote eterno, cuyo sacrificio es agradable a Dios para siempre. Jesucristo, Hijo de Dios, ha sido elevado a la dignidad del sumo sacerdocio, no porque provenga de la tribu sacerdotal, sino porque Dios, al resucitarlo, lo ha constituido mediador perfecto, infinitamente superior a los sacerdotes antiguos.

Jesús ha alcanzado esa perfección con la oferta de su vida, único sacrificio que ha resultado agradable al Padre y ha conseguido, para todos los que creemos en Él, el acceso a la salvación. Por eso la lectura lo proclama con adjetivos que revelan su grandeza: santo, inocente, inmaculado. ¡Con cuánta confianza hemos de ponernos en las manos de un sacerdote así!

Los sacramentos, particularmente el bautismo y la Eucaristía, nos hacer participar del misterio pascual de Cristo. Adherirnos a Jesús, nuestro Sumo Sacerdote, significa estar dispuestos, como Él, a ofrecer a Dios la ofrenda de una vida vivida en santidad.

EVANGELIO   Marcos 12:28b–34

Lectura del santo Evangelio según san Marcos

En aquel tiempo,
uno de los escribas se acercó a **Jesús**
y le **preguntó**:
"¿Cuál es el **primero** de todos los **mandamientos?**"
Jesús le **respondió**:
"El primero es:
Escucha, Israel:
El Señor, nuestro Dios,
*es el **único** Señor;*
***amarás** al Señor, tu Dios,*
*con todo tu **corazón**, con toda tu **alma**,*
*con toda tu mente y con todas tus **fuerzas**.*
El **segundo** es éste:
*Amarás a tu **prójimo** como a ti **mismo**.*
No hay **ningún** mandamiento mayor que éstos".

El escriba replicó:
"Muy bien, **Maestro**.
Tienes **razón**, cuando dices que el Señor es **único**
y que no hay **otro** fuera de él, y **amarlo** con todo el **corazón**,
con toda el **alma**, con todas las **fuerzas**,
y amar al **prójimo** como a uno **mismo**,
vale más que **todos** los holocaustos y **sacrificios**".

Jesús, viendo que había hablado muy **sensatamente**, le dijo:
"No estás **lejos** del Reino de Dios".
Y ya **nadie** se atrevió a hacerle **más** preguntas.

Lo que iba a ser una controversia, se convirtió en un diálogo respetuoso. Da tono de conversación a tu proclamación y haz que se distingan las dos voces.

La respuesta del escriba es correcta y sincera. Léela pausadamente.

Jesús reconoce la sensatez de su interlocutor. La frase final debe sonar con tono conclusivo.

EVANGELIO A partir de su entrada en Jerusalén y de la expulsión de los mercaderes del templo (11:1–26), Jesús se enfrasca en una serie de controversias con las autoridades del santuario. En medio de discusiones que van del impuesto al César a la resurrección de los muertos, un escriba se acerca para preguntarle sobre el precepto más importante de la Ley de Moisés. Encargados de copiar los textos sagrados, la mayor parte de los escribas eran simpatizantes de los fariseos y compartían su interpretación de las Escrituras.

El estudio acucioso de la Ley de Moisés había llevado a la multiplicación de mandamientos: 613 en total, divididos entre 365 prohibiciones y 248 órdenes. El escriba, que ha escuchado con admiración las respuestas de Jesús en las controversias que ha sostenido en el Templo, le pregunta ahora por el mandamiento principal. Jesús, conocedor también de la Ley, acude a la plegaria matutina de los judíos (Deuteronomio 6:4–5) para mostrar que amar a Dios es la primera obligación del creyente, pero completa su respuesta acudiendo a Levítico 19:18 colocando

así en el primer puesto un mandamiento doble: el amor a Dios y el amor al prójimo.

En su diálogo, el escriba enriquece la respuesta aludiendo a Oseas 6:6 y subrayando la primacía de la compasión por encima del cumplimiento religioso. El mensaje queda claro para cualquiera que quiera entenderlo: el amor a Dios es inseparable del amor al prójimo y poner la esencia de nuestra fe en las prácticas piadosas es equivocado. Una enseñanza de indudable actualidad.

XXXII DOMINGO ORDINARIO

La narración es vivaz y se sigue con facilidad. Hay que dar entonación apropiada a los intercambios en el diálogo.

Subraya en tu lectura la generosidad de la viuda.

Las palabras del profeta terminan con un refrán divino que debe ser acentuado: Dios no se olvida de los actos de generosidad.

I LECTURA   1 Reyes 17:10–16

Lectura del primer libro de los Reyes

En aquel tiempo, el profeta **Elías** se puso en **camino** hacia
    Sarepta.
Al llegar a la **puerta** de la ciudad, encontró **allí** a una **viuda**
    que recogía **leña.**
La llamó y le **dijo:**
    "**Tráeme**, por favor, un poco de **agua** para beber".
Cuando ella se **alejaba**, el profeta le **gritó:**
    "Por favor, tráeme **también** un poco de **pan**".
Ella le **respondió:**
    "Te **juro** por el Señor, tu Dios,
    que no me queda ni un **pedazo** de pan;
    tan **sólo** me queda un **puñado** de **harina** en la tinaja
    y un poco de **aceite** en la vasija.
Ya ves que estaba **recogiendo** unos cuantos **leños.**
Voy a **preparar** un pan para **mí** y para mi **hijo.**
Nos lo **comeremos** y luego **moriremos**".

Elías le dijo: "**No temas.**
Anda y **prepáralo** como has dicho;
    pero **primero** haz un **panecillo** para mí y **tráemelo.**
Después lo **harás** para **ti** y para tu **hijo,**
    porque así dice el Señor **Dios** de Israel:
    'La tinaja de harina no se **vaciará**, la vasija de aceite
        no se **agotará,**
    hasta el día en que el Señor envíe la **lluvia** sobre la **tierra**'".

I LECTURA Desde que el pueblo se estableció en Canaán, una de las tentaciones más grandes era asimilarse con los pueblos de su entorno, olvidando su naturaleza de pueblo de la alianza, llamado a vivir según los mandamientos del Dios verdadero. Ese riesgo, presente ya desde los tiempos de los Jueces, continuó y se acrecentó con el surgimiento de la monarquía. Llegó un momento, particularmente durante el reinado de Ajaz, en que el culto en honor de Baal, dios cananeo de la lluvia y la fecundidad, floreció en Israel, de suerte que se construyó un templo a Baal en la misma capital del reino del norte, Samaria (1 Reyes 16:32).

El profeta Elías enfrenta este momento trágico. Está en juego la fe en Yahvé, el verdadero Dios. Para demostrar que el Dios de Israel es el único verdadero y que Baal, el dios de la lluvia, no es más que un ídolo sin poder alguno, Elías anuncia una sequía que durará varios años, como signo del enojo de Dios ante la idolatría alentada desde el mismo palacio real. Más adelante el profeta tendrá que enfrentar a los sacerdotes de Baal en la cumbre del monte Carmelo, donde Dios manifestará su poder y mostrará lo vano que es el culto a los ídolos.

Este es el marco de nuestro relato. La sequía ha causado estragos en el pueblo, particularmente entre los campesinos pobres. Enviado por Dios, Elías se dirige a una ciudad extranjera, Sarepta, para encontrarse ahí con una viuda que había de proveerle de alimento. A las dificultades climáticas se añade la situación de desamparo que sufrían las viudas en Israel, así que la mujer no tiene qué ofrecerle al profeta, pues le queda apenas un poco de harina y aceite para comer un último bocado ella y su hijo.

La conclusión del relato confirma la palabra profética. Lee con firmeza la frase final, separándola de la anterior con una pausa breve.

Entonces ella **se fue**, hizo lo que el profeta le había **dicho**
    y **comieron** él, ella y el niño.
Y tal como había dicho el **Señor** por medio de **Elías**,
    a partir de ese momento ni la tinaja de harina se **vació**,
    ni la vasija de aceite se **agotó**.

Para meditar

SALMO RESPONSORIAL   Salmo 145:7, 8–9a, 9bc–10

R. Alaba, alma mía, al Señor.
Que mantiene su fidelidad perpetuamente,
    que hace justicia a los oprimidos,
    que da pan a los hambrientos.
El Señor liberta a los cautivos. **R.**

El Señor abre los ojos al ciego,
    el Señor endereza a los que ya se doblan,
    el Señor ama a los justos,
    el Señor guarda a los peregrinos. **R.**

El Señor sustenta al huérfano y a la viuda
    y trastorna el camino de los malvados.
El Señor reina eternamente,
    tu Dios, Sión, de edad en edad. **R.**

II LECTURA   Hebreos 9:24–28

Lectura de la carta a los hebreos

Hermanos:
Cristo no entró en el santuario de la **antigua** alianza,
    construido por mano de **hombres** y que sólo era **figura**
        del **verdadero**,
    sino en el cielo **mismo**, para estar ahora en la **presencia**
        de Dios, **intercediendo** por nosotros.

En la **antigua** alianza, el **sumo sacerdote** entraba **cada año**
        en el **santuario**
    para ofrecer una **sangre** que no era la **suya**;
    pero **Cristo** no tuvo que ofrecerse una y otra vez a **sí mismo**
        en **sacrificio**,
    porque en tal caso habría tenido que padecer **muchas veces**
        desde la **creación** del **mundo**.

La comparación entre los sacerdotes antiguos y el sacerdocio nuevo de Jesús llega a su punto culminante. Lee cuidando que el ejercicio comparativo se comprenda por la asamblea.

La ofrenda de Cristo supera con creces la de la antigua alianza porque es existencial y no ritual. Lee con propiedad este párrafo.

La viuda da crédito a la palabra del profeta y comparte con él su pan. Jesús aludirá a este acontecimiento en su predicación (Lucas 4:25–27) para recordar que la acción de Dios no se limita al pueblo elegido. El prodigio realizado por el profeta muestra la compasión de Dios por las viudas y los huérfanos, símbolos del desamparo social.

II LECTURA Los capítulos 8 y 9 de la Carta a los hebreos mostrarán el camino que Jesús ha debido llevar para alcanzar la gloria del sumo sacerdocio. De manera magistral, el autor analiza la fies-

ta del Día de la Expiación para, a partir de la actuación del sacerdote en ella, demostrar que nadie fuera de Jesús puede desempeñar ese papel.
La fiesta del Día de la Expiación o del Perdón (en hebreo *Yom Kippur*), aunque no era conocida antes del exilio en Babilonia, terminó por convertirse en la fiesta más importante de los judíos. Era el único día en que el Sumo Sacerdote, después de una serie de ritos de preparación, ofrecía una víctima en sacrificio y, con su sangre, entraba al Santo de los Santos, el lugar más sagrado del santuario, para rociar ahí los

cuernos del altar y ofrecer la sangre por los pecados del sumo sacerdote y de todo el pueblo. La sacralidad del momento es única: un ser humano, así sea por unos minutos, entraba en territorio de Dios, en el espacio íntimo donde habita.
Con maestría, el autor va recorriendo en estos dos capítulos todo el ritual antiguo, criticándolo, para demostrar que el sacerdote, la víctima y el santuario donde se realizaba el rito eran solamente figuras falibles: ni el templo es la auténtica casa de Dios, ni el sacerdote ofrecía una ofrenda agradable y, por tanto, los pecados no eran perdona-

De **hecho,** él se manifestó **una sola** vez, en el momento
culminante de la historia,
para **destruir** el **pecado** con el sacrificio de **sí mismo.**

Así como está **determinado** que los hombres mueran
una sola vez
y que después de la **muerte** venga el **juicio,**
así también Cristo se ofreció **una sola vez** para quitar
los pecados de **todos.**
Al final se manifestará por **segunda** vez,
pero **ya no** para quitar el pecado,
sino para **salvación** de aquéllos que lo aguardan
y en él tienen puesta su **esperanza.**

EVANGELIO   Marcos 12:38–44

Lectura del santo Evangelio según san Marcos

En aquel tiempo, enseñaba **Jesús** a la multitud y le **decía:**
"¡Cuidado con los **escribas!**
Les **encanta** pasearse con amplios ropajes y recibir **reverencias**
en las calles;
buscan los asientos de **honor** en las sinagogas
y los **primeros puestos** en los **banquetes;**
se echan sobre los bienes de las viudas haciendo **ostentación**
de **largos** rezos.
Éstos recibirán un castigo muy **riguroso".**

En una ocasión Jesús estaba sentado frente a las **alcancías**
del templo,
mirando cómo la gente echaba allí sus **monedas.**
Muchos ricos daban en **abundancia.**

El párrafo final concluye de manera esperanzadora. Lo que Jesús ha logrado con su sacrificio tiene consecuencias positivas para los seres humanos, Lee con tono gozoso la frase final.

Jesús usará un lenguaje duro. Hay que leerlo con firmeza, pero sin exageraciones. La última frase debe ser subrayada por su peso de denuncia.

El segundo párrafo da un cambio, pero sigue relacionado con lo que ya se ha dicho. Mantén una relación entre los dos párrafos.

---

dos. Jesús, en cambio, entra al auténtico santuario, que es el cielo, para ofrecer la sangre, no de un animal, sino la propia, fruto de su entrega en la cruz. El perdón de los pecados al fin se consigue, de manera que, cumplido el objetivo, no hay ya que recurrir a ningún rito.

No son las bestias inmoladas las que consiguen el perdón de los pecados, sino la ofrenda existencial de Jesús, que por obediencia al Padre asume las consecuencias de su misión y entrega su vida en la cruz. El sacrificio perfecto, ofrecido en el auténtico santuario y con la eficacia de perdonar

realmente los pecados, haçe de Jesucristo el único Sumo y Eterno sacerdote agradable al Padre.

EVANGELIO Al final del debate entre Jesús y las autoridades del templo, Marcos nos presenta dos distintos modelos de conducta: los escribas y fariseos (12:38–40) y una viuda pobre (12:41–44). Después entrará en su pasión (14–15).

Los escribas, como quedó retratado en el evangelio del domingo anterior, eran piadosos, afines a la teología de los fariseos y apreciados por el pueblo debido a su cohe-

rencia y a su deseo de cumplir con todo lo prescrito por la Ley de Moisés. No es su piedad lo que Jesús critica, sino su hipocresía. Los distintivos especiales, los primeros puestos en la sinagoga y en los banquetes, eran manifestaciones del aprecio que el pueblo sentía por estos estudiosos de la Ley de Moisés, considerados como guías de la conducta del pueblo.

Pero Jesús desnuda sus verdaderas intenciones. Ya antes se ha referido a la profunda hipocresía que llena sus corazones (7:13). La búsqueda de honores y el regodeo en las alabanzas recibidas del pueblo, ocul-

La viuda ofrece un testimonio silencioso. Un cambio de tono de voz sería conveniente. La enseñanza final de Jesús debe escucharse en toda su amplitud, para que tenga eco en los corazones de los oyentes.

En esto, se acercó una **viuda pobre** y echó dos **moneditas**
de muy **poco valor**.
Llamando entonces a sus discípulos, Jesús les **dijo**:
"Yo les **aseguro** que esa **pobre viuda** ha echado en la alcancía
más que todos.
Porque los demás han echado de lo que les **sobraba**;
pero **ésta**, en su **pobreza**, ha echado **todo** lo que tenía para
vivir".
Forma breve: *Marcos 12:41–44*

tan dobles intenciones. Interesados sólo en su prestigio, en contradicción con el escriba que ha reconocido la primacía del amor a Dios y al prójimo como esencia de la religión (12:28–34), los letrados criticados por Jesús no tienen empacho alguno en utilizar su prestigio espiritual para alimentar su codicia, pues son acusados de despojar a las personas necesitadas (viudas) de sus bienes. Su culpabilidad es mayor pues se ostentan como maestros de los demás.

La segunda imagen, en cambio, enaltece el valor de las dos monedas entregadas por una viuda. Su piedad contrasta con las actitudes criticadas a los escribas. El valor de la ofrenda de esta mujer necesitada estriba, no en la cantidad de lo que da, sino en que ofrece "lo que tiene para vivir". Hay un dejo de condena de parte de Jesús hacia la institución del templo, que se alimenta del despojo de los pobres. Después de esto Jesús abandonará el templo y ya no volverá nunca a él. Es un sistema religioso que no es conforme a la voluntad de Dios. Terminará por desaparecer.

XXXIII DOMINGO ORDINARIO

I LECTURA   Daniel 12:1–3

Lectura del libro del profeta Daniel

En aquel tiempo, se levantará **Miguel**,
  el **gran príncipe** que defiende a tu pueblo.

Será aquél un tiempo **de angustia**,
  como **no lo hubo** desde el principiot del mundo.
Entonces **se salvará** tu pueblo;
  todos aquellos que están escritos **en el libro**.
Muchos de los que duermen en el polvo,
  despertarán: unos para la vida **eterna**,
  otros para el **eterno castigo**.

Los guías sabios **brillarán** como el esplendor del firmamento,
  y los que **enseñan** a muchos la justicia,
  resplandecerán como estrellas por **toda** la eternidad.

La descripción de la batalla final, aunque dura y trágica, se abre a la esperanza. Acentúa en tu lectura las frases de salvación, más que las de angustia.

La lectura se cierra con una promesa. Da un tono de entusiasmo a su proclamación.

Para meditar

SALMO RESPONSORIAL   Salmo 15:5, 8, 9–10, 11
R. Protégeme, Dios mío, que me refugio en ti.

El Señor es el lote de mi heredad y mi copa,
  mi suerte está en tu mano.
Tengo siempre presente al Señor,
  con él a mi derecha no vacilaré. R.

Por eso se me alegra el corazón,
  se gozan mis entrañas,
  y mi carne descansa serena:
  porque no me entregarás a la muerte
  ni dejarás a tu fiel conocer
    la corrupción. R.

Me enseñarás el sendero de la vida,
  me saciarás de gozo en tu presencia,
  de alegría perpetua a tu derecha. R.

I LECTURA En los capítulos del 7 al 12 se exponen algunas visiones y sueños de Daniel. En ellos, el profeta usa un lenguaje apocalíptico que, a través de imágenes de catástrofes y de guerras, va descifrando el significado de los acontecimientos históricos con el propósito de animar a los lectores para permanecer firmes en medio de las adversidades. En el segmento de los capítulos 10–12 aparece un hombre con túnica de lino, que recorre la época de los persas y de los griegos hasta llegar a la persecución religiosa del emperador Antíoco IV contra los judíos. En medio de esas calamidades, Daniel asegura que la poderosa ayuda de Dios no abandona nunca a su pueblo.

Estamos ante el fundamento bíblico de la fe en la resurrección. Lanzando la mirada al futuro, el profeta afirma que, quienes se mantienen fieles al Señor en medio de las dificultades y persecuciones, recibirán la recompensa eterna. Como la madrugada es preludio del amanecer, así también los tiempos de angustia son anuncios de un desenlace en el que Dios premia a los que han permanecido fieles. El libro de los Macabeos dará testimonio de la continuidad de este pensamiento, pues anima a los mártires y les da el coraje necesario para enfrentar incluso la muerte por fidelidad al Dios verdadero.

La resurrección es la promesa dirigida a quienes, en medio de tribulaciones, permanecen firmes. Después de su muerte, su luz no dejará de brillar para enseñanza de las siguientes generaciones.

II LECTURA Cuentan que, en el Día del Perdón, una vez que el sacerdote salía del Santo de los Santos después de haber ofrecido la sangre de la

II LECTURA Hebreos 10:11–14, 18

Lectura de la carta a los hebreos

Hermanos:
En la **antigua alianza** los sacerdotes **ofrecían** en el templo,
    diariamente y de pie, los **mismos sacrificios**,
    que **no podían** perdonar los pecados.
Cristo, en cambio, ofreció **un solo sacrificio** por los pecados
    y se *sentó para siempre a la derecha de Dios;*
    no le queda sino **aguardar** a que *sus enemigos*
        sean puestos **bajo sus pies**.
Así, con **una sola** ofrenda,
    hizo perfectos **para siempre** a los que ha **santificado**.
Porque **una vez** que los pecados han sido **perdonados**,
    ya **no hacen falta** más ofrendas por ellos.

EVANGELIO Marcos 13:24–32

Lectura del santo Evangelio según san Marcos

En aquel tiempo, Jesús dijo a sus **discípulos**:
    "Cuando lleguen **aquellos días,** después de la gran **tribulación**,
    la luz del sol **se apagará**, no brillará la luna,
    caerán del cielo las estrellas
    y el universo entero **se conmoverá**.
Entonces **verán venir** al Hijo del hombre sobre las nubes
    con **gran poder** y majestad.
Y él **enviará** a sus ángeles a congregar **a sus elegidos**
    desde los **cuatro** puntos cardinales
    y desde lo **más profundo** de la tierra a lo más alto del cielo.

El sacrificio de Cristo supera las ofrendas antiguas. Esta buena noticia debe ser anunciada con gozo. Respeta en tu lectura los signos de puntuación.

Nuestra buena relación con Dios es posible por la ofrenda de Cristo. Apóyate en las negrillas para tu lectura.

Jesús usaba el lenguaje apocalíptico. Su intención es consolar e infundir confianza. No des lugar en tu proclamación al miedo.

víctima, se dirigía al patio y bendecía al pueblo reunido pronunciando sobre ellos —por única vez en el año— el nombre sagrado de Dios. Y es que la mediación sacerdotal tiene dos movimientos: uno ascendente, que consiste en presentar a Dios la ofrenda sacrificial para implorar su perdón por los pecados del Sumo Sacerdote y del pueblo, y otro descendente, que comparte con todo el pueblo los bienes derivados del sacrificio aceptado por Dios.

Llegando al final de su crítica al sacerdocio del Antiguo Testamento, el autor de la Carta a los hebreos demuestra que la ofrenda realizada por Jesús supera infinitamente los sacrificios antiguos, no sólo porque no ofrece un animal sino la existencia misma de Jesús, sino también por sus efectos: el sacrificio de Cristo comunica realmente a los seres humanos el perdón y la santificación. La figura de los antiguos sacerdotes deja paso al auténtico sacerdocio, el de Cristo y su sacrificio pascual, el único capaz de transformar el corazón humano.

Ahora ya sabemos cuál es el camino que nos conduce con certeza a la casa del Padre: Jesús. Adherirnos a él significa hacer de nuestras vidas una ofrenda agradable al Padre, que pueda unirse a la ofrenda de Jesucristo. En ese sentido, todos los cristianos somos sacerdotes, miembros de un pueblo sacerdotal. En la Eucaristía, junto con la ofrenda del altar, nuestra vida también es ofrecida.

EVANGELIO El lenguaje apocalíptico expresaba su mensaje a través de conmociones cósmicas que sirven como puertas de entrada a la intervención de Dios que da un vuelco a la historia. Todo ello para animar a los creyentes a permanecer perseverantes en medio de los conflictos.

El ejemplo de la higuera es muy claro. Haz contacto visual con la asamblea al pronunciar los "ustedes".

La ignorancia del día y la hora no nos quitan la certeza del cumplimiento de las promesas divinas. Lee con tono firme.

Entiendan esto con el ejemplo de la **higuera**.
Cuando las ramas se ponen **tiernas** y brotan las hojas,
    ustedes saben que el verano **está cerca**.
Así también, cuando vean ustedes que suceden **estas cosas**,
    sepan que el fin **ya está cerca**, ya está a la puerta.
En verdad que **no pasará** esta generación
    sin que **todo esto** se cumpla.
Podrán dejar **de existir** el cielo y la tierra,
    pero mis palabras **no dejarán** de cumplirse.
Nadie conoce el día ni la hora.
Ni los ángeles del cielo **ni el Hijo;**
    solamente **el Padre**".

Jesús conocía ese lenguaje y lo usó en diversas ocasiones. Hoy leemos un fragmento del capítulo 13, conocido precisamente como el discurso escatológico, en el que Jesús habla del fin del mundo para responder a una pregunta formulada por sus discípulos (13:4).

Tres momentos inician el pasaje: una catástrofe cósmica (vv. 24–25), la venida gloriosa del Hijo del Hombre (v. 26) y la reunión de los elegidos (v. 27). Todo ello se ilustra con imágenes arrancadas de relatos proféticos que aluden al Día del Señor (Isaías 13:10; 34:4). El Hijo del Hombre (Daniel 7:13–14), reúne a los elegidos desde los cuatro puntos cardinales, en un sentido universalista claro. El anuncio del fin del mundo tiene como objetivo alentar a los discípulos a enfrentar los momentos de prueba que sólo terminarán con la venida del Señor.

Los últimos tiempos han comenzado ya con la muerte y resurrección de Jesús. La lucha entre los poderes del mal y los discípulos del Resucitado continuará hasta la parusía. Pero la advertencia de Jesús nos impide quedarnos dilucidando el cuándo del momento final, para favorecer una mirada atenta y vigilante, que permita a los discípulos atender a los signos humildes que transparentan la acción del Espíritu del Resucitado en el mundo.

NUESTRO SEÑOR JESUCRISTO, REY DEL UNIVERSO

I LECTURA   Daniel 7:13–14

Lectura del libro del profeta Daniel

Yo, **Daniel,** tuve una visión nocturna:
Vi a alguien **semejante** a un hijo de hombre,
   que **venía** entre las nubes del cielo.
Avanzó hacia el anciano de muchos siglos
   y fue **introducido** a su presencia.
Entonces **recibió** la soberanía, la gloria **y el reino.**
Y todos los pueblos y naciones
   de **todas** las lenguas lo servían.
Su poder **nunca** se acabará, porque es un poder **eterno,**
   y su reino **jamás** será destruido.

SALMO RESPONSORIAL   Salmo 92:1ab, 1c–2, 5

R. El Señor reina, vestido de majestad.

El Señor reina, vestido de majestad,
   el Señor, vestido y ceñido de poder. **R.**

Así está firme el orbe y no vacila.
Tu trono está firme desde siempre,
   y tú eres eterno. **R.**

Tus mandatos son fieles y seguros,
   la santidad es el adorno de tu casa,
   Señor, por días sin término. **R.**

Este texto es origen de la expresión "hijo de hombre" que tanto usó Jesús. Proclama la visión con voz nítida.

En la fiesta de Cristo Rey esta proclamación cobra pertinencia. Las negrillas te ayudarán a dar la entonación correcta.

Para meditar

I LECTURA La visión simbólica que nos ofrecen estos versículos se sitúa en medio de la visión del profeta en la que aparecen cuatro animales y un ser humano, que abarca todo el capítulo. Introducido ante el anciano que representa a Dios, este ser humano ("hijo de hombre"), recibe de Dios una participación en su gloria. Se trata de una realeza en función de muchos pueblos y naciones, sobre los cuales este hijo de hombre reinará. Aunque no se indica cómo ejercerá este reinado universal, lo cierto es que es una participación del mismo reinado de Dios. Una anotación posterior (7:27) nos aclarará que los beneficiarios de este reinado son "los santos del Altísimo". En la lógica del relato, cuando el poder de las bestias (7:1–12), que representan a los imperios perseguidores del pueblo judío, sea vencido, el pueblo recibirá una participación en la realeza divina.

Se trata de un mensaje lleno de esperanza. El poder del mal es limitado y terminará por ser aniquilado. El reino de Dios, compartido a su pueblo, no cesará jamás. Los cristianos hemos visto, en la figura del Hijo del Hombre que viene sobre las nubes del cielo (Marcos 14:62), a Jesús. A él cele-bramos en este último día del año litúrgico como nuestro rey. Su proyecto de Reino ha sido compartido con todos nosotros. En medio de un mundo gobernado por el mal, la acción de los cristianos ha de hacer presente el Reino entregado a Jesús. Nuestras acciones de justicia y solidaridad son los medios por los cuales el Reino puede ser perceptible en el mundo.

II LECTURA El libro del Apocalipsis es una especie de diálogo litúrgico en que el vidente, Juan, se dirige a siete iglesias locales de la provincia de Asia

La lista de atributos de Jesucristo es amplia. Léelos con tono agradecido y laudatorio.

II LECTURA   Apocalipsis 1:5–8

Lectura del libro del Apocalipsis del apóstol san Juan

Hermanos míos:
Gracia y paz a ustedes, de parte de **Jesucristo**,
   el testigo **fiel**, el **primogénito** de los muertos,
   el **soberano** de los reyes de la tierra;
   aquél que **nos amó** y **nos purificó**
   de nuestros pecados con **su sangre**
   y ha hecho de nosotros un reino de sacerdotes
     para su Dios y Padre.
A él **la gloria y el poder** por los siglos de los siglos. Amén.

Dirige tu mirada a la asamblea cuando digas "Miren". Que la comunidad se sienta invitada a la contemplación.

Miren: él viene entre las nubes, y **todos** lo verán,
   aun aquéllos que lo **traspasaron**.
Todos los pueblos de la tierra harán duelo **por su causa**.

La frase final nos revela quién es Cristo. Léela con aplomo para que resuene en medio de la asamblea.

  "**Yo soy** el Alfa y la Omega, dice **el Señor Dios**,
  el que es, el que era y **el que ha de venir**,
  el **todopoderoso**".

EVANGELIO   Juan 18:33b–37

Lectura del santo Evangelio según san Juan

Se trata de un diálogo entre Jesús y Pilato. Da la entonación adecuada para que se noten con claridad las preguntas y respuestas.

En aquel tiempo, preguntó **Pilato** a Jesús:
  "¿**Eres tú** el rey de los judíos?"
Jesús le **contestó**:
  "¿Eso lo preguntas **por tu cuenta** o te lo han dicho otros?"
Pilato le respondió: "¿**Acaso** soy yo judío?
Tu **pueblo** y los sumos **sacerdotes** te han **entregado** a mí.
¿Qué es lo que has **hecho**?"

Menor. Nuestros versículos están tomados del saludo inicial. Jesucristo es descrito en esta introducción con muchos títulos de honor: testigo fiel, primero de los resucitados, rey de la tierra. Es, pues, el triunfador sobre la muerte por su resurrección, que garantiza también el triunfo de aquellos creyentes que sufren persecución. Desafortunadamente, la lectura litúrgica omite el versículo 8, parte integrante del saludo inicial, quitando la amplitud trinitaria del pasaje.

El resultado del misterio pascual de Cristo es habernos constituido un pueblo sacerdotal. Por esta condición, le pertene-

cemos a Dios Padre y estamos llamados a ofrecerle nuestras existencias. Jesús es descrito enseguida como el Hijo del Hombre de Daniel 7:13 y como el rey traspasado del que habla Zacarías 12:10. El autor alude seguramente al relato en el que Jesús es traspasado en la cruz después de su muerte (Juan 19:37),

Finalmente se menciona la primera y la última letra del alfabeto griego. Jesucristo es el principio y el final. Su encarnación y su misterio pascual lo colocan en el quicio del universo mismo y su segunda venida llevará a su culminación la obra salvadora del

Padre. Ya sabemos en dónde fundamentar nuestra fe: Dios es el único Señor; su Hijo nos ama y se ha entregado por nosotros; el Espíritu Santo nos impulsa a ofrecer nuestras vidas como agradable ofrenda.

EVANGELIO | Entre las siete distintas escenas que conforman el diálogo de Pilato y Jesús —gobernador y reo respectivamente— en el relato de la pasión de Juan, la liturgia nos presenta este pasaje que aclara el sentido de la realeza de Cristo. Jesús emplea las palabras de Pilato para aceptar que es rey. Pero clarifica que su

La respuesta de Jesús es prolongada, pero deja un tiempo y medio en silencio antes de proseguir su lectura.

Jesús le contestó:
"Mi Reino no es de este **mundo**.
Si mi **Reino** fuera de este mundo,
mis **servidores** habrían luchado
para que **no cayera** yo
en manos de **los judíos**.
Pero **mi Reino** no es de **aquí**".

Debe entrañar un dejo irónico esta pregunta. Sin elevar la voz, sino con toda serenidad deja que fluya completa la respuesta de Jesús.

Pilato le dijo: "¿Conque tú eres **rey**?"
Jesús le contestó:
"Tú lo has dicho. **Soy rey.**
Yo **nací** y vine al **mundo** para ser testigo de la **verdad**.
Todo el que es de la **verdad**, escucha mi **voz**".

reino no es como los reinos de este mundo, porque su origen no es terrestre, sino celestial y porque no se rige por los criterios del poder mundano: violencia, dominio, imposición. Su reinado, en cambio, no tiene súbditos, sino discípulos; Jesús es más pastor que rey y por eso los discípulos escuchan su voz. Acusado por los judíos de tener pretensiones reales que lo enfrentarían con el Imperio romano, Jesús afirma que su poder no proviene de nacionalismos o ambiciones humanas. Sus soldados no son huestes armadas, sino discípulos atentos a reconocer en su mensaje el testimonio de la verdad.

La conversación con Pilato tiene un dejo de ironía: los judíos prefieren adherirse al imperio romano, la potencia ocupante, con tal de dar muerte a Jesús. Pero, por otro lado, Pilato parece burlarse de este rey azotado y revestido de galas burlescas. Sólo el creyente alcanza a comprender que, detrás de esta apariencia, estamos ante la revelación de un rey universal, manifestado en la impotencia total ante los poderes de su tiempo. Esta es la medida del amor de Dios por el mundo (Juan 3:16). Ser un pueblo de reyes implica entrar en esta dinámica de entrega sacrificada de la propia vida.